LES OMBRES DE KATYN

PHILIP KERR

LES OMBRES DE KATYN

Traduit de l'anglais par Philippe Bonnet

ÉDITIONS DU MASQUE
17, rue Jacob 75006 Paris

Titre original
A Man without Breath
publié par Quercus, Londres

COUVERTURE
Maquette : We-We
Photographie : © Laski diffusion/Gamma

ISBN : 978-2-7024-4159-6

Ce roman est un petit témoignage de gratitude
à Tony Lacey, qui m'a aidé à m'y mettre,
et à Marian Wood, qui m'a permis de continuer.

« Une nation sans religion est comme un homme sans souffle. »

Joseph Goebbels, *Michael,* son seul roman publié.

PREMIÈRE PARTIE

1

Lundi 1ᵉʳ mars 1943

À l'extrémité de la table, Franz Meyer se leva, baissa les yeux, tripota la nappe et attendit que nous nous taisions. Avec ses cheveux blonds, ses yeux bleus et ses traits néoclassiques paraissant avoir été taillés par Arno Breker, le sculpteur officiel de Hitler, il ne répondait en rien à l'image que l'on pouvait se faire d'un Juif. La moitié de la SS et du SD était assurément plus sémite que lui. Meyer inspira profondément, presque avec euphorie, arbora un grand sourire exprimant à la fois soulagement et joie de vivre, et leva son verre à chacune des quatre femmes assises autour de la table. Aucune n'était juive, et pourtant, d'après les critères raciaux chers au ministère de la Propagande, elles auraient pu ; toutes les quatre étaient allemandes, avec un nez fort, des yeux sombres et des cheveux encore plus sombres. Pendant un moment, Meyer sembla submergé par l'émotion. Lorsqu'il réussit enfin à parler, il avait les larmes aux yeux.

« Je tiens à remercier ma femme et ses sœurs pour les efforts qu'elles ont déployés à mon égard, déclara-t-il. Ce que vous avez fait demandait un grand courage, et je ne peux vous dire tout ce que cela signifiait pour ceux d'entre nous qui étaient enfermés dans le Centre d'aide sociale juif que de savoir que tant de gens à l'extérieur se faisaient suffisamment de souci pour venir manifester en notre faveur.

— Je n'en reviens toujours pas qu'ils ne nous aient pas arrêtées, dit Siv, l'épouse de Meyer.

— Ils ont tellement l'habitude qu'on leur obéisse au doigt et à l'œil, suggéra Klara, sa belle-sœur, qu'ils ne savent pas quoi faire.

— Nous retournerons demain à la Rosenstrasse, affirma Siv. Nous n'arrêterons que lorsqu'on aura relâché tous ceux qui y sont détenus. Les deux mille au complet. Nous avons montré ce qu'il est possible de faire quand l'opinion publique se mobilise. Nous devons maintenir la pression.

— Oui, dit Meyer. Et nous le ferons. Nous le ferons. Mais, pour l'instant, j'aimerais proposer un toast. À notre nouvel ami, Bernie Gunther. Sans lui et ses collègues du Bureau des crimes de guerre, je serais probablement encore emprisonné au Centre d'aide sociale juif. Et ensuite, qui sait ? » Il sourit. « À Bernie ! »

Nous étions six dans la petite salle à manger confortable de l'appartement des Meyer, dans la Lützowerstrasse. Alors que les quatre femmes se levaient et me portaient un toast en silence, je secouai la tête. Je n'étais pas persuadé d'avoir mérité les remerciements de Franz Meyer. Du reste, le vin que nous buvions était un excellent rouge allemand – un Spätburgunder datant de bien avant la guerre que sa femme et lui auraient mieux fait de troquer contre de la nourriture au lieu de le gaspiller pour moi. Trouver du vin à Berlin était devenu pratiquement impossible, *a fortiori* une bonne bouteille de rouge allemand.

Poliment, j'attendis qu'ils aient bu à ma santé avant de me lever pour contredire mon hôte.

« Je ne suis pas sûr de pouvoir me vanter d'avoir eu beaucoup d'influence sur la SS, expliquai-je. J'ai parlé à deux flics de ma connaissance qui surveillaient votre manifestation, lesquels m'ont dit que, d'après le bruit qui courait, la plupart des prisonniers arrêtés samedi dans le cadre de l'opération menée à l'usine seraient probablement relâchés dans quelques jours.

— C'est incroyable ! s'exclama Klara. Qu'est-ce que ça signifie, Bernie ? Est-ce que vous pensez que les autorités sont en train de mettre la pédale douce concernant les déportations ? »

Avant que j'aie eu le temps de donner mon opinion, la sirène signalant un raid aérien retentit. Nous échangeâmes des regards, perplexes ; cela faisait près de deux ans que la Royal Air Force n'avait pas effectué de bombardement.

« Nous devrions descendre dans l'abri, déclarai-je. Ou à la rigueur au sous-sol. »

Meyer acquiesça.

« Oui, vous avez raison, dit-il d'un ton ferme. Vous devriez tous y aller. Au cas où ce serait pour de vrai. »

Je pris mon manteau et mon chapeau à la patère avant de me retourner vers lui.

« Mais vous venez également, n'est-ce pas ?

— Les abris sont interdits aux Juifs. Vous ne l'aviez peut-être pas remarqué. Du reste, comment auriez-vous pu ? Je ne crois pas qu'il y ait eu de raid aérien depuis que nous avons commencé à porter l'étoile jaune. »

Je secouai la tête.

« Je l'ignorais effectivement. » J'eus un haussement d'épaules. « Alors où les Juifs sont-ils censés aller ?

— Au diable, bien sûr. C'est du moins ce qu'espère le gouvernement. » Cette fois-ci, le sourire de Meyer était sardonique. « En outre, les gens savent qu'il s'agit d'un appartement juif, et, comme la loi exige qu'on laisse les logements avec les portes et les fenêtres ouvertes pour réduire l'onde de choc provoquée par l'explosion d'une bombe, c'est aussi une invite aux voleurs du coin à venir nous dévaliser. » Il opina. « Il faut donc que je reste ici. »

Je jetai un coup d'œil par la fenêtre. Dans la rue en contrebas, des centaines de personnes étaient déjà conduites vers l'abri le plus proche par des agents de police. Il n'y avait pas de temps à perdre.

« Franz, intervint Siv, nous n'irons pas sans toi. Il suffit que tu laisses ton manteau. Si on ne peut pas voir ton étoile, on croira que tu es allemand. Tu n'auras qu'à me porter à l'intérieur en expliquant que je me suis sentie mal. Je montrerai mon laissez-passer et je dirai que je suis ta femme. Personne n'ira chercher plus loin.

— Elle a raison, approuvai-je.

— Et si on m'arrête, que se passera-t-il ? On vient à peine de me relâcher. » Meyer secoua la tête et se mit à rire. « De plus, c'est

15

sans doute une fausse alerte. Le gros Hermann[1] ne nous a-t-il pas assuré que cette ville était la mieux défendue d'Europe ? »

Dehors, la sirène continuait à mugir, tel un affreux clairon mécanique annonçant la fin d'un quart de nuit dans les usines fumantes de l'enfer.

Siv Meyer s'assit à la table, s'étreignant les mains avec force.

« Si tu n'y vas pas, je n'irai pas non plus.

— Ni moi, dit Klara en s'asseyant à côté d'elle.

— Il n'est plus temps d'en discuter. Vous devriez y aller. Tous.

— Il a raison », dis-je avec davantage d'insistance, alors qu'on entendait déjà le bourdonnement des bombardiers au loin ; manifestement, ce n'était pas une fausse alerte. J'ouvris la porte et fis signe aux quatre femmes de me suivre. « Venez.

— Non, rétorqua Siv. Nous restons. »

Les deux autres sœurs se regardèrent, puis s'assirent près de leur beau-frère juif. De sorte que je me retrouvai planté là, un manteau à la main et une expression de nervosité sur le visage. Après tout, j'avais vu ce que nos bombardiers avaient fait à Minsk et dans certaines parties de la France. J'enfilai le manteau et enfonçai mes mains dans mes poches pour dissimuler le fait qu'elles tremblaient.

« Je ne pense pas qu'ils viennent lâcher des tracts, dis-je. Pas cette fois-ci.

— Certes, mais ce n'est sûrement pas après des civils comme nous qu'ils en ont, fit remarquer Siv. Il s'agit du quartier des ministères. Ils doivent savoir qu'il y a un hôpital près d'ici. La RAF ne prendrait pas le risque de toucher l'Hôpital catholique, n'est-ce pas ? Les Anglais ne sont pas comme ça. C'est la Wilhelmstrasse qu'ils visent.

— Comment le sauraient-ils, à six cents mètres d'altitude ? m'entendis-je répondre à voix basse.

— Elle a raison, dit Meyer. Ce n'est pas l'ouest de Berlin qu'ils prennent pour cible, mais l'est. Ce qui signifie qu'il vaut probablement mieux qu'aucun de nous ne soit dans la Rosenstrasse ce soir. »

_____

1. Hermann Goering, chef de la Luftwaffe, surnommé « le Bouffi » parmi les officiers allemands. *(Toutes les notes sont du traducteur.)*

16

Il me sourit. « Vous devriez partir, Bernie. Tout ira bien. Vous verrez.

— Je suppose, dis-je, puis, décidant d'ignorer comme les autres la sirène du raid aérien, je me mis à enlever mon manteau. Tout de même, je peux difficilement vous laisser là.

— Pourquoi pas ? » demanda Klara.

Je haussai les épaules. En fait, le problème pouvait se résumer de la façon suivante : il m'était difficile de m'éclipser sans perdre mon prestige face aux jolis yeux marron de Klara, et j'étais très désireux de lui faire bonne impression ; mais je n'osais pas le lui dire, pas encore.

Pendant un moment, je sentis ma poitrine se serrer, tandis que je continuais à garder mon sang-froid. Puis j'entendis des bombes éclater au loin et je poussai un soupir de soulagement. Dans les tranchées, pendant la Grande Guerre, si vous pouviez entendre les obus exploser ailleurs, cela signifiait habituellement que vous étiez hors de danger, dans la mesure où, de l'avis général, vous n'entendiez pas celui qui vous tuait.

« On dirait que c'est le nord de Berlin qui déguste, fis-je remarquer, m'appuyant au chambranle de la porte. La raffinerie de pétrole dans la Thaler Strasse, probablement. C'est la seule vraie cible dans les parages. Mais nous devrions au moins nous mettre sous la table. Au cas où une bombe perdue… »

Je n'eus pas le temps d'en dire plus. Sans doute est-ce le fait que je me tenais sur le seuil qui me sauva la vie, car, au même instant, la vitre de la fenêtre la plus proche sembla se fondre en mille gouttes de lumière. Certains de ces vieux immeubles d'habitation berlinois étaient faits pour durer, et j'appris par la suite que la bombe qui fit sauter celui dans lequel nous nous trouvions – sans parler de l'hôpital de la Lützowerstrasse – et le rasa en une fraction de seconde m'aurait certainement réduit en miettes si le linteau au-dessus de ma tête et la robuste porte en chêne accrochée à l'intérieur n'avaient pas résisté au poids de la poutrelle métallique de la toiture, parce que c'est ce qui tua Siv Meyer et ses trois sœurs.

Ensuite, ce fut l'obscurité et le silence, mis à part le bruit d'une bouilloire sifflant sur une plaque à gaz, tandis qu'elle arrivait lentement à ébullition, encore que c'était sans doute le fruit de mes tympans malmenés. On aurait dit que quelqu'un avait éteint la lumière électrique, puis arraché le plancher sur lequel je me tenais, moyennant quoi l'impression produite par la disparition du monde sous mes pieds devait ressembler à celle d'être pendu à une potence, une cagoule sur la tête. Je ne sais pas. La seule chose que je me rappelle, à vrai dire, c'est que j'étais allongé sur un tas de gravats lorsque je repris conscience, et qu'il y avait une porte sur ma figure, laquelle, comme j'en fus convaincu pendant quelques minutes, jusqu'à ce que j'aie repris suffisamment haleine pour appeler à l'aide en gémissant, était le couvercle de mon propre fichu cercueil.

J'avais quitté la Kripo[1] en 1942 pour rejoindre le Bureau des crimes de guerre de la Wehrmacht avec l'accord tacite de mon ancien collègue Arthur Nebe. En tant que commandant de l'Einsatzgruppe[2] B, stationné à Smolensk, où dix mille Juifs russes avaient été massacrés, Nebe lui-même en connaissait un rayon en matière de crimes de guerre. Cela satisfaisait probablement son goût de Berlinois pour l'humour noir qu'on m'ait affecté à un organisme réunissant de vieux juges prussiens, résolument antinazis pour la plupart. Adeptes des idéaux militaires tels que définis par la convention de Genève de 1929, ils estimaient qu'il y avait une façon correcte et honorable pour une armée – n'importe quelle armée – de faire la guerre. Nebe avait dû trouver très drôle l'existence, au sein du haut commandement allemand, d'une instance judiciaire qui non seulement renâclait à admettre des membres du parti dans ses rangs distingués, mais était également toute prête à consacrer ses ressources considérables à ouvrir des enquêtes et à intenter des poursuites concernant les crimes commis par et contre des soldats allemands : vols, pillages, viols et meurtres pouvaient faire l'objet d'investigations longues et sérieuses, se soldant parfois par la

---

1. Abréviation de Kriminalpolizei, « police criminelle ».
2. Les Einsatzgruppen (groupes d'action spéciale) étaient des unités de police militarisées opérant à l'arrière des troupes allemandes lors de l'invasion de la Pologne puis de l'Union soviétique et des États baltes. Ils exterminèrent plus d'un million de personnes de 1940 à 1943, essentiellement des Juifs et des prisonniers de guerre soviétiques. Au nombre de quatre (A, B, C, D), ils étaient divisés en Einsatzkommandos (commandos d'intervention) et en Sonderkommandos (commandos spéciaux).

condamnation à la peine de mort de leur auteur. Je trouvais ça assez cocasse moi aussi, mais il faut dire que je suis originaire de Berlin tout comme Nebe et que nous sommes connus pour avoir un curieux sens de l'humour. Néanmoins, à l'hiver 1943, on s'amusait comme on pouvait, et je ne vois pas comment qualifier autrement une situation où l'on pouvait pendre un caporal pour le viol et le meurtre d'une jeune paysanne russe dans un village situé à seulement quelques kilomètres d'un autre village où un groupe d'action spéciale SS venait d'assassiner vingt-cinq mille hommes, femmes et enfants. Je suppose que les Grecs avaient un terme pour ce genre de comédie et, si j'avais prêté un peu plus d'attention à mes professeurs de lettres classiques, j'aurais probablement su lequel.

Les juges – c'étaient presque tous des juges – travaillant pour le Bureau n'étaient pas plus hypocrites que nazis. Ils ne voyaient pas pourquoi ils auraient dû abandonner leurs valeurs morales sous prétexte que le gouvernement de l'Allemagne n'en avait plus aucune. Les Grecs avaient assurément un mot pour ça, et je savais lequel de surcroît, même si je dois reconnaître que j'avais oublié comment il s'écrivait. L'éthique, c'est ainsi qu'ils appelaient ce type de comportement, et que je doive m'occuper de justice et d'injustice était une bonne chose, dans la mesure où cela contribuait à faire renaître en moi un sentiment de fierté pour qui et ce que j'étais. Du moins, pendant un moment.

D'ordinaire, je secondais les juges du Bureau – dont plusieurs que j'avais connus sous la République de Weimar – en prenant les dépositions des témoins ou en dénichant de nouvelles affaires sur lesquelles enquêter. Ce qui m'avait permis de faire la connaissance de Siv Meyer. C'était une amie d'une jeune fille nommée Renata Matter, une bonne amie à moi qui travaillait à l'hôtel Adlon. Siv jouait du piano dans l'orchestre de l'Adlon.

Je la rencontrai à l'hôtel le dimanche 28 février, le lendemain du jour où les derniers Juifs de Berlin – soit dix mille personnes environ – avaient été arrêtés pour être déportés dans des ghettos à l'Est. Franz Meyer était ouvrier à l'usine d'ampoules électriques Osram à Wilmersdorf, où on l'avait appréhendé, mais avant ça il avait été médecin, de sorte qu'il s'était retrouvé infirmier à bord d'un navire-hôpital allemand qui avait été attaqué et coulé par un sous-marin britannique au large des côtes de Norvège en août 1941. Mon patron et chef du Bureau, Johannes Goldsche, avait tenté d'approfondir cette affaire, mais on pensait alors qu'il n'y avait pas eu de survivants. Aussi, lorsque Renata Matter me parla de l'histoire de Franz Meyer, je passai voir sa femme à leur domicile de la Lützowerstrasse.

C'était à une courte distance de mon propre appartement de la Fasanenstrasse, avec vue sur le canal et la mairie du quartier, et à juste deux pas de la synagogue de la Schulstrasse, où un grand nombre de Juifs de Berlin avaient été détenus en transit sur leur route vers une destination inconnue à l'Est. Meyer lui-même n'avait échappé aux arrestations que parce que c'était un *Mischehe* – un Juif marié à une Allemande.

D'après la photo de mariage posée sur le buffet Biedermeier, il était facile de voir ce qu'ils se trouvaient. Ridiculement beau, Franz Meyer ressemblait comme deux gouttes d'eau à Franchot Tone, l'acteur de cinéma, ancien mari de Joan Crawford. Siv, pour sa part, était simplement belle, sans rien de ridicule ; de même que ses sœurs, Klara, Frieda et Hedwig, toutes trois présentes lors de notre première entrevue.

« Pourquoi votre mari ne s'est-il pas manifesté avant ? demandai-je à Siv Meyer autour d'une tasse d'ersatz de café, la seule sorte de café dont on disposait à présent. Cet incident a eu lieu le 30 août 1941. Pourquoi est-ce seulement maintenant qu'il accepte d'en parler ?

— De toute évidence, vous ne savez pas grand-chose sur ce que c'est que d'être juif à Berlin, répondit-elle.

— Non, vous avez raison.

— Aucun Juif n'a envie d'attirer l'attention sur lui en prenant part à une enquête en Allemagne. Même s'il s'agit d'une bonne cause. »

Je haussai les épaules.

« Je comprends ça. Témoin pour le Bureau un jour, prisonnier de la Gestapo le lendemain. En revanche, je sais ce que c'est que d'être un Juif à l'Est et, si vous voulez éviter à votre mari de finir là-bas, j'espère pour vous que vous dites la vérité. Au Bureau des crimes de guerre, on reçoit un tas de gens qui s'amusent à nous faire perdre notre temps.

« — Vous êtes allé à l'Est ?

— Minsk, répondis-je simplement. On m'a renvoyé à Berlin et au Bureau des crimes de guerre pour avoir discuté les ordres.

— Comment est-ce là-bas ? Dans les ghettos ? Les camps de concentration ? On entend raconter tellement d'histoires différentes sur le repeuplement. »

Je haussai les épaules.

« Je ne pense pas que ces histoires donnent ne serait-ce qu'une idée de l'horreur de ce qui se passe dans les ghettos de l'Est. Et d'ailleurs, il n'y a pas de repeuplement. Seulement la famine et la mort. »

Siv Meyer poussa un soupir, puis échangea un coup d'œil avec ses sœurs. Moi aussi, ça me plaisait bien de regarder ses trois sœurs. Prendre la déposition d'une femme séduisante et sachant s'exprimer plutôt que d'un soldat blessé représentait un changement des plus agréable.

« Merci pour votre franchise, Herr Gunther, dit-elle. En même temps que des histoires, on entend tellement de mensonges. » Elle hocha la tête. « Puisque vous avez été honnête avec moi, je serai honnête avec vous. La principale raison pour laquelle mon mari n'a pas parlé jusqu'ici du naufrage du SS *Hrotsvitha von Gandersheim*, c'est qu'il ne tenait pas à faire au Dr Goebbels un cadeau qui puisse servir sa propagande antibritannique. Évidemment, maintenant qu'il a été arrêté, il semble que ce soit sa seule chance de ne pas aller en camp de concentration.

— Nous n'avons pas grand-chose à voir avec le ministère de la Propagande, Frau Meyer. Pas si nous pouvons l'éviter. Peut-être est-ce à eux que vous devriez parler.

— Je ne doute pas de votre sincérité, Herr Gunther, dit Siv Meyer. Néanmoins, des crimes de guerre britanniques contre des navires-hôpitaux sans défense constituent une excellente propagande.

— C'est exactement le genre de chose qui serait particulièrement utile, surtout en ce moment, ajouta Klara. Après Stalingrad. »

Je devais admettre qu'elle avait sans doute raison. La capitulation de la 6ᵉ armée allemande à Stalingrad le 2 février avait été le pire désastre qu'aient connu les nazis depuis leur arrivée au pouvoir ;

et le discours de Goebbels le 18, exhortant le peuple allemand à mener une guerre totale, avait certainement besoin d'incidents tels que le torpillage d'un navire-hôpital pour montrer qu'il n'y avait pas de marche arrière possible pour nous, que c'était la victoire ou rien.

« Écoutez, déclarai-je, je ne peux vous faire aucune promesse, mais, si vous me dites où est détenu votre mari, je me rendrai aussitôt là-bas, Frau Meyer. Si je pense que son récit présente un intérêt, je contacterai mes supérieurs pour essayer de le faire sortir en tant que témoin clé dans une enquête.

— Il est enfermé au Centre d'aide sociale juif, dans la Rosenstrasse, répondit Siv. Nous allons venir avec vous, si vous voulez. »

Je secouai la tête.

« Pas de problème. Je sais où ça se trouve.

— Vous ne comprenez pas, dit Klara. Nous y allons de toute manière. Pour protester contre la détention de Franz.

— Je doute que ce soit une très bonne idée. On vous arrêtera.

— Il y a beaucoup d'épouses qui y vont, fit valoir Siv. Ils ne peuvent pas nous arrêter toutes.

— Pourquoi pas ? demandai-je. Au cas où vous ne l'auriez pas remarqué, ils ont arrêté tous les Juifs. »

En entendant des pas près de ma tête, j'essayai d'écarter la lourde porte en bois de mon visage, mais ma main gauche était coincée et la droite, trop douloureuse pour que je puisse m'en servir. Quelqu'un cria quelque chose et, une ou deux minutes plus tard, je me sentis glisser légèrement tandis que les décombres sur lesquels j'étais affalé bougeaient comme un éboulis sur le flanc abrupt d'une montagne, puis la porte fut enlevée, révélant mes sauveteurs. L'immeuble avait presque entièrement disparu, et tout ce qui restait dans le clair de lune blafard, c'était une grande cheminée contenant une série ascendante de tuyaux d'évacuation. Des mains m'installèrent sur une civière et je fus extrait de l'amoncellement de tas de briques et de béton fumants, de conduites d'eau percées et de morceaux de bois pour être déposé au milieu de la rue, où j'avais une vue superbe sur un immeuble en train de brûler au loin ainsi que sur les faisceaux des projecteurs de la défense de Berlin tandis qu'ils continuaient à fouiller le ciel à la recherche d'avions ennemis. Tout à coup, la sirène sonna la fin de l'alerte, et j'entendis les pas des gens quittant déjà les abris pour chercher ce qui restait de leurs habitations. Je me demandai si mon propre logement de la Fasanenstrasse était intact. Non qu'il y eût grand-chose à l'intérieur. Presque tout ce qui avait de la valeur avait été vendu ou échangé au marché noir.

Petit à petit, je me mis à mouvoir ma tête dans un sens puis dans l'autre, jusqu'à ce que j'arrive à me soulever sur un coude pour regarder autour de moi. Mais j'avais du mal à respirer : ma poitrine était encore pleine de poussière et de fumée et l'effort déclencha une quinte de toux, qui ne se calma que lorsqu'un homme que je reconnus à moitié m'aida à boire un verre d'eau et étendit une couverture sur moi.

Peu après, il y eut un grand cri, et la cheminée s'abattit sur l'endroit où j'étais resté étendu. La poussière dégagée par l'effondrement me recouvrit. Aussi, on me déplaça un peu plus bas dans la rue et on me mit avec plusieurs autres qui attendaient des soins médicaux. Klara était maintenant couchée à côté de moi, à moins d'une longueur de bras. Sa robe était à peine déchirée, ses yeux ouverts et son corps sans aucune marque. Je l'appelai par son nom à plusieurs reprises avant de finir par me rendre compte qu'elle était morte. On aurait dit que sa vie venait de s'arrêter comme une horloge, et il semblait inimaginable qu'une si grande partie de son avenir – elle ne devait pas avoir plus d'une trentaine d'années – se soit volatilisée en l'espace de quelques secondes.

Plusieurs cadavres étaient disposés dans la rue à côté d'elle. Je ne pouvais pas voir combien. Je m'assis, cherchant Franz Meyer et les autres, mais l'effort fut trop grand. Je retombai en arrière, fermai les yeux. Et perdis connaissance, je présume.

« Rendez-nous nos maris ! »

On pouvait les entendre à trois rues de là – une vaste foule de femmes en colère. Comme nous tournions le coin de la Rosenstrasse, je restai bouche bée. Je n'avais rien vu de pareil dans les rues de Berlin depuis que Hitler avait pris le pouvoir. Et qui aurait pensé que porter un joli chapeau et un sac à main était la meilleure façon de s'habiller pour s'opposer aux nazis ?

« Libérez nos maris ! scandait la horde de femmes alors que nous nous engagions dans la rue. Libérez nos maris immédiatement ! »

Elles étaient plus nombreuses que je ne m'y attendais – sans doute plusieurs centaines. Même Klara avait l'air étonnée, mais pas autant que les flics et les SS qui gardaient le Centre d'aide sociale juif. Ils serraient leurs mitraillettes et leurs fusils, grommelaient des imprécations à l'adresse des femmes les plus proches de la porte et semblaient horrifiés de constater qu'on ne leur prêtait aucune attention ou même qu'on les maudissait sans ambages en retour. Ce n'était pas censé se passer ainsi ; si vous aviez une arme, les gens devaient faire ce que vous leur disiez. C'était la page un de « comment être un nazi ».

Le Centre d'aide sociale de la Rosenstrasse, près de l'Alexanderplatz, était un bâtiment en granite gris datant de l'époque wilhelminienne, avec un toit en bâtière. Il était situé à côté d'une synagogue – autrefois la plus vieille de Berlin – en partie détruite par les nazis en novembre 1938 et à un jet de pierre du Praesidium de la police où j'avais passé l'essentiel de ma carrière. J'avais beau ne plus travailler à la Kripo, je m'étais arrangé pour garder mon jeton de bière, la plaque d'identité en laiton qui inspirait un respect aussi pusillanime à la plupart des Allemands.

« Nous sommes d'honnêtes citoyennes, cria une des femmes. Dévouées au Führer et à la patrie. Vous ne pouvez pas nous parler comme ça, espèce de jeune effronté.

— Je peux parler comme ça à quiconque est assez malavisé pour avoir épousé un Juif, entendis-je répondre un des agents, un caporal. Rentrez chez vous, madame, ou vous risquez de prendre une balle.

— Ce qu'il vous faudrait, c'est une bonne fessée, sale petit garnement, lança une autre femme. Est-ce que votre mère sait que vous êtes un tel morveux arrogant ?

— Vous voyez ? dit Klara avec une expression de triomphe. Ils ne peuvent pas nous tuer toutes.

— Ah ! vous croyez ça ? répliqua le caporal d'un ton railleur. Quand on recevra l'ordre de tirer, je vous promets que vous serez la première à y avoir droit, mamie.

— Du calme, caporal, dis-je en lui fourrant mon jeton de bière sous le nez. Il n'est nullement nécessaire d'être grossier avec ces dames. Surtout un dimanche après-midi.

— Oui, Kommissar, s'empressa-t-il de répondre. Désolé. » Il fit un signe de tête par-dessus son épaule. « Vous allez à l'intérieur ?

— En effet. » Je me tournai vers Klara et Siv. « J'essaierai d'être aussi rapide que possible.

— Dans ce cas, si vous étiez assez aimable, il nous faudrait des ordres. Personne ne nous a dit quoi faire. Seulement de rester ici et d'empêcher les gens d'entrer. Vous pourriez peut-être en toucher un mot, Kommissar. »

Je haussai les épaules.

« Bien sûr, caporal. Mais, d'après ce que je peux voir, vous faites déjà un excellent boulot.

— Vous croyez ?

— Vous maintenez la paix, n'est-ce pas ?

— Oui, Kommissar.

— Vous ne pouvez pas maintenir la paix si vous vous mettez à tirer sur toutes ces femmes, pas vrai ? » Je lui souris, puis lui donnai une tape sur l'épaule. « D'après mon expérience, caporal, le meilleur travail de police est celui qui n'a l'air de rien et qui est toujours vite oublié. »

Je n'étais pas préparé à la scène qui m'attendait à l'intérieur, où l'odeur était déjà insupportable : un centre d'aide sociale n'est pas destiné à servir de camp de transit pour deux mille prisonniers. Des hommes et des femmes, une étiquette d'identité attachée à une ficelle autour du cou tels des enfants en voyage, faisaient la queue pour utiliser un W.-C. sans porte, tandis que d'autres s'entassaient à cinquante ou soixante dans des locaux où il était impossible de s'asseoir. Des colis alimentaires, la plupart apportés par les femmes au-dehors, remplissaient une pièce où on les avait jetés, mais personne ne se plaignait. Le calme régnait. Au bout de près de dix ans de régime nazi, les Juifs étaient trop avisés pour se plaindre. Seul le sergent de police chargé de ces gens semblait enclin à se lamenter. Tandis qu'il cherchait une fiche au nom de Franz Meyer, puis qu'il m'emmenait au bureau du second étage

25

où ce dernier était détenu, il se mit à dérouler le fil barbelé de ses aigres récriminations.

« Je ne sais pas ce que je dois faire avec tous ces individus. Personne ne m'a rien dit. Combien de temps ils vont rester ici. Comment les installer plus confortablement. Quoi raconter à ces maudites bonnes femmes qui réclament des réponses. Ce n'est pas une sinécure, je peux vous le dire. Tout ce dont je dispose, c'est de ce qui se trouvait dans cet immeuble de bureaux lorsqu'on est arrivés hier. Ça ne faisait pas une heure qu'on était là qu'il n'y avait plus de papier-toilette. Et Dieu seul sait comment je vais pouvoir les nourrir. Tout est fermé le dimanche.

— Pourquoi ne pas ouvrir ces colis de nourriture et les leur donner ? » demandai-je.

Le sergent me regarda, incrédule.

« Je ne peux pas faire une chose pareille, répondit-il. Ce sont des colis privés.

— Je ne crois pas que ça dérangera beaucoup ceux à qui ils appartiennent. Du moment qu'ils ont quelque chose à manger. »

Nous trouvâmes Franz Meyer assis dans un des grands bureaux où près d'une centaine d'hommes attendaient patiemment qu'il se passe quelque chose. Le sergent appela Meyer, puis, tout en continuant à maugréer, partit réfléchir à ce que je lui avais suggéré au sujet des colis, tandis que je parlais à mon témoin potentiel dans la relative intimité du couloir.

Je lui expliquai que je travaillais au Bureau des crimes de guerre et pourquoi j'étais là. Pendant ce temps, devant l'immeuble, la manifestation des femmes semblait de plus en plus bruyante.

« Votre épouse et vos belles-sœurs sont dehors. Ce sont elles qui m'envoient.

— Dites-leur de rentrer à la maison, répondit Meyer. À mon avis, on est plus en sécurité ici qu'à l'extérieur.

— Je suis d'accord. Mais elles ne m'écouteront pas. »

Meyer sourit.

« Oui, j'imagine.

— Plus vite vous me direz ce qui s'est passé à bord du SS *Hrotsvitha von Gandersheim,* plus vite je pourrai parler à mon patron afin de vous sortir d'ici et plus vite elles seront hors de danger. Enfin, si vous êtes prêt à me faire une déposition.

— C'est ma seule chance d'éviter un camp de concentration, je présume.

— Ou pire, ajoutai-je, histoire d'en remettre une couche.

— Eh bien, voilà qui est franc, je suppose. »

Sur ce, il haussa les épaules.

« Dois-je prendre ça pour un oui ? »

Il opina du chef, et nous passâmes la demi-heure suivante à rédiger sa déclaration sur ce qui s'était passé au large des côtes norvégiennes en août 1941. Lorsqu'il l'eut signée, j'agitai mon doigt dans sa direction.

« En venant ici, je prends des risques à cause de vous. Aussi vous avez intérêt à ne pas me laisser tomber. Si jamais j'apprends que vous avez changé votre histoire, je me laverai les mains de ce qui peut vous arriver. Compris ? »

Il acquiesça.

« Et pourquoi prenez-vous des risques ? »

C'était une bonne question, et qui méritait probablement une réponse, mais je ne tenais pas à entrer dans des détails du genre qu'une amie d'une amie m'avait demandé mon aide, ce qui était la façon habituelle de régler les problèmes en Allemagne ; et je n'avais assurément pas envie de lui dire combien je trouvais sa belle-sœur Klara séduisante, ou que je rattrapais le temps perdu pour ce qui était d'aider les Juifs ; et peut-être même un peu plus que du temps perdu.

« Disons que je ne porte pas les Tommies dans mon cœur et restons-en là, d'accord ? » Je hochai la tête. « D'ailleurs, je ne vous promets rien. La décision appartient à mon patron, le juge Goldsche. S'il estime que votre déposition peut servir de point de départ à une enquête sur un crime de guerre britannique, c'est lui qui devra convaincre le ministère des Affaires étrangères que cela justifie un livre blanc, pas moi.

— Qu'est-ce que c'est qu'un livre blanc ?

— Une publication officielle ayant pour but de présenter la version allemande d'un incident susceptible de constituer une violation des lois de la guerre. C'est le Bureau qui fait tout le travail sur le terrain et les Affaires étrangères qui publient le rapport.

— Alors cela risque de prendre un moment, on dirait. »

Je secouai la tête.

« Heureusement pour vous, le Bureau et le juge possèdent pas mal de pouvoir. Même dans l'Allemagne nazie. Si le juge croit à votre histoire, demain vous serez chez vous. »

2

Mercredi 3 mars 1943

On me transporta à l'hôpital de Friedrichshain. Je souffrais d'une commotion cérébrale et d'avoir inhalé de la fumée. L'inhalation de fumée n'avait rien d'une nouveauté, mais, à la suite de la commotion, le médecin me conseilla de rester alité un jour ou deux. J'ai toujours détesté les hôpitaux – ils vous débitent un peu trop de réalité à mon goût. Mais je me sentais bel et bien fatigué. C'est le genre d'effet que produit sur vous un bombardement de la RAF. Aussi le conseil de ce Jésus de l'aspirine frais et dispos me convenait-il parfaitement. Je pensais qu'on me devait bien un peu de temps avec les pieds en l'air et la bouche en extension. En outre, j'étais nettement mieux à l'hôpital que dans mon appartement. On nourrissait encore les patients dans les hôpitaux publics ; je ne pouvais pas en dire autant de chez moi, où la marmite était vide.

De ma fenêtre, j'avais une jolie vue du cimetière St. Georg, mais ça ne me dérangeait pas : l'hôpital fait face à la Böhmisches Brauhaus, de l'autre côté de la Landsberger Allee, ce qui signifie que de forts effluves de houblon flottent toujours dans l'air. Je ne connais pas de meilleur remède pour accélérer le rétablissement d'un Berlinois que l'odeur de la bière allemande. Non qu'on en vît beaucoup dans les bars de la ville : la plus grande partie de la bière brassée à Berlin allait directement à nos braves petits gars sur le front russe. Mais je pouvais difficilement leur en vouloir. Après Stalingrad, ils avaient besoin d'un goût de chez soi pour se redonner du courage.

À l'hiver 1943, il n'y avait pas grand-chose d'autre pour redonner du courage à un homme.

Dans tous les cas, j'étais beaucoup mieux loti que Siv Meyer et ses sœurs, mortes toutes les quatre. Les seuls à avoir survécu à cette soirée étaient moi et Franz, qui se trouvait à l'Hôpital juif. Où, à part ça ? Le plus surprenant, c'était qu'il existât un Hôpital juif, pour commencer.

Je n'étais pas sans visites. Renata Matter vint me voir. C'est Renata qui me dit que mon propre appartement était intact et qui m'apprit la nouvelle pour les sœurs Meyer. Elle était plutôt bouleversée et, étant catholique, elle avait passé la matinée à prier pour leur âme. Elle semblait non moins secouée par la nouvelle qu'on avait mis en prison le prêtre de Sainte-Edwige, Bernhard Lichtenberg, et qu'il serait probablement envoyé à Dachau, où, d'après elle, se trouvaient déjà incarcérés plus de deux mille prêtres. Deux mille prêtres à Dachau, une pensée plutôt affligeante. C'est le problème avec les visiteurs des hôpitaux : parfois, vous préféreriez qu'ils n'aient pas pris la peine de venir et d'essayer de vous remonter le moral.

C'est à coup sûr ce que j'éprouvais à l'égard de mon autre visiteur, un commissaire de la Gestapo appelé Werner Sachse. J'avais connu Sachse à l'Alex et, en vérité, ce n'était pas un mauvais bougre pour un officier de la Gestapo, mais je savais qu'il n'était pas là pour m'offrir un stollen[1] et un mot d'encouragement. Les cheveux aussi ordonnés que les lignes d'un carnet de menuisier, il portait un manteau en cuir noir qui craquait comme de la neige sous vos pieds dès qu'il faisait un mouvement, ainsi qu'un chapeau noir et une cravate noire qui me mettaient mal à l'aise.

« Je prendrai les poignées en cuivre et la doublure en satin, s'il te plaît, dis-je. Et un cercueil ouvert, je pense. »

Sachse eut l'air perplexe.

« Je suppose que ton grade ne va pas jusqu'à l'humour noir. Seulement les manteaux et les cravates noirs.

— Tu serais surpris. » Il haussa les épaules. « Nous avons nous aussi nos blagues à la Gestapo.

---

1. Pain de Noël traditionnel, garni de fruits secs et de pâte d'amandes.

— Je n'en doute pas. Sauf qu'on appelle ça des preuves pour le Tribunal du peuple de Moabit.

— Je t'aime bien, Gunther, aussi tu ne m'en voudras pas si je te mets en garde contre de telles plaisanteries. Surtout après Stalingrad. Ces jours-ci, ça s'appelle « saper la puissance défensive », et on vous coupe la tête pour ça. L'année dernière, on a décapité trois personnes par jour rien que pour avoir balancé des vannes de ce genre.

— Tu n'as pas entendu ? Je suis malade. J'ai une commotion cérébrale. Je peux à peine respirer. Je ne suis pas moi-même. Si on me coupe la tête, je ne m'en apercevrai probablement pas, de toute façon. C'est mon alibi en cas de comparution devant un tribunal. Bon, quel est ton échelon, Werner ?

— A3. Pourquoi cette question ?

— Je me demandais quelle raison inciterait un homme gagnant six cents marks par semaine à faire tout ce chemin pour me mettre en garde contre le risque de saper notre puissance défensive, à supposer qu'une telle chose existe vraiment après Stalingrad.

— C'était juste un avertissement amical. En passant. Mais ce n'est pas pour ça que je suis ici, Gunther.

— Je ne peux pas m'imaginer que tu sois venu avouer un crime de guerre, Werner. Du moins, pas encore.

— Ça te plairait, hein ?

— Je me demande jusqu'où nous pourrions aller avec ça avant qu'ils nous coupent la tête à tous les deux.

— Parle-moi de Franz Meyer.

— Il est malade également.

— Oui, je sais. Je viens de l'Hôpital juif.

— Comment va-t-il ? »

Sachse secoua la tête.

« Il se débrouille très bien. Il est dans le coma.

— Tu vois ? J'avais raison. Ton échelon ne s'étend pas jusqu'à l'humour. De nos jours, il faut être au moins Kiminalrat[1] avant d'être autorisé à faire des plaisanteries réellement drôles.

— Les Meyer étaient sous surveillance, tu le savais ?

---

1. Conseiller en affaires criminelles.

31

— Non. Je ne suis pas resté là assez longtemps pour m'en apercevoir. Pas avec Klara dans les parages. C'était une vraie beauté.

— Oui, c'est regrettable en ce qui la concerne, je suis d'accord. Tu t'es rendu deux fois dans leur appartement. Le dimanche puis le lundi soir.

— Exact. Dis donc, je suppose que les mouchards qui épiaient les Meyer n'ont pas été tués également ?

— Non. Ils sont toujours en vie.

— Dommage.

— Mais qui te dit qu'il s'agissait de mouchards ? Ce n'était pas une opération d'infiltration. Je pense que les Meyer se savaient surveillés, même si tu étais trop bête pour t'en rendre compte. »

Il alluma deux cigarettes et m'en mit une dans la bouche.

« Merci, Werner.

— Écoute, espèce d'affreux crétin, il vaudrait mieux que tu saches que c'est moi et quelques autres types de la Gestapo qui t'ont découvert et sorti de ce tas de décombres avant que la cheminée dégringole. C'est la Gestapo qui t'a sauvé la vie, Gunther. Alors, comme tu vois, nous devons avoir un certains sens de l'humour. Le plus raisonnable aurait probablement été de te laisser te faire écrabouiller.

— Franchement ?

— Franchement.

— Alors merci. Je te revaudrai ça.

— Je me disais bien. Raison pour laquelle je suis venu te poser des questions sur Franz Meyer.

— OK. Je t'écoute. Prends ta lampe à arc et allume-la.

— Des réponses honnêtes. Tu me dois bien ça. »

Je tirai une courte bouffée de ma cigarette, histoire de reprendre mon souffle, puis acquiesçai.

« Ça et cette clope. Elle a réellement goût de tabac.

— Que faisais-tu dans la Lützowerstrasse ? Et ne me dis pas que tu « passais par là ».

— Lorsque Franz Meyer s'est fait ramasser par la Gestapo au cours de la rafle à l'usine, sa bourgeoise a pensé que le Bureau des crimes de guerre pourrait peut-être le tirer de ce mauvais pas. C'était le seul témoin ayant survécu au torpillage d'un navire-hôpital par un sous-marin tommy au large des côtes de Norvège en 1941. Le SS *Hrotsvitha von Gandersheim*. J'ai pris sa déposition, puis j'ai persuadé mon patron de signer un ordre pour le faire libérer.

— Et qu'est-ce que ça te rapportait ?

— C'est mon boulot, Werner. On m'indique un crime de guerre possible et j'essaie de recueillir des informations. Écoute, j'avoue que les Meyer se sont montrés très reconnaissants. Ils m'ont invité à dîner et ont ouvert leur dernière bouteille de Spätburgunder pour fêter la libération de Franz du Centre d'aide sociale juif dans la Rosenstrasse. Nous levions notre verre quand la bombe a éclaté. Cependant, je ne peux pas nier que j'éprouvais une certaine satisfaction à l'idée de coller un marron aux Tommies. De sales donneurs de leçons. D'après eux, le *Hrotsvitha von Gandersheim* n'était pas un navire-hôpital, seulement un bâtiment transportant des troupes. Douze cents hommes noyés. Des soldats, certes, mais des soldats blessés rentrant en Allemagne. Sa déposition se trouve entre les mains de mon patron, le juge Goldsche. Lis-la toi-même, tu verras si je mens.

— Oui, je vérifierai. Mais pourquoi n'êtes-vous pas allés dans l'abri comme tout le monde ?

— Meyer est juif. Les abris lui sont interdits.

— Très bien, mais, et le reste d'entre vous ? L'épouse, ses sœurs, elles n'étaient pas juives. Tu admettras que c'est un peu suspect.

— Nous ne pensions pas que le raid aérien était pour de vrai. Aussi avons-nous décidé de rester là.

— D'accord. » Sachse poussa un soupir. « Je suppose qu'aucun de nous ne refera la même erreur. Berlin est en ruine. Sainte-Edwige a brûlé, la Prager Platz n'est plus qu'un champ de décombres, et l'hôpital de la Lützowerstrasse a été complètement détruit. La RAF a lâché plus d'un millier de tonnes de bombes. Sur des objectifs civils. Eh bien, c'est ce que j'appellerais un putain de crime de guerre. Pendant que tu y es, enquête donc là-dessus, hein ? »

Je hochai la tête.

« Oui.

— Est-ce que les Meyer ont fait mention de devises étrangères ? Des francs suisses, par exemple ?

— Tu veux dire, pour moi ? » Je secouai la tête. « Non. On ne m'a même pas offert un malheureux paquet de cigarettes. » Je fronçai les sourcils. « Est-ce que tu insinues que ces enfoirés avaient de l'argent ? »

Sachse opina.

« Dans ce cas, ils ne m'en ont pas proposé.

— Ont-ils fait allusion à un dénommé Wilhelm Schmidhuber ?

— Non.

— Friedrich Arnold ? Julius Fliess ? »

Je secouai la tête.

« L'opération Sept, peut-être ?

— Jamais entendu parler.

— Dietrich Bonhoeffer ?

— Le pasteur ? »

Sachse acquiesça.

« Non. Je m'en serais souvenu. De quoi s'agit-il, Werner ? »

Sachse aspira une bouffée de sa cigarette, jeta un coup d'œil à l'homme dans le lit voisin et tira sa chaise plus près de moi, suffisamment près pour que je sente sa lotion après-rasage Klar Klassik ; ce qui, même sur la Gestapo, changeait agréablement des pansements fétides, de la pisse sur les carreaux des fenêtres et des bassins hygiéniques oubliés.

« L'opération Sept était un plan destiné à aider sept Juifs à fuir en Suisse.

— Sept Juifs importants ?

— Rien de tel. Plus maintenant. Tous les Juifs importants ont quitté l'Allemagne ou sont… Enfin, ils ont quitté l'Allemagne. Non, c'étaient juste des Juifs ordinaires.

— Je vois.

— Il va sans dire que la Suisse est tout aussi antisémite que nous et ne ferait rien sinon pour de l'argent. Nous pensons que les conspirateurs avaient l'obligation de réunir une somme importante afin que ces Juifs puissent subvenir à leurs besoins et ne constituent pas un fardeau pour l'État helvétique. L'argent était passé clandestinement en Suisse. Quoi qu'il en soit, l'opération Sept s'appelait initialement l'opération Huit et incluait Franz Meyer. Nous

34

l'avions placé sous surveillance dans l'espoir qu'il nous mènerait à d'autres conspirateurs.

— Dommage. »

Werner Sachse hocha lentement la tête.

« Je crois ton histoire.

— Merci, Werner. J'apprécie. Malgré tout, je suppose que tu as fouillé mes poches pour voir si elles contenaient des francs suisses, quand je gisais dans la rue.

— Naturellement. Lorsque tu es apparu, j'ai pensé que nous avions trouvé le bon filon. Tu peux imaginer ma tristesse en comprenant que tu étais probablement réglo.

— C'est comme je dis toujours, Werner. Il n'y a rien d'aussi décevant que de découvrir que nos amis et nos voisins ne sont pas plus malhonnêtes que nous. »

3

Vendredi 5 mars 1943

Deux jours plus tard, le médecin me donna davantage d'aspirine, me conseilla de prendre l'air frais le plus possible pour m'aider à respirer et me dit que je pouvais rentrer chez moi. Berlin était renommée à juste titre pour son air, mais il n'était plus aussi frais, pas depuis que les nazis s'étaient emparés du pouvoir.

Par coïncidence, le même jour, les autorités déclarèrent aux Juifs encore détenus au Centre d'aide sociale qu'ils pouvaient également rentrer chez eux. Je n'en revenais pas lorsque j'appris la nouvelle, et j'imagine que les hommes et les femmes qui furent relâchés en revenaient encore moins. Les autorités allèrent jusqu'à rechercher des Juifs qui avaient déjà été déportés et à les faire revenir à Berlin pour les relâcher comme les autres.

Que se passait-il ? Qu'y avait-il dans la tête du gouvernement ? Était-il vraisemblable qu'à la suite de la cinglante défaite de Stalingrad les nazis soient en train de lâcher prise ? Ou avaient-ils réellement entendu les protestations d'un millier de citoyennes allemandes déterminées ? C'était difficile à dire, mais ça paraissait la seule conclusion possible. Sur les dix mille Juifs arrêtés le 27 février, moins de deux mille étaient allés à la Rosenstrasse. Certains avaient été enfermés au Clou, la salle de concert de la Mauerstrasse, d'autres dans les écuries d'une caserne de la Rathenower Strasse et d'autres encore dans une synagogue de la Levetzowstrasse, à Moabit. Mais c'est seulement à la Rosenstrasse, où étaient détenus les Juifs mariés à des Allemandes, qu'une manifestation avait eu lieu, et c'est seulement là que des Juifs avaient été relâchés. D'après ce que j'entendis par la suite, tous les Juifs des autres endroits avaient été déportés à l'Est. Mais, si la manifestation avait réellement porté ses fruits, cela soulevait la question suivante : que se serait-il passé si des protestations à grande échelle avaient eu lieu auparavant ? Que la première opposition organisée aux nazis en dix ans ait été couronnée de succès donnait à réfléchir.

Donnait également à réfléchir l'idée que, si je n'avais pas aidé Franz Meyer, il serait certainement resté au Centre d'aide sociale de la Rosenstrasse, et son épouse et ses sœurs seraient probablement demeurées avec les autres femmes à l'extérieur, auquel cas ils seraient tous encore en vie. Sans domicile, peut-être. Mais en vie, oui, c'était tout à fait concevable. Aucune quantité d'aspirine au monde n'aurait pu chasser ce genre de migraine.

Je quittai l'hôpital, mais je ne rentrai pas chez moi. Du moins, pas tout de suite. Je pris un train de la Ringbahn en direction du nord-ouest, vers Gesundbrunnen. Pour me remettre au boulot.

L'Hôpital juif de Wedding se composait d'environ six ou sept bâtiments au coin de la Schulstrasse et de l'Exerzierstrasse, près de l'hôpital St. Georg. Non moins surprenant que l'existence même à Berlin d'une chose telle qu'un Hôpital juif était le constat qu'il s'agissait d'un établissement moderne, relativement bien équipé et rempli de médecins, d'infirmières et de patients. Comme tous étaient juifs, il était gardé par un petit détachement de SS. J'avais à peine décliné mon identité à la réception que je m'aperçus que l'hôpital avait aussi sa propre section de la Gestapo, dont un des officiers fut appelé en même temps que le directeur de l'hôpital, le Dr Walter Lustig.

Lustig arriva le premier, et il apparut que nous nous étions déjà rencontrés plusieurs fois : Silésien pur et dur – ceux-là étaient toujours les Prussiens les plus désagréables –, Lustig avait dirigé le service médical du Praesidium de la police à l'Alex, et nous avions toujours éprouvé de l'aversion l'un pour l'autre. Pour ma part, je n'aimais pas beaucoup les types arrogants ayant l'allure sinon la taille d'un officier supérieur prussien ; lui pensait probablement que je ne pouvais pas le sentir parce qu'il était juif. Mais, à vrai dire, c'est seulement en le voyant à l'hôpital que je m'en rendis compte – l'étoile jaune sur sa blouse blanche ne laissait aucun doute à ce sujet. Il me méprisait parce qu'il semblait mépriser tous ceux qui occupaient une position inférieure à la sienne ou qui n'avaient qu'un niveau d'instruction modeste au regard de ses normes universitaires élevées. À l'Alex, on le surnommait Doktor Doktor parce qu'il était diplômé à la fois en philosophie et en médecine, et qu'il ne ratait jamais une occasion de le rappeler.

À cet instant, il claqua les talons et s'inclina avec raideur comme s'il venait de traverser la place d'armes de l'Académie de guerre de Prusse.

« Herr Gunther, dit-il. Après toutes ces années, voilà que nous nous retrouvons. À quoi devons-nous ce plaisir douteux ? »

Assurément, son nouveau statut de membre d'une race de parias ne semblait avoir affecté en rien son attitude. Je pouvais presque voir la cire sur l'aigle dont il avait orné sa lèvre supérieure. Je n'avais pas oublié son air pompeux, mais j'avais, semble-t-il, oublié son haleine, qui nécessitait un bon demi-mètre de distance pour qu'un homme ayant un gros rhume se sente à peu près en sécurité en sa compagnie.

« Je suis également ravi de vous revoir, docteur Lustig. Alors c'est ici que vous étiez passé. Je me suis souvent demandé ce que vous étiez devenu.

— J'ai du mal à imaginer que cela vous empêche de dormir.

— Non, en effet. Ces jours-ci, je dors comme un loir sans rêves. Cependant, je suis content de constater que vous allez bien. » Je jetai un coup d'œil alentour. Il y avait quelques détails de conception à l'aspect hébraïque sur le mur, mais pas trace du genre de figure anguleuse, astronomique que les nazis se plaisaient à ajouter à tout ce qui appartenait à des Juifs ou dont ils se servaient. « C'est un endroit charmant que vous avez là, doc. »

Lustig s'inclina de nouveau, puis regarda ostensiblement sa montre de poche.

« Oui, oui, mais vous savez, *tempus fugit.*

— Vous avez un patient, Franz Meyer, qui a été amené ici lundi soir ou peut-être mardi en début de matinée. C'est le témoin clé d'une enquête pour crime de guerre que j'effectue pour la Wehrmacht. J'aimerais le voir si c'est possible.

« — Vous ne faites plus partie de la police ?

— Non, docteur. »

Je lui remis ma carte.

« Alors il semble que nous ayons quelque chose en commun. Qui aurait cru une chose pareille ?

— La vie est pleine de surprises.

— C'est particulièrement vrai ici, Herr Gunther. Adresse ?

— La mienne, ou celle de Herr Meyer ?

— Celle de Herr Meyer, évidemment.

— Appartement trois, 10 Lützowerstrasse, Berlin, Charlottenburg. »

D'un ton cassant, Lustig répéta le nom et l'adresse à la jolie infirmière qui l'escortait à présent. Aussitôt et sans qu'on le lui demande, elle entra dans le bureau derrière la réception et chercha dans un grand classeur le dossier du patient. Pour une raison ou pour une autre, je sentis que Lustig avait l'habitude d'être toujours le premier servi à table.

Il faisait déjà claquer ses doigts charnus.

« Allons, allons, je n'ai pas toute la journée.

— Je vois que vous êtes toujours aussi occupé, Herr Doktor, dis-je, alors que l'infirmière revenait pour lui remettre le dossier.

— Une sorte de refuge, au moins, murmura-t-il en parcourant les notes. Oui, je me souviens de lui maintenant, le malheureux. Il lui manque la moitié de la tête. Qu'il soit encore vie, voilà qui dépasse mon entendement médical. Il se trouve dans le coma depuis qu'il est arrivé ici. Souhaitez-vous toujours le voir ? Peut-être que gaspiller son temps est une habitude institutionnelle au Bureau des crimes de guerre, comme c'était le cas à la Kripo ?

— Je souhaiterais le voir néanmoins. Je voudrais m'assurer que vous ne lui faites pas aussi peur qu'à elle, doc. »

Je souris à l'infirmière. D'après mon expérience, les infirmières, même jolies, méritent toujours un sourire.

« Très bien. » Lustig laissa échapper un soupir las semblable à un gémissement et se mit à marcher rapidement le long du couloir. « Venez, Herr Gunther, s'écria-t-il, suivez-moi, suivez-moi. Nous devons nous dépêcher si nous voulons que Herr Meyer soit encore en état de prononcer le mot d'une importance capitale qui vous apportera peut-être l'assistance indispensable à votre enquête. Apparemment, mes propres paroles comptent pour bien peu de chose par les temps qui courent. »

Quelques secondes plus tard, nous rencontrâmes un homme à la bouche maussade, sous laquelle s'étalait une grande cicatrice faisant l'effet d'une troisième lèvre.

« Et voici pourquoi, ajouta le médecin. Kriminalkommissar Dobberke. Dobberke est le chef du bureau de la Gestapo de cet hôpital. Une fonction très importante qui garantit notre sécurité et notre loyauté indéfectible au gouvernement élu. »

Lustig donna ma carte à l'homme de la Gestapo.

« Dobberke, voici Herr Gunther, anciennement de l'Alex et qui travaille maintenant au Bureau des crimes de guerre du département juridique de la Wehrmacht. Il souhaite voir si un de nos patients est capable de fournir le témoignage crucial qui changera le cours de la jurisprudence militaire. »

Je suivis rapidement Lustig ; Dobberke en fit autant. Après plusieurs jours passés au lit, je pensais que cet exercice violent ne pouvait que me faire du bien.

Nous entrâmes dans une salle pleine d'hommes souffrant de problèmes de santé divers. Même si ça ne semblait guère nécessaire, tous ces patients portaient une étoile jaune sur leur pyjama ou leur robe de chambre. Ils avaient l'air sous-alimentés, ce qui n'avait rien d'inhabituel par rapport aux normes berlinoises. Aucun d'entre nous dans la ville – qu'il soit juif ou allemand – n'aurait craché sur un bon repas. Certains fumaient, d'autres discutaient et quelques-uns jouaient aux échecs. Ils ne nous prêtèrent aucune attention.

Meyer se trouvait derrière un paravent, dans le dernier lit, sous une haute fenêtre donnant sur une jolie pelouse et un bassin d'agrément circulaire. Non qu'il semblât pouvoir profiter de la vue : ses yeux étaient fermés, et un bandage entourait une tête plus tout à fait ronde, qui me rappela un ballon de football à moitié dégonflé. Mais, bien que gravement blessé, il était encore étonnamment beau, telle une statue grecque abîmée sur l'autel de Pergame.

Pour la forme, Lustig vérifia le pouls de l'homme sans connaissance, prit sa température tout en gardant un œil sur l'infirmière et ne regarda sa fiche qu'à toute vitesse avant de pousser un grognement désapprobateur et de secouer la tête. Un comportement professionnel qui aurait fait honte à Victor Frankenstein.

« C'est bien ce que je pensais, dit-il sans sourciller. Un légume. Voilà mon pronostic. » Il sourit d'un air radieux. « Mais allez-y, Herr Gunther. Je vous en prie. Vous pouvez questionner ce patient aussi longtemps que vous le jugerez bon. Mais n'attendez pas de réponses. » Il éclata de rire. « Surtout avec le Kommissar Dobberke à vos côtés. »

Sur ce, il s'éclipsa, me laissant seul avec Dobberke.

« Touchantes retrouvailles. » En guise d'explication, j'ajoutai : « Autrefois, lui et moi étions collègues au Praesidium de la police. » Je secouai la tête. « On ne peut pas dire que le temps ou les circonstances l'aient adouci.

— Ce n'est pas un mauvais bougre, remarqua généreusement Dobberke. Pour un Juif, je veux dire. Sans lui, jamais cet endroit ne continuerait à fonctionner. »

M'asseyant au bord du lit de Franz Meyer, je poussai un soupir.

« Je ne l'imagine pas parlant de sitôt à quelqu'un, à part saint Pierre. Depuis 1918, je n'avais pas vu un type avec une blessure à la tête pareille. C'est comme si on avait tapé à coups de marteau sur une noix de coco.

— Vous avez vous-même une sacrée bosse sur la tête », fit remarquer Dobberke.

J'effleurai gauchement mon crâne.

« Ça va. » Je haussai les épaules. « Et pourquoi est-ce qu'il continue à fonctionner ? Cet hôpital ?

— C'est un dépotoir pour marginaux, répondit-il. Un camp de rassemblement. Voyez-vous, les Juifs ici constituent le fond du panier. Des orphelins aux origines incertaines, des collaborateurs, quelques chouchous jouissant de la protection de tel ou tel gros bonnet, plusieurs tentatives de suicide... »

Dobberke remarqua l'expression de surprise sur mon visage.

« Oui, des suicides. Ma foi, il est difficile de forcer un homme à moitié mort à monter dans un train de déportation et à en descendre, n'est-ce pas ? Ça crée plus de problèmes que ça n'en vaut la peine. On envoie donc ces youpins ici, on les soigne, on les remet d'aplomb et ensuite, quand ils sont de nouveau sur pied, on

41

les fourre dans le premier train pour l'Est. C'est ce qui arrivera à ce pauvre type si jamais il revient à lui.

— Il n'y a donc pas que des malades ici ?

— Mon Dieu, non. » Il alluma une cigarette. « À mon avis, ils ne vont pas tarder à le fermer. On dit que Kaltenbrunner a des vues sur cet hôpital.

— Ça pourrait être commode. Un endroit aussi agréable. Ça ferait de jolis bureaux. »

Après la mort de mon ancien patron, Reinhard Heydrich, Ernst Kaltenbrunner était devenu le nouveau chef du RSHA[1]. Que comptait-il faire au juste d'un Hôpital juif, personne n'en savait rien. Sa propre clinique de désintoxication[2] peut-être, mais je réussis à garder cette pensée pour moi. Le conseil que m'avait donné Werner Sachse de surveiller mes paroles venait tout droit de l'état-major ; après Stalingrad, tout le monde – et plus particulièrement les Berlinois comme moi, pour qui l'humour noir représentait une sorte de vocation religieuse – était probablement bien inspiré de rester bouche cousue.

« Est-ce qu'il l'aura ? Kaltenbrunner ?

— Je n'en ai pas la moindre idée. »

Comme je préférais regarder n'importe quoi d'autre que la caboche gravement endommagée de Franz Meyer, j'allai à la fenêtre, et c'est alors que je remarquai l'arrangement floral sur sa table de chevet.

« Intéressant, fis-je en regardant, à côté du vase, la carte non signée.

— Quoi ?

— Les jonquilles. Je sors tout juste de l'hôpital et personne ne m'a envoyé de fleurs. Et pourtant, ce type a des fleurs fraîches, et qui viennent du magasin de Theodor Hübner dans la Prinzenstrasse, rien que ça.

---

1. Le *Reichssicherheitshauptamt* (Office central de la sécurité du Reich) avait été créé le 27 septembre 1939 par Heinrich Himmler en fusionnant la Sipo, qui incluait la Gestapo et la Kripo, et le SD (*Sicherheitsdienst*, le service de renseignements de la SS). À partir de 1941, le RSHA fut chargé d'organiser la déportation et l'extermination des Juifs d'Europe.

2. Condamné à mort au procès de Nuremberg en 1946, Ernst Kaltenbrunner était un sadique et un ivrogne notoires.

— Et alors ?

— À Kreuzberg.

— Je ne vois toujours pas…

— Autrefois fleuriste fournisseur officiel de Sa Majesté. Et aujourd'hui encore, à ma connaissance. Ce qui signifie qu'elles sont chères. Très chères. » Je fronçai les sourcils. « Ce que je veux dire, c'est que je doute qu'il y ait ici beaucoup de gens qui reçoivent des fleurs de chez Hübner. Ici ou n'importe où ailleurs, du reste. »

Dobberke haussa les épaules.

« Sa famille a dû les lui faire expédier. Ces Juifs ont encore plein de fric caché sous leur matelas. C'est bien connu. J'ai été à l'Est, à Riga. Vous auriez vu tout ce que ces salauds planquaient dans leurs sous-vêtements. Or, argent, diamants et le reste. »

Je souris patiemment, évitant la question évidente, à savoir comment il se faisait que Dobberke en était arrivé à chercher des objets de valeur dans les sous-vêtements d'autrui.

« La famille de Meyer était allemande, répondis-je. De plus, ils sont tous morts. Tués par cette même bombe qui lui a fait une raie au milieu. Non, ces fleurs ont dû être envoyées par quelqu'un d'autre. Quelqu'un d'allemand, quelqu'un ayant les moyens et du goût. Quelqu'un achetant uniquement ce qu'il y a de mieux.

— Eh bien, il n'est pas près de nous dire de qui elles viennent, fit observer Dobberke.

— Non, il n'est pas près de dire quoi que ce soit. Là-dessus, au moins, le Dr Lustig a raison.

— Je pourrais me renseigner si vous pensez que c'est important. Une infirmière sait peut-être qui les a envoyées.

— Non, répondis-je avec fermeté. Oubliez ça. C'est une vieille habitude que j'ai, datant de l'époque où j'étais policier. Certains collectionnent les timbres, d'autres les cartes postales ou les autographes ; moi, je collectionne les questions triviales. Pourquoi ci, pourquoi ça ? Bien entendu, n'importe quel imbécile peut commencer une collection de ce genre, et il va sans dire que ce sont les réponses aux questions qui ont vraiment de la valeur, vu qu'elles sont beaucoup plus difficiles à trouver. »

Examinant une fois de plus Franz Meyer, je me dis que j'aurais très bien pu être à sa place dans ce lit, avec la moitié de la tête en moins, et, pour la première fois depuis longtemps, je compris que j'avais probablement eu de la chance. Je ne vois pas comment appeler autrement le fait qu'une bombe de la RAF tue quatre personnes, en estropie une cinquième et vous laisse avec seulement une bosse sur le crâne. L'idée que je puisse de nouveau avoir de la chance suffit à me faire sourire. Peut-être avais-je franchi une sorte de tournant dans mon existence. C'était ça et sans doute aussi le succès apparent de la manifestation des femmes dans la Rosenstrasse, ainsi que l'autre bonne fortune que j'avais eue de ne pas faire partie de la 6e armée à Stalingrad.

« Qu'est-ce qu'il y a de drôle ? » demanda Dobberke.

Je secouai la tête.

« Je me disais que la chose la plus importante, celle qui compte réellement en définitive, c'est de rester en vie.

— Est-ce une des réponses ? »

J'acquiesçai.

« Selon moi, c'est peut-être la plus importante de toutes, vous ne croyez pas ? »

4

Lundi 8 mars 1943

J'étais à douze minutes à pied du travail, en fonction du temps. Quand il faisait froid, les rues étaient entièrement gelées, et il fallait marcher à pas lents sous peine de se casser un bras. Quand ça dégelait, il suffisait de faire attention aux glaçons qui dégringolaient. Début mars, il faisait encore sacrément frisquet la nuit, mais la température remontait dans la journée, et je pouvais enfin enlever les couches de papier journal servant à isoler l'intérieur de mes bottes contre l'hiver berlinois glacial. Ce qui facilitait également la marche.

Le haut commandement de la Wehrmacht (l'OKW) était installé dans l'un des plus vastes complexes de bureaux de Berlin : un immeuble de cinq étages en granite gris situé sur la rive nord du canal de la Landwehr. Il occupait tout le coin de la Bendlerstrasse et de la Tirpitzufer. Ancien siège de la marine impériale, il était mieux connu sous le nom de Bendlerblock. Les locaux du Bureau, au 17 Blumeshof, donnaient sur l'arrière du bâtiment et sur une roseraie qui, en été, emplissait l'air d'un parfum tellement fort que certains d'entre nous l'appelaient la maison des fleurs. Dans mon bureau sous les combles du toit rouge en bâtière, j'avais une table, un classeur, un tapis sur le plancher en bois et un fauteuil – j'avais même une peinture et une statuette en bronze faisant partie de la collection d'œuvres d'art du gouvernement. Je n'avais pas de portrait du Führer. Peu de gens travaillant à l'OKW en avaient.

D'ordinaire, j'arrivais tôt et je restais tard, mais ça n'avait pas grand-chose à voir avec la loyauté ou le zèle professionnel. Le système de chauffage de la maison des fleurs était si efficace que de la buée couvrait continuellement les vitres froides, qu'il fallait essuyer avant de pouvoir regarder dehors. Il y avait même des plantons en uniforme qui passaient allumer les poêles à charbon dans chacune des pièces, ce qui était très bien car elles étaient immenses. Tout ça pour dire que la vie était beaucoup plus confortable au bureau qu'à la maison, surtout si l'on considérait la générosité de la cantine de l'OKW, qui fonctionnait en permanence. La plupart du temps, la nourriture n'était que de l'étouffe-chrétien – pommes de terre, pâtes et pain –, mais en quantité substantielle. Il y avait même du savon et du papier dans les toilettes, et des journaux au mess.

Le Bureau des crimes de guerre dépendait de la section internationale du département juridique de la Wehrmacht, dont le chef était le chétif Maximilian Wagner. Sous ses ordres se trouvait mon patron, le juge Johannes Goldsche. Celui-ci dirigeait le Bureau depuis sa création en 1939. Âgé d'une soixantaine d'années, il était blond avec une petite moustache, un nez crochu, de grandes oreilles, un front aussi haut que le toit de la maison des fleurs, et un mépris olympien pour les nazis qui résultait des nombreuses années durant lesquelles il avait exercé comme avocat et comme juge sous la République de Weimar. Sa nomination au Bureau ne devait rien à ses opinions politiques et tout à son expérience antérieure en matière d'enquêtes pour crime de guerre, dans la mesure où il avait été directeur d'un organisme analogue pendant la Grande Guerre.

Selon la loi, la Wehrmacht n'était pas censée s'occuper de politique, et elle prenait de fait cette indépendance très au sérieux. Au sein de son service juridique, aucun des six juristes chargés de la réglementation des divers services de l'armée n'était membre du parti. Raison pour laquelle je m'intégrais parfaitement, bien que n'étant pas avocat. À mon avis, Goldsche considérait un inspecteur berlinois comme un objet contondant utile dans un arsenal rempli d'armes plus subtiles, et il m'utilisait fréquemment pour enquêter sur des cas nécessitant des méthodes plus musclées que le simple enregistrement des dépositions. Très peu de juges travaillant pour

46

le Bureau étaient capables de traiter la bande de porcs hypocrites et menteurs qui constituait l'armée allemande moderne – surtout ceux qui avaient eux-mêmes commis des crimes de guerre – avec toute la brutalité qu'ils méritaient parfois.

Ce qu'aucun de ces juges invariablement prussiens ne saisissait, c'est qu'il y avait des avantages liés au fait d'être un témoin dans une enquête pour crime de guerre, le principal étant un congé du service actif. Autant que possible, nous nous efforcions d'interroger les hommes sur le terrain, mais tous les juges n'étaient pas prêts à voyager plusieurs jours d'affilée pour se rendre sur le front russe. Parmi les jeunes juges – dont Karl Hofmann – qui l'avaient fait, un ou deux s'étaient eux-mêmes retrouvés en service actif. Ceux qui avaient tenté l'expérience étaient très inquiets à l'idée de prendre un avion à destination du front, et, pour être franc, moi aussi. Il y a de meilleures façons de passer le temps que d'être secoué comme un pantin à l'intérieur du fuselage gelé d'un Ju 52 en hiver. Même Hermann Goering préférait le train. Mais le train était lent, et les pénuries de charbon signifiaient bien souvent que les locomotives restaient bloquées pendant des heures, voire des jours entiers. Si l'on était juge au Bureau, mieux valait éviter complètement le front, rester bien au chaud à Berlin et envoyer quelqu'un d'autre sur place, quelqu'un comme moi.

À mon arrivée, je trouvai une note manuscrite me convoquant au bureau de Goldsche. Aussi, ôtant mon manteau et mon ceinturon, j'attrapai un carnet et un crayon et descendis au deuxième étage. Il y faisait beaucoup plus froid parce que le récent bombardement avait brisé plusieurs fenêtres, que s'employaient à remplacer des Russes sifflotant – des prisonniers de guerre faisant partie du bataillon de vitriers, charpentiers et couvreurs créé pour compenser le manque d'ouvriers allemands. Les Russes avaient l'air plutôt satisfaits. Remplacer des vitres valait mieux que de désamorcer les bombes non explosées de la RAF. Et tout, probablement, valait mieux que le front russe, surtout si vous étiez russe, leur taux de pertes étant dix fois supérieur au nôtre. Malheureusement, il semblait que ça n'allait pas les empêcher de gagner.

Je frappai à la porte de Goldsche puis entrai, pour le trouver assis près du feu, disparaissant comme Zeus dans un nuage de

47

fumée de pipe, buvant du café – ça devait être son anniversaire –
et faisant face à un homme à lunettes d'une quarantaine d'années,
mince, presque frêle, avec un visage aussi long et pâle qu'une
tranche de lard fumé, et à peu près aussi dénué d'expression. De
même que la plupart de ceux que je croisais au Bureau, ni l'un ni
l'autre ne semblaient nés en uniforme. J'avais déjà vu des soldats
plus convaincants dans un coffre à jouets. Moi-même, je ne me
sentais pas particulièrement à l'aise affublé d'un uniforme, d'autant plus que le mien s'ornait d'un petit losange noir marqué SD
sur la manche gauche. (C'était une autre raison pour laquelle
Goldsche était content que je travaille là ; appartenir au SD me
conférait un certain poids sur le terrain, que ne possédait pas l'armée.) Mais leur absence manifeste d'aptitude martiale s'expliquait
plus facilement que la mienne : en tant que fonctionnaires au sein
des forces armées, les hommes comme Goldsche et son collègue
inconnu possédaient des titres administratifs ou juridiques, mais
pas de grades, et portaient un uniforme avec des liserés argentés
spécifiques sur les épaulettes pour indiquer leur statut spécial de
soldats non militaires. Tout ça était extrêmement déconcertant,
même si je crois pouvoir dire qu'il était encore plus déconcertant
pour les membres de l'OKW qu'un officier du service de renseignements de la SS puisse travailler pour le Bureau, et il arrivait
que le losange du SD m'attire des regards soupçonneux à la cantine. Mais j'étais habitué à ne pas me sentir à ma place dans l'Allemagne nazie. De plus, Johannes Goldsche savait pertinemment
que je n'étais pas inscrit au parti – qu'en tant que membre de la
Kripo, je n'avais pas eu beaucoup le choix en matière d'uniforme –,
et c'était la seule chose réellement importante dans le vieux credo
républicain prussien ; ça et le fait que je détestais les nazis presque
autant que lui.

Me tenant au garde-à-vous à côté du fauteuil de Goldsche, je
jetai un coup d'œil aux photographies sur le mur en attendant qu'il
m'adresse la parole. Goldsche était un passionné de musique, et la
plupart des photos le représentaient dans un trio avec piano incluant
un acteur allemand appelé Otto Gebühr. Je n'avais jamais entendu
jouer le trio en question, mais j'avais vu Gebühr interpréter Frédéric le Grand dans plus de films qu'il ne semblait absolument

nécessaire. La radio du juge diffusait de la musique, encore que cela n'avait rien à voir avec ses goûts de mélomane : il l'allumait toujours quand il désirait avoir une conversation confidentielle, au cas où quelqu'un du Bureau de recherches – qui demeurait sous la coupe de Goering – écouterait.

« Hans, voici la personne dont je vous ai parlé, déclara Goldsche. Le capitaine Bernhard Gunther, autrefois Kommissar de la Kripo au Praesidium de la police de l'Alexanderplatz, à présent attaché au Bureau. »

Je claquai des talons comme un bon Prussien, et l'homme me salua en silence en agitant son fume-cigarette.

« Gunther, voici Hans von Dohnányi, officier de justice militaire, anciennement du ministère de la Justice du Reich et de la Cour impériale, mais aujourd'hui chef adjoint de la division centrale de l'Abwehr. »

Ce qui signifiait, bien sûr, que les épaulettes spéciales, les pattes de col caractéristiques et les titres de fonctionnaire étaient parfaitement superflus en réalité. Dohnányi était baron, et, dans l'OKW, c'était le seul genre de grade qui importait vraiment.

« Ravi de vous rencontrer, Gunther. »

Dohnányi parlait d'une voix aimable comme beaucoup d'avocats berlinois, bien que peut-être pas aussi doucereuse que certains de ceux que j'avais connus. Je me dis qu'il faisait partie de ces juristes qui s'intéressaient davantage à l'élaboration des lois qu'à s'en servir pour se mettre en valeur.

« Ne vous laissez pas abuser par l'insigne de sorcier qu'il porte à sa manche, ajouta Goldsche. Gunther a été un loyal serviteur de la république pendant de nombreuses années. Et un sacré bon policier. Pendant un moment, il a même été une véritable épine dans le pied de nos nouveaux maîtres, n'est-ce pas, Gunther ?

— Ce n'est pas à moi de le dire. Mais j'accepte le compliment. » Je lançai un regard au plateau en argent posé sur la table entre eux. « Et éventuellement un peu de ce café. »

Goldsche sourit.

« Bien sûr. Je vous en prie. Asseyez-vous. »

Ce que je fis, et Goldsche me remplit une tasse.

« Je ne sais pas où ce *Putzer*[1] l'a trouvé, poursuivit-il, mais il est vraiment très bon. En tant que magistrat, je devrais probablement le soupçonner de faire du marché noir.

— Oui, probablement », remarquai-je. Le café était délicieux. « À deux cents marks la livre, c'est une ordonnance en or que vous avez là. À votre place, je m'accrocherais à lui et j'apprendrais à fermer les yeux comme tout un chacun dans cette ville.

— Ah ! mon Dieu. » Dohnányi eut un mince sourire. « Je suppose qu'il me faut confesser que ce café vient de moi. Mon père en rapporte chaque fois qu'il va donner un concert à Budapest ou à Vienne. Je l'aurais mentionné avant, mais je ne tenais pas à amoindrir la bonne opinion que vous avez de cette ordonnance, Johannes. Il semble maintenant que je risque de lui attirer des ennuis. Ce café était un cadeau de ma part.

— Mon cher, vous êtes trop gentil. » Goldsche se tourna vers moi. « Le père de Dohnányi est le chef d'orchestre et compositeur Ernst von Dohnányi. »

Concernant la musique classique, Goldsche était terriblement snob.

« Aimez-vous la musique, capitaine Gunther ? »

La question de Dohnányi était de pure politesse. Derrière ses lunettes rondes, sans monture, les yeux se fichaient éperdument que j'aime la musique ou pas ; d'ailleurs, moi aussi. En l'absence de « von » devant mon nom, je n'étais assurément pas aussi scrupuleux que lui s'agissant de ce que j'utilisais pour me remplir les oreilles.

« J'aime bien une bonne mélodie si elle est chantée par une jolie fille nantie d'une solide paire de poumons, surtout quand les paroles sont vulgaires et les poumons véritablement remarquables. Et je suis incapable de distinguer un arpège d'un archipel. Mais la vie est trop courte pour du Wagner. Ça au moins, je le sais. »

Goldsche sourit avec enthousiasme. Il semblait toujours tirer du plaisir par procuration de mon franc-parler, et je n'hésitais pas à en profiter.

« Que savez-vous d'autre ? s'informa-t-il.

---

1. Terme d'argot allemand pour désigner une ordonnance.

« — Je sifflote quand je suis dans mon bain, ce qui n'arrive pas aussi souvent que je le voudrais », ajoutai-je en allumant une cigarette. C'était l'autre aspect positif de travailler pour l'OKW : il y avait toujours un stock abondant de cigarettes tout à fait convenables. « À ce propos, on dirait que les Russes sont déjà là.

— Que voulez-vous dire ? demanda Dohnányi, soudain inquiet.

— Ces types qui sifflotent dans le couloir devant la porte. Les ouvriers allemands qualifiés de la guilde locale des vitriers, en train de réparer les fenêtres de la maison des fleurs. Ce sont des Russes.

— Bonté divine, s'exclama Goldsche. Ici ? À l'OKW ? Cela ne paraît guère une bonne idée. Et la sécurité ?

— Il faut bien que quelqu'un s'occupe des fenêtres, répondis-je. Il fait froid dehors. Ce n'est un secret pour personne. J'espère simplement que le verre est plus solide que la Luftwaffe, parce que j'ai dans l'idée que la RAF a l'intention de nous rendre encore une petite visite. »

Dohnányi se permit un mince sourire, puis une bouffée encore plus mince de sa cigarette. J'avais déjà vu des enfants fumer avec davantage d'entrain.

« Quoi qu'il en soit, comment vous sentez-vous ? » Se tournant vers l'autre juriste, Goldsche expliqua : « Gunther se trouvait dans un immeuble de la Lützowerstrasse qui a été bombardé alors qu'il prenait la déposition d'un témoin potentiel. Il a de la chance d'être là.

— C'est bien mon avis. » Je me donnai une tape sur le thorax. « Et je vais beaucoup mieux, je vous remercie.

— Apte au travail ?

— La poitrine me serre encore un peu. À part ça, tout fonctionne de nouveau plus ou moins normalement.

— Et le témoin ? Herr Meyer ?

— Il est en vie, mais j'ai bien peur que les seules preuves qu'il puisse fournir dans un avenir prévisible, ce soit au tribunal céleste.

— Vous l'avez vu ? demanda Dohnányi. À l'Hôpital juif ?

— Oui, le pauvre vieux. Son cerveau semble avoir en bonne partie disparu. Non que ce genre de chose se remarque beaucoup de nos jours. Mais il ne nous est plus d'aucune utilité, je le crains.

— Dommage, dit Goldsche. Il allait être un témoin important dans un dossier que nous préparions contre la Royal Navy, précisa-t-il à l'intention de Dohnányi. La marine britannique pense pouvoir se livrer à des assassinats en toute impunité. Contrairement à la marine américaine, qui reconnaît tous nos navires-hôpitaux, la Royal Navy ne reconnaît que ceux qui sont de gros et non de faible tonnage.

— Parce que ces derniers recueillent nos pilotes et membres d'équipage indemnes ? demanda Dohnányi.

— Exact. Il est tout à fait regrettable que cette affaire s'effondre avant même d'avoir commencé. D'un autre côté, cela nous simplifie quelque peu la vie. À défaut de la rendre plus agréable. Goebbels souhaitait faire passer Franz Meyer à la radio. Ce qui aurait été tout à fait inapproprié.

— Il n'y a pas que le ministère de la Propagande qui s'intéresse à Franz Meyer, dis-je. La Gestapo est venue me voir pendant que j'étais à l'hôpital et m'a posé des questions sur lui.

— Vraiment ? murmura Dohnányi.

— Quelle sorte de questions ? » demanda Goldsche.

Je haussai les épaules.

« Qui étaient ses amis, ce genre de chose. Ils avaient l'air de penser que Meyer était impliqué dans une sorte de trafic de devises destiné à convaincre les Suisses d'offrir l'asile à un groupe de Juifs. »

Goldsche semblait perplexe.

« De l'argent contre des réfugiés, ajoutai-je. Vous savez combien les Suisses sont généreux. Ils font tout ce délicieux chocolat blanc rien que pour enrober le mensonge qu'ils sont bons et pacifiques. Ce qu'ils ne sont pas, bien sûr. Ils ne l'ont jamais été. L'armée allemande elle-même avait l'habitude de recruter des mercenaires suisses. Les Italiens appelaient ça une sale guerre quand des piquiers suisses y participaient, parce qu'ils avaient une façon tellement brutale de se battre.

— Que lui avez-vous dit ? demanda Goldsche. À la Gestapo ?

— Je ne lui ai rien dit. » Je haussai les épaules. « Je n'ai aucune connaissance d'un trafic de devises. La Gestapo a mentionné plusieurs noms, mais ils m'étaient totalement inconnus. Quoi qu'il en soit, le commissaire qui est venu me voir, je le connais. Il n'est pas trop mal pour un officier de la Gestapo. Un certain Werner Sachse. J'ignore s'il est membre du parti, mais le contraire ne m'étonnerait pas.

— Je n'aime pas que la Gestapo s'immisce dans nos enquêtes, dit Goldsche. Je n'aime pas ça du tout. Notre indépendance judiciaire est sans cesse menacée par Himmler et ses sbires. »

Je secouai la tête.

« Ces types de la Gestapo sont comme des chiens. Il faut qu'ils puissent lécher l'os un moment ou ils deviennent féroces. Croyez-moi. Il s'agissait d'une enquête de routine. Le commissaire a léché l'os, m'a laissé le caresser derrière les oreilles, puis il s'est éclipsé. Aussi simple que ça. Et il n'y a pas besoin de s'alarmer. Personne ne va supprimer ce service parce que sept Juifs sont partis faire du ski en Suisse sans autorisation. »

Dohnányi eut un haussement d'épaules.

« Le capitaine Gunther a probablement raison. Ce commissaire l'a sans doute interrogé pour la forme, voilà tout. »

Je souris patiemment, bus une gorgée de café, réfrénai ma curiosité naturelle à l'égard du fait que Dohnányi savait que Meyer se trouvait à l'Hôpital juif et m'efforçai de mettre un peu d'ordre dans la réunion.

« À quel sujet vouliez-vous me voir, monsieur le juge ?

— Ah ! oui. » Goldsche hocha la tête. « Vous êtes sûr d'être de nouveau en forme ? »

J'acquiesçai.

« Bon. » Il regarda son aristocratique ami. « Hans ? Auriez-vous l'obligeance d'éclairer le capitaine ?

— Certainement. »

Posant son fume-cigarette, Dohnányi ôta ses lunettes, puis sortit un mouchoir plié avec soin et se mit à nettoyer les verres.

J'écrasai ma cigarette, ouvris mon carnet et me préparai à prendre des notes.

Dohnányi fit un signe de tête négatif.

« Contentez-vous de m'écouter pour l'instant, capitaine. Lorsque j'aurai terminé, vous comprendrez peut-être ma demande qu'aucune note ne soit prise au cours de cette réunion. »

Je refermai le calepin et attendis.

« À la suite de l'incident de Gleiwitz[1], les forces allemandes ont envahi la Pologne le 1er septembre 1939, et, seize jours plus tard, l'armée Rouge l'envahissait depuis l'Est, conformément au pacte Molotov-Ribbentrop signé entre nos deux pays le 23 août 1939. L'Allemagne a annexé la Pologne occidentale, tandis que l'Union soviétique intégrait la moitié orientale dans ses républiques ukrainienne et biélorusse. Quelque cent mille soldats polonais ont été faits prisonniers par la Wehrmacht, et l'armée Rouge en a capturé deux cent cinquante mille. C'est le sort de ces Polonais faits prisonniers par les Russes qui nous intéresse ici. Depuis que la Wehrmacht a envahi l'Union soviétique…

— L'Allemagne n'a jamais eu de chance dans ce domaine, fis-je remarquer. Avec ses amis, je veux dire. »

Ignorant ce sarcasme, Dohnányi remit ses lunettes et continua :

« Peut-être même dès août 1941, l'Abwehr a reçu des informations faisant état du massacre d'officiers polonais au printemps ou au début de l'été 1940. Mais le lieu où il s'était déroulé demeurait un mystère. Jusqu'ici, en tout cas.

« Un régiment de transmissions, le 537e, commandé par un certain lieutenant-colonel Friedrich Ahrens, est stationné à un endroit appelé Gnezdovo, près de Smolensk – le juge Goldsche m'a indiqué que vous aviez été à Smolensk, capitaine Gunther ?

— Oui, monsieur. Durant l'été 1941. »

Il opina.

« Bien. Alors vous savez de quel genre de contrée je parle.

— Un trou à rats. Je ne comprends même pas comment on a pu penser que ça valait la peine de l'envahir.

— Euh, oui. » Dohnányi sourit patiemment. « Apparemment, Gnezdovo est une zone de forêt dense à l'ouest de la ville, avec des loups et autres animaux sauvages. En ce moment, comme vous pouvez vous en douter, tout le secteur est recouvert d'une épaisse couche de neige. Le 537e occupe une sorte de château ou de villa situé au milieu de la forêt et dont se servait auparavant la police

---

1. L'incident de Gleiwitz servit de prétexte à Hitler pour déclencher la guerre avec la Pologne. Conçue par Himmler, l'opération consistait à organiser une fausse attaque polonaise contre la station de radio allemande de Gleiwitz, située près de la frontière.

secrète russe, le NKVD. Ils emploient des *Hiwis*[1] – des prisonniers de guerre russes, comme ces vitriers dans le couloir – et, voilà quelques semaines, certains d'entre eux ont signalé qu'un loup avait déterré des restes humains dans la forêt. Ayant inspecté lui-même le site, Ahrens a déclaré avoir trouvé non pas un mais plusieurs ossements humains. Le rapport nous a été transmis à l'Abwehr, et nous avons entrepris d'évaluer cette information. Différentes possibilités se présentaient.

« Un : que ces ossements proviennent d'une fosse commune de prisonniers politiques exécutés par le NKVD lors des fameuses grandes purges de 1937-1938 ayant suivi les premier et second procès de Moscou. D'après nos estimations, près de un million de citoyens soviétiques auraient été tués et seraient enterrés dans des charniers disséminés sur une superficie de plusieurs centaines de kilomètres carrés à l'ouest de Moscou.

« Deux : que ces ossements proviennent d'une fosse commune d'officiers polonais portés disparus. Le gouvernement soviétique a assuré le Premier ministre polonais en exil, le général Sikorski, que tous les prisonniers polonais avaient été libérés en 1940 après avoir été transportés en Mandchourie et que les autorités avaient purement et simplement perdu la trace d'un grand nombre de ces hommes à cause de la guerre, mais il semble clair, d'après nos sources à Londres, que les Polonais n'y croient pas. Un des facteurs clés dans les soupçons de l'Abwehr que ces ossements pourraient être ceux d'un officier polonais est le fait qu'une telle explication s'accorderait avec les rapports antérieurs des services de renseignements selon lesquels des officiers polonais ont été vus à la gare de chemin de fer de Gnezdovo en mai 1940. Les remarques faites par le ministre des Affaires étrangères Molotov à Ribbentrop lors de la signature du pacte de non-agression nous ont toujours laissé penser que Staline nourrissait une profonde haine à l'égard des Polonais, haine datant de la défaite soviétique lors de la guerre russo-polonaise de 1919-1920. De plus, son fils a été tué par des partisans polonais en 1939.

---

1. Abréviation de l'allemand *Hilfswillige* (aides, auxiliaires). Ces volontaires étaient recrutés parmi les prisonniers soviétiques principalement pour combattre aux côtés de l'armée allemande.

« Trois : que la fosse commune a été le théâtre d'une bataille entre la Wehrmacht et l'armée Rouge. C'est le scénario le plus improbable, dans la mesure où la bataille de Smolensk a eu lieu largement au sud de la ville et non à l'ouest. En outre, la Wehrmacht a fait prisonniers plus de trois cent mille soldats de l'armée Rouge, dont la plupart sont toujours en vie, incarcérés dans un camp au nord-est de Smolensk.

— Ou travaillant dans le couloir, ajoutai-je obligeamment.

— S'il vous plaît, Gunther, dit Goldsche. Laissez-le finir.

— Quatre : cette possibilité est sans doute la plus politiquement sensible de toutes, raison pour laquelle je vous ai demandé de vous abstenir de prendre des notes, capitaine Gunther. »

Il n'était pas difficile de deviner pourquoi Dohnányi hésitait à évoquer cette quatrième possibilité. Parler de ce sujet était pénible – pour lui et plus encore pour moi, qui possédais une expérience de première main de ces atrocités si « politiquement sensibles ».

« La possibilité numéro quatre est qu'il s'agisse d'une de ces nombreuses fosses communes pleines de Juifs assassinés par la SS », dis-je.

Dohnányi acquiesça.

« La SS est extrêmement réservée concernant ces questions. Cependant, nous possédons des informations établissant qu'une brigade spéciale de SS affectée au Groupe B de Gottlob Berger et commandée par un Obersturmführer du nom d'Oskar Dirlewanger était active dans le secteur situé immédiatement à l'ouest de Smolensk durant le printemps de l'année dernière. Aucun chiffre précis n'est disponible, mais nous croyons que la brigade de Dirlewanger est responsable à elle seule de l'assassinat d'au moins quatorze mille personnes.

— La dernière chose que nous désirons, c'est de marcher sur les pieds de la SS, dit Goldsche. Ce qui signifie que cette affaire nécessite une grande discrétion. Pour être franc, si nous mettions au jour des fosses communes qui lui sont imputables, nous risquerions de le sentir passer.

— Le moins qu'on puisse dire, monsieur le juge, admis-je. Comme je suppose que c'est moi que vous voulez envoyer à

Smolensk pour enquêter, je devrai veiller à ce que nous mettions au jour la bonne fosse commune, c'est bien ça ?

— En un mot, oui, répondit Goldsche. À l'heure actuelle, le sol est complètement gelé, il n'est donc pas question de creuser pour chercher d'autres corps. Pas avant plusieurs semaines. Jusque-là, nous avons besoin d'en apprendre le plus possible. Par conséquent, si vous pouviez passer quelques jours là-bas. Parler à certains des habitants, vous rendre sur le site, évaluer la situation puis rentrer à Berlin et me rendre compte directement. Si cela relève de notre compétence, nous pourrons mettre sur pied une enquête pour crime de guerre en bonne et due forme avec un juge approprié. » Il haussa les épaules. « Mais dépêcher un juge à ce stade serait beaucoup trop.

— Je suis de votre avis, approuva Dohnányi. Ce serait envoyer un mauvais signal. Mieux vaut rester circonspect pour le moment.

— Laissez-moi vérifier ma sténographie mentale, messieurs, dis-je. À propos de ce que vous voulez que je fasse. Que je ne commette pas d'erreur. Si cette fosse commune est remplie de Juifs, alors je dois l'oublier. Mais si elle est remplie d'officiers polonais, cela fera le bonheur du Bureau.

— Ce n'est pas une manière très élégante de résumer la chose. Mais oui, voilà exactement ce que nous attendons de vous, capitaine Gunther. »

Pendant un instant, il regarda le paysage au-dessus de la cheminée de Goldsche d'un air donnant à penser qu'il aurait préféré y être plutôt que dans un bureau enfumé de Berlin, et je sentis un rictus de dédain se former au coin de ma bouche. C'était une de ces vues de la Campanie à la fin d'un jour d'été, quand la lumière est intéressante pour un peintre, avec de minuscules vieillards portant une longue barbe et une toge debout autour de ruines antiques, en train de se demander qui allait effectuer les réparations nécessaires puisque tous les hommes jeunes étaient partis à la guerre. Ils n'avaient pas de prisonniers russes pour arranger leurs fenêtres à cette époque arcadienne.

Mon dédain se changea en un total mépris pour sa sensibilité délicate.

« Oh ! mais ce ne sera pas élégant, messieurs, dis-je. Je peux vous le garantir. Certainement moins élégant que dans ce tableau. Smolensk n'a rien d'un semi-paradis bucolique. C'est une ruine, certes, mais parce que nos chars et notre artillerie l'ont mise dans cet état. Une ruine grouillant d'êtres humains en proie à une peur hideuse et qui essayaient simplement de survivre quand la Wehrmacht a soudain débarqué en exigeant d'être nourrie et abreuvée à l'œil. Zeus ne séduira pas Io, ce sera un Fritz tentant de violer une jeune paysanne misérable ; et à Smolensk, le joli paysage n'est pas enveloppé par la chaude lumière du soleil italien, mais par le permafrost. Non, ce ne sera pas élégant. Et croyez-moi, un cadavre ayant séjourné dans le sol n'a rien d'élégant. C'est même étonnant à quel point ce genre de chose peut se révéler indélicat et vite devenir extrêmement déplaisant, en fait. Il y a l'odeur, par exemple. Les cadavres ont la fâcheuse habitude de se décomposer quand ils sont restés dans la terre un certain temps. »

Allumant une autre cigarette, je me délectai de leur embarras mutuel. Il y eut un long silence. Dohnányi paraissait nerveux – plus nerveux que ne le laissait supposer ce qu'il venait de me dire. Ou peut-être avait-il envie de me frapper. Ça m'arrive souvent.

« Mais je suis d'accord avec vous, ajoutai-je, plus aimablement cette fois. À propos de la SS. Nous ne voulons surtout pas la contrarier, n'est-ce pas ? Et croyez-moi, je sais de quoi je parle. Je l'ai déjà fait, aussi suis-je également soucieux de ne pas recommencer.

— Il y a une cinquième possibilité, déclara Goldsche, c'est pourquoi je préférerais avoir un véritable enquêteur sur place.

— Laquelle ?

— J'aimerais que vous vous assuriez que toute cette histoire n'est pas un abominable mensonge inventé de toutes pièces par le ministère de la Propagande. Que ce cadavre n'a pas été planté là à dessein pour se jouer d'abord de nous et ensuite de la presse du monde entier comme d'un piano de concert. Car, ne vous y trompez pas, messieurs, c'est exactement ce qui se passera si cela ne se révèle pas être l'anneau du Nibelung. »

J'acquiesçai.

« D'accord. Mais vous oubliez sûrement une sixième possibilité. »

Dohnányi fronça les sourcils.

« À savoir ?

— Qu'il s'agisse effectivement d'une fosse commune, mais remplie d'officiers polonais tués par l'armée allemande. »

Dohnányi secoua la tête.

« Impossible.

— Vraiment ? Je ne vois pas comment votre seconde possibilité pourrait seulement exister sans que cette sixième hypothèse existe également.

— C'est vrai d'un point de vue logique, mais il reste que l'armée allemande n'assassine pas les prisonniers de guerre. »

Je souris.

« Ah ! alors tout va bien. Pardonnez-moi d'en avoir fait mention. »

Dohnányi rougit légèrement. On ne s'attire pas beaucoup de sarcasmes dans les salles de concert ou à la cour impériale, et je doutais qu'il eût parlé à un vrai policier depuis 1928, lorsque, comme tous les aristocrates, il avait demandé un permis de port d'arme afin de pouvoir tirer sur les sangliers et un ou deux bolcheviks.

« En outre, continua-t-il, cette partie de la Russie ne se trouve entre nos mains que depuis septembre 1941. Il y a ça et le fait que les Polonais qui étaient prisonniers de l'Allemagne et ceux qui étaient prisonniers de l'Union soviétique figurent dans les archives militaires. Cette information est déjà connue du gouvernement polonais à Londres. Par conséquent, établir si un de ces hommes était prisonnier de l'armée Rouge ne devrait pas être très compliqué. Raison pour laquelle je pense qu'il est hautement improbable que cela ait été fabriqué par le ministère de la Propagande. Ce serait trop facile à réfuter.

— Peut-être avez-vous raison, Hans, admit le juge.

— J'ai raison, insista Dohnányi. Et vous le savez.

— Néanmoins, fit valoir le juge, je tiens à en avoir le cœur net. Et le plus vite possible. Eh bien, voulez-vous vous en charger, Gunther ? Voulez-vous aller là-bas voir ce que vous pouvez dénicher ? »

Je n'étais guère enclin à retourner à Smolensk, ni nulle part en Russie, d'ailleurs. Le pays tout entier me remplissait d'un mélange de peur et de honte, car il ne faisait aucun doute que, quels que soient les crimes que l'armée Rouge avait commis au nom du communisme, la SS en avait commis de non moins atroces au nom du nazisme. Les nôtres étaient probablement encore plus atroces. Exécuter des officiers ennemis en uniforme était une chose – je possédais moi-même une certaine expérience en la matière –, mais assassiner des femmes et des enfants en était une tout autre.

« Oui. J'irai. Bien entendu.

— Merci, dit le juge. Comme je vous l'ai déjà expliqué, s'il existe le moindre indice que c'est l'œuvre de ces brutes de la SS, ne faites rien. Quittez Smolensk le plus vite possible, rentrez tout de suite et faites comme si vous n'étiez pas au courant.

— Avec plaisir. »

J'esquissai un sourire ironique et secouai la tête tout en me demandant sur quelle montagne magique étaient juchés ces deux hommes. Peut-être fallait-il être un juge ou un aristocrate pour jeter un regard depuis les sommets et voir ce qui était important ici-bas – important pour l'Allemagne. Pour ma part, j'avais des soucis plus pressants, moi-même par exemple. Et de là où je me tenais, toute cette histoire d'enquête sur le massacre de quelques Polonais avait fortement l'air d'un âne en traitant un autre de baudet.

« Il y a quelque chose qui ne va pas ? demanda Dohnányi.

— Seulement que j'ai du mal à imaginer comment l'Allemagne nazie pourrait se trouver en position de force sur une telle question.

— Une enquête suivie d'un livre blanc pourrait se révéler extrêmement utile afin de restaurer notre réputation de courtoisie et de probité aux yeux du monde, répondit le juge. Lorsque tout cela sera terminé. »

Et voilà tout. Un livre blanc. Un dossier d'éléments de preuve que des hommes honorables et influents comme le juge Goldsche et le fonctionnaire de justice Dohnányi pourraient sortir des archives des Affaires étrangères une fois la guerre finie afin de montrer à d'autres hommes honorables et influents en Angleterre et en Amérique que tous les Allemands ne s'étaient pas comportés aussi mal que les nazis, ou que les Russes ne s'étaient pas montrés moins cruels que nous, ce genre de chose. Je doutais que ça marche.

« Souvenez-vous de ce que je vous dis, prophétisa Dohnányi. S'il s'agit de ce que je crois, ce n'est qu'un début. Pour reconstruire notre tissu moral, il faut bien commencer quelque part.

— Allez dire ça à la SS », rétorquai-je.

5

Mercredi 10 mars 1943

À six heures, par un matin berlinois glacial, j'arrivai à l'aéroport de Tegel pour m'embarquer à destination de la Russie. Un long voyage m'attendait, même si la moitié seulement des dix autres passagers grimpant à bord du trimoteur Ju 52 allaient en fait jusqu'à Smolensk. La plupart descendaient apparemment à la fin de la première étape, Berlin Rastenburg, qui durait à peine quatre heures. Après ça, il y avait une deuxième étape, jusqu'à Minsk, qui prenait encore quatre heures, avant la troisième étape – de deux heures – jusqu'à Smolensk. Avec les escales pour refaire le plein de carburant et un changement de pilote à Minsk, le voyage pour Smolensk était censé prendre au total onze heures et demie, ce qui expliquait qu'on m'ait envoyé là-bas plutôt qu'un juge obèse souffrant de mal de dos du département juridique de la Wehrmacht. Aussi, quelle ne fut pas ma surprise en découvrant qu'un des passagers, parmi la douzaine arrivant sur le tarmac dans leur Mercedes privée conduite par un chauffeur, n'était autre que le tatillon fonctionnaire de justice de l'Abwehr, Hans von Dohnányi.

« S'agit-il d'une coïncidence ? demandai-je gaiement. Ou êtes-vous venu me voir partir ?

— Je vous demande pardon ? » Il fronça les sourcils. « Oh ! je ne vous avais pas reconnu. Vous vous envolez pour Smolensk, n'est-ce pas, capitaine Bernhard ?

62

— À moins que vous ne disposiez d'informations particulières, répondis-je. Et je m'appelle Gunther. Capitaine Bernhard Gunther.

— Oui, naturellement. Non, en l'occurrence, je voyage sur le même vol que vous. Je devais prendre le train, puis j'ai changé d'avis. Mais je me demande maintenant si j'ai fait le bon choix.

— Je crains que vous ne soyez pris entre le marteau et l'enclume. »

Nous montâmes à bord et gagnâmes nos places le long du fuselage en tôle ondulée. On se serait cru assis à l'intérieur d'une guérite.

« Descendez-vous à la Tanière du Loup ? dis-je. Ou allez-vous jusqu'à Smolensk ?

— Je vais jusqu'à Smolensk. » Prestement, il ajouta : « Une affaire urgente et imprévue relative à l'Abwehr dont je dois m'entretenir avec le maréchal von Kluge à son quartier général.

— Vous avez apporté un casse-croûte pour le déjeuner ?

— Hmm ? »

D'un signe de tête, j'indiquai le paquet qu'il avait sous le bras.

« Ça ? Non, ce n'est pas mon déjeuner. Il s'agit d'un cadeau pour quelqu'un. Du Cointreau.

— Du Cointreau. Du vrai café. Y a-t-il quelque chose qui soit hors de portée des talents de votre merveilleux père ? »

Dohnányi arbora son mince sourire, étira son cou encore plus mince au-dessus du col de sa tunique taillée sur mesure.

« Si vous voulez bien m'excuser, capitaine. »

Il fit un signe de la main à deux officiers d'état-major avec des bandes rouges à leur pantalon, puis alla s'asseoir à côté d'eux à l'autre bout de l'appareil, juste derrière le poste de pilotage. Même à bord d'un Ju 52, les types comme Dohnányi et les officiers d'état-major arrivaient à créer leur propre première classe ; non pas que les sièges fussent meilleurs à l'avant, simplement aucun de ces flamants roses ne souhaitait en réalité parler à un officier subalterne tel que moi.

J'allumai une cigarette et m'efforçai de me mettre à l'aise. Les moteurs se mirent à rugir, puis la porte se referma. Après l'avoir verrouillée, le copilote posa la main sur une des deux mitrailleuses montées sur une traverse que l'on pouvait déplacer le long de l'avion.

« Il nous manque un membre d'équipage, messieurs, annonça-t-il. Est-ce que quelqu'un saurait se servir d'un de ces engins ? »

Je regardai mes compagnons de voyage. Personne ne parla, et je m'interrogeai sur l'utilité de transporter ces hommes à proximité du front ; ils semblaient incapables de faire fonctionner un verrou de porte, *a fortiori* une MG15.

« Moi, dis-je, levant la main.

— Bien, répondit le copilote. Il y a une chance sur cent pour que nous tombions sur un Mosquito de la RAF en quittant Berlin, aussi restez à cette mitrailleuse pendant les quinze prochaines minutes, d'accord ?

— Mais certainement. Et à Smolensk ? »

Le copilote fit un signe de la tête.

« La ligne de front se trouve à huit cents kilomètres à l'est de la ville. C'est trop loin pour les chasseurs russes.

— Eh bien, voilà qui est rassurant, s'exclama quelqu'un.

— Ne vous en faites pas, rétorqua le copilote avec un sourire, le froid nous aura probablement tués bien avant ça. »

Nous décollâmes aux premières lueurs de l'aube. Une fois que nous fûmes dans les airs, je fis glisser la vitre et pointai la MG vers l'extérieur, attendant. Le chargeur contenait soixante-quinze balles, mais j'eus bientôt si froid aux mains que je ne donnais pas cher de nos chances de toucher quoi que ce soit avec et que je fus soulagé lorsque le copilote me cria que je pouvais laisser tomber. Je fus encore plus soulagé de refermer la vitre à cause de l'air glacial qui s'engouffrait dans l'avion.

Je m'assis, glissai mes mains engourdies sous mes aisselles et essayai de dormir.

Quatre heures plus tard, comme nous approchions de Rastenburg, en Prusse-Orientale, plusieurs personnes pivotèrent sur leur siège et, lorgnant par les hublots, tentèrent d'apercevoir le quartier général du Führer, surnommé la Tanière du Loup.

« Vous ne le verrez pas, déclara un Monsieur Je-sais-tout qui avait déjà fait le trajet. Tous les bâtiments sont camouflés. Si vous arriviez à les distinguer, cette foutue RAF aussi.

— Si tant est qu'elle puisse aller aussi loin, fit remarquer quelqu'un d'autre.

— Elle n'était pas censée aller jusqu'à Berlin, dit un troisième, mais, contrairement à toutes les prédictions, elle l'a quand même fait. »

Nous atterrîmes à quelques kilomètres de la Tanière du Loup, et je partis en quête d'un déjeuner matinal ou d'un petit déjeuner tardif, mais, ne trouvant ni l'un ni l'autre, je m'assis dans un abri pour manger les maigres sandwichs au fromage que j'avais emportés en cas de besoin. Je ne revis pas Dohnányi jusqu'à ce que nous ayons repris l'avion.

L'atmosphère entre Rastenburg et Minsk était plus turbulente, et, de temps à autre, le Junkers tombait comme une pierre avant de toucher le fond d'un trou d'air comme un seau dans un puits. Il ne s'écoula pas longtemps avant que Dohnányi devienne verdâtre.

« Vous devriez peut-être boire de cet alcool, lui conseillai-je, ce qui était une façon rudimentaire de lui dire que j'en boirais bien moi-même une goutte.

— Quoi ?

— Le Cointreau de votre copain. Vous devriez en boire, ça vous aiderait à digérer. »

Il parut un instant déconcerté, puis il secoua faiblement la tête.

Un des passagers, un lieutenant SS qui était monté à Rastenburg, sortit une flasque de schnaps de pêche et la fit passer à la ronde. J'en avalai une gorgée juste au moment où on rencontrait un autre gros trou d'air, lequel sembla chasser toute vie de Dohnányi, qui s'affala comme mort sur le plancher du fuselage. Surmontant ma réaction première, qui a toujours été de laisser les gens en première classe se débrouiller tout seuls, je m'agenouillai à côté de lui, desserrai le col de sa tunique et versai un peu du schnaps du lieutenant entre ses lèvres. C'est alors que je vis l'adresse sur le paquet de Dohnányi se trouvant toujours sous son siège.

Colonel Helmuth Stieff, Service de la coordination de la Wehrmacht, Angerburg, Tanière du Loup, Rastenburg, Prusse.

Dohnányi ouvrit les yeux, poussa un soupir et s'assit.

« Vous avez tourné de l'œil, voilà tout, dis-je. Il vaudrait peut-être mieux que vous restiez par terre encore un moment. »

Ce qu'il fit, et il réussit même à dormir deux heures d'affilée, tandis que je me demandais de temps à autre s'il avait tout bonnement oublié de remettre sa bouteille de Cointreau à son ami le colonel Stieff à la Tanière du Loup, ou s'il avait changé d'avis et renoncé à se fendre d'un cadeau aussi généreux. Si cet alcool ressemblait au café, c'était sûrement un produit haut de gamme, beaucoup trop précieux pour le fiche en l'air. Il pouvait difficilement avoir oublié le paquet, dans la mesure où j'étais certain qu'il l'avait pris avec lui quand il était descendu de l'avion à Rastenburg. Alors pourquoi ne l'avait-il pas confié à une des nombreuses ordonnances pour qu'elle le donne au colonel Stieff, ou même, s'il ne leur faisait pas confiance, à un des autres officiers d'état-major allant directement à la Tanière du Loup ? Bien sûr, l'un d'entre eux avait très bien pu informer Dohnányi que Stieff n'était plus à la Tanière du Loup – ce qui aurait tout expliqué. Mais, à la manière d'une démangeaison revenant sans cesse, j'avais beau me gratter, ça ne changeait rien au fait que l'incapacité de Dohnányi à remettre sa précieuse bouteille semblait étrange.

Il n'y a pas grand-chose à faire sur un vol de quatre heures entre Rastenburg et Minsk.

Il faisait encore jour, mais tout juste, lorsque nous arrivâmes à Smolensk sept heures plus tard. Pendant près d'une heure, nous avions survolé un épais tapis vert s'étendant à l'infini. On aurait dit qu'il y avait plus d'arbres en Russie que n'importe où ailleurs sur la terre. Il y en avait tellement qu'à certains moments, le Junkers semblait immobile dans les airs, et j'avais l'impression que nous dérivions au-dessus d'un paysage primitif. Je suppose que la Russie est ce qu'on peut trouver de plus proche, à bien des égards, de ce que devait être la planète il y a des milliers d'années ; c'était un lieu idéal pour un écureuil, mais peut-être pas aussi idéal pour un être humain. Si vous aviez l'intention de dissimuler les cadavres de milliers de Juifs ou d'officiers polonais, ça paraissait un bon endroit pour le faire. Vous auriez pu cacher toutes sortes de crimes dans un paysage comme celui qui défilait sous l'avion, et sa vue me remplit d'effroi, à cause non seulement de ce que je pourrais trouver en bas, mais encore de ce à quoi je risquais de me trouver moi-même confronté. Ce n'était qu'une obscure possibilité, mais je savais d'instinct qu'à l'hiver 1943, il n'y avait pas de place pour un officier du SD à la conscience coupable.

Dohnányi s'était complètement remis lorsque, en pleine forêt, un peu au nord de la ville, une clairière finit par apparaître, semblable à une longue piscine verte, et nous atterrîmes. Une passerelle fut rapidement poussée sur le tarmac. Nous descendîmes dans un vent qui eut tôt fait de transpercer mon manteau, puis mon torse, de sorte que je me sentais comme un hareng congelé, et non moins saugrenu au milieu de cette immense étendue de forêt. J'enfonçai ma casquette sur mes oreilles glacées et regardai autour de moi en quête de la personne du régiment de transmissions qui devait venir me chercher. Pendant ce temps, mon ex-compagnon de voyage descendit la passerelle sans me prêter la moindre attention, pour être aussitôt rejoint par deux officiers supérieurs, dont un général avec plus de fourrure à son col qu'un Esquimau. Il semblait totalement indifférent à mon absence de moyen de transport et, riant aux éclats, lui et ses copains se serrèrent la main tandis qu'une ordonnance chargeait ses bagages dans leur grosse voiture d'état-major.

Une Tatra avec un petit drapeau noir et jaune portant le numéro 537 sur le capot s'arrêta à côté de la voiture d'état-major, et deux officiers en sortirent. En l'apercevant, ils saluèrent le général, qui leur répondit par un bref signe de tête, puis ils s'avancèrent vers moi. La Tatra avait la capote relevée, mais il n'y avait pas de vitres, et il semblait qu'un second voyage frigorifique m'attendait.

« Capitaine Gunther ? demanda le plus grand.

— Oui, monsieur.

— Je suis le lieutenant-colonel Ahrens, du 537e régiment de transmissions. Et voici le lieutenant Rex, mon adjudant-major. Bienvenue à Smolensk. Rex devait aller à votre rencontre, mais, à la dernière minute, j'ai décidé de l'accompagner afin de vous faire un topo complet en retournant au château.

— J'en suis ravi, colonel. »

Quelques instants plus tard, la voiture d'état-major démarra.

« Qui étaient ces flamants roses ? demandai-je.

— Le général von Tresckow, répond Ahrens. Ainsi que le colonel von Gersdorff. J'avoue que je n'ai pas reconnu le troisième officier. »

Ahrens avait un visage du genre lugubre – lui-même n'était pas laid – et une voix encore plus lugubre.

« Ah ! je comprends.

— Que voulez-vous dire ?

— Le troisième officier, celui que vous n'avez pas reconnu et qui est descendu de l'avion, c'est un aristocrate également, expliquai-je.

— Ça ne m'étonne pas, dit Ahrens. Le maréchal von Kluge dirige le quartier général du groupe d'armées comme s'il s'agissait d'une succursale du German Club. Je reçois mes ordres du général Oberhauser. C'est un soldat professionnel, tout comme moi ; et pas si mauvais, pour un officier d'état-major. Mon prédécesseur, le colonel Bedenck, avait l'habitude de dire qu'on ne sait jamais vraiment combien il y a d'officiers d'état-major jusqu'à ce qu'on essaie d'aller dans un abri antiaérien.

— J'aime bien les aphorismes de votre vieux colonel, répondis-je en me dirigeant vers la Tatra. On dirait que nous sommes taillés dans la même étoffe, lui et moi.

— Vos vêtements sont peut-être un peu plus sombres que les siens, fit remarquer Ahrens d'un ton plein de sous-entendus. Surtout le tissu de votre autre uniforme, celui de cérémonie. Après ce qu'il avait vu à Minsk, Bedenck avait du mal à supporter de se trouver dans la même pièce qu'un officier de la SS ou du SD. Comme vous êtes cantonné avec nous pour des raisons de sécurité, je dois admettre que je partage son point de vue. J'ai été quelque peu surpris lorsque le général Oster de l'Abwehr m'a téléphoné pour me dire que le Bureau envoyait ici un membre du SD. Entre le SD et la Wehrmacht, ce n'est pas le grand amour, dans mon coin. »

Je souris.

« J'apprécie qu'un homme ne se gêne pas pour exprimer son opinion. Depuis Stalingrad, ça ne court pas les rues. Surtout en uniforme. Alors, d'un professionnel à un autre, laissez-moi vous préciser ceci : mon autre uniforme se compose d'un costume bon marché et d'un chapeau en feutre. Je n'appartiens pas à la Gestapo. Je ne suis qu'un policier de la Kripo qui travaillait autrefois aux homicides et je ne suis pas venu ici pour espionner quiconque. J'ai l'intention de rentrer à Berlin dès que j'aurai fini de jeter un coup d'œil aux témoignages que vous avez recueillis, mais je vous le dis franchement, colonel, je m'occupe essentiellement de moi-même et je me fiche éperdument de vos petits secrets. »

Je posai la main sur une longue pelle fixée au capot de la Tatra. Les petites voitures n'étaient pas bonnes dans la boue ni sur la neige, et il fallait fréquemment les dégager ou verser des pelletées de gravier sous les roues : il y en avait probablement un sac derrière la banquette arrière.

« Et si je mens, colonel, je veux bien que vous me donniez un grand coup sur la tête avec ce truc et que vous me fassiez enterrer dans les bois par vos hommes. D'un autre côté, vous croyez peut-être que j'en ai déjà suffisamment dit pour m'enterrer vous-même.

— Très bien, capitaine. » Le colonel Ahrens sourit, puis sortit un petit étui à cigarettes. Il m'en offrit une ainsi qu'à son lieutenant. « J'apprécie votre sincérité. »

Nous tirâmes allègrement des bouffées jusqu'à ce qu'on ne puisse plus distinguer la fumée de notre souffle chaud dans l'air glacial.

« Bon. Vous avez dit que j'étais cantonné avec vous ? Si je n'étais pas obligé de retourner à Berlin, ça ne me déplairait pas de ne jamais revoir un Junkers 52.

— Bien sûr. Vous devez être épuisé. »

Nous grimpâmes dans la Tatra. Un caporal nommé Rose se trouvait au volant, et bientôt nous roulions sur une route assez convenable.

« Vous logerez avec nous au château, dit Ahrens. Le château du Dniepr, le long de la route principale menant à Vitebsk. Presque tout le groupe d'armées Centre[1], les forces aériennes, la Gestapo et

---

1. Le groupe d'armées Centre (*Heeresgruppe Mitte*) avait été créé le 22 juin 1941. Fort de 57 divisions, il était la plus puissante des trois formations participant à l'invasion de l'Union soviétique. Il fut commandé à partir du 19 décembre 1941 par le Generalfeldmarschall Günther von Kluge, en remplacement du Generalfeldmarschall Fedor von Bock.

mes hommes se trouvent à l'ouest de Smolensk, à un endroit appelé Krasny Bor et aux alentours. L'état-major général est installé dans une station thermale située à proximité qui est ce qu'on peut trouver de mieux dans les environs, mais nous n'avons pas à nous plaindre au château, dans les transmissions, pas vrai, Rex ?

— Non, mon colonel. Nous sommes assez bien installés, à mon avis.

— Il y a un cinéma et un sauna ; il y a même un stand de tir. La boustifaille est plutôt bonne, vous serez content de l'apprendre. La plupart d'entre nous – les officiers, en tout cas – ne vont pas beaucoup à Smolensk même, à vrai dire. » Ahrens agita la main en direction des clochers à bulbe se dessinant à l'horizon sur notre gauche. « Mais ce n'est pas un endroit désagréable. Assez historique, au demeurant. Il y a des églises à revendre dans le voisinage. Rex est votre homme pour ce genre de chose, n'est-ce pas, lieutenant ?

— Oui, mon colonel, répondit Rex. Il y a une jolie cathédrale, capitaine. L'Assomption. Je vous conseille d'aller la visiter pendant que vous êtes ici. Enfin, si vous n'êtes pas trop occupé. En principe, elle ne devrait pas être là du tout : durant le siège de Smolensk, au début du XVIIe siècle, les défenseurs de la ville s'enfermèrent dans la crypte où se trouvait un dépôt de munitions et la firent sauter et eux avec pour qu'elle ne tombe pas aux mains des Polonais. L'histoire se répète, bien entendu. Le NKVD local conservait une partie de ses dossiers judiciaires et personnels dans la crypte de la cathédrale de l'Assomption – pour les protéger de la Luftwaffe –, et, lorsqu'il est devenu clair que nous allions prendre la ville, ils ont essayé de les faire sauter, comme ils l'ont fait à Kiev avec le bâtiment de la Douma. Sauf que les explosifs n'ont pas fonctionné.

— Je savais qu'elle n'était pas sur mon itinéraire pour rien.

— Oh ! la cathédrale est tout à fait sûre, dit Rex. La plupart des explosifs ont été enlevés, mais le génie pense qu'il reste un tas de bombes cachées dans la crypte. Un de nos hommes a eu le visage emporté en ouvrant un classeur au sous-sol. Par conséquent, seule la crypte demeure interdite aux visiteurs. Les documents sont, pour l'essentiel, des informations d'une valeur militaire limitée, et sans doute périmées à l'heure actuelle, si bien que, plus le temps passe, moins il semble important de prendre le risque d'aller y jeter un coup d'œil. » Il haussa les épaules. « Quoi qu'il en soit, c'est vraiment un édifice imposant. Napoléon était certainement de cet avis.

— J'ignorais qu'il était allé si loin, dis-je.

— Ah ! mais si, fit Rex. C'était en fait le Hitler de... » Il s'interrompit au milieu de sa phrase.

« Le Hitler de son temps, complétai-je en souriant au lieutenant, nerveux. Oui, je vois que la comparaison fonctionne très bien pour nous tous.

— Nous ne sommes pas habitués à avoir des visiteurs, comme vous pouvez le constater, dit Ahrens. De manière générale, nous avons tendance à nous tenir à l'écart. Uniquement pour des raisons de confidentialité. Avec un régiment de transmissions, on s'attend à des mesures de sécurité extrêmement rigoureuses. Nous avons une salle des cartes où est indiquée la position de toutes nos troupes, montrant clairement nos intentions militaires futures ; et, bien sûr, l'ensemble des communications du groupe d'armées passe par nous. Il va sans dire que l'accès ordinaire à cette salle et à la salle des télécommunications à proprement parler est interdit, mais nous avons beaucoup de Popov travaillant au château – quatre *Hiwis* sur place en permanence et du personnel féminin qui vient tous les jours de Smolensk pour nous faire la cuisine et le ménage. Sans compter que chaque unité allemande emploie des Popov à Smolensk.

— Vous êtes nombreux là-bas ?

— Trois officiers, moi compris, et environ vingt sous-officiers et hommes du rang, répondit Ahrens.

— Depuis combien de temps êtes-vous là ?

— Moi personnellement ? Depuis la mi-novembre 1941. Le 13, si je me souviens bien.

— Et les partisans ? Ils vous donnent du fil à retordre ?

— Rien qui mérite d'être mentionné. Du moins, pas aussi près de Smolensk. Mais nous avons eu des attaques aériennes.

— Vraiment ? Le pilote à bord de l'avion prétendait que c'était trop à l'est pour l'aviation popov.

71

— Rien d'étonnant, n'est-ce pas ? La Luftwaffe a reçu l'ordre formel de continuer à débiter ces boniments. Mais ce n'est pas vrai. Non, nous avons bel et bien eu des attaques aériennes. Un des baraquements a été gravement endommagé au début de l'année dernière. Depuis, nous avons eu un gros problème avec des troupes allemandes coupant du bois autour du château pour s'en servir comme combustible. C'est la forêt de Katyn. Les arbres nous fournissent une excellente couverture antiaérienne, aussi ai-je dû en interdire l'entrée à tous les soldats allemands. Interdiction qui n'a pas été sans provoquer des difficultés parce que cela oblige nos troupes à aller chercher du bois plus loin, ce qu'elles hésitent à faire, bien évidemment, parce que cela les expose au risque d'attaques de partisans. »

C'était la première fois que j'entendais le nom de la forêt de Katyn.

« Parlez-moi de ce cadavre. Celui qu'a découvert le loup. »

Je me mis à rire.

« Qu'est-ce qu'il y a d'amusant ?

— Juste que nous avons un loup et des bûcherons, et aussi un château. Je ne peux pas m'empêcher de penser qu'il devrait y avoir deux ou trois enfants perdus dans cette histoire, sans parler d'une méchante sorcière.

— Peut-être est-ce vous, capitaine.

— Peut-être. Il est vrai que je fais une super Feuerzangenbowle[1]. Du moins, j'en faisais quand on pouvait encore trouver du rhum brun et des oranges.

— De la Feuerzangenbowle. » Ahrens répéta ce mot d'un ton rêveur, puis secoua la tête. « Oui, j'avais presque oublié ça.

— Moi aussi, jusqu'à ce que j'en parle. »

Je frissonnai.

« J'aurais bien besoin d'en boire une tasse en ce moment, se lamenta le lieutenant Rex.

— Encore une chose agréable qui s'est éclipsée de l'Allemagne par la petite porte et a disparu sans laisser d'adresse, remarquai-je.

— Vous savez, vous êtes un drôle de type pour un officier du SD, dit Ahrens.

---

1. Punch à base de vin chaud, d'écorce d'orange et de sucre flambé au rhum.

— C'est ce que le général Heydrich m'a dit une fois. » Je haussai les épaules. « Ou quelque chose de ce genre, je ne me souviens pas au juste. Il m'avait enchaîné à un mur et torturait ma petite amie en même temps. »

J'éclatai de rire devant leur malaise évident, qui, à la vérité, était probablement moindre que le mien. Je n'avais pas autant l'habitude du froid qu'eux, et l'air glacé s'engouffrant dans la Tatra sans fenêtres me coupait la respiration.

« Vous alliez me parler du cadavre, dis-je.

— En décembre 1941, peu après mon arrivée à Smolensk, un de mes hommes a signalé qu'il y avait une sorte de butte dans notre petit bois et qu'au sommet était plantée une croix en bouleau. Les *Hiwis* ont raconté qu'il y avait eu des coups de feu dans la forêt de Katyn l'année précédente. Peu après, j'en ai touché un mot au colonel von Gersdorff, notre responsable du renseignement, lequel m'a répondu que lui aussi avait entendu quelque chose à ce propos, mais que cela ne devait pas me surprendre parce que c'était précisément le genre de brutalités bolcheviques contre lesquelles nous nous battions.

— Oui. Il était fatal qu'il dise ça, je suppose.

— Puis, en janvier, j'ai vu un loup dans le bois, ce qui était inhabituel parce qu'ils ne s'aventurent pas aussi près de la ville.

— Comme les partisans.

— Exact. La plupart demeurent plus à l'ouest. Kluge les chasse en compagnie de son propre *Putzer*, qui est russe.

— Les partisans ne l'inquiètent pas outre mesure ?

— Pas spécialement. D'ordinaire, il chasse le sanglier, mais en hiver il préfère traquer les loups depuis un avion, un Storch qu'il garde ici. La plupart du temps, il ne prend même pas la peine d'atterrir pour récupérer la fourrure. À mon avis, ce qu'il aime, c'est tuer.

— Dans ces régions, c'est contagieux. Bon, vous étiez en train de parler de ce loup.

— Il se trouvait sur la butte dans la forêt de Katyn, à côté de la croix, où il avait déterré des ossements humains, ce qui lui avait certainement pris un moment car le sol est encore dur comme de la pierre. J'imagine qu'il était affamé. J'ai fait examiner les restes par un médecin, qui a confirmé qu'ils étaient d'origine humaine. J'en ai conclu qu'il s'agissait de la tombe d'un soldat et j'ai informé l'officier chargé des sépultures de guerre autour d'ici. J'ai également signalé cette découverte au lieutenant Voss, de la Feldgendarmerie[1]. Et j'en ai fait état dans mon rapport au groupe d'armées, qui a dû transmettre l'information à l'Abwehr parce qu'ils m'ont téléphoné pour me prévenir que vous veniez. Ils m'ont dit aussi de n'en parler à personne d'autre.

— Et vous en avez parlé ?

— Non, pas jusqu'à maintenant.

— Bien. Que les choses restent ainsi. »

Il faisait nuit lorsque nous arrivâmes au château, qui n'était nullement un château en réalité, mais une villa en stuc blanc de deux étages comprenant quatorze ou quinze chambres, dont une me fut assignée temporairement. Après un excellent dîner avec de la vraie viande et de véritables pommes de terre, j'allai faire un petit tour en compagnie d'Ahrens, et il devint vite évident qu'il était extrêmement fier de son « château » et encore plus fier de ses hommes. La villa était accueillante et bien chauffée, avec un grand feu de bois ronronnant dans le hall de l'entrée principale. Comme Ahrens l'avait promis, il y avait même un petit cinéma, où, une fois par semaine, on projetait un film allemand. Mais ce qui faisait surtout la fierté d'Ahrens, c'était son miel fait maison, car, avec l'aide d'un couple de gens du pays, il élevait des ruches dans le parc du château. Manifestement, ses hommes l'adoraient. Il existait de pires endroits pour voir une guerre que le château du Dniepr. De plus, il est difficile de détester un homme qui montre autant d'enthousiasme pour le miel et les abeilles. Le miel était délicieux, il y avait plein d'eau chaude pour prendre un bain, et mon lit était tiède et moelleux.

Bourré de miel et de schnaps, je dormis comme une abeille ouvrière dans une ruche climatisée et rêvai d'une maison toute de guingois où habitait une sorcière, et que j'étais perdu dans les bois

---

1. Corps de police militaire auquel incombaient des missions d'occupation des territoires sous contrôle de la Wehrmacht, la traque des déserteurs et la lutte contre les partisans.

avec un loup rôdant aux alentours. La maison avait même un sauna, un petit cinéma et de la venaison pour le souper. Ce n'était pas un cauchemar parce qu'il se révélait que la sorcière aimait bien aller s'asseoir dans le sauna, ce qui nous permit d'apprendre à mieux nous connaître mutuellement. Il est possible d'apprendre à bien connaître quelqu'un dans un sauna, même une sorcière.

6

Jeudi 11 mars 1943

Je me réveillai tôt le lendemain matin, encore un peu fatigué du voyage, mais impatient de commencer mon enquête car, bien sûr, j'étais encore plus impatient de regagner mes pénates. Ahrens prit la clé de la réserve où étaient conservés les restes, et nous descendîmes au sous-sol les examiner. Je trouvai une grande bâche étalée sur le sol en pierre. Ahrens rabattit la partie supérieure, révélant ce qui ressemblait à un tibia, un péroné, un fémur et la moitié d'un bassin. J'allumai une cigarette – c'était mieux que l'odeur de barbaque fétide s'échappant des os – et m'accroupis pour regarder de plus près.

« Qu'est-ce que c'est ? demandai-je en touchant la bâche.

— Ça vient d'un Opel Blitz », répondit Ahrens.

J'opinai et laissai la fumée s'échapper de mes narines. Il n'y avait pas grand-chose à dire sur les ossements, si ce n'est qu'ils étaient humains et qu'un animal, le loup vraisemblablement, les avait mordillés.

« Qu'est-il arrivé au loup ?

— Nous l'avons fait fuir, dit Ahrens.

— Vous en avez vu d'autres depuis ?

— Moi pas, mais mes hommes peut-être. On peut leur demander, si vous voulez.

— Oui. Et j'aimerais voir l'emplacement où ces restes ont été retrouvés.

76

— Bien sûr. »

Nous allâmes chercher nos manteaux et nous fûmes rejoints à l'extérieur par le lieutenant Hodt et l'Oberfeldwebel Krimminski, du 537e, qui avaient monté la garde afin d'empêcher les soldats allemands de prendre du bois pour se chauffer. À ma demande, l'Oberfeldwebel avait apporté une pelle-pioche. Nous suivîmes la route du château couverte de neige en direction de la grande route de Vitebsk. La forêt se composait essentiellement de bouleaux, dont certains avaient été abattus récemment, ce qui semblait confirmer le récit du colonel sur les dégâts commis par les troupes.

« Il y a une clôture à environ un kilomètre qui délimite les terres du château, dit Ahrens. Mais une bataille a dû se dérouler dans les parages : on peut encore voir des tranchées et des trous de tirailleurs. »

Un peu plus loin, quittant la route, nous commençâmes à marcher dans la neige, ce qui était une tâche nettement plus laborieuse. À quelques centaines de mètres, nous tombâmes sur une butte surmontée d'une croix faite de deux branches de bouleau.

« C'est à peu près ici que nous avons vu le loup et les restes, expliqua Ahrens. Krimminski ? Le capitaine se demandait si l'un d'entre nous avait aperçu l'animal depuis.

— Non, répondit Krimminski. Mais on a entendu des loups la nuit.

— Des traces ?

— S'il y en avait, elles ont été recouvertes par la neige. Il neige presque toutes les nuits par ici.

— Alors le loup aurait très bien pu revenir sans qu'on le sache ? suggérai-je.

— C'est possible, capitaine, répondit Krimminski. Mais je n'ai rien remarqué.

— La croix en bouleau. Qui l'a plantée là ?

— Personne ne semble être au courant, dit Ahrens. Toutefois, le lieutenant Hodt a une théorie à ce sujet. N'est-ce pas, Hodt ?

— Oui, mon colonel. Je pense qu'on a déjà trouvé des restes humains dans les parages. Mon idée, c'est que, la dernière fois que c'est arrivé, les autochtones les ont réensevelis et ont érigé la croix.

77

— Excellente théorie, dis-je. Vous leur avez posé la question ?

— Personne ne nous dit grand-chose, répondit Hodt. Ils continuent à avoir peur du NKVD.

— Je souhaiterais parler à quelques-uns de vos autochtones.

— Nous nous entendons très bien avec nos *Hiwis*, déclara Ahrens. Il semble inutile de renverser la soucoupe de lait en accusant quiconque de mentir.

— N'empêche, insistai-je. J'aimerais quand même leur parler.

— Alors vous feriez bien de vous adresser aux Soussanine. C'est le couple avec lequel nous avons le plus de contacts. Ils surveillent les ruches et disent au personnel russe ce qu'il doit faire dans le château.

— Qui d'autre travaille là ?

— Voyons : il y a Tsanava et Abakoumov, qui s'occupent de nos poulets ; Moskalenko, qui nous coupe du bois ; la lessive est faite par Olga et Irina. Tania et Rudolfovitch se chargent de préparer les repas. Maroussia est la fille de cuisine. Mais, écoutez, je ne veux pas que vous les bousculiez, capitaine Gunther. Il existe un statu quo ici, et je tiens à le préserver.

— Colonel Ahrens, s'il s'agit effectivement d'une tombe pleine de cadavres d'officiers polonais, il est probablement déjà trop tard pour ça. »

Ahrens jura tout bas.

« À moins, ajoutai-je, que vous n'ayez vous-même abattu des officiers polonais. Ou peut-être la SS. Je peux plus ou moins vous garantir que personne à Berlin ne tient à découvrir des indices d'une pareille chose.

— Nous n'avons abattu aucun Polonais, répondit Ahrens avec un soupir. Ni ici, ni nulle part ailleurs.

— Et des Popov ? Vous avez dû capturer une foule de soldats de l'armée Rouge après la bataille de Smolensk. Vous en avez peut-être exécuté ?

— Nous avons capturé à peu près soixante-dix mille hommes, dont beaucoup sont actuellement détenus au camp 126, à vingt-cinq kilomètres à l'ouest de Smolensk. Et il y a un autre camp à Vitebsk. Si vous le souhaitez, vous pouvez aller y jeter un coup d'œil, capitaine Gunther. » Il se mordit un instant la lèvre avant de continuer. « Il paraît que la situation s'est nettement améliorée, mais, au début, il y avait tellement de prisonniers que les conditions dans les camps popov étaient extrêmement dures.

— Ce qui signifie qu'il n'y avait pas besoin de les exécuter quand on pouvait aussi bien les laisser crever de faim.

— Ceci est un régiment de transmissions, nom d'un chien, s'écria Ahrens. Je ne suis pas responsable du bien-être des prisonniers de guerre russes.

— Non, bien sûr. Ce n'est pas ce que je voulais dire. J'essaie tout simplement d'établir les faits. En temps de guerre, les gens ont la fâcheuse habitude d'oublier où ils les ont mis. Vous ne croyez pas, colonel ?

— Possible, répondit-il avec raideur.

— Votre prédécesseur, le colonel Bedenck. Et lui ? Peut-être a-t-il procédé à des exécutions dans les bois ?

— Non, affirma Ahrens.

— Comment pouvez-vous en être sûr ? Vous n'étiez pas là.

— Moi, j'y étais, capitaine, dit le lieutenant Hodt. Quand le colonel Bedenck commandait le 537ᵉ. Et je vous donne ma parole que nous n'avons exécuté personne dans ces bois. Pas plus des Russes que des Polonais.

— Voilà qui me suffira, dis-je. Bien, et la SS ? Le groupe d'action spéciale B est resté cantonné un certain temps à Smolensk. Est-il possible qu'il ait laissé là quelques milliers de cartes de visite ?

— Nous sommes au château depuis le commencement, dit Hodt. La SS était active ailleurs. Et avant que vous posiez la question, j'en suis certain parce que nous sommes un régiment de transmissions. C'est moi qui ai installé le téléphone et le téléscripteur à leur poste de commandement. Ainsi qu'à celui de la Gestapo. Toutes leurs communications avec le quartier général du groupe d'armées passaient par nous. Téléphoniques et téléimprimées. De même que leurs échanges avec Berlin. Si des Polonais avaient été tués par la SS, je l'aurais forcément su.

— Vous savez peut-être également si des Juifs ont été tués dans les environs. »

Hodt sembla embarrassé.

« Oui, répondit-il. Je le saurais.

— Et alors ? »

Hodt hésita.

« Allons, lieutenant. Vous n'avez pas besoin d'avoir peur. Nous savons tous les deux que les membres de la SS assassinent des Juifs en Russie depuis le premier jour de l'opération Barbarossa. J'ai entendu dire que pas moins de cinq cent mille personnes avaient été massacrées au cours des six premiers mois seulement. » Je haussai les épaules. « Écoutez, j'essaie de définir un périmètre d'enquête sécurisé. Une ligne de démarcation au-delà de laquelle il ne serait pas judicieux que je mette les pieds avec mes chaussures de flic pointure quarante-six. Parce que la dernière chose que désire l'un d'entre nous, c'est de soulever le toit de leur ruche. » Je me tournai vers Ahrens. « C'est vrai, n'est-ce pas ? Les abeilles ? Elles n'aiment pas beaucoup qu'on ouvre leur ruche ?

— Euh, non, vous avez raison. Elles n'aiment pas particulièrement ça. » Il hocha la tête. « Et permettez-moi de répondre à cette question. À propos de la SS. Et de ce qu'elle a fait par ici. »

Il me conduisit à une courte distance des autres. Nous marchions avec précaution, le sol étant gelé et inégal sous la neige. Pour moi, la forêt de Katyn était un endroit lugubre dans un pays rempli d'endroits tout aussi lugubres. L'air humide pendait tel un rideau de fines gouttelettes, tandis qu'ailleurs des poches de brouillard roulaient dans les creux comme la fumée d'une artillerie invisible. Les corbeaux croassaient leur mépris pour mon enquête dans les cimes des arbres. Au-dessus de nos têtes était ancré un ballon de barrage destiné à empêcher des survols par l'aviation ennemie. Ahrens alluma une nouvelle cigarette et bâilla, exhalant un panache de buée.

« C'est difficile à croire, mais ici nous préférons l'hiver, dit-il. Dans quelques semaines seulement, tous ces bois seront infestés de moustiques. Ils vous rendent cinglé. Un des nombreux trucs qui vous rendent cinglé dans le coin. » Il secoua la tête. « Écoutez, capitaine Gunther, personne dans ce régiment ne s'intéresse beaucoup à la politique. Tout ce que souhaitent la plupart d'entre nous, c'est gagner rapidement cette guerre et rentrer chez eux, si une telle chose est encore possible après Stalingrad. Au moment où c'est arrivé, nous avons tous écouté la radio pour savoir ce qu'en disait Goebbels. Vous avez écouté son discours ? Depuis le Sportpalast ?

— Oui. » Je haussai les épaules. « J'habite Berlin. C'était tellement fort que je pouvais entendre chacune des paroles de Jo sans même avoir à allumer cette putain de radio.

— Alors vous vous rappelez qu'il a demandé aux Allemands s'ils voulaient une guerre encore plus radicale que tout ce qu'on avait jamais imaginé. Il a appelé ça une guerre totale.

— Il a le génie de la formule, notre Mahatma Propagandi.

— En effet. Si ce n'est qu'il nous semble, à nous tous au château, que la guerre totale, c'est ce que nous avons sur ce front depuis le premier jour, et je n'ai pas souvenir que quiconque nous ait demandé si c'est ce que nous voulions. » Ahrens désigna d'un signe de tête une rangée de jeunes arbres. « Là-bas, c'est la route de Vitebsk. Vitebsk se trouve à moins d'une centaine de kilomètres à l'ouest d'ici. Avant la guerre, il y avait cinquante mille Juifs. La Wehrmacht avait à peine pris la ville que les Juifs vivant là ont commencé à en voir de toutes les couleurs. En juillet 1941, un ghetto a été établi sur la rive droite de la Zapadnaïa Dvina, et bon nombre de ceux qui n'avaient pas fui pour rejoindre les partisans ou qui n'avaient pas émigré vers l'Est ont été rassemblés et contraints de s'y installer : environ seize mille personnes. Une palissade en bois a été construite autour du ghetto. À l'intérieur, les conditions étaient très dures : travail forcé, rations de famine. Environ dix mille personnes sont probablement mortes de faim et de maladie. Dans l'intervalle, deux mille ont été assassinées sous un prétexte ou un autre à un endroit appelé Mazourino. Puis sont arrivés des ordres demandant la liquidation du ghetto. Je les ai moi-même vus sur le téléscripteur, des ordres du Reichsführer-SS à Berlin. Une épidémie de typhoïde y sévissait, tel était le motif invoqué. C'était peut-être vrai, ou peut-être pas. J'en ai remis une copie au maréchal von Kluge pour l'informer de ce qui allait avoir lieu dans son secteur. Un peu plus tard, j'ai appris que près de cinq mille Juifs vivant encore dans le ghetto avaient été emmenés dans une zone reculée où ils avaient tous été abattus. C'est le problème quand on appartient à un régiment de transmissions, capitaine. Il est très difficile de ne pas savoir ce qui se passe, mais Dieu sait que j'aurais préféré le contraire. Donc, pour répondre précisément à votre question, concernant la ruche que vous avez évoquée : à mi-chemin de Vitebsk se trouve Roudnia et, si j'étais à votre place, j'éviterais dans mes investigations tout ce qui est situé à l'est de cette ville. Compris ?

— Oui, colonel. Merci. Maintenant que vous avez mentionné le Mahatma, j'ai une autre question à vous poser. À vrai dire, il s'agit d'une suggestion qu'a faite mon patron à Berlin. Touchant le Mahatma et ses hommes. »

Ahrens opina.

« Je vous écoute.

— Des membres du ministère de la Propagande sont-ils venus ici ?

— À Smolensk ?

— Non, au château.

— Au château ? Et pourquoi diable ? »

Je secouai la tête.

« Peu importe. Simplement ça ne m'aurait pas surpris s'ils avaient voulu filmer tous ces prisonniers de guerre soviétiques dont vous avez parlé, voilà tout. Pour prouver à l'opinion publique allemande que nous sommes en train de gagner la guerre. »

Bien sûr, ce n'était pas pour cette raison que je l'avais interrogé sur le ministre de la Propagande, mais je ne voyais pas comment je pouvais exprimer mes soupçons sans traiter le colonel de menteur.

« À votre avis, nous sommes en train de gagner la guerre ? demanda-t-il.

— La gagner ou la perdre. Dans un cas comme dans l'autre, ça ne s'annonce pas très bien pour l'Allemagne. L'Allemagne que je connais et que j'aime. »

Ahrens hocha la tête.

« Certains jours, pour ne pas dire souvent, j'ai du mal à être fier de ce que je suis et de ce que je fais, capitaine. Moi aussi, j'aime mon pays, mais pas ce qu'on commet actuellement en son nom, et il y a des fois où je n'arrive pas à me regarder dans la glace. Vous comprenez ?

— Oui. Et je me reconnais quand je vous entends parler de trahison.

« — Alors vous êtes tombé au bon endroit. Lorsque vous en aurez entendu autant que nous au 537ᵉ, vous saurez qu'on parle beaucoup de trahison à Smolensk. Ce qui explique peut-être que le Führer vienne en visite pour soutenir le moral des troupes.

— Hitler doit venir à Smolensk ?

— Samedi. Afin de rencontrer Kluge. Entre parenthèses, c'est censé être un secret. Alors n'en parlez pas, voulez-vous ? Tout le monde ou presque a l'air au courant. »

Seul, avec ma pelle-pioche à la main, je fis un tour dans la forêt de Katyn. Je descendis lentement dans un creux formant une sorte d'amphithéâtre naturel, puis remontai encore plus lentement de l'autre côté, mes bottes de l'armée produisant le même bruit qu'un vieux cheval mangeant de l'avoine tandis qu'elles craquaient dans la neige. Je ne savais pas ce que je cherchais. Sous la neige, le sol gelé était dur comme du granite, et mes vaines tentatives pour l'entamer ne servaient qu'à amuser les corbeaux. Un marteau et un burin auraient donné de meilleurs résultats. Malgré la croix de bouleau, on avait du mal à imaginer qu'il se soit passé quelque chose dans ce bois. Je me demandais même s'il s'était produit quoi que ce soit d'important depuis Napoléon. Déjà, j'avais le sentiment d'être sur une fausse piste. De surcroît, je n'aimais pas beaucoup les Polonais. Ils ne m'inspiraient pas plus de sympathie que les Anglais, qui, ayant été capables d'ignorer le rôle joué par la perfide Pologne pendant la crise tchèque de 1938 – ce ne sont pas seulement les nazis qui avaient envahi ce pays, les Polonais aussi, pour satisfaire leurs revendications territoriales –, avaient sottement volé au secours de ces derniers en 1939. Les quelques ossements que j'avais vus au château ne prouvaient pas grand-chose. Un soldat russe mort dans son trou de tirailleur et déterré ensuite par un loup affamé ? C'était probablement la meilleure chose qui puisse arriver à ce Popov, compte tenu de la situation épouvantable qui régnait, d'après Ahrens, dans le camp 126. Mourir de faim était monnaie courante dans un monde administré et contrôlé par mes compatriotes au cœur tendre.

Pendant une demi-heure, je sillonnai les alentours d'un pas maladroit, de plus en plus frigorifié. Même avec des gants, j'avais les mains gelées, et mes oreilles me faisaient aussi mal que si on avait tapé dessus avec la pelle. Mais que diable fichions-nous dans ce pays désolé, recouvert de glace, si loin de chez nous ? Cet espace vital dont Hitler avait un si grand besoin ne convenait qu'aux loups et aux corbeaux. Tout ça n'avait aucun sens, mais il est vrai que ce que faisaient les nazis n'avait pas grand sens pour moi, la plupart du temps. Cependant, je n'étais manifestement pas le seul à soupçonner de plus en plus que Stalingrad pourrait bien avoir la même portée que la retraite de la Grande Armée de Napoléon fuyant Moscou : tout le monde, sauf Hitler et les généraux, savait pertinemment que c'était fini pour nous en Russie.

Au loin, près de la route de Vitebsk, deux sentinelles faisaient semblant de regarder ailleurs, mais je pouvais entendre très distinctement leurs rires : pour je ne sais quelle raison, la forêt de Katyn avait un curieux effet sur le son, le retenant à l'intérieur de la ligne d'arbres comme de l'eau dans un bol. Mais leur opinion ne fit que renforcer mon désir de dénicher quelque chose. Être buté et prouver aux autres qu'ils ont tort, voilà en quoi consiste le boulot de détective. C'est un des talents qui me rendaient si populaire auprès de mes nombreux amis et collègues.

En grattant la neige, je parvins à récolter quelques bricoles. C'est ainsi que je trouvai un paquet de cigarettes allemandes vide, une boucle provenant d'une bretelle de fusil également allemande et un bout de fil de fer tordu. Un sacré butin pour une demi-heure de boulot. J'étais sur le point d'abandonner la partie lorsque, pivotant trop vite sur mes talons, je glissai, puis dégringolai en bas de la pente, me tordant le genou au point qu'il demeura raide et douloureux pendant plusieurs jours. Je poussai un juron et, assis dans la neige, je ramassai ma casquette puis l'enfonçai à nouveau sur mon crâne. Un coup d'œil aux sentinelles près de la route me révéla qu'elles me tournaient carrément le dos, ce qui signifiait probablement qu'elles ne tenaient pas à être vues se payant la tête d'un officier du SD tombé sur le cul.

Je baissai la main pour me relever, quand je sentis soudain un objet seulement en partie gelé dans le sol. Je tirai vigoureusement, et il me resta dans la main. C'était une botte, une botte d'équitation comme celles que portent les officiers. Je la mis à part et, toujours assis, j'entrepris de gratter la terre de chaque côté avec la pelle-pioche. Quelques instants plus tard, j'avais un petit objet métallique dans la main. C'était un bouton. Je l'empochai, récupérai la botte, puis me levai et retournai en boitant au château, où je lavai très soigneusement ma petite trouvaille à l'eau chaude.

Sur le devant du bouton figurait un aigle.

L'après-midi, j'interrogeai les Soussanine, le couple russe qui s'occupait du 537ᵉ au château du Dniepr. Âgés d'une soixantaine d'années, ils étaient aussi méfiants et austères qu'une vieille photo sépia. Oleg Soussanine portait une blouse noire de paysan entourée d'une ceinture, un pantalon sombre, un chapeau de feutre gris et une longue barbe ; sa femme ne différait guère d'aspect. Leur allemand était meilleur que mon russe, mais avec un vocabulaire se limitant à la nourriture, au combustible, à la lessive et aux abeilles. Ahrens s'était arrangé pour me procurer les services d'un interprète du quartier général du groupe d'armées, un Russe nommé Pechkov. C'était un individu au regard fuyant, avec un pince-nez et une moustache à la Hitler. Il portait un manteau de l'armée allemande, une paire de bottes d'officier allemand et un nœud papillon rouge à pois blancs. Par la suite, Ahrens me dit qu'il s'était laissé pousser la moustache afin d'avoir l'air plus pro-allemand.

« Question de point de vue », répondis-je.

Pechkov parlait très bien l'allemand.

« C'est un honneur de travailler pour vous, capitaine, déclara-t-il. Je suis entièrement à votre service pendant votre séjour à Smolensk. De jour comme de nuit. Vous n'avez qu'à demander. Vous pouvez habituellement laisser un message pour moi à l'adjudant-major. À Krasny Bor. Je m'y tiens à disposition tous les matins à neuf heures précises. »

Mais Pechkov avait beau maîtriser l'allemand, il ne riait ni ne souriait jamais et différait complètement du Russe qui l'avait accompagné au château du Dniepr depuis le quartier général du groupe d'armées, un certain Diakov, qui était apparemment une sorte de guide de chasse local et le serviteur du maréchal von Kluge, son *Putzer*.

Ahrens expliqua que des soldats allemands avaient arraché Diakov à un escadron de la mort du NKVD.

« C'est un brave type, remarqua-t-il, tandis qu'il continuait à me présenter les deux Russes. Pas vrai, Diakov ? Une fripouille intégrale, probablement, mais le maréchal von Kluge semble lui faire entièrement confiance, de sorte que je n'ai pas d'autre solution que de lui faire confiance moi aussi.

— Merci, colonel, dit Diakov.

— Il semble avoir un faible pour Maroussia, notre aide-cuisinière. Aussi, quand il n'est pas avec Kluge, il est généralement ici, n'est-ce pas, Diakov ? »

Celui-ci haussa les épaules.

« Ce n'est pas une fille comme les autres, colonel. J'aimerais bien l'épouser, mais Maroussia ne veut pas, alors, en attendant qu'elle accepte, je dois persévérer. S'il y avait du travail pour elle ailleurs, je pense que j'irais.

— Pour sa part, Pechkov n'a de faible que pour Pechkov, ajouta Ahrens. Hein, Pechkov ? »

Pechkov eut un haussement d'épaules.

« Un homme doit gagner sa vie, colonel.

— Il est possible que ce soit un Juif dissimulé, mais personne ne veut se donner le mal de s'en assurer. De surcroît, son allemand est tellement bon que ce serait vraiment dommage d'avoir à se passer de lui. »

Pechkov et Diakov étaient tous les deux des Zeps, des volontaires Zeppelin, comme on surnommait les Russes qui travaillaient pour nous sans être des prisonniers de guerre ; en l'occurrence, des *Hiwis*. Diakov portait un gros manteau avec un col en laine d'agneau, un bonnet de fourrure et une paire de gants en cuir noir de pilote allemand qui, prétendait-il, étaient un cadeau du maréchal, de même que la carabine Mauser Safari suspendue à son épaule par une bretelle en peau de mouton. Grand, il avait des cheveux noirs et bouclés, une barbe épaisse, des mains de la taille d'une balalaïka, et, contrairement à Pechkov, un grand sourire engageant plaqué en permanence sur le visage.

« Vous organisez les chasses au loup du maréchal, dis-je à Diakov. C'est bien ça ?

— Oui, capitaine.

— Vous voyez beaucoup de loups par ici ?

— Moi ? Non. Mais l'hiver a été très froid. La faim pousse les loups à s'approcher de la ville en quête de détritus. Un loup peut se faire un bon repas avec un vieux morceau de cuir, vous savez. »

Nous allâmes tous nous asseoir dans la cuisine, qui était la pièce la plus chaude du château, où nous bûmes du thé noir russe préparé dans un samovar cabossé et adouci avec du miel fait par Ahrens. L'odeur délicieuse du thé sucré n'était pas assez forte pour masquer les lourds effluves des Russes.

Pechkov aimait le thé, mais n'appréciait guère les Soussanine. Il leur parlait brutalement, plus brutalement que je ne l'aurais souhaité vu les circonstances.

« Demandez-leur s'ils se souviennent de Polonais dans la région. »

Pechkov posa la question, puis traduisit les paroles de Soussanine.

« Il dit qu'au printemps 1940, il a vu plus de deux cents Polonais en uniforme dans des wagons à la gare de Gnezdovo. Le train a attendu une heure, après quoi il est reparti en direction du sud-est, vers Voronej.

— Comment savent-ils qu'il s'agissait de Polonais ? »

Pechkov répéta la question en russe, puis répondit :

« Un des hommes dans les wagons a demandé à Soussanine où ils se trouvaient. Il a alors dit qu'il était polonais.

— Qu'est-ce que c'est que ce mot qu'il a employé ? demandai-je. *Stolypinkas* ? »

Pechkov haussa les épaules.

« Je ne l'avais encore jamais entendu.

— Oui, capitaine, dit Diakov. Les *Stolypinkas* étaient des wagons-prisons, appelés ainsi d'après le nom du Premier ministre russe qui les a introduits sous les tsars. Pour déporter les criminels en Sibérie.

— À quelle distance se trouve la gare ?

— Environ cinq kilomètres, répondit Pechkov.

— Ces Polonais sont-ils descendus des wagons ?

— Descendus, capitaine ? Pourquoi seraient-ils descendus ?

« — Pour se dégourdir les jambes, éventuellement. Ou être emmenés ailleurs ? »

Pechkov traduisit, écouta Soussanine répondre et secoua ensuite la tête.

« Aucun d'entre eux. Il en est sûr. Les portes sont restées fermées par des chaînes, capitaine.

— Et ici ? Y a-t-il eu des exécutions aux alentours ? De Juifs ? De Russes, peut-être ? Et pourquoi y a-t-il une croix au milieu de la forêt de Katyn ? »

La femme ne desserrait jamais les dents. Les réponses d'Oleg Soussanine étaient brèves et précises, mais j'avais interrogé suffisamment de lascars, de mon temps, pour savoir quand quelqu'un dissimule quelque chose. Ou ment.

« Il prétend que, lorsque le NKVD avait cette maison, il leur était interdit de venir au château du Dniepr pour des raisons de sécurité, ce qui fait qu'ils ne savent pas ce qui se passait, répondit Pechkov.

— Il y avait alors une clôture tout autour des terres, ajouta Diakov. Depuis l'arrivée des Allemands, la clôture a été démolie par les soldats cherchant du bois à brûler, mais il en reste une partie.

— Ne soyez pas aussi dur avec eux, fis-je observer à Pechkov. Ils ne sont accusés de rien. Dites-leur qu'ils n'ont pas à avoir peur. »

Pechkov traduisit de nouveau et, avec hésitation, les Soussanine m'adressèrent un pâle sourire tout en hochant la tête. Mais Pechkov demeura hautain.

« Croyez-moi sur parole, patron. Ces gens-là, il faut leur parler avec dureté, sinon ils ne répondront pas du tout. La *baboulia* est une vraie paysanne et le *starik* un *boulbach* stupide qui a vécu toute sa vie dans la crainte du parti. Ils continuent d'être terrifiés à l'idée que le NKVD puisse revenir, même après dix-huit mois d'occupation allemande. En fait, je suis même étonné que ces deux-là soient encore ici. Il va sans dire que, si jamais ces *moudaks*[1] devaient revenir, l'un et l'autre finiraient en engrais russe. Vous voyez ce que je veux dire ? Ils seraient exécutés dès le premier jour parce qu'ils

---

1. Terme d'argot russe signifiant « connards, têtes de nœud ».

travaillaient pour vous autres. N'en déplaise à votre colonel, la seule chose qui les retient ici, c'est leurs ruches.

— Comme Tolstoï, hein ? » Diakov éclata de rire. « N'empêche, ça fait du bon thé.

— Vous n'avez pas peur de ce qui se passera si le NKVD revient ? »

Pechkov lança un regard à Diakov, puis haussa les épaules.

« Non, capitaine. Je ne crois pas qu'ils reviendront.

— C'est une affaire d'opinion, dis-je.

— Moi ? Je n'ai pas de ruches, patron. » Diakov se fendit d'un grand sourire. « Il n'y a rien qui retienne Alok Diakov à Smolensk. Non, capitaine, dès que ça commencera à sentir le roussi, je partirai pour l'Allemagne avec le maréchal. S'il ne s'agissait que d'être abattu, j'arriverais à m'en accommoder, en quelque sorte. Mais le NKVD peut infliger à un homme des traitements bien pires que de lui flanquer une balle dans la nuque. Et croyez-moi, je sais de quoi je parle.

— Qu'est-ce que faisait le NKVD ? demandai-je aux deux Russes. Ici ? Dans cette maison ?

— Je ne sais pas, capitaine, répondit Pechkov. Franchement, il valait mieux ne pas poser de telles questions. Et s'occuper de ses propres affaires.

— C'est une jolie maison. Avec un cinéma. Qu'est-ce qu'ils faisaient, d'après vous ? Regarder *Le Cuirassé Potemkine* ? *Alexandre Nevski* ? Vous avez bien une idée, Diakov ? À votre avis ?

— Vous voulez que je joue aux devinettes ? Eh bien, je suppose qu'ils se soûlaient avec de la vodka et regardaient des films, oui. »

J'acquiesçai.

« Merci. Merci pour votre aide. Je vous suis très reconnaissant à tous les deux.

— Je suis content d'avoir pu être utile », répondit Pechkov.

Il était difficile de dire lequel d'entre eux – Pechkov, Diakov ou les Soussanine –, mais je savais que quelqu'un mentait. J'en avais la preuve dans ma poche de pantalon. Au moment même où je hochais la tête en souriant aux Russes, j'avais la main autour du bouton que j'avais trouvé dans la forêt de Katyn.

Lorsque je sortis pour réfléchir, Diakov me suivit.

« Pechkov parle bien l'allemand, dis-je. Où l'a-t-il appris ?

— À l'université. Pechkov est un homme très intelligent. Moi, j'ai appris l'allemand à un endroit appelé Terezin, en Tchécoslovaquie. Quand j'étais jeune, j'ai été prisonnier de l'armée autrichienne, en 1915. J'aime bien les Autrichiens. Mais j'aime encore plus les Allemands. Les Autrichiens ne sont pas très chaleureux. Après la guerre, je suis devenu maître d'école. C'est pour ça que le NKVD m'a arrêté.

— Ils vous ont arrêté parce que vous étiez maître d'école ? »

Diakov s'esclaffa.

« J'enseigne l'allemand, capitaine. C'était très bien en 1940, quand Staline et Hitler étaient amis. Mais lorsque l'Allemagne a attaqué la Russie, le NKVD m'a considéré comme un ennemi et m'a arrêté.

— Pechkov a-t-il été arrêté également ? »

Diakov haussa les épaules.

« Non, capitaine. Mais il n'enseignait pas l'allemand. Je crois qu'avant la guerre, il travaillait dans une centrale électrique. Il a appris ce métier en Allemagne, chez Siemens. C'est un métier très important, ce qui explique peut-être que le NKVD ne l'ait pas arrêté.

— Pourquoi Pechkov ne l'exerce-t-il plus ? »

Diakov sourit.

« Parce qu'il n'y a pas d'argent à se faire avec ça. Les Allemands à Krasny Bor le paient très bien, capitaine. Un bon salaire. Meilleur que celui d'un employé dans l'industrie électrique. De plus, ce sont les Allemands qui font maintenant marcher la centrale électrique. Ils se méfient des Russes.

— Et la chasse ? Qui vous a appris à chasser ?

— Mon père était chasseur, capitaine. Il m'a appris à tirer. » Diakov eut un grand sourire. « Vous voyez, capitaine ? J'ai eu de très bons professeurs. Mon père et les Autrichiens. »

7

Vendredi 12 mars 1943

Je me réveillai en croyant que j'étais de nouveau dans les tranchées, car la forte odeur d'un truc infect m'emplissait les narines. On aurait dit un rat crevé, mais en pire, et je passai les dix minutes suivantes à humer l'air dans divers coins de ma chambre au château, avant de finir par me dire que la source de cette puanteur se trouvait sous mon lit. Et c'est seulement lorsque je me mis à quatre pattes pour jeter un coup d'œil que je me souvins de la botte en cuir gelée. Je l'avais balancée par terre le matin précédent ; sauf que la botte et ce qu'elle contenait encore n'étaient plus gelés.

Prenant une profonde inspiration, je regardai dans la tige tout en pressant le bout. Il y avait plusieurs objets durs à l'intérieur, restes d'un pied pourri à ajouter à la collection d'ossements du colonel dans la réserve au sous-sol. J'avais dans l'idée que les os du pied et de la jambe enveloppés dans la bâche avaient appartenu au même homme, la botte ayant été mordillée à plusieurs endroits, vraisemblablement par le loup. Mais il y avait autre chose dedans, à part le pied puant du cadavre d'un Polonais, et, petit à petit, je réussis à extraire un morceau de papier huilé qui avait dû entourer le mollet du mort. Tout d'abord, je fus enclin à croire que le Polonais avait tout simplement essayé de protéger sa jambe du froid, comme je le faisais avec mes propres bottes de moindre qualité ; mais du journal aurait été plus adapté : le papier huilé servait à conserver les choses, pas à les garder au chaud.

J'étalai le papier du mieux possible en me servant du pied du lit et d'une chaise. Il était plié en deux, et, à l'intérieur, se trouvaient plusieurs feuilles de papier pelure tapées à la machine. Mais, en dépit du papier huilé, ce qu'il y avait d'écrit était pratiquement illisible. Manifestement, déchiffrer ce qu'il y avait de marqué sur ces feuilles allait nécessiter les ressources d'un laboratoire.

Jusqu'à ce que le sol dégèle, je voyais mal comment avancer davantage dans ces recherches préliminaires. Le bouton allait devoir constituer une preuve suffisante, semble-t-il. Ce qui ne me réjouissait guère. Un bouton, une vieille botte et quelques ossements, c'était une bien piètre récolte à rapporter à Berlin. Je voulais absolument savoir ce qui était écrit sur les feuilles avant d'en parler à quiconque. Je ne tenais pas à devenir, moi ou le Bureau, le pigeon d'une savante mise en scène montée de toutes pièces par le ministère de la Propagande. Tout de même, je ne pouvais pas m'empêcher de penser que, si les séides du Mahatma avaient planté des indices d'un massacre dans la forêt de Katyn, ils auraient fait en sorte qu'ils soient un peu plus évidents et faciles à trouver pour quelqu'un comme moi.

Je m'habillai et descendis prendre mon petit déjeuner.

Le colonel Ahrens parut content de savoir que j'avais probablement achevé mon enquête et que je désirais retourner à Berlin le plus vite possible. Il sembla beaucoup moins content lorsque je lui expliquai que je n'étais pas parvenu à une conclusion définitive.

« À ce stade, j'ignore si le Bureau voudra aller plus loin. Désolé, colonel, mais c'est ainsi. Vous ne m'aurez plus sur le dos dès que je pourrai prendre un avion pour rentrer.

— Vous ne trouverez pas de vol aujourd'hui. Samedi serait plus approprié. Ou même dimanche. Il arrivera ici un tas d'avions demain.

— Bien sûr. La visite du Führer, c'est ça ?

— Oui. Écoutez, je téléphonerai à l'aérodrome pour les détails à régler. Jusque-là, vous pouvez vous servir des équipements du château. Il y a un stand de tir, si le cœur vous en dit. Et on projettera un film dans la salle de cinéma cet après-midi et ce soir. Toutes les permissions sont annulées à partir de minuit, aussi le film a-t-il été avancé. Il s'agit malheureusement du *Juif Süss*. C'est tout ce que nous avons pu obtenir dans un délai aussi court.

— Non, merci. Ce n'est pas un de mes préférés. » Je haussai les épaules. « Vous savez, j'irai peut-être jeter un coup d'œil à cette cathédrale, en fin de compte.

— Bonne idée. Je vous prêterai une voiture.

— Merci, colonel. Et si vous pouviez me donner une carte de la ville, je vous en serais reconnaissant. De loin, on a du mal à distinguer une coupole en oignon d'une autre. »

Je me fichais éperdument de la cathédrale. Je n'avais aucunement l'intention d'aller la voir, ni quoi que ce soit d'autre d'ailleurs, mais je ne tenais pas à ce que le colonel Ahrens le sache. Au demeurant, je ne crois pas au tourisme en temps de guerre. Plus maintenant. Certes, lorsque j'avais été en poste à Paris en 1940, je m'étais un peu baladé avec un Baedeker et j'avais vu quelques-unes des attractions – les Invalides, la tour Eiffel –, mais c'était Paris, et on pouvait toujours prévoir les intentions d'un Français, ce qui était impossible avec un Tchèque ou un Popov. Depuis, j'avais appris à faire preuve d'un brin de prudence et, même de Prague, je n'étais pas allé beaucoup à l'étranger avec le Baedeker. Non qu'il existât des Baedeker sur la Russie – pour quoi faire ? –, mais le principe n'en reste pas moins valable, à mon avis, comme le montreront ces deux exemples.

Heinz Seldte était un lieutenant d'un bataillon de police que j'avais connu à l'Alex dans les années trente ; je lui avais donné un coup de pouce pour entrer à la Kripo. En septembre 1941, il fut l'un des premiers Allemands à pénétrer dans la ville de Kiev. Par un paisible après-midi d'été, il décida d'aller voir le bâtiment de la Douma dans Krechtchatik, la rue principale – un sacré morceau, apparemment, avec une flèche et une statue de l'archange Michel, le saint patron de la ville. Ce qu'il ne savait pas, ce que personne ne savait, c'est qu'avant de se retirer, l'armée Rouge avait piégé toute cette putain de rue avec de la dynamite, qu'elle fit sauter au moyen de détonateurs radiocommandés à plus de quatre cents kilomètres de distance. Personne n'a jamais revu les monuments historiques de Krechtchatik ; ni Heinz Seldte non plus.

Victor Lungwitz était serveur à l'hôtel Adlon. Il faisait le service parce qu'il n'arrivait pas à gagner sa vie comme artiste. Il s'engagea dans une Panzerdivision SS en 1939 et fut envoyé en Biélorussie dans le cadre de l'opération Barbarossa. Durant ses heures de loisir, il se plaisait à dessiner les églises, qui étaient presque aussi nombreuses à Minsk qu'à Smolensk. Un jour, il alla voir une vieille église située à la lisière de la ville. Appelée l'Église rouge, ce qui aurait dû le mettre sur ses gardes. On retrouva le dessin de Victor, mais pas trace de lui. Peu de temps après, un corps mutilé fut repêché dans un marais voisin. Il fallut un moment pour identifier le malheureux : les partisans lui avaient découpé presque toute la tête : le nez, les lèvres, les paupières, les oreilles, avant de lui trancher les organes génitaux et de le laisser saigner à mort.

Quand vous faites la guerre avec un Baedeker, vous ne savez pas toujours ce que vous allez voir.

À bord de la petite Tatra pleine de courants d'air du colonel, je pris à l'est la route principale de Vitebsk, avec Smolensk devant moi et le Dniepr à ma droite. Pendant la plus grande partie du chemin, elle passait entre deux lignes de chemin de fer et, alors que je croisais l'Arsenalstrasse et un cimetière sur la gauche, j'aperçus la gare ; on aurait dit une gigantesque pièce montée, avec quatre tours carrées aux coins et un immense arc d'entrée. Comme beaucoup de constructions de Smolensk, elle était peinte en vert. Ou bien le vert revêtait une signification particulière dans cette partie de la Russie, ou bien il s'agissait de la seule couleur de peinture disponible la dernière fois que quelqu'un avait songé à effectuer des travaux d'entretien des bâtiments. La Russie étant ce qu'elle est, j'avais tendance à souscrire à la seconde explication.

Un peu plus loin le long de la route, je m'arrêtai pour consulter ma carte, puis bifurquai vers le sud dans la Brückenstrasse, ce qui paraissait prometteur étant donné qu'il me fallait trouver un pont pour traverser le fleuve.

D'après la carte, les ponts est et ouest étaient détruits, ce qui en laissait trois au milieu ou, si on était russe, un bac en rondins qui me rappela le camp d'été que j'avais fait sur l'île de Rügen étant gosse. Sur la rive nord, je ralentis en arrivant en vue du Kremlin local – une forteresse entourant le centre de la vieille ville de

Smolensk. Au sommet d'une colline, derrière les murailles en brique rouge à créneaux construites par Boris Godounov, se dressait la cathédrale, avec ses dômes en moulins à poivre si caractéristiques et ses grands murs blancs, aussi élégante à mes yeux qu'un énorme poêle à bois. Au moins, maintenant, je pouvais dire que je l'avais vue.

Je montrai mes papiers aux gardes de la police militaire du poste de contrôle installé sur le pont Pierre-et-Paul, demandai la direction de la Kommandantur, ce à quoi on me répondit de prendre la Hauptstrasse.

« Vous ne pouvez pas la rater, m'expliqua une des sentinelles. Elle se trouve en face de la Sparkassenstrasse. Si vous vous retrouvez dans la Magazinstrasse, c'est que vous êtes allé trop loin.

— Est-ce que tous les noms des rues de Smolensk sont en allemand ?

— Bien sûr. Pour circuler, c'est beaucoup plus commode, vous ne croyez pas ?

— Si on est allemand, c'est certain.

— N'est-ce pas le but, capitaine ? » La sentinelle sourit. « Essayer autant que possible de faire comme si on était chez nous.

— Vous m'en direz tant. »

Je repartis et, dans l'ombre du mur du Kremlin à ma droite, je longeai la Hauptstrasse jusqu'à ce que j'aperçoive ce qui était manifestement la Kommandantur, un édifice en pierre grise avec un portique à piliers et plusieurs drapeaux du parti nazi. Toute une série de panneaux indicateurs en allemand avaient été installés sur la place devant le bâtiment – dont plusieurs sur un char soviétique cassé –, mais l'effet général n'était pas celui d'une clarté des directions données, mais d'un véritable embrouillamini ; une sentinelle se tenait au milieu des panneaux afin d'aider les Allemands à donner un sens à leurs propres pancartes. Le rouge des drapeaux de la Kommandantur ajoutait une touche de couleur presque bienvenue dans une ville aussi grise et verte qu'un éléphant mort. Sous les drapeaux, une dizaine de soldats regardaient un jeune garçon, montant à cru un cheval blanc souffrant d'éparvin, exécuter quelques tours avec l'animal. De temps à autre, ils jetaient des pièces dans la rue pavée, où un vieillard portant une casquette et une veste blanches, qui était peut-être un parent du garçon, ou éventuellement du cheval, les ramassait. En me voyant, deux des soldats s'avancèrent au moment où je m'arrêtais et me saluèrent.

« Vous ne pouvez pas la laisser ici, dit l'un. Question de sécurité. Il vaut mieux la mettre au coin de la Kreuzstrasse, à côté du cinéma. Il y a toujours pas mal de place. »

Trois enfants en loques – deux garçons et une fille, je pense – me regardèrent garer la Tatra devant des affiches de propagande allemandes presque aussi dépenaillées qu'eux. J'avais vu des enfants pauvres de mon temps, mais aucun d'aussi misérable que ces trois mioches. En dépit du froid, ils étaient pieds nus et portaient des sacs à provisions et des gamelles en fer-blanc. Ils donnaient l'impression de devoir se débrouiller tout seuls et de ne pas avoir beaucoup de succès, même s'ils avaient l'air en assez bonne santé. Tout cela semblait très loin des visages souriants, des bols de soupe et des grosses miches de pain figurant sur les affiches. Leurs parents étaient-ils encore en vie ? Avaient-ils seulement un endroit où loger ? Étaient-ce mes affaires ? J'eus un serrement de cœur en songeant un instant à l'existence insouciante qui avait peut-être été la leur avant l'arrivée de mes compatriotes à l'été 1941. N'étant pas du genre à trimbaler du chocolat sur moi, je leur donnai à chacun une cigarette en me disant qu'ils les échangeraient probablement plutôt que de les fumer. Je me demande parfois ce que deviendrait la charité sans nous autres fumeurs.

« Merci », dit le plus vieux, en allemand, un garçon de peut-être dix ou onze ans.

Son manteau était plus rapiécé que la carte dans ma poche. Sur la tête il avait un calot, ou ce que le soldat allemand appelle de façon plus imagée un couvre-chatte. Il mit la cigarette derrière son oreille comme un vrai prolétaire.

« Les cigarettes allemandes sont bonnes. Meilleures que les russes. Vous êtes bien gentil, monsieur.

— Non, je ne suis pas gentil. Aucun de nous. Souviens-toi de ça et tu ne seras jamais déçu. »

Dans la Kommandantur, je demandai au préposé à la réception où je pourrais trouver un officier, et on me dirigea au premier étage. Là, je parlai à un gros lieutenant de la Wehrmacht aux manières mielleuses, qui aurait pu donner aux gosses dehors les rations de toute une semaine sans même le remarquer. Son ceinturon était au dernier cran et aurait sans doute apprécié un peu de détente.

« Ces gens dans la rue, au-dehors, ça ne vous dérange pas qu'ils aient l'air aussi désespérés ?

— Ce sont des Slaves, répondit-il comme si c'était une raison suffisante. Les choses étaient sacrément en retard à Smolensk avant qu'on débarque. Et croyez-moi, les Popov ici vivent beaucoup mieux maintenant que sous les bolcheviks.

— Le tsar et sa famille aussi, mais je ne pense pas qu'ils s'en félicitent. »

Le lieutenant fronça les sourcils.

« Puis-je vous aider en quoi que ce soit, capitaine ? Ou êtes-vous seulement venu aérer votre conscience ? »

J'eus un hochement de tête.

« Vous avez raison. Je suis désolé. C'est exactement ce que je faisais. Pardonnez-moi. En réalité, je cherche un laboratoire scientifique.

— À Smolensk ? »

J'acquiesçai.

« Un endroit disposant d'un microscope stéréoscopique. J'ai besoin d'effectuer quelques tests. »

Le lieutenant décrocha le téléphone et tourna la manivelle.

« Passez-moi le grand magasin », dit-il à l'opérateur. Tout en me regardant, il expliqua : « La plupart des officiers stationnés à Smolensk utilisent le grand magasin en guise de caserne.

— Ça doit être pratique quand on a besoin d'un caleçon neuf. »

Le lieutenant rit.

« Conrad ? Herbert à l'appareil. J'ai avec moi un officier du SD qui essaie de trouver un laboratoire scientifique à Smolensk. Tu as une idée ? »

Il écouta pendant un moment, débita quelques mots de remerciement, puis reposa le téléphone.

« Vous pourriez essayer l'Académie médicale d'État de Smolensk. Elle est sous contrôle allemand, si bien que vous devriez pouvoir y trouver ce que vous cherchez. »

Nous allâmes jusqu'à la fenêtre, où il indiqua du doigt le sud.

« À environ cinq cents mètres dans la Rote-Kreuzer Strasse, sur la droite. Vous ne pouvez pas la rater. Une grande bâtisse jaune canari. Elle ressemble au palais de Charlottenburg à Berlin.

— Ça a l'air impressionnant, dis-je avant de me diriger vers la porte. Je suppose que les Popov de Smolensk n'étaient pas si arriérés que ça. »

L'Académie médicale d'État de Smolensk se trouvait à une courte distance en voiture et, comme promis, il était difficile de passer à côté. Elle était immense, mais, à l'instar de beaucoup d'autres bâtiments de la ville, elle portait les traces de la férocité des combats livrés par l'armée Rouge battant en retraite. De nombreuses fenêtres sur les cinq étages étaient barricadées et des centaines d'impacts de balles piquetaient la façade en stuc jaune. Des sacs de sable protégeaient la triple voûte de l'entrée et, sur le toit, on voyait un drapeau nazi et ce qui ressemblait à un canon antiaérien. Pendant que j'étais là, une ambulance s'arrêta dans la cour, puis déversa plusieurs hommes enveloppés de bandages, étendus sur des civières.

Lorsque le personnel médical allemand et les infirmières soviétiques eurent effectué l'admission des nouveaux arrivants, j'exposai ma requête à un des plantons. Celui-ci écouta patiemment, puis me conduisit à travers les méandres de l'énorme hôpital, qui était plein de soldats allemands blessés lors de la bataille de Smolensk et attendant toujours d'être rapatriés. Nous arrivâmes à un couloir au cinquième étage où il n'y avait pas un mais plusieurs laboratoires, et il me présenta courtoisement à un petit homme portant une blouse blanche trop grande pour lui d'au moins deux tailles, ainsi que des mitaines et un casque de membre d'équipage de char soviétique qu'il retira d'un geste vif en me voyant. Le salut était onctueux, ce qui était compréhensible quand on avait affaire à des officiers du SD.

« Capitaine Gunther, voici le Dr Batov, dit le planton. Il est responsable des laboratoires scientifiques de l'Académie. Il parle l'allemand, et je suis sûr qu'il sera en mesure de vous aider. »

Lorsque le planton nous eut laissés seuls, Batov regarda d'un air penaud le casque de tankiste.

« Cette coiffe ridicule me tient chaud à la tête, expliqua-t-il. Il fait froid dans cet hôpital.

— J'avais remarqué, docteur.

— Les chaudières fonctionnent au charbon, et il n'y a pas beaucoup de charbon pour des choses telles que chauffer un hôpital. Il n'y a pas beaucoup de charbon pour quoi que ce soit par ici. »

Je lui offris une cigarette, qu'il prit et glissa derrière son oreille. J'allumai la mienne et regardai autour de moi. Pour faire cours à des étudiants en médecine russes, le labo était relativement bien équipé ; il y avait deux établis avec des arrivées de gaz, des becs Bunsen, des hottes chimiques, des balances, des fioles et plusieurs microscopes stéréoscopiques.

« Que puis-je pour vous ? demanda-t-il.

— J'espérais pouvoir me servir un moment d'un de vos microscopes stéréo.

— Oui, bien sûr, dit-il en me conduisant vers l'instrument. Vous êtes un scientifique, capitaine ?

— Non, docteur. Un policier. De Berlin. Avant la guerre, nous avions commencé à utiliser des microscopes stéréo dans le travail balistique. Pour identifier et comparer des balles provenant des cadavres de victimes de meurtres. »

Batov s'arrêta devant le microscope et alluma une lampe posée à côté.

« Avez-vous une balle que vous souhaitez examiner maintenant, capitaine ?

— Non. Il s'agit de feuilles tapées à la machine auxquelles je voulais jeter un coup d'œil. Le papier a pris l'humidité, et on a du mal à lire certains mots. » Je m'interrompis, me demandant jusqu'à quel point je pouvais lui faire confiance. « En fait, c'est un peu plus compliqué que ça. Ces feuilles ont été exposées à des fluides cadavériques. Issus d'un corps en décomposition. Elles se trouvaient à l'intérieur d'une botte où la jambe de son propriétaire s'est désintégrée jusqu'à l'os. »

Batov hocha la tête.

« Puis-je les voir ? »

Je lui montrai les papiers.

« Même avec un microscope stéréo, ce sera difficile, dit-il pensivement. L'idéal serait d'utiliser des rayons infrarouges, mais nous ne sommes malheureusement pas équipés de ce genre de technologie de pointe à l'académie. Peut-être vaudrait-il mieux qu'elles soient traitées à Berlin, en fait.

— J'ai de bonnes raisons de préférer voir ce qu'on peut faire tout de suite ici à Smolensk.

— Alors il vous faudra probablement laver ces documents avec du chloroforme ou du xylol. Si vous voulez, je pourrai m'en charger.

— Oui. Si ça vous était possible, je vous en serais reconnaissant. Merci.

— Mais puis-je vous demander ce que vous espérez obtenir exactement ?

— À défaut d'autre chose, j'aimerais savoir dans quelle langue sont écrits ces papiers.

— Eh bien, nous pouvons peut-être faire un essai pour voir ce que ça donne. »

Batov alla chercher des produits chimiques et entreprit de laver une des feuilles. Pendant qu'il travaillait, je m'assis et fumai une cigarette en rêvant que j'étais à Berlin en train de dîner avec Renata à l'hôtel Adlon. Nous n'avions jamais dîné à l'Adlon, mais ça n'aurait pas été un rêve si la chose avait été le moins du monde possible.

Lorsque Batov eut fini, il sécha la page, l'aplatit avec une plaque de verre et la glissa sous le prisme du microscope.

J'approchai une des lampes électriques et regardai à travers les oculaires tout en réglant la mise au point. Des lettres floues apparurent. L'alphabet n'était pas cyrillique et le texte n'était pas écrit en allemand.

« Comment dit-on soldat en russe ? demandai-je à Batov.

— *Soldat.*

— C'est bien ce que je pensais. *Zolnierz.* C'est le mot polonais pour soldat. En voici un autre. *Wywiadu.* Vous avez une idée de ce que ça signifie ?

— Service de renseignements.

— Vraiment ?

— Oui. Ma femme était ukraino-polonaise, capitaine, de la province des Basses-Carpates. Elle a étudié la médecine ici avant la guerre.

— Était ?

— Elle est morte à présent.

— Je suis désolé de l'apprendre, docteur.

— Du polonais. » Batov marqua un temps d'arrêt puis ajouta : « La langue de ce document. Cela me soulage. »

Je levai les yeux des oculaires.

« Pourquoi ça ?

— Si c'est du polonais, cela signifie qu'il m'est possible de vous offrir mon aide. Si c'était du russe… Eh bien, je ne peux quand même pas trahir mon propre pays au profit de l'ennemi, n'est-ce pas ? »

Je souris.

« Non. Je suppose. »

Il désigna le microscope stéréo.

« Puis-je jeter un coup d'œil ?

— Je vous en prie. »

Batov regarda quelques instants à travers les binoculaires, puis opina du chef.

« Oui, c'est écrit en polonais. Ce qui me fait penser qu'une meilleure division du travail serait que je vous lise le texte, en allemand, bien entendu, et que vous le notiez. De cette manière, à la fin, vous connaîtriez tout le contenu du document. »

Se redressant, Batov me considéra. Brun, il avait un air plutôt sérieux, arborait une épaisse moustache et possédait un regard doux.

« Vous voulez dire, mot par mot ? dis-je en faisant la grimace.

— C'est une méthode laborieuse, je l'admets, mais qui possède au moins le mérite d'être sûre, vous ne croyez pas ? Deux ou trois heures, et il se peut que toutes les questions que vous vous posez sur ce document aient reçu une réponse. Et si vous en êtes d'accord, je pourrais peut-être gagner un peu d'argent pour ma famille. Ou vous pourriez me donner quelque chose que je puisse échanger place Bazarnaïa. »

Il eut un haussement d'épaules.

« Sinon, vous pouvez aussi emprunter le microscope et travailler seul. » Il sourit d'un air incertain. « Je ne sais pas. Pour être tout à fait franc, je n'ai pas l'habitude que des officiers allemands me demandent la permission de faire quoi que ce soit dans cet hôpital. »

J'acquiesçai.

« Très bien. Marché conclu. »

Je sortis mon portefeuille et lui remis quelques reichsmarks d'occupation que m'avait fournis le Bureau à Berlin. Puis j'y ajoutai le reste des billets.

« Tenez. Prenez tout. Avec un peu de chance, j'ai un avion demain pour rentrer.

— Alors on ferait bien de s'y mettre », dit Batov.

Il était tard lorsque je regagnai le château du Dniepr. La plupart des hommes dînaient. J'allai m'asseoir à la table des officiers du mess, où il y avait du poulet au menu. Tout en mangeant, j'essayai de ne pas penser aux trois gamins en haillons que j'avais vus à Smolensk dans l'après-midi, mais ce n'était pas facile.

« Nous commencions à nous inquiéter, dit le colonel Ahrens. On n'est jamais trop prudent par ici.

— Comment avez-vous trouvé notre cathédrale ? demanda le lieutenant Rex.

— Très impressionnante.

— Glinka, le compositeur, était de Smolensk, ajouta-t-il. J'aime bien Glinka. C'est le père de la musique classique russe.

— Ça fait plaisir. De savoir qui est son père. Tout le monde ne peut pas en dire autant ces jours-ci. »

Après le dîner, le colonel et moi allâmes dans son bureau fumer et échanger quelques mots tranquillement – du moins, dans la mesure du possible, étant donné qu'il se trouvait à côté de la salle de cinéma du château. À travers le mur, je pouvais entendre Süss Oppenheimer supplier les bourgeois implacables du conseil municipal de Stuttgart afin d'avoir la vie sauve. Ce qui faisait une bande-son inconfortable pour ce qui promettait d'être une conversation non moins inconfortable.

Ahrens s'assit derrière son bureau face à une bonne pile de paperasses.

« Ça ne vous dérange pas si je travaille pendant que nous parlons ? Il faut que j'aie rempli ces bordereaux d'ici à demain. Qui est de service au central téléphonique, ce genre de truc. Je dois avoir mis ça sur le tableau d'affichage avant neuf heures pour que chacun sache où il est censé se trouver. Kluge aura ma peau s'il y a un problème avec nos télécommunications pendant que le Führer est ici.

— Il vient en avion de Rastenburg ?

— Non, de son quartier général avancé, à Vinnitsa, en Ukraine. Appelé par son état-major le Loup-Garou, mais ne me demandez pas pourquoi. Je crois qu'il repart à Rastenburg demain soir.

— Il se déplace beaucoup, notre cher Führer.

— Votre vol de retour vers Berlin est prévu pour demain en début d'après-midi. Je n'hésite pas à dire que j'aimerais pouvoir vous accompagner. Les nouvelles du front ne sont pas bonnes. Je ne voudrais pas être à la place de Kluge quand le Führer débarquera demain pour discuter de la situation et exigera une nouvelle offensive au printemps prochain. Honnêtement, nos troupes ne sont pas préparées à cette tâche.

— Dites-moi, colonel, avez-vous une idée du moment où le sol va commencer à dégeler dans les parages ?

— Fin mars, début avril. Pourquoi ? »

Je haussai les épaules, l'air désolé de manière générale.

« Vous allez revenir ?

— Pas moi. Quelqu'un d'autre.

— Pour quoi faire ?

— Nous n'en serons sûrs que lorsque nous aurons trouvé un cadavre complet, bien évidemment, mais je parierais volontiers qu'il y a des soldats polonais enterrés dans votre bois.

— Je n'y crois pas.

— J'ai peur que ce ne soit vrai. Dès que le sol se mettra à dégeler, mon patron, le juge Goldsche, enverra probablement ici un magistrat militaire aguerri et un médecin légiste pour prendre la direction de l'enquête.

— Mais vous avez entendu les Soussanine, protesta Ahrens. Les seuls Polonais qu'ils aient vus aux alentours sont restés dans le train à Gnezdovo. »

Je jugeai préférable de ne pas lui dire que les Soussanine ou peut-être Pechkov mentaient visiblement. Je lui avais déjà causé suffisamment de problèmes. Au lieu de ça, je lui tendis le bouton.

« J'ai trouvé ceci. Ainsi que les restes d'un pied humain dans une botte d'officier.

— Je ne pense pas qu'un fichu bouton et une botte veuillent dire grand-chose.

— Je ne le saurai qu'après avoir consulté un spécialiste, mais il me semble qu'il y a un aigle polonais sur le bouton.

— De la foutaise ! s'exclama-t-il avec colère. Si vous voulez mon avis, ce bouton pourrait aussi bien provenir du manteau d'un soldat de l'armée russe blanche. Des blancs commandés par le général Denikine se sont battus avec les rouges dans ce secteur jusqu'en 1922 au moins. Non, vous devez faire erreur. Je ne vois pas comment on aurait pu camoufler une chose pareille. Je vous le demande, est-ce que cet endroit donne l'impression d'être construit au milieu d'un charnier ?

— Quand j'étais à l'Alex, le seul moment où nous portions une attention particulière à nos impressions, c'était à l'heure du déjeuner. Ce qui compte, ce sont les faits. Les faits comme ce petit bouton, ces ossements humains, ces deux cents officiers polonais arrêtés sur une voie de garage. Voyez-vous, je pense qu'ils sont bel et bien descendus de ce train. Qu'ils sont probablement venus ici et qu'ils ont été exécutés par le NKVD dans votre bois. Je possède une certaine expérience de ces escadrons de la mort, vous savez. »

Je n'avais guère envie de parler au colonel du document en polonais que j'avais découvert et que le Dr Batov m'avait méticuleusement traduit à l'aide de son microscope stéréo. Je me disais que moins il y aurait de gens au courant, mieux ce serait. Mais il ne faisait pratiquement aucun doute pour moi que les ossements retrouvés dans la forêt de Katyn avaient appartenu à un soldat polonais, et il semblait certain que le Bureau aurait une enquête pour crime de guerre d'envergure à Smolensk dès que je pourrais rentrer à Berlin faire mon rapport au juge Goldsche.

« Bon, très bien, mais, s'il y a deux cents Polonais enterrés dans les parages, qu'est-ce que ça change pour ces pauvres bougres à présent ? Hein, dites-le-moi. Est-ce que vous ne pourriez pas faire comme s'il n'y avait là rien d'intéressant ? Ensuite, nous pourrons retourner à nos occupations et poursuivre la mission normale qui est la nôtre pour essayer de sortir de cette guerre en vie.

— Écoutez, colonel, je ne suis qu'un simple policier. Ce qui se passera ici ne dépend pas de moi. Je ferai mon rapport au Bureau, après quoi cela regarde les chefs et le service juridique du haut commandement. Mais s'il apparaissait qu'il s'agit bien d'un bouton polonais… »

Je laissai ma phrase inachevée. Il était difficile de savoir au juste à quoi ressemblerait le résultat d'une telle découverte, mais je sentais que le petit monde douillet du colonel au château du Dniepr touchait à sa fin.

Et lui aussi, je pense, car il jura vigoureusement à plusieurs reprises.

8

Samedi 13 mars 1943

Il neigea de nouveau pendant la nuit, et la chambre était si froide que je dus garder mon manteau au lit. La fenêtre était couverte de givre à l'intérieur et il y avait de minuscules glaçons sur le cadre métallique du lit, comme si une fée du gel avait longé les montants sur la pointe des pieds pendant que j'essayais de dormir. Ce n'est pas seulement le froid qui me tenait éveillé ; de temps à autre, je repensais à ces trois gosses pieds nus en regrettant de ne leur avoir donné que des cigarettes.

Après le petit déjeuner, je m'évertuai à me tenir à l'écart. Je ne voulais pas rappeler par ma présence au colonel Ahrens que je serais bientôt remplacé par un juge du Bureau des crimes de guerre. Et, contrairement à la plupart des hommes du 537ᵉ, je ne tenais pas vraiment à me lever aux aurores afin d'aller faire des signes de la main au Führer au bord de la route de Vitebsk tandis qu'il viendrait de l'aéroport pour un déjeuner matinal avec le maréchal von Kluge à son quartier général. J'empruntai donc une machine à écrire au service des transmissions et passai le temps qui restait avant mon vol de retour à rédiger mon rapport pour le juge Goldsche.

C'était un travail monotone, et il m'arrivait fréquemment de regarder par la fenêtre, lorsque j'aperçus Pechkov, l'interprète à la moustache en brosse à dents, engagé dans une violente dispute avec Oleg Soussanine, au terme de laquelle ce dernier jeta son interlocuteur à terre. Ce qui n'avait rien de très intéressant, sauf qu'il est toujours intéressant de voir un homme présentant une légère ressemblance avec le Führer se faire secouer les puces. Et qu'il s'agit d'un spectacle des plus rares.

Après le déjeuner, le lieutenant Hodt me conduisit à l'aéroport, où, ainsi qu'on pouvait s'y attendre, la sécurité avait été renforcée, comme jamais auparavant : il y avait tout un peloton de grenadiers de la Waffen-SS montant la garde autour de deux Focke-Wulf Condor spécialement équipés, ainsi qu'une escadrille de chasseurs Messerschmitt attendant d'escorter le vol réel de Hitler à destination de Rastenburg.

Hodt me laissa dans le bâtiment principal de l'aéroport, où un détachement d'officiers d'état-major savourait une dernière cigarette avant l'arrivée du convoi du Führer, lequel interdisait apparemment qu'on fume à bord de son avion personnel.

Pendant que je patientais, un jeune lieutenant à lunettes de la Wehrmacht pénétra dans le hall et demanda au groupe qui s'était rassemblé lequel d'entre nous était le colonel Brandt. Un officier portant un insigne équestre en or sur sa tunique s'avança et déclina son identité, après quoi le lieutenant claqua les talons et annonça qu'il était le lieutenant von Schlabrendorff et qu'il avait un paquet pour le colonel Stieff de la part du général von Tresckow. Ma curiosité touchant ce petit échange ne fut piquée que lorsque le lieutenant remit ce même paquet contenant deux bouteilles de Cointreau que le conseiller von Dohnányi – à qui von Schlabrendorff ressemblait fortement – avait apporté avec lui dans l'avion de Berlin le mercredi précédent. Ce qui me fit me demander, une nouvelle fois, pourquoi Dohnányi n'avait pas confié le paquet à quelqu'un au moment où il avait atterri à Rastenburg. Si j'avais été un véritable agent des services de sécurité, peut-être aurais-je signalé ce détail, qui me paraissait suspect, mais j'avais déjà suffisamment de pain sur la planche sans m'immiscer dans le travail de la Gestapo ou des gardes du corps du SRD. En outre, mon intérêt en la matière s'estompa lorsqu'un robuste sergent entra dans le hall et annonça que notre vol pour Berlin était retardé jusqu'au lendemain à midi.

« Quoi ? s'écria un autre officier, un commandant au visage barré d'une impressionnante cicatrice. Et pour quelle raison ?

— Des problèmes techniques, commandant.

— Mieux vaut s'en apercevoir au sol que lorsqu'on est dans les airs », dis-je au commandant avant de partir en quête d'un téléphone.

9

Je passai une nouvelle nuit au château du Dniepr, et cette fois mon sommeil fut interrompu non pas par le froid, ni par le souvenir des trois enfants pouilleux que j'avais rencontrés – et certainement pas par des sentiments d'ordre mystique concernant ce qui avait bien pu se passer dans la forêt de Katyn –, mais par le lieutenant Hodt faisant irruption dans ma chambre.

« Capitaine Gunther !

— Oui, qu'est-ce que c'est, lieutenant ?

— Le colonel Ahrens s'excuse de vous déranger et vous prie de venir le rejoindre le plus vite possible. Sa voiture est dehors, devant le château.

— Dehors ? Pourquoi ? Qu'est-il arrivé ?

— Il vaudrait mieux qu'il vous l'explique lui-même, répondit Hodt.

— Oui. Oui, bien sûr. Quelle heure est-il ?

— Deux heures du matin, capitaine.

— Merde ! »

Je m'habillai et sortis. Une Kübelwagen[1] attendait dans la neige, moteur en marche. Je grimpai à côté du colonel Ahrens et derrière un autre officier que je n'avais jamais vu. Autour du cou, le second

---

1. Littéralement : « voiture baquet ». La Volkswagen de type Kübelwagen était un véhicule militaire tout terrain, remarquable par sa légèreté, qui fut produit à partir de 1940.

officier avait un hausse-col montrant qu'il appartenait à la police militaire, l'équivalent aisément reconnaissable de la capsule de bière de la Kripo que je portais dans la poche de mon manteau quand j'étais inspecteur en civil. Il me paraissait déjà évident que nous n'allions pas à la bibliothèque du quartier. J'étais à peine assis que le sous-officier conduisant le baquet enclencha bruyamment une vitesse d'un coup sec, et nous nous éloignâmes rapidement le long de l'allée.

« Capitaine Gunther, voici le lieutenant Voss, de la Feldgendarmerie.

— S'il n'était pas si tard, je serais probablement enchanté de vous rencontrer, lieutenant.

— La capitaine Gunther travaille pour le Bureau des crimes de guerre, expliqua Ahrens. Mais avant ça, il était Kommissar dans la Kripo, à l'Alex.

— De quoi s'agit-il exactement, colonel ? demandai-je à Ahrens.

— Deux de mes hommes ont été assassinés, capitaine.

— Je suis désolé de l'apprendre. Par des partisans ?

— C'est ce que nous espérons que vous pourrez nous aider à découvrir.

— Espérer ne peut pas faire de mal, je suppose », répliquai-je avec aigreur.

Nous prîmes à l'est la route de Smolensk. Sur le bas-côté, un panneau indiquait : PARTISANS DANGER. VÉHICULES PARTICULIERS STOP ! TENEZ VOS ARMES PRÊTES.

« Il semble que vous vous soyez déjà fait une opinion, observai-je.

— C'est vous l'expert, dit Voss. Une fois que vous aurez jeté un coup d'œil à la scène, vous nous direz éventuellement ce que vous en pensez.

— Pourquoi pas ? Du moment que tout le monde se rappelle que j'embarque à bord d'un avion pour Berlin dans dix heures.

— Un simple coup d'œil, dit Ahrens. Je vous en prie. Ensuite, si vous le souhaitez, vous pourrez prendre votre avion pour rentrer. »

Le « si vous le souhaitez » ne me plut pas du tout, mais je ne dis rien. Ces derniers temps, je m'étais beaucoup amélioré dans ce domaine. De plus, le colonel avait de toute évidence les nerfs en pelote, et lui dire que je me fichais éperdument de savoir qui avait tué ses hommes n'allait pas précisément faciliter mon départ de Smolensk, déjà reporté. J'avais autant envie de m'attarder dans cette ville que de prendre un bain glacé.

À quelques mètres de la gare, la route se scindait, et nous prîmes la Schlachthofstrasse au sud avant de tourner à droite dans la Dnieperstrasse, où le chauffeur s'arrêta en dérapant. Nous descendîmes de voiture et passâmes devant un Opel Blitz plein de Feldgendarmes avant de dévaler une pente couverte de neige jusqu'au bord du Dniepr, où une autre voiture baquet était garée, son projecteur braqué vers deux corps allongés côte à côte sur la berge à moitié gelée. Deux des hommes du lieutenant se tenaient à côté des cadavres, tapant des pieds à cause du froid et de l'humidité. Le fleuve avait l'air aussi noir que le Styx et presque aussi calme dans le silence nocturne.

Voss me passa une lampe de poche et, malgré mon désir de ne pas m'en mêler, je fis preuve d'une bonne volonté ostensible en jetant un œil professionnel à la scène de crime du lieutenant. Ce qui n'avait rien de très compliqué : deux types en uniforme, la tête nue défoncée et la gorge proprement tranchée d'une oreille à l'autre comme un grand sourire de clown, avec du sang un peu partout sur la neige, lequel, dans le clair de lune, ressemblait à tout sauf à du sang.

« Lieutenant ? Essayez de trouver leur couvre-chatte, voulez-vous ?

— Leur quoi ?

— Leur galure. Leur putain de galure. Trouvez-les. »

Se tournant vers un de ses hommes, Voss lui transmit l'ordre. Ce dernier fit demi-tour puis se mit à grimper le talus.

« Et pendant que vous y êtes, voyez si vous ne pouvez pas mettre la main sur l'arme du crime, lui criai-je. Un couteau quelconque ou une baïonnette.

— Oui, capitaine.

— Eh bien, que sait-on jusqu'ici ? demandai-je à personne en particulier et sans beaucoup me soucier de la réponse.

— Le sergent Ribe et le caporal Greiss, dit le colonel. Deux de mes meilleurs hommes. Ils étaient préposés au standard et au codage jusqu'à environ quatre heures de l'après-midi, après le départ du Führer.

— À quoi faire ?

— S'occuper des échanges téléphoniques. De la radio. Décoder les messages par téléscripteur avec la machine Enigma.

— Alors une fois leur service terminé, ils ont quitté le château. Comment ? Dans un baquet ?

— Non, à pied, répondit Ahrens. Il ne faut pas plus d'une demi-heure.

— Seulement si ça en vaut la peine, j'imagine. Qu'est-ce qu'il y a d'attrayant par ici ? Ne me dites pas que c'est l'église près de la gare ou je vais commencer à regretter d'avoir manqué quelque chose.

— L'église Pierre-et-Paul ? Non.

— Il y a une piscine dont se sert l'armée dans la Dnieperstrasse, dit Voss. Apparemment, ils s'y sont rendus pour nager et prendre un bain de vapeur, après quoi ils sont allés à côté.

— À côté étant ?

— Un bordel, répondit Voss. Dans l'hôtel Glinka. Ou ce qui était auparavant l'hôtel Glinka.

— Ah ! oui, Glinka. Je m'en souviens. Le père de la musique classique russe, hein ? » Je bâillai bruyamment. « J'ai hâte de me familiariser avec sa musique. Voilà qui changerait agréablement de ce froid russe glacial. Bon Dieu, mes oreilles me font le même effet que si on les avait mordues.

— Les putains dans le bordel prétendent que les deux hommes sont restés là jusqu'à onze heures, puis qu'ils sont partis, dit Voss. Pas de problème. Pas de bagarre. Rien de suspect.

— Des putains ? Pourquoi ne pas m'avoir averti ? J'ai passé la soirée seul avec un bon livre.

— Ce n'est pas un endroit pour les officiers, répondit Voss. Seulement les simples soldats. Un bordel de rafle.

— Ah ! Alors ce ne sont pas des prostituées au sens strict. Juste d'innocentes jeunes filles de l'extérieur de la ville forcées de servir la mère patrie en mode horizontal. Bon, je suis content d'être resté avec mon bouquin. Qui les a découverts ?

— Je vous demande pardon ?

— Les corps ! Qui les a découverts ? Une putain ? Un autre Fritz ? Les bateliers de la Volga ? Qui ?

— Un sergent SS est sorti du Glinka pour respirer un peu d'air frais, expliqua Voss. Il avait pas mal bu et se sentait malade, à ce qu'il raconte. Il a aperçu une silhouette penchée sur ces deux hommes et a cru à un vol. Il a alors interpellé l'individu en question, qui s'est enfui vers le pont ouest. » Le lieutenant Voss montra la rive du doigt. « Par là.

— Lequel est en ruine, n'est ce pas ? On peut donc présumer qu'il ne cherchait pas à traverser le fleuve en pleine nuit. Pas à moins d'être un sacré bon nageur.

— Exact. Le sergent a poursuivi la silhouette un certain temps, mais il l'a perdue dans l'obscurité. Quelques instants plus tard, il a entendu démarrer un moteur, et un véhicule s'est éloigné. À l'en croire, ça ressemblait à un bruit de moto, même si je me demande comment il peut être aussi catégorique sans l'avoir vue.

— Hmm. Dans quelle direction la moto est-elle partie ? L'a-t-il précisé ?

— L'ouest, répondit Voss. Elle n'est jamais revenue. »

J'allumai une cigarette pour m'empêcher de me remettre à bâiller.

« Vous a-t-il donné une description de l'individu qu'il a aperçu ? Encore que ça ne change pas grand-chose s'il était ivre.

— Il faisait trop sombre, d'après lui. »

Je jetai un coup d'œil à la lune. Il y avait quelques nuages. De temps à autre, l'un d'eux tirait devant elle un rideau noir, mais rien en matière d'intempéries qui soit susceptible, apparemment, de retarder un avion pour Berlin.

« C'est possible, je suppose. »

Puis je regardai de nouveau les deux morts. La vue d'un homme à qui on a coupé la gorge a quelque chose d'horrible ; probablement parce que cela évoque les sacrifices d'animaux, sans parler de l'énorme quantité de sang répandue. Mais il y avait une dimension d'horreur supplémentaire dans la manière dont les deux hommes avaient été égorgés – c'était bien le terme qui convenait –, car on avait employé une telle force pour le faire que la tête de chacun d'eux avait été pratiquement sectionnée, au point que l'épine dorsale était clairement visible. Si j'avais regardé de plus près, j'aurais sans doute pu voir ce qu'ils avaient mangé la veille. À la place, je soulevai leurs mains en quête de coupures défensives, mais il n'y en avait pas.

« Je crois me rappeler que les partisans aiment bien enlever la tête des soldats allemands capturés, dis-je.

— C'est un fait reconnu, admit Voss. Et pas seulement leur tête.

— Alors notre assassin avait peut-être l'intention d'en faire autant, mais il a été dérangé par le sergent SS.

— Oui, capitaine.

— En revanche, leur arme de poing est toujours dans l'étui, avec le rabat boutonné. Ça montre qu'ils n'avaient pas peur de lui. » Je me mis à fouiller une poche d'un des cadavres. « Ce qui constitue un élément supplémentaire allant à l'encontre de l'idée qu'il s'agirait de partisans. Et, presque à coup sûr, un partisan aurait récupéré ces armes. Les armes sont encore plus précieuses que l'argent. Sauf qu'il n'y a de portefeuille nulle part.

— Ils sont ici, dit Voss. Désolé, j'ai pris celui de chacun d'eux quand j'essayais de les identifier tout à l'heure.

— Puis-je en voir un ? »

Voss me remit un des portefeuilles. Je passai quelques instants à en examiner le contenu et trouvai plusieurs billets.

« Je suppose que ces putains ne demandent pas beaucoup. Il a encore un tas de fric sur lui. Ce qui est assez inhabituel pour un type sortant d'un bordel. Bon. Le mobile est donc autre chose que le vol. Mais quoi ? » Je levai la lampe torche vers la rue et la maison close en haut du talus. « Peut-être simplement un meurtre. Il semble qu'on leur ait coupé la gorge ici, alors qu'ils gisaient sur le sol.

— Qu'est-ce qui vous fait dire ça ? demanda le colonel Ahrens.

— Le sang a imbibé leurs cheveux à l'arrière du crâne. S'ils avaient été debout, il aurait entièrement coulé sur leur tunique. Ce qui n'est pas le cas. La plus grande partie s'est répandue sur la neige. Du travail soigné, en plus de ça. Presque chirurgical. Comme si celui qui leur a tranché la gorge savait très bien ce qu'il faisait. »

Le Feldgendarme revint en tenant le calot d'un des deux cadavres.

« J'ai trouvé les calots dans la rue, capitaine. J'ai laissé l'autre là où il était pour que vous puissiez jeter un coup d'œil vous-même. »

Je pris le calot et l'ouvris. Il y avait du sang et des cheveux à l'intérieur.

« Venez, dis-je rapidement. Montrez-moi. » Puis à Ahrens et à Voss : « Attendez-moi ici, messieurs. »

Je remontai la berge à la suite du policier jusqu'à un emplacement dans la rue où se tenait un autre Feldgendarme, sa lampe de poche braquée obligeamment sur le second calot. Je le ramassai et inspectai l'intérieur : il y avait également du sang dans celui-ci. Puis je redescendis rejoindre Ahrens et Voss en bas du talus, tournant la lampe torche d'un côté et de l'autre.

« L'assassin leur a probablement flanqué un coup sur la tête là-haut dans la rue, dis-je. Après quoi, il les a traînés jusqu'ici, où tout était tranquille, pour les tuer.

— Vous croyez que c'étaient des partisans ?

— Comment le saurais-je ? Mais, à moins que nous ne soyons en mesure de prouver le contraire, je suppose que la Gestapo voudra exécuter quelques autochtones, histoire de montrer qu'ils sont au poste et qu'ils prennent les choses au sérieux, comme seule la Gestapo sait le faire.

— Oui, dit Voss, je n'y avais pas pensé.

— Raison pour laquelle, sans doute, vous ne travaillez pas pour la Gestapo, lieutenant. Attendez. Qu'est-ce que c'est que ça ? »

Quelque chose brillait dans la neige, quelque chose de métallique, mais ce n'était pas un couteau ni une baïonnette.

« Quelqu'un sait ce que c'est ? »

Nous regardions deux morceaux ondulés d'un métal plat et flexible, réunis au bout par une petite goupille ovale ; les bouts de métal tournaient comme une paire de cartes à jouer dans mes doigts. Le colonel Ahrens me prit l'objet des mains pour pouvoir l'examiner.

« À mon avis, il s'agit de l'intérieur d'un fourreau, dit-il. Pour une baïonnette allemande.

— Vous en êtes sûr ?

— Oui. Ce dispositif est destiné à maintenir la baïonnette en place. L'empêcher de sauter. Vous ! » Ahrens se tourna vers le Feldgendarme. « Portez-vous une baïonnette ?

— Oui, colonel.

— Passez-la-moi. Et le fourreau aussi. »

Le policier obéit et, à l'aide de son couteau suisse d'officier, le colonel eut tôt fait d'extraire la vis de fixation du fourreau et de retirer un ressort identique.

« J'ignorais complètement que c'est ainsi que la baïonnette reste engainée, remarqua Voss. Intéressant. »

Nous remontâmes la pente en direction de l'hôtel Glinka.

« Dites-moi, colonel, y a-t-il d'autres bordels à Smolensk ?

— Je ne saurais le dire, répondit-il avec raideur.

— Oui, il y en a, capitaine Gunther, dit Voss. Il y a l'hôtel Moskova au sud-ouest de la ville et l'hôtel Archangel près de la Kommandantur. Mais le Glinka est le plus proche du château et du 537e de transmissions.

— Vous connaissez vos bordels, ça ne fait aucun doute, lieutenant.

— En tant que Feldgendarme, on est obligé.

— Eh bien, s'ils étaient à pied, comme vous le dites, colonel, il y a fort à parier qu'ils auraient choisi le Glinka.

— Je n'en sais rien non plus.

— Non, bien sûr. » Je poussai un soupir et regardai ma montre en regrettant de ne pas être déjà à l'aéroport. « Je ferais peut-être mieux de garder mes questions pour moi, colonel, mais je m'étais mis cette drôle d'idée en tête que vous désiriez mon aide dans cette affaire. »

Le Glinka était un bâtiment blanc tarabiscoté avec plus de fioritures efféminées qu'un mouchoir en dentelle de courtisane. Sur le toit se dressait une courte flèche crénelée dotée d'une girouette ; le porche dans la rue avait d'épaisses colonnes en poivrière rappelant un temple philistin bas de gamme, et je m'attendais presque à trouver un Popov musclé enchaîné entre elles pour l'amusement d'un dieu de la fertilité local. En l'occurrence, il n'y avait qu'un portier barbu tenant un sabre rouillé et vêtu d'un manteau rouge de cosaque, la poitrine couverte de médailles de pacotille. À Paris, ils auraient sans doute fait quelque chose d'une telle entrée, tout comme ils auraient fait de l'intérieur un lieu à l'aspect attrayant sinon raffiné, avec une ribambelle de miroirs, de meubles dorés et de rideaux en soie – les Français savent comment faire fonctionner un bordel convenable, de même qu'ils savent ce qu'est un bon restaurant. Mais Smolensk se trouvait loin de Paris, et le Glinka à des milliers de kilomètres d'être un bordel convenable. C'était un vulgaire comptoir à saucisses, un boxon miteux où le seul fait de pousser la porte vitrée crasseuse et de respirer la forte odeur de parfum bon marché et de semence masculine flottant dans l'air suffisait à vous persuader que vous risquiez la chaude-pisse. Je me sentais désolé pour tout homme entrant là, mais plus encore pour les filles, dont beaucoup de Polonaises, et quelques-unes n'ayant pas plus de quinze ans, que l'on avait arrachées à leur foyer pour des « travaux agricoles » en Allemagne.

Quelques minutes de conversation avec un choix de ces malheureuses suffirent à m'apprendre que Ribe et Greiss avaient été des habitués du Glinka, qu'ils s'étaient comportés impeccablement, ou du moins aussi impeccablement que les circonstances l'exigeaient, et qu'ils étaient repartis seuls à onze heures pile, ce qui leur laissait largement le temps d'être rentrés au château pour l'appel nominal de minuit. Et j'acquis rapidement la conviction que le sort horrible qui avait frappé les deux soldats n'avait que peu ou pas de rapport avec ce qui s'était passé au Glinka.

Lorsque j'eus fini d'interroger les putains polonaises, je sortis et aspirai une grande bouffée d'air pur et froid. Le colonel Ahrens et le lieutenant Voss me suivirent, attendant que je dise quelque chose. Mais, comme je fermais un instant les yeux et m'appuyais à un des piliers de l'entrée, le colonel interrompit le cours de mes pensées avec impatience.

« Eh bien, capitaine Gunther. Dites-nous. Quelle est votre impression ? »

J'allumai une cigarette et secouai la tête.

« Il y a des fois où il est presque aussi triste d'être un homme que d'être un Allemand.

— Vraiment, capitaine, vous êtes un individu des plus exaspérants. Oubliez vos sentiments personnels et concentrez-vous sur votre tâche de policier, je vous prie. Vous savez très bien que je parle de mes gars et de ce qui a pu leur arriver. »

Je jetai ma cigarette sur le sol avec colère, puis je me sentis encore plus en colère d'avoir gaspillé une excellente cigarette.

« Ça vous va bien de dire ça, colonel. Vous me réveillez pour que j'aide la Feldgendarmerie locale en lui apportant le concours d'une paire d'yeux de flic supplémentaire, et quand les yeux de flic voient quelque chose qu'ils n'aiment pas, vous chaussez vos éperons et vous commencez à vous cabrer. Puisque vous voulez mon avis, vos foutus petits gars ne l'ont pas volé, s'ils sont venus ici. Rien que de franchir la porte de ce genre d'usine à viande, j'en ai l'estomac retourné, d'accord ? Mais il est vrai que je suis un peu particulier dans ce domaine. Vous avez peut-être raison. Il m'arrive d'oublier que je suis un soldat allemand.

— Écoutez, je vous ai seulement interrogé sur mes hommes – ils ont été assassinés, après tout.

— Vous me prenez de haut et, s'il y a bien une chose que déteste un Berlinois, c'est qu'on le prenne de haut. Vous avez beau être colonel, n'essayez jamais de m'enfoncer une baguette dans le cul, mon vieux.

— Capitaine Gunther, vous avez vraiment un caractère irascible.

— C'est peut-être parce que j'en ai par-dessus la tête des gens qui croient que toutes ces conneries ont la moindre importance. *Vos hommes ont été assassinés.* Ce serait risible si toute cette situation en Russie n'était pas aussi tragique. Vous parlez d'assassinat comme si ça signifiait encore quelque chose. Au cas où vous ne l'auriez pas remarqué, nous nous trouvons tous dans l'endroit le plus épouvantable au monde avec un pied dans l'abîme et nous faisons comme s'il existait la loi et l'ordre, et quelque chose qui vaudrait la peine de se battre. Mais ce n'est pas le cas. Pas en ce moment. Il n'y a que folie, chaos et carnage. Et peut-être que le pire est encore à venir. Voilà à peine deux jours, vous m'avez dit que plus de seize mille Juifs du ghetto de Vitebsk avaient fini dans le fleuve ou en engrais humain. Seize mille personnes. Et je suis censé me soucier de deux Fritz en permission qui se sont fait couper la gorge devant le comptoir à saucisses local.

— Je vois que vous êtes sous pression, capitaine, fit observer le colonel.

— Nous le sommes tous, admis-je. C'est d'avoir à détourner sans cesse les yeux. Eh bien, je ne vous le cache pas, j'en ai des courbatures dans la nuque. »

Le colonel Ahrens bouillait intérieurement.

« J'attends toujours une réponse à une question parfaitement raisonnable, capitaine.

— Très bien, je vais vous dire ce que je pense, et vous pourrez me répondre que je me trompe, après quoi le lieutenant n'aura qu'à m'emmener à l'aéroport. Colonel, vos hommes ont été tués par un soldat allemand. Leur arme de poing se trouvait encore dans son étui, par conséquent ils ne se sentaient pas en danger et, avec ce clair de lune, il est fort peu probable que le meurtrier ait été en mesure de les surprendre. Il est même possible qu'ils connaissaient le tueur. C'est une donnée statistique embarrassante, mais la plupart des gens connaissent la personne qui les assassine.

— Je ne peux pas croire ce que vous dites, déclara Ahrens.

— Je vous donnerai dans un instant quelques raisons supplémentaires pour lesquelles moi, j'y crois. Mais, si je peux me permettre… L'attaque initiale a probablement eu lieu dans la rue. L'assassin les a frappés à la tête avec un instrument contondant qu'il a sans doute jeté à l'eau. Il devait être extrêmement vigoureux car c'est l'impression que donnent leurs blessures à la tête – je ne serais pas surpris si Ribe et Greiss avaient succombé en définitive à ces seuls coups. Puis il les a traînés jusqu'au fleuve. Ce qui laisse supposer là encore qu'il était costaud. Et tout à fait résolu, pardessus le marché, si l'on en juge d'après la profondeur des entailles causées par la baïonnette. J'ai déjà vu des chevaux de trait avec des bouches plus petites que ces blessures. Il leur a tranché la gorge alors qu'ils étaient sans connaissance, vraisemblablement afin de s'assurer qu'ils étaient bien morts. Et cela me paraît significatif. J'ai eu aussi l'impression que la lacération finissait plus haut d'un côté que de l'autre du cou de chacun d'eux. Le côté gauche, comme vous pouvez le constater, ce qui pourrait indiquer un gaucher.

« Bon, alors : peut-être a-t-il été dérangé ou peut-être pas. Il est possible qu'il ait eu l'intention de balancer les corps dans la flotte et de laisser le courant les emporter afin d'avoir davantage de temps pour s'éclipser. C'est ce que j'aurais fait. Avec ou sans tête, un cadavre ayant séjourné dans l'eau met nettement plus de temps à parler à un médecin légiste, même aguerri, et j'imagine qu'il n'y en a pas des masses à Smolensk à l'heure actuelle.

« Lorsqu'il s'est relevé et qu'il a piqué un sprint le long de la berge, il allait récupérer sa moto – oui, le sergent SS avait raison sur ce point, j'en suis persuadé. Rien ne ressemble au son d'une BMW à refroidissement par air. Pas même Glinka. Les partisans peuvent voler des motos, naturellement, mais ils n'auraient pas le culot d'en utiliser une ici, à Smolensk, avec tous les postes de contrôle autour de la ville. En outre, s'il a pu garer sa moto dans le coin, c'est que son nom ne figurait pas sur la liste de vérification d'un Feldgendarme. Et n'oublions pas que l'arme du crime est allemande. D'après le témoin, la moto a suivi la route de Vitebsk à l'ouest. Et, comme le pont ouest est effondré, il est certain qu'il n'a pas traversé le fleuve. Ce qui signifie que votre assassin doit être en garnison par là. À l'ouest de Smolensk. Je présume que vous trouverez la baïonnette quelque part sur la route, lieutenant. Sans le ressort dans le fourreau, il se pourrait même qu'elle soit tombée.

— Mais, s'il a pris la direction de l'ouest, fit valoir le colonel, cela voudrait dire, vous en conviendrez, qu'il allait au 537ᵉ au château, à l'état-major à Krasny Bor ou bien à la Gestapo à Gnezdovo.

— En effet. Si j'étais vous, lieutenant, je vérifierais les registres d'utilisation des véhicules aux trois endroits. Il y a fort à parier que c'est ainsi que vous attraperez votre bonhomme. Une moto allemande, une arme allemande et l'auteur du crime en garnison le long de la route de Vitebsk.

— Vous n'êtes pas sérieux, protesta le colonel. Enfin, au sujet de l'endroit où le coupable serait actuellement en poste.

— Je ne peux pas dire que je vous envie la tâche d'éplucher certains de ces foutus alibis, lieutenant. Mais, qu'on le veuille ou non, c'est toujours comme ça avec les meurtres. Il est rare qu'ils se détricotent aussi facilement qu'un pull en laine. Quant à la raison pour laquelle il les a tués, la réponse est plus épineuse. Mais, comme nous avons éliminé le vol et une bagarre à propos d'une putain favorite, cela suggère que nous avons affaire à un meurtre au motif détestable comme le dit la loi, en d'autres termes, qu'il s'agit d'un crime avec préméditation. C'est exact, messieurs, il les a tués intentionnellement tous les deux. La question est la suivante : pourquoi aujourd'hui ? Pourquoi aujourd'hui et pas hier, ou le jour précédent, ou le week-end dernier ? Est-ce seulement l'occasion ou y a-t-il d'autres raisons ? Vous ne le découvrirez, lieutenant, que lorsque vous aurez passé leurs deux vies au crible. Vous découvrirez qui ils étaient vraiment et vous tiendrez alors votre mobile, et vous vous rendrez compte que vous êtes diablement près de mettre la main sur votre assassin. »

J'allumai une nouvelle cigarette et souris. Je me sentais beaucoup plus calme maintenant que j'avais lâché un peu de vapeur.

— Vous pourriez les trouver, dit le colonel. Si vous restiez encore un moment à Smolensk.

— Oh ! non. Pas moi. » Je consultai ma montre. « Dans huit heures, je rentre à Berlin. Et je ne reviendrai pas. Plus jamais. Même si on me mettait une baïonnette sous la gorge. À présent, si vous n'y voyez pas d'inconvénient, messieurs, j'aimerais retourner au château. Il n'est pas impossible que j'arrive à dormir encore un peu avant mon voyage. »

Six heures plus tard, le lieutenant Rex était devant la porte d'entrée du château, attendant de m'emmener à l'aéroport de Smolensk. C'était une belle matinée limpide, avec un ciel aussi bleu que la croix sur le drapeau impérial prussien, et – si tant est qu'une telle chose puisse exister – une journée idéale pour prendre l'avion. Après presque quatre jours à Smolensk, je me réjouissais à l'idée de passer douze heures dans un zinc glacial. Le cuisinier du régiment au château du Dniepr m'avait préparé une thermos de café et des sandwichs, et j'avais même réussi à dégoter dans les entrepôts de l'armée un capuchon à mettre sous ma casquette pour me tenir chaud aux oreilles. Il faisait bon vivre. J'avais un livre, un journal récent et toute la journée pour moi.

« Le colonel vous présente ses compliments, dit Rex, et s'excuse de ne pas pouvoir assister lui-même à votre départ, mais il est retenu au quartier général du groupe d'armées. »

Je haussai les épaules.

« Compte tenu des événements de la nuit dernière, j'imagine qu'il a un tas de choses à discuter.

— Oui, capitaine. »

Rex était silencieux, ce dont je lui savais gré et que j'attribuais à la disparition de ses deux camarades. Je m'abstins d'aborder la question. Ce n'était plus mon problème désormais. Tout ce que je voulais, c'était monter dans l'avion pour Berlin avant qu'il se passe autre chose qui m'oblige à rester à Smolensk. Le colonel Ahrens était bien capable de demander au maréchal von Kluge de retarder mon départ, le temps que je puisse enquêter sur les meurtres. Et Kluge en avait le pouvoir. J'avais beau faire partie du SD, je n'en étais pas moins attaché au Bureau des crimes de guerre, ce qui signifiait que j'étais sous les ordres de l'armée.

Peu après la gare, nous tournâmes au nord dans la Lazarettstrasse pour tomber sur une petite foule rassemblée dans un terrain vague au coin de la Grosse Lermontowstrasse. Soudain, je fus pris de nausées, comme si j'avais avalé du poison.

« Arrêtez la voiture, ordonnai-je à Rex.

— Il vaudrait mieux pas, capitaine, répondit Rex. Nous n'avons pas d'escorte et si les choses tournent au vinaigre, ce sera juste vous et moi.

— Arrêtez cette putain de bagnole, lieutenant. »

Descendant de voiture, je déboutonnai mon étui de pistolet et marchai en direction de la foule, qui s'ouvrit sur mon passage dans un silence menaçant. L'horreur n'a pas besoin des ténèbres, et il arrive qu'une action foncièrement mauvaise fuie l'ombre. Une potence de fortune avait été dressée comme autant de piquets de tente, où six corps pendaient à cet instant, dont cinq de jeunes hommes, et tous manifestement russes d'après leurs vêtements. Les hommes avaient encore leur toque de paysan. Autour du cou de la silhouette centrale, une jeune femme portant un foulard et qui avait perdu une chaussure, se trouvait une pancarte avec une inscription en allemand et en russe : NOUS SOMMES DES PARTISANS ET NOUS AVONS ASSASSINÉ DEUX SOLDATS ALLEMANDS LA NUIT DERNIÈRE. Aucun d'eux n'était mort depuis très longtemps – une flaque d'urine sous un des cadavres oscillant dans le vent n'avait pas encore gelé. C'était une des scènes les plus tristes qu'il m'ait été donné de contempler, et je fus pris d'un profond sentiment de honte, le même genre de honte que j'avais ressentie la première fois que j'étais venu en Russie, lorsque j'avais été témoin de ce qui arrivait aux Juifs de Minsk.

« Pourquoi ont-ils fait ça ? J'ai dit très clairement à chacun cette nuit que ce n'étaient pas les partisans qui avaient assassiné ces hommes. Je l'ai expliqué sans ambiguïté à votre colonel. Ainsi qu'au lieutenant Voss. Je suis certain qu'ils ont compris l'un et l'autre que Ribe et Greiss avaient été tués par un soldat allemand. C'est ce qu'indiquent tous les éléments disponibles.

— Oui, capitaine. J'ai appris ce qui s'était passé.

— Et je pensais tout ce que j'ai dit. Sans exception. »

Le lieutenant Rex recula vers moi comme s'il ne voulait pas quitter la foule des yeux, mais, pour être juste, il est également possible qu'il ait préféré ne pas regarder les six personnes pendues au gibet de hêtre.

« Je peux vous assurer que le colonel et la Feldgendarmerie ne sont pour rien dans cette exécution, expliqua Rex.

— Non ?

— Non, capitaine.

— Eh bien, maintenant, je sais au moins pourquoi votre colonel n'a pas voulu m'accompagner à l'aéroport. C'était malin de sa part. Il aurait difficilement pu éviter de voir ça, n'est-ce pas ?

— Il n'était pas content, capitaine, mais qu'est-ce qu'il pouvait faire ? Cela concerne la Gestapo. C'est elle qui procède aux exécutions à Smolensk, pas l'armée. Et, en dépit de ce que vous venez de dire, que c'est un soldat allemand qui a assassiné Ribe et Greiss, elle a quand même estimé nécessaire de montrer aux habitants de Smolensk que le meurtre d'Allemands ne resterait pas impuni. Du moins, d'après les informations du colonel.

— Y compris en punissant des innocents, fis-je observer.

123

— Oh ! ces gens n'étaient pas des innocents, rétorqua Rex. Pas entièrement, en tout cas. Je crois qu'ils étaient déjà détenus à la prison de la Kiewerstrasse pour une raison ou une autre. Des trafiquants du marché noir et des voleurs, probablement. Nous en avons beaucoup à Smolensk. » Rex avait tiré son pistolet et le tenait avec raideur le long de son flanc. « À présent, si ça ne vous ennuie pas, nous devrions vraiment fiche le camp d'ici avant qu'ils nous accrochent à côté des autres.

— Vous savez, j'aurais dû me douter que quelque chose de ce genre se produirait. J'aurais dû me rendre au quartier général de la Gestapo la nuit dernière et leur dire moi-même. Faire un rapport officiel. Ils auraient écouté la foutue petite tête de mort sur ma casquette.

— Capitaine. On devrait y aller.

— Oui. Oui, bien sûr. Emmenez-moi à l'aéroport. Plus vite je quitterai ce trou à rats, mieux cela vaudra. »

L'air pour le moins soulagé, Rex me suivit jusqu'à la voiture, et voilà qu'il devint brusquement bavard comme une pie, ses propos se résumant pour l'essentiel à des alibis et des faux-fuyants comme j'en avais déjà entendus si souvent et comme j'en entendrais encore sans nul doute.

« Personne n'aime voir ce genre de truc, dit-il alors que nous remontions la Flugplatzstrasse. Des exécutions publiques. Moi encore moins. Je ne suis qu'un lieutenant des transmissions. Avant la guerre, je travaillais pour Siemens à Berlin, voyez-vous. À installer des téléphones chez les particuliers. Heureusement, je n'ai pas à participer à cet aspect-là. Vous savez, les actions de police. Jusqu'à maintenant, j'ai traversé cette guerre sans tirer un coup de feu sur quiconque et, avec un peu de chance, ça continuera. Franchement, je ne pourrais pas plus pendre des civils que jouer un impromptu de Schubert. Si vous voulez mon avis, capitaine, les Popov sont de braves gens, honnêtes et pleins de bon sens, essayant juste de se nourrir et de nourrir leurs familles, pour la plupart d'entre eux. Mais allez donc dire ça à la Gestapo. Avec eux, tout est idéologique, les Popov sont tous des bolcheviks et des communistes, et il n'y a pas de place pour le compromis. C'est toujours : " Faisons un exemple avec celui-là pour dissuader les autres", si vous voyez ce que je veux dire. Sans eux et la SS – ce qui s'est passé au ghetto de Vitebsk était absolument inutile –, eh bien, Smolensk ne serait pas un endroit si désagréable, en fait.

— Sans compter qu'il y a même une jolie cathédrale. Oui, vous l'avez déjà dit. Simplement, je ne crois pas que je sache à quoi sert une cathédrale, lieutenant. Plus maintenant. »

Il est difficile de se sentir fier de sa patrie quand un si grand nombre de vos compatriotes se conduisent avec une brutalité impitoyable. En laissant Smolensk loin au-dessous et derrière moi, mon cœur et mon esprit n'étaient pas moins secoués par le souvenir de ces six hommes et femmes pendus que ne tarda pas à l'être l'avion par les trous d'air chaud que le pilote appelait des « turbulences ». C'était tellement terrifiant que deux des passagers – un colonel de l'Abwehr nommé Gersdorff, un des aristocrates qui avaient rencontré Dohnányi à l'aéroport de Smolensk le mercredi précédent, et un commandant SS – se mirent rapidement à se signer et à prier à haute voix ; je me demandais ce que pouvait bien apporter de bon une prière en allemand. Durant quelques instants, les suppliques des deux officiers me procurèrent un petit plaisir sadique. Qu'il puisse exister un peu de justice dans ce monde injuste avait quelque chose de satisfaisant. Dans les dispositions où j'étais, notre avion aurait été victime d'un accident catastrophique que cela ne m'aurait guère inquiété.

Peut-être les violentes secousses de l'appareil, qu'il nous fallut supporter pendant plus d'une heure, provoquèrent-elles en moi un déclic. Je repensai au capitaine Max Schottlander, le Polonais auteur du rapport du renseignement militaire – car telle était la nature de ce document – que j'avais trouvé dans sa botte gelée et que le Dr Batov m'avait traduit. Soudain, comme si les embardées avaient ranimé une partie de mon cerveau, je me demandai quel effet cela aurait si je divulguais le contenu du rapport, même s'il paraissait difficile de répondre à la question de savoir à qui il pouvait être divulgué. Pendant un moment, une multitude d'idées quant à ce qu'il était possible de faire m'assaillirent toutes à la fois, mais, en constatant que rien d'autre qu'une pensée fugace ne leur était attachée, elles semblèrent se volatiliser simultanément, à croire qu'un

cerveau plus chaleureux et plus hospitalier que le mien était nécessaire pour leur donner une chance de s'épanouir, comme autant
d'abeilles du colonel Ahrens.

Ce qu'il y avait de plus sûr et de plus durable dans mon esprit,
c'était la conviction que ce que j'avais découvert à l'intérieur de
cette botte constituait à présent une source de danger non négli-
geable pour moi.

10

Jeudi 18 mars 1943

Le jardin de la maison des fleurs s'ornait de centaines de perce-neige ; le printemps flottait dans l'air, et j'étais de retour à Berlin. La ville russe de Kharkov avait été reprise par les troupes de von Manstein et, la veille, une kyrielle de figures éminentes de l'État et du parti avaient été citées au cours du procès d'un boucher berlinois bien connu, nommé August Nöthling. Il était accusé d'avoir réalisé des profits illicites, alors que son véritable délit consistait bien plutôt à avoir fourni de grandes quantités de viande, sans les bons alimentaires requis, à de hauts fonctionnaires du gouvernement tels que Frick, Rust, Darré, Hierl, Brauchitsch et Raeder. Frick, le ministre de l'Intérieur, avait reçu plus de cent kilos de volaille, et cela à un moment où le bruit courait que le ministère de l'Agriculture et de l'Alimentation envisageait de réduire la ration quotidienne de viande de cinquante grammes.

Toutes choses qui auraient dû me mettre de meilleure humeur – en règle générale, rien ne me réjouissait davantage qu'un bon gros scandale impliquant les nazis. Mais le juge Goldsche m'avait demandé de venir le voir une seconde fois pour discuter de mon rapport sur la forêt de Katyn et, même s'il avait déjà dépêché le juge Conrad à Smolensk pour prendre en charge une enquête encore officieuse et secrète, j'avais le désagréable pressentiment que mon rôle dans cette histoire n'était pas terminé. La raison de ce pressentiment était simple : alors que cela faisait trois jours que j'étais revenu au bureau, on ne m'avait toujours pas assigné d'autre dossier, bien qu'une nouvelle affaire exigeât des investigations poussées.

Grichino était un village situé au nord-ouest de Stalino[1], en Russie. À la suite d'une contre-offensive en février, la 7e division blindée avait repris la zone, pour découvrir que presque tout le monde dans un hôpital de campagne allemand, soldats blessés, infirmières, employés civils, soit environ six cents personnes, dont quatre-vingt-neuf Italiens, avait été exécuté par l'armée Rouge battant en retraite. Pour faire bonne mesure, les rouges avaient violé les infirmières avant de leur couper les seins, puis de leur trancher la gorge ; plusieurs juges – Knobloch, Block, Wulle et Goebel – se trouvaient déjà à Ekaterinovka pour recueillir les dépositions des témoins locaux, de sorte que le Bureau était à la limite de ses capacités. Il y avait à ce moment quelques survivants du massacre de Grichino à l'hôpital de la Charité à Berlin, lesquels n'avaient pas encore été interrogés par un membre du Bureau, et je ne comprenais pas pourquoi Goldsche ne m'avait pas demandé de le faire immédiatement après mon retour de Smolensk. J'avais vu les photos communiquées par le bataillon du service de la propagande. Dans une maison particulière, les cadavres s'empilaient sur une hauteur d'un mètre cinquante. Une autre photo, représentant dix soldats allemands gisant alignés sur le côté de la route, montrait que les crânes ne faisaient plus qu'un tiers de leur taille normale, comme si on leur était passé dessus avec un camion ou un char, très probablement alors qu'ils étaient encore en vie. Grichino était le pire crime de guerre commis contre les Allemands qu'il m'ait été donné de voir depuis que je travaillais au Bureau, mais le juge ne semblait pas disposé à en discuter avec moi.

« Ces meurtres sur lesquels vous vous êtes penché à Smolensk, dit-il en allumant sa pipe. Y a-t-il quelque chose pour nous là-dedans, à votre avis ? »

Le radio jouait du Brahms, ce qui laissait supposer que nous allions avoir une conversation des plus confidentielles.

---

1. Aujourd'hui, Donetsk, en Ukraine.

« Vous voulez parler, je suppose, des deux soldats du régiment de transmissions et non des six civils que la Gestapo a pendus en pleine rue.

— Je regrette qu'elle ait réagi de façon aussi excessive, dit Goldsche. Tuer des innocents en représailles. Cela compromet, en réalité, ce que nous essayons de faire dans ce service. On peut appeler ça comme on voudra, cela n'en demeure pas moins un crime.

— Voulez-vous leur dire ou préférez-vous que je le fasse ?

— Oh ! je pense qu'il vaut mieux que cela vienne de vous, vous ne croyez pas ? Après tout, vous avez travaillé pour Heydrich, Bernie. Je suis sûr que Müller vous écoutera.

— Je m'en occupe sur-le-champ, patron. »

Goldsche laissa échapper un gloussement et se mit téter sa pipe. La cheminée de son bureau avait dû être endommagée par les bombes, ce qui était assez fréquent à Berlin, car on avait du mal à faire la différence entre la fumée du feu de charbon et celle de sa pipe.

« Je suis convaincu que c'est un Allemand qui les a tués tous les deux », repris-je. Mes yeux commençaient à pleurer, encore que c'était peut-être le sirupeux Brahms. « Probablement une dispute à propos d'une putain. C'est une affaire que nous pouvons laisser à la Feldgendarmerie.

— Comment est il, ce lieutenant Ludwig Voss ?

— Un brave type, je pense. Du reste, j'ai dit au juge Conrad qu'il pouvait compter sur lui. S'agissant du colonel Ahrens, je n'en jurerais pas. L'homme est un peu trop protecteur vis-à-vis de ses hommes pour nous être vraiment utile. Ses hommes et ses abeilles.

— Ses abeilles ?

— Il élève des ruches au château où est cantonné le 537e, château qui se trouve au beau milieu de la forêt de Katyn. Pour le miel.

— Je suppose qu'il ne vous en a pas donné ?

— Du miel ? Non. En fait, lorsque je suis parti, j'ai eu la nette impression qu'il ne pouvait pas me sentir.

— Ma foi, il va avoir une foule d'abeilles lui bourdonnant autour des oreilles avant que cette enquête soit finie, observa Goldsche. Ceci explique cela, j'imagine.

— Je parie qu'August Nöthling aurait pu vous vendre du miel.

— Il est boucher.

— Peut-être. Mais ça ne l'a pas empêché de refiler vingt kilos de chocolat au ministre de l'Intérieur et au maréchal.

— On ne pouvait guère s'attendre à mieux de la part d'un individu comme Frick. Mais, venant du maréchal von Brauchitsch, cela me surprend beaucoup.

— Quand il est relevé de ses fonctions par le Führer, qu'est-ce qu'un vieux soldat peut faire d'autre à part s'empiffrer, s'il ne veut pas disparaître définitivement ? »

Le juge sourit.

« Et maintenant ? demandai-je. En ce qui me concerne, je veux dire. Pourquoi ne pas me laisser prendre les dépositions de ces soldats blessés qui se trouvent à la Charité ? Ceux de Grichino.

— En fait, je m'en occuperai moi-même. Histoire de garder la main. Du reste, je comptais faire d'une pierre deux coups. J'ai des problèmes de digestion épouvantables, et je me suis dit que je pourrais peut-être persuader un des médecins ou une des infirmières de me donner un flacon de sels d'argent. Il n'y en a plus dans aucun magasin.

— Comme vous voudrez. Je ne vais certainement pas m'immiscer entre votre estomac et vous. Écoutez, je ne suis pas pressé de retourner en Russie, mais il me semble qu'il y a pas mal de travail à faire à Stalino actuellement. C'est près de Kharkov, n'est-ce pas ?

— Tout dépend de ce qu'on entend par près. C'est à trois cents kilomètres au sud de Kharkov. Beaucoup trop loin pour vous envoyer là-bas, Bernie. J'ai besoin de vous ici à Berlin. Surtout maintenant et en particulier ce week-end.

— Ça vous ennuierait de me dire pourquoi ?

— Le ministère de la Propagande m'a avisé que nous devions nous attendre à tout moment à une convocation au palais Prinz Leopold. Pour informer le ministre en personne de ce que vous avez découvert dans la forêt de Katyn. »

Je laissai échapper un grognement.

« Non, écoutez, Bernie. Je veux que vous vous assuriez qu'il n'y a rien dans votre rapport à quoi il puisse trouver à redire. Le Bureau ne peut pas se permettre de le décevoir une nouvelle fois si peu de temps après la déception qu'il a éprouvée lorsque nous avons perdu notre témoin du naufrage du SS *Hrotsvitha von Gandersheim*.

— Je croyais que la propagande consistait à surmonter les déceptions.

— En outre, dimanche est le Jour commémoratif des héros. Hitler visitera une exposition de matériel militaire soviétique saisi et prononcera un discours. J'ai besoin de quelqu'un en uniforme pour m'accompagner à l'Arsenal et m'aider à représenter le département. L'état-major général au complet sera là, comme à l'accoutumée.

— Trouvez quelqu'un d'autre, patron. S'il vous plaît. Je ne suis pas nazi. Vous le savez bien.

— C'est ce que tout le monde dit dans ce service. Et il n'y a personne d'autre. Ce week-end, nous ne serons que tous les deux, semble-t-il.

— Le grand nécromancien se livrera à une énième diatribe contre le poison bolchevique. Mais je commence à comprendre. C'est pour ça qu'il y a tellement de juges du Bureau en déplacement, n'est-ce pas ? Ils préfèrent éviter cette corvée.

— Tout à fait exact. Aucun d'eux n'a envie de se trouver à proximité de Berlin ce week-end. » Il tira un moment sur sa pipe, puis ajouta : « Peut-être ont-ils peur de ne pas pouvoir montrer, dans ce moment solennel de commémoration nationale, suffisamment de respect et d'enthousiasme pour les capacités du Führer à conduire notre nation. » Il eut un haussement d'épaules. « D'un autre côté, peut-être ont-ils peur tout court. »

J'allumai une cigarette – mieux vaut accepter ce qu'on ne peut empêcher – et aspirai une longue bouffée avant de reprendre la parole.

« Attendez une minute. Est-ce que quelque chose va arriver ? Dans l'Arsenal ? À l'état-major général ?

— Je pense que quelque chose va arriver, oui, répondit le juge. Mais pas à l'état-major général. Du moins, pas immédiatement. Ensuite, il est possible qu'il y ait une réaction excessive de la Gestapo et de la SS. Du genre de celle que nous avons évoquée tout à l'heure. Aussi, à votre place, je n'oublierais pas mon arme. En fait, je vous serais même reconnaissant de penser à l'apporter. Je n'ai jamais été un bon tireur. »

Tandis que le juge parlait, je me souvins d'une remarque faite par le colonel Ahrens au cours d'une de nos conversations à bâtons rompus – relative aux nombreuses rumeurs de trahison qui couraient à Smolensk – et, tout à coup, une grande partie de ce que j'avais vu sembla prendre un sens : le paquet adressé au colonel Stieff à Rastenburg que Dohnányi avait transporté depuis Berlin et que, curieusement, le lieutenant von Schlabrendorff avait demandé au colonel Brandt de prendre à bord du vol de retour de Hitler à Rastenburg devait sûrement être une bombe, quoiqu'une bombe n'ayant pas explosé.

Et pouvait-il exister un meilleur motif de tuer deux téléphonistes que la possibilité qu'ils aient surpris les détails d'un plan pour tuer Hitler ? Mais, ce plan ayant échoué, un second plan avait dû être mis en œuvre. C'était logique, par-dessus le marché : Hitler vivait de plus en plus en reclus, et les occasions de le tuer étaient rares. Tout de même, si les deux téléphonistes avaient été effectivement assassinés pour cette raison, cela me paraissait un acte répugnant. Hitler méritait de mourir, et le secret était indéniablement crucial pour mener son assassinat à bien, mais pas si cela impliquait le meurtre de sang-froid de deux innocents. Ou étais-je tout simplement naïf ?

« Bien sûr. Le brouillard se dissipe. Je commence à voir le père du roi des Aulnes. Il est tout près. »

Le juge fronça les sourcils, s'efforçant de reconnaître mon allusion.

« Goethe ? »

J'acquiesçai.

« Dites-moi quelque chose, monsieur le juge. Je suppose que Dohnányi est dans le coup.

— Seigneur Dieu, est-ce si évident ?

— Pas pour tout le monde. Mais je suis détective, vous vous souvenez ? C'est mon boulot de sentir quand le fusible brûle. Quoi qu'il en soit, si j'ai deviné, d'autres peuvent sans doute en faire autant. » Je haussai les épaules. « Raison pour laquelle, probablement, la bombe n'a pas explosé à bord de l'avion de Hitler. Parce que quelqu'un a eu la puce à l'oreille.

— Bonté divine, grommela le juge. Comment l'avez-vous appris ?

— Vous savez, pour un officier de renseignements de l'Abwehr, votre ami n'est pas très intelligent, répondis-je. Courageux, mais pas malin. Nous étions dans le même avion pour Smolensk, lui et moi. Si vous transportez un paquet adressé à quelqu'un à Rastenburg, il semble beaucoup moins suspect de le remettre la première fois que vous passez par là.

— La paquet que vous avez vu était uniquement le plan de rechange du plan A.

— Lequel consistait en quoi ? Bricoler les freins de la voiture de Hitler ? Falsifier le menu végétarien au mess des officiers ? Le pousser dans la neige ? Le problème avec ces foutus aristocrates, c'est qu'ils savent tout sur les bonnes manières et sur la façon de se comporter en homme d'honneur, et absolument rien sur les meurtres de sang-froid. Pour se lancer dans ce genre de truc, il faut un professionnel. Comme l'énergumène qui a refroidi ces deux téléphonistes. Celui-là en connaissait un rayon.

— Je ne sais pas au juste ce qu'était le plan initial.

— Alors qu'est-ce que vous savez ? Je veux dire, comment vont-ils s'y prendre cette fois-ci ?

— Une autre bombe, me semble-t-il. »

Je souris.

« Vous savez, patron, votre technique de vente pue à plein nez. Vous me proposez de vous accompagner à une fête et ensuite vous me dites qu'une bombe explosera pendant que nous y serons. Mon enthousiasme pour la matinée de dimanche ne cesse de diminuer.

— Un officier extrêmement courageux du groupe d'armées Centre à Smolensk, qui est chargé de faire visiter une exposition d'armes soviétiques capturées, a accepté de transporter une bombe dans la poche de son manteau. Son idée, je crois, est de se trouver le plus près possible du Führer lorsqu'elle éclatera. »

Je me demandai si cet officier était le colonel de l'Abwehr que j'avais vu à bord du vol de retour depuis Smolensk. J'aurais posé la question au juge, mais je me dis que je l'avais sans doute déjà suffisamment perturbé avec mes remarques sur von Dohnányi. Je ne tenais pas à ce que Goldsche appelle l'officier en question pour lui dire d'annuler l'assassinat à cause de ce que j'avais deviné.

« Alors espérons que tout se passera pour le mieux, dis-je. Habituellement, c'est la seule option disponible dans l'Allemagne nazie. »

11

Dimanche 21 mars 1943

Le Zeughaus, l'Arsenal, dans Unter den Linden, était un bâtiment baroque en pierre rosâtre abritant un musée militaire. Un fronton ouvert de style gréco-romain occupait le centre de la façade et, autour du toit, courait une balustrade à fuseaux, le long de laquelle était disposée une douzaine d'armures antiques, en pierre et vides, comme si un autocar plein de héros grecs allait venir les réclamer. Mais j'étais davantage enclin à considérer ces armures vides comme appartenant à des hommes déjà morts, et donc comme plus emblématiques de l'Allemagne nazie et de la guerre désastreuse que nous étions en train de livrer en Russie. Ce qui semblait particulièrement vrai du premier Jour des héros auquel assistait Berlin depuis la capitulation de la Wehrmacht à Stalingrad. Beaucoup parmi les centaines d'officiers qui défilaient devant l'escalier monumental se dressant du côté nord de la cour intérieure pour entendre le discours de dix minutes du Führer devaient avoir la même pensée déplaisante que moi, à savoir que nos véritables héros gisaient sous plusieurs pieds de neige russe et que toutes les célébrations du monde ne changeraient rien au fait que la retraite de Hitler devant Moscou ne tarderait pas à suivre l'exemple de celle de Napoléon, et avec un effet non moins destructeur sur l'autorité de notre chef suprême.

Toutefois, c'était pour une destruction plus imminente de l'autorité de Hitler que priaient un grand nombre d'entre nous en ce dimanche matin. Nous nous tenions au garde-à-vous, sous les canons de campagne de dix centimètres pris aux rouges par le groupe d'armées Centre, et, pour ma part, c'est avec joie que j'aurais pu souhaiter que quelqu'un tire un obus à fragmentation sur notre Führer bien-aimé : le K 353 de dix centimètres, qui lançait des projectiles de dix-sept kilogrammes contenant environ six cents balles, était dévastateur pour cinquante pour cent des cibles dans un périmètre de vingt à quarante mètres. Ce qui me semblait parfaitement convenir. J'aurais sans doute été tué moi aussi, mais, à condition que le Führer ne s'en sorte pas indemne, peu importait.

Nous écoutâmes un lugubre morceau de Bruckner qui ne contribua guère à nous rendre optimistes ; puis, tête nue et portant un manteau en cuir gris, le Führer marcha vers la tribune et, tel un pêcheur malveillant jetant un long filet dans un lac noir infernal, il s'efforça d'accrocher notre esprit maussade en annonçant la levée de la suspension des permissions pour les militaires, parce que le front avait été « stabilisé ». Puis il passa aux salades habituelles sur les Juifs, les bolcheviks, le belliciste Churchill et la façon dont les ennemis du Reich comptaient enlever puis stériliser notre jeunesse mâle avant de finir par nous massacrer dans notre lit.

Dans ce lieu de guerre et de destruction, la voix froide et dure de Hitler semblait encore plus sombre et plus rauque qu'à l'accoutumée, ce qui ne favorisait nullement l'émotion, sans parler d'un sentiment de fraternité à l'égard des camarades tombés au combat. C'était comme écouter les accents sépulcraux de Méphistophélès, tandis que, dans une sorte d'immense rotonde caverneuse, il nous menaçait de l'enfer. Si ce n'est que les menaces en question ne servaient à rien ; l'enfer nous attendait au bout de la route, et nous le savions tous. On pouvait le sentir dans l'air, semblable aux effluves de houblon provenant de la brasserie du coin.

En dépit de tout ce que m'avait dit le juge Goldsche, je ne croyais pas vraiment qu'il arriverait quelque chose à Hitler, ce qui ne m'empêchait pas d'espérer que le colonel von Gersdorff – car c'est ainsi que s'appelait l'assassin de l'Abwehr, lequel, comme je l'avais soupçonné, était effectivement l'officier se trouvant à bord du vol de retour de Smolensk – me prouve le contraire.

Alors que le Führer finissait de parler, tout le monde, moi y compris, applaudit avec enthousiasme. Je jetai un coup d'œil à ma montre en me disant que, si j'applaudissais, c'est parce que le discours de Hitler n'avait duré que dix relativement brèves minutes, mais c'était un mensonge, et je le savais ; applaudir un discours du Führer était juste de l'instinct de conservation : la salle était truffée de membres de la Gestapo. Après avoir répondu aux applaudissements par un vague salut hitlérien, le Führer se dirigea vers l'entrée de l'exposition, où il fut accueilli par le colonel, et nous suivîmes à une certaine distance, suffisamment sûre, espérais-je.

D'après le juge, la visite de l'exposition par Gersdorff devait durer trente minutes ; en l'occurrence, elle en prit moins de cinq. Alors que j'entrais dans la salle d'exposition où étaient présentés un certain nombre d'étendards napoléoniens, je vis le Führer pivoter sur ses talons, puis franchir rapidement une porte latérale et sortir de l'Arsenal pour gagner le quai, laissant son assassin en puissance déconcerté par ce retournement de situation inattendu. À défaut de se lancer à sa poursuite et de se jeter à l'arrière de la Mercedes, il semblait bien que la tentative de Gersdorff pour le tuer ait pris fin avant même d'avoir commencé.

« Ce n'était pas censé se produire, marmonna le juge. Quelque chose a mal tourné. On a dû l'avertir. »

Je parcourus la salle d'exposition du regard. Les membres de la garde SS de Hitler restés là avaient l'air parfaitement détendus. Les autres, des officiers avec des bandes rouges sur leurs jambes de pantalon faisant vraisemblablement partie du complot, un peu moins.

« Je ne pense pas, dis-je. Apparemment, la SS ne donne aucun signe d'inquiétude.

— Oui, vous avez raison. » Le juge secoua la tête. « Bon sang, je ne m'explique pas la chance de ce type. On peut dire qu'il a l'instinct de survie. »

Gersdorff était resté à la même place, ne sachant plus que faire, apparemment, la bouche grande ouverte comme le tunnel d'Engelberg. Autour de lui, plusieurs officiers qui ignoraient visiblement que le colonel transportait des explosifs pouvant sauter à n'importe quel moment.

« Je n'en dirai pas autant de votre copain.

— Pardon ?

— Le colonel von Gersdorff. Il a toujours la bombe, n'est-ce pas ?

— Mon Dieu, oui. Qu'est-ce qu'il va faire ? »

Nous l'observâmes quelques instants, et il nous apparut peu à peu que Gersdorff n'allait rien faire du tout. Il continuait à regarder autour de lui comme s'il s'étonnait d'être encore là et de ne pas avoir volé en éclats. Tout à coup, il me sembla que je devais le tirer de ce mauvais pas : les hommes braves dotés d'une conscience étaient une denrée plutôt rare en Allemagne en 1943. Mon propre miroir m'en fournissait la preuve chaque matin.

« Attendez ici », dis-je au juge.

Je traversai rapidement l'exposition, bousculant les autres officiers pour rejoindre le colonel. Arrivé devant lui, j'inclinai poliment la tête. Âgé d'une quarantaine d'années, il était brun avec un début de calvitie et, si jamais j'avais douté de son courage, il y avait la croix de fer de première classe autour de son cou – sans parler de ce qu'il cachait dans la poche de son manteau – pour me le rappeler. Je me disais que j'avais environ une chance sur deux d'être réduit en miettes. J'avais le cœur au bord des lèvres et les genoux qui flageolaient tellement que seules mes bottes me maintenaient à la verticale. Cela avait beau être le Jour des héros, je ne me sentais en rien héroïque.

« Vous devriez venir avec moi, colonel, dis-je à voix basse. Tout de suite, si vous n'y voyez pas d'inconvénient. »

En me voyant, et plus encore la petite tête de mort en argent sur ma casquette et l'insigne de sorcier à ma manche, Gersdorff sourit tristement comme si on l'arrêtait, ce qui était bien mon intention, ou du moins de lui en donner l'impression. Ses mains tremblaient et il était aussi pâle qu'un jour d'hiver prussien, mais il n'en demeura pas moins cloué sur place.

« Il vaudrait mieux pour tout le monde que vous n'attendiez pas plus longtemps, colonel, dis-je fermement.

— Oui, fit-il avec un air de calme résignation. Oui, bien sûr.

— Par ici, s'il vous plaît. »

Je pivotai et quittai la salle d'exposition. Je ne me retournai pas. Ce n'était pas nécessaire. Je pouvais entendre le bruit des bottes de

Gersdorff sur le plancher juste derrière moi. Mais, alors que nous nous dirigions vers la sortie, un capitaine du SD nommé Wetzel que je savais faire partie de la Gestapo me prit par le bras.

« Tout va bien ? demanda-t-il. Pourquoi le Führer est-il parti si précipitamment ?

— Je l'ignore, répondis-je en libérant mon bras. Mais il semble qu'il ait dit quelque chose qui a légèrement perturbé le colonel, voilà tout. Alors si vous voulez bien nous excuser. »

Je regardai autour de moi. Maintenant, je pouvais voir de la peur dans les yeux de Gersdorff, mais avait-il peur de moi ou, plus vraisemblablement, de la bombe dans sa poche ?

« Par ici, colonel », dis-je en le conduisant jusqu'à des toilettes, où le colonel hésita, de sorte que je fus forcé de le prendre par le coude et de le pousser de manière pressante à l'intérieur.

Je jetai un coup d'œil aux six cabines pour m'assurer qu'il n'y avait personne d'autre. Nous avions de la chance ; nous étions seuls.

« Pendant que je ferai le guet, désamorcez le dispositif, lui ordonnai-je. Vite, s'il vous plaît.

— Vous voulez dire que vous ne m'arrêtez pas ?

— Non. » Je me postai juste derrière la porte. « Maintenant, désarmez cette maudite bombe avant que nous découvrions tous les deux le vrai sens du Jour des héros. »

Gersdorff acquiesça, puis s'approcha d'une rangée de lavabos.

« En fait, il y en a deux, dit-il et, des poches de son manteau, il retira avec précaution deux objets plats faisant chacun à peu près la taille d'un chargeur de fusil. Les explosifs sont britanniques. Des mines Clam utilisées pour le sabotage. Curieusement, le matériel tommy pour ce genre de tâche est meilleur que le nôtre. Mais les détonateurs sont allemands. Des bâtons au mercure de dix minutes.

— Quel plaisir de savoir que nous pouvons faire quelque chose de bien. Vraiment, ça me remplit de fierté.

— Je n'en suis pas si certain. Je ne comprends pas pourquoi ils n'ont pas fonctionné. »

Quelqu'un appuya sur la porte des toilettes, et je l'entrouvris de quelques centimètres. C'était de nouveau Wetzel, son long nez busqué et sa fine moustache rappelant fortement un rat dans l'entrebâillement de la porte.

« Tout va bien, capitaine Gunther ? demanda-t-il.

— Il vaudrait mieux que vous en cherchiez un autre, lui dis-je. Le colonel est malade, je le crains.

— Voulez-vous que j'envoie quelqu'un chercher un seau et une serpillière ?

— Non. Il n'y en a pas besoin. Écoutez, c'est gentil à vous de proposer votre aide, mais le colonel se trouve dans un piètre état, aussi serait-il préférable que vous nous laissiez seuls un instant, d'accord ? »

Wetzel lorgna par-dessus mon épaule comme s'il ne croyait pas tout à fait mon histoire.

« Sûr ?

— Sûr. »

Il hocha la tête, puis s'en alla, et je me retournai avec anxiété pour voir Gersdorff extraire prudemment le détonateur d'une des mines.

« C'est moi qui vais me mettre à vomir si vous ne désamorcez pas ces machins. Ce foutu capitaine de la Gestapo ne va pas tarder à revenir. Je le sais.

— Je ne comprends toujours pas pourquoi le Führer est parti aussi vite, dit Gersdorff. Je m'apprêtais à lui montrer le chapeau de Napoléon. Abandonné dans son carrosse après Waterloo et récupéré par des soldats prussiens.

— Napoléon a été battu. Il n'avait peut-être pas envie qu'on le lui rappelle. Surtout maintenant que nous faisons du si bon boulot en Russie.

— Oui, peut-être. Pas plus que je ne comprends pourquoi vous m'aidez.

— Disons que j'ai horreur de voir un homme courageux se faire sauter parce qu'il est assez stupide pour oublier qu'il a une bombe dans sa poche. Comment ça va ?

— Vous êtes nerveux ?

— Où avez-vous pêché cette idée ? Me trouver à côté d'explosifs sur le point d'éclater me donne un plaisir fou. Simplement, la prochaine fois, je m'arrangerai pour mettre un blindage pare-balles sous mon manteau et des bouchons d'oreille.

— Je ne suis pas si courageux que ça, vous savez. Mais, depuis que ma femme est morte, l'année dernière… »

Gersdorff ôta le second détonateur et se débarrassa des bâtons au mercure dans les toilettes.

« Elles sont désamorcées ?

— Oui, répondit-il en empochant de nouveau les deux mines. Et merci. Je ne sais pas ce qui m'est arrivé. Une sorte de blocage… Comme un lapin pris dans les phares d'une voiture.

— En effet, ça en a tout l'air. »

Il se mit aussitôt au garde-à-vous devant moi, claqua les talons et inclina la tête.

« Rudolf Christoph Freiherr von Gersdorff, dit-il. À votre service, capitaine. Qui ai-je l'honneur de remercier ?

— Non. » Je souris et secouai la tête. « Non, je ne crois pas.

— Je ne comprends pas. J'aimerais connaître votre nom, capitaine. Et ensuite vous emmener boire un verre à mon club. Pour se calmer les nerfs. Il se trouve à deux pas.

— C'est très aimable à vous, colonel von Gersdorff. Mais il vaut peut-être mieux que vous ne sachiez pas mon nom. Au cas où la Gestapo vous demanderait une liste de toutes les personnes qui vous ont aidé à organiser ce petit désastre. De plus, ce n'est pas le genre de nom dont se souviendrait quelqu'un comme vous. »

Gersdorff se redressa notablement, comme si je l'avais traité de bolchevik.

« Voulez-vous dire par là que je pourrais livrer les noms de camarades officiers ? De patriotes allemands ?

— Croyez-moi, chacun a ses limites s'agissant de la Gestapo.

— Ce ne serait pas une conduite digne d'un officier et d'un gentilhomme.

— Bien sûr que non. Raison pour laquelle la Gestapo n'emploie pas d'officiers et de gentilshommes. Elle emploie des brutes sadiques capables de briser n'importe quel individu aussi facilement qu'un de vos bâtons au mercure.

— Très bien, dit-il. Si c'est ce que vous souhaitez. »

Gersdorff se dirigea avec raideur vers la porte des toilettes comme un homme, ou plus exactement un aristocrate, ayant été grossièrement insulté par un simple petit capitaine.

« Attendez une minute, colonel, m'écriai-je. Il y a derrière cette porte un officier de la Gestapo particulièrement fouineur qui croit que vous êtes entré ici pour vomir. Du moins, je l'espère. C'est malheureusement la seule histoire que j'aie pu imaginer compte tenu des circonstances. » Je fis couler un robinet pour remplir un des lavabos. « Un type sacrément méfiant, comme je viens de le dire, et qui se doute déjà de quelque chose. Aussi aurions-nous intérêt à donner à ma petite histoire un air un peu plus convaincant, vous ne croyez pas ? Venez ici.

— Qu'allez-vous faire ?

— Vous sauver la vie, j'espère. » Je pris un peu d'eau dans mes mains et la balançai sur le devant de sa tunique. « Et la mienne aussi, éventuellement. Allons, ne bougez pas.

— Attendez. C'est mon uniforme de cérémonie.

— Je ne doute pas un instant de votre courage, colonel, mais j'ai pu constater que c'était votre deuxième échec en autant de semaines, aussi je ne suis pas certain que vous sachiez vraiment ce que vous faites, ni aucun de vos complices. Vous et vos amis huppés semblez manquer des qualités meurtrières nécessaires pour devenir un assassin. Aussi restons-en là, voulez-vous ? Pas de noms, pas de remerciements, pas d'explications, juste au revoir. »

Je jetai encore un peu d'eau sur Gersdorff. En entendant la porte s'ouvrir, j'eus à peine le temps d'arracher la serviette du rouleau et de me mettre à essuyer sa tunique. Je me retournai pour voir Wetzel à l'intérieur de la pièce. Le sourire sur son faciès de rongeur était tout sauf amical.

« Tout va bien ? lança-t-il.

— Je vous l'ai déjà dit, non ? répondis-je avec irritation. Bon sang !

— Oui, mais...

— Je n'ai pas tiré la chasse d'eau, murmura Gersdorff. Les détonateurs sont toujours là.

— Taisez-vous et laissez-moi parler. »

Gersdorff opina.

« Qu'est-ce qui vous prend, Wetzel ? Merde alors, vous êtes bouché ou quoi ? Je vous ai dit que je m'en occupais.

— J'ai la nette impression qu'il y a un truc qui ne gaze pas ici, répliqua-t-il.

— Je ne savais pas que vous étiez plombier. Mais allez-y. Ne vous privez pas. Voyez si vous pouvez déboucher les toilettes. » Je jetai la serviette, regardai rapidement Gersdorff de haut en bas, puis hochai la tête. « Voilà, colonel. Un peu humide, peut-être, mais ça devrait aller.

— Je suis désolé, dit Gersdorff.

— Pas de problème. Ça peut arriver à tout le monde. »

Wetzel n'était pas du genre à reculer devant un affront ; il prit une brosse à habits qu'il me lança. Je l'attrapai, de surcroît.

« Pourquoi ne pas lui passer la brosse pendant que vous y êtes ? Il semble qu'une nouvelle carrière de valet de pied ou peut-être de dame pipi s'ouvre à vous, en l'occurrence.

— Merci. »

Je m'affairai quelques instants sur les épaules du colonel, puis reposai la brosse. C'était probablement une option plus sûre, bien que moins agréable, que de la fourrer dans le cul de Wetzel.

Celui-ci huma l'air bruyamment.

« Vraiment, ça ne sent pas comme si quelqu'un avait été malade ici. Pourquoi, je me le demande. »

Je ris.

« J'ai dit quelque chose de drôle, capitaine Gunther ?

— Les machins pour lesquels la Gestapo essaie de vous agrafer ces temps-ci ! » J'indiquai d'un signe de tête les six cabines à côté de nous. « Tant que vous y êtes, pourquoi ne pas vérifier si le colonel ici présent a bien actionné la chasse des W.-C., Wetzel ? »

Il y avait une bouteille d'eau de Cologne sur la tablette au-dessus des lavabos. Je la pris, retirai le bouchon et en versai un peu sur les mains du colonel. Lequel se frotta les joues avec.

« Ça va maintenant, capitaine Gunther. Merci pour votre aide. C'était très aimable à vous. Je ne l'oublierai pas. J'ai bien cru que j'allais me trouver mal. »

Wetzel jeta un coup d'œil derrière la porte de la première cabine.

Je ris de nouveau.

« Trouvé quelque chose, Wetzel ? Un Juif en plein vol, peut-être ?

— Nous avons un dicton à la Gestapo, capitaine, répondit Wetzel. Une simple fouille vaut toujours mieux que des soupçons. »

Il entra dans la seconde cabine.

« C'est la dernière », murmura Gersdorff.

J'acquiesçai.

« À vous entendre, Wetzel, ça semble parfaitement raisonnable, presque amical.

— La Gestapo n'est pas inamicale, répondit Wetzel. Tant qu'il ne s'agit pas d'un ennemi de l'État. »

Il sortit de la deuxième cabine et s'avança dans la troisième.

« Eh bien, il n'y en a pas ici, dis-je d'un ton enjoué. Au cas où vous ne l'auriez pas remarqué, le colonel s'apprêtait à montrer l'exposition au Führer. On ne laisse pas n'importe qui faire ça, j'imagine.

— Et comment se fait-il que vous soyez amis tous les deux, capitaine ?

— Non que ce soit vos affaires, mais je reviens du groupe d'armées Centre à Smolensk. C'est là que le colonel est cantonné. Nous sommes rentrés à Berlin par le même avion. N'est-ce pas, colonel ?

— Oui, dit Gersdorff. Tous les objets exposés pour la manifestation d'aujourd'hui ont été rassemblés par le groupe d'armées Centre. L'immense honneur de servir de guide au Führer ce matin m'a échu. Je suis heureux de le dire. Cependant, j'ai dû ramasser une espèce de microbe quand j'étais là-bas. J'espère seulement que le Führer ne l'a pas attrapé.

— Plaise au ciel que non ! » m'exclamai-je.

Wetzel pénétra dans la quatrième cabine. Il regarda dans la cuvette des toilettes. S'il faisait la même chose dans la sixième et dernière cabine, il verrait sûrement les bâtons au mercure, nous serions arrêtés et c'en serait fini de nous. On chuchotait à l'Alex que Georg Elser – qui avait fait exploser une bombe à Munich en novembre 1939 – avait été torturé par Heinrich Himmler en personne à la suite de sa tentative infructueuse pour assassiner le Führer ; la rumeur voulait que Himmler l'ait quasiment battu à mort. Depuis lors, personne ne savait ce qu'il était devenu, mais, à en croire cette même rumeur, il était mort de faim à Sachsenhausen. Avec les assassins, les nazis n'étaient jamais que cruels et vindicatifs.

« C'est pour ça qu'il a filé si brusquement, selon vous ? demandai-je. Parce qu'il s'est rendu compte que vous étiez malade et qu'il ne tenait pas à être contaminé ?

— Peut-être. » Gersdorff ferma les yeux et fit un signe de tête, saisissant enfin. « Oui, c'est bien possible.

— Je le comprends. Il y avait une épidémie de typhoïde dans les environs de Smolensk au moment où nous sommes partis. À Vitebsk, n'est-ce pas ? Là où sont morts tous ces Juifs ?

— C'est ce que j'ai dit au Führer lorsqu'il a visité notre quartier général de Smolensk le week-end dernier. »

Wetzel fronça les sourcils.

« La typhoïde ?

— Je ne pense pas l'avoir, dit Gersdorff. Du moins, j'espère que non. » Il agrippa son abdomen. « Toutefois, je sens que ça me reprend. Si vous voulez bien m'excuser, messieurs, je crois que je vais vomir à nouveau. »

S'écartant de moi, le colonel s'immobilisa juste devant le capitaine de la Gestapo, qui recula ostensiblement alors que Gersdorff posait un bref instant une main sur son épaule avant de se ruer dans la dernière cabine. Il referma, puis verrouilla hâtivement la porte derrière lui. Il y eut un court silence, après quoi nous entendîmes des vomissements sonores. Je devais reconnaître ça au colonel. C'était un fameux acteur. À présent, j'étais presque convaincu moi-même qu'il était malade.

Wetzel et moi nous faisions face avec une aversion évidente.

« Il n'y a rien de personnel là-dedans. Le fait que je ne vous aime pas, capitaine Gunther, n'a rien à voir avec ma présence ici.

— N'oubliez pas de tirer la chasse pour évacuer ce pistolet-mitrailleur, colonel, dis-je haut et fort à travers la porte. Et, par la même occasion, les deux bombes qui se trouvent dans vos poches.

— Je ne fais que mon travail, capitaine, continua Wetzel. C'est tout. J'essaie de veiller à ce qu'il n'y ait pas de problème.

— Bien sûr, répondis-je aimablement. Mais, au cas où vous ne l'auriez pas remarqué, le chat a déjà traversé la rivière. Je ne doute pas que le Führer serait particulièrement impressionné par vos efforts pour assurer sa sécurité, capitaine Wetzel, mais il est parti, probablement de retour à la chancellerie pour un bon déjeuner. »

Gersdorff fut pris de nouveaux hoquets.

Je m'approchai du lavabo et me mis à me laver les mains comme un forcené.

« J'ai oublié. Est-ce que la typhoïde s'attrape par l'air ou doit-on manger quelque chose d'infecté ? »

Le capitaine Wetzel eut un instant d'hésitation. Puis il se lava rapidement les mains. Je lui tendis la serviette. Il commença à les sécher, se rappela que je m'étais servi de la serviette pour essuyer prétendument le vomi sur la tunique du colonel et la laissa tomber brusquement par terre avant de faire demi-tour et de s'éclipser.

Je poussai un soupir, m'adossai au mur et allumai une cigarette.

« Il a fichu le camp, annonçai-je. Maintenant, vous pouvez sortir. » Je tirai une longue bouffée et hochai la tête. « Je suis impressionné par la façon dont vous avez joué ce numéro de nausées. Ça paraissait très convaincant. À mon avis, vous auriez fait un excellent acteur, colonel. »

La porte de la cabine s'ouvrit lentement pour révéler un Gersdorff au teint très pâle.

« Ce n'était pas de la comédie, j'en ai peur. Avec ces bombes et ce fichu capitaine de la Gestapo, j'ai les nerfs en charpie.

— Parfaitement compréhensible, dis-je. Ce n'est pas tous les jours qu'on essaie de se faire sauter. Ce genre de chose demande du cran.

— Ce n'est pas tous les jours non plus qu'on échoue, répliqua-t-il avec amertume. Dix minutes de plus et Adolf Hitler était mort. »

Je lui donnai une cigarette, que j'allumai avec le mégot de la mienne.

« Vous avez de la famille ?

— Une fille.

— Ne soyez pas trop dur avec vous-même. Pensez à elle. Certes, nous avons toujours Hitler, mais elle vous a, et c'est tout ce qui compte pour le moment.

« — Merci. » Pendant un instant, les yeux de Gersdorff se remplirent de larmes ; puis il hocha la tête et les essuya avec le dos de sa main. « Je me demande pourquoi il est parti si soudainement.

— Vous voulez mon opinion ? Ce type n'a rien d'humain. Ça ou bien il a senti l'eau de toilette que vous portiez avant que je vous asperge les mains avec cette eau de Cologne. Épouvantable ! »

Gersdorff sourit.

« Vous savez quoi ? dis-je. Je pense que nous aurions bien besoin de boire ce verre, après tout. Vous avez mentionné un club ? À deux pas ?

— Je croyais que vous désiriez vous tenir à distance des imbéciles comme moi.

— C'était avant que ce stupide capitaine la ramène et vous dise mon nom, répondis-je. De plus, quelle meilleure compagnie pour un imbécile qu'un autre imbécile ?

— C'est ce que nous sommes ? Des imbéciles ?

— Certainement. Mais nous, au moins, on le sait. Et dans l'Allemagne d'aujourd'hui, ça équivaut à de la sagesse. »

Nous nous rendîmes au German Club – anciennement le Herrenclub – au 2 Jägerstrasse, une couveuse néobaroque en granite rouge destinée à tous ceux qui avaient un « von » dans leur patronyme et le genre d'endroit où vous aviez l'impression d'être fagoté comme l'as de pique sans une bande rouge sur votre jambe de pantalon et une croix de chevalier autour du cou. J'y étais déjà allé une fois, mais seulement parce que je l'avais confondu avec le palais doré de Néron et qu'ils m'avaient pris pour le facteur. Naturellement, il était interdit aux femmes. L'insigne de sorcellerie sur ma tunique était déjà un spectacle suffisamment pénible pour ses membres ; s'ils avaient vu une femelle dans ce lieu, quelqu'un serait probablement allé chercher un tabouret chauffé au rouge.

Gersdorff commanda une bouteille de Fürst Bismarck. Ils n'auraient pas dû en avoir, mais, bien sûr, ils en avaient, parce que c'était le German Club et que les soixante-dix-sept princes et les trente-huit comtes allemands qui en faisaient partie se seraient demandé où on allait si on ne pouvait même plus se procurer une bonne bouteille de schnaps. J'ose dire qu'August Nöthling n'était pas le seul commerçant de Berlin à savoir contourner le rationnement extrêmement strict du pays. Nous le bûmes sec, froid et rapidement, avec de paisibles toasts patriotiques que des oreilles indiscrètes auraient sans doute considérés comme relevant de la trahison, mais, par chance, nous nous trouvions dans la salle de billard, qui était déserte.

Au bout d'un moment, légèrement ivres tous les deux, nous jouâmes une partie. C'est alors que j'informai Gersdorff d'un aspect du complot contre Hitler que je trouvais odieux.

« Il y a une chose qui me turlupine depuis que je suis rentré de Smolensk.

— Ah ? Et qu'est-ce que c'est ?

— Que vous essayiez de faire sauter Hitler, pas de problème. Mais là où je ne suis pas d'accord, c'est pour les deux téléphonistes égorgés parce qu'ils avaient entendu quelque chose qu'ils n'auraient pas dû. »

Gersdorff s'arrêta de jouer et secoua la tête.

« Je regrette, mais je ne sais pas de quoi vous parlez. Quand est-ce arrivé ?

— Le dimanche 13 mars au petit matin. Le jour où le Führer est venu à Smolensk. Deux téléphonistes du 537ᵉ ont été retrouvés assassinés sur les bords du Dniepr, près d'un bordel appelé l'hôtel Glinka. C'est moi qui étais chargé de l'enquête. En tout cas, de manière officieuse.

— Vraiment, je l'ignorais, affirma-t-il. Et je peux vous assurer, capitaine Gunther, que personne au quartier général du groupe d'armées ne commettrait un tel crime. Ou même ne donnerait l'ordre d'en commettre un.

— Vous en êtes certain ?

— Bien sûr que j'en suis certain. Nous parlons là d'officiers et de gentilshommes. » Il alluma une cigarette puis hocha la tête. « D'ailleurs, cela ressemble beaucoup plus à des partisans. Qu'est-ce qui vous fait penser que ce n'est pas un maudit Popov qui les a tués ? »

Je lui donnai les raisons.

« On leur a coupé la gorge avec une baïonnette allemande. Et le meurtrier s'est enfui sur une moto BMW vers l'ouest, en direction du quartier général du groupe d'armées. En outre, j'ai l'impression que les deux victimes le connaissaient.

— Mon Dieu, c'est épouvantable. Mais si, comme vous le dites, c'est arrivé près d'un bordel, alors il s'agissait peut-être d'une dispute de soldats à propos d'une prostituée. »

Je haussai les épaules.

« La Gestapo locale a pendu des innocents pour ce crime, fatalement. En représailles. Si bien qu'un sens de l'ordre approprié a été rétabli. Bon, je voulais simplement avoir votre opinion. Peut-être s'agissait-il d'une dispute pour une putain, après tout. »

Je n'y croyais pas vraiment. Cela dit, ce que je croyais au sujet de ces meurtres n'avait plus grande importance maintenant que j'étais rentré à Berlin. Essayer de comprendre qui avait tué les deux téléphonistes de l'armée était l'affaire du lieutenant Voss à Smolensk, et je me disais – et dis à Gersdorff – que, même si je ne revoyais cet endroit qu'en 2043, ce serait encore un siècle de trop.

12

C'était sa jambe droite. Le ministre entra au galop dans son bureau du palais Prinz Leopold et, si le tapis n'avait pas été aussi épais et aussi longue la distance entre l'énorme porte et sa table, peut-être n'aurions-nous pas remarqué la chaussure spéciale brillante et l'appareil orthopédique en métal encore plus brillant. Enfin, presque. Nous guettions cela, bien sûr : on racontait tellement de blagues sur le pied fourchu de Jo qu'il était encore plus célèbre que lui – presque une attraction touristique berlinoise –, de sorte que nous gardions un œil sur son pied bot, le juge et moi, rien que pour pouvoir dire que nous l'avions vu, tout comme vous vouliez pouvoir dire que vous aviez vu l'ours Lotte dans sa fosse du Köllnischer Park ou Anita Berber au cabaret Le Ciel et l'Enfer.

Au moment où Goebbels pénétrait dans la pièce en boitant, nous nous levâmes et saluâmes de la manière usuelle. Lui agita une petite main délicate au-dessus de son épaule à l'imitation du geste du Führer, comme s'il chassait un moustique agaçant ou congédiait un lèche-bottes, espèce qui semblait pulluler au ministère de l'Éducation du peuple et de la Propagande. C'était sans doute l'endroit qui voulait ça : avant que le ministère récupère le bâtiment en 1933, le palais avait été la résidence des Hohenzollern, la famille royale de Prusse, qui employait elle-même plus que quelques flagorneurs.

Goebbels était tout sourire et excuse pour nous avoir fait attendre. Ce qui changeait agréablement des propos haineux qui s'échappaient habituellement de ses lèvres minces.

« Messieurs, messieurs, pardonnez-moi, je vous prie, dit-il d'une voix à la résonance profonde qui démentait sa taille de nain. J'étais au téléphone en train de me plaindre au haut commandement de la situation que nous avons trouvée à Kharkov. Le maréchal von Bock avait promis que tous les approvisionnements allemands seraient détruits plutôt que laissés à l'ennemi ; mais, lorsque le maréchal von Manstein a repris la ville, il a découvert qu'une grande partie de nos réserves était toujours intacte. Vous vous rendez compte ? Naturellement, Bock rejette la faute sur Paulus, et maintenant que Paulus est fort opportunément prisonnier des bolcheviks, qui peut le contredire ? Je n'ignore pas qu'un certain nombre de ces personnes figurent parmi vos amis, monsieur le juge, mais cela dépasse l'entendement, vraiment. Gagner une guerre est déjà assez difficile sans que des gens appartenant à votre propre camp vous mentent. La Wehrmacht aurait bien besoin d'être passée au peigne fin. Saviez-vous que les généraux exigent des rations pour treize millions de soldats quand il n'y a que neuf millions d'Allemands sous les drapeaux ? Je vous le dis, le Führer devrait prendre les mesures les plus sévères. »

Goebbels s'assit derrière son bureau et disparut quasiment jusqu'à ce qu'il se penche en avant sur son siège. Je fus tenté d'aller lui chercher un coussin, mais, en dépit de son sourire constant, il y avait de bonnes raisons de douter qu'il eût le sens de l'humour. D'une part, il était petit, et je n'ai encore jamais rencontré un homme petit qui puisse rire de lui-même aussi facilement qu'un grand ; et c'est une vision du monde aussi vraie que tout ce que vous trouverez chez Kant ou Hegel. D'autre part, il était Doktor en philosophie, et personne ne se fait appeler Doktor en Allemagne à moins de vouloir persuader les autres de son sérieux absolu.

« Comment allez-vous, monsieur le juge ?

— Très bien, monsieur le ministre, merci.

— Et votre famille ?

— Nous allons tous très bien, monsieur le ministre, je vous remercie de poser la question. »

151

Le Doktor joignit les mains et les fit sauter bruyamment sur le buvard comme s'il hachait des herbes avec une mezzaluna. Il ne portait pas d'alliance, bien qu'il fût de notoriété publique qu'il était marié. Peut-être se disait-il qu'aucune des starlettes des studios de l'UFA, à Babelsberg, avec qui il avait la réputation de s'envoyer en l'air, ne se rappellerait avoir vu les photos, reproduites dans tous les magazines allemands, du ministre épousant Magda Quandt.

« Il est bien dommage que votre enquête sur le naufrage de ce navire-hôpital n'ait pas abouti, me dit Goebbels. Les Britanniques s'y entendent pour jouer les donneurs de leçons. Cela les aurait décrédibilisés de façon définitive, ne vous y trompez pas. Mais voilà qui est encore mieux, je pense. Oui, j'ai lu votre rapport avec un grand intérêt, capitaine Gunther, un grand intérêt.

— Je vous remercie, Herr Doktor.

— Est-ce que nous nous sommes déjà rencontrés ? Votre nom me dit quelque chose. Je veux dire, avant que vous ne soyez au Bureau des crimes de guerre.

— Non, je m'en serais certainement souvenu, Herr Doktor.

— Il y avait un Gunther qui était autrefois inspecteur à la Kripo. Un assez bon policier, de l'avis général. Il a arrêté Gormann, l'étrangleur.

— Oui, monsieur le ministre, c'était moi.

— Alors ça doit être ça. »

Déjà avant de venir, l'idée de cet entretien avec le Dr Goebbels me rendait nerveux : il y a une dizaine d'années, on m'avait prié de classer une affaire pour rendre service à Jo, mais je n'en avais rien fait. Je me demandais si ce n'était pas ça qu'il avait gardé en mémoire. Et notre petit échange ne contribua guère à diminuer mon impression d'être assis sur des charbons ardents. Le juge était nerveux lui aussi ; en tout cas, il n'arrêtait pas de tirer sur le bouton de son col cassé et de fléchir le cou avant de répondre aux questions du ministre, comme si sa gorge avait besoin d'un peu plus d'espace pour avaler tout ce à quoi il allait devoir consentir.

« Ainsi vous pensez vraiment que c'est possible ? lui demanda Goebbels. Qu'il y ait là-bas une fosse commune camouflée ?

— Il y a beaucoup de tombes tenues secrètes dans cette partie du monde, répondit prudemment le juge. Le problème est d'être absolument certain qu'il s'agit de la bonne : que celle-ci est effectivement le site d'un crime de guerre commis par le NKVD. »

Il indiqua d'un signe de tête une chemise en papier kraft posée sur un numéro du jour du *Völkischer Beobachter*.

« Tout est là, dans le rapport de Gunther, monsieur le ministre.

— Néanmoins, j'aimerais entendre le capitaine en parler lui-même, dit Goebbels d'un ton doucereux. Si j'en crois mon expérience des rapports écrits, on peut généralement tirer davantage de renseignements de celui qui l'a rédigé que du rapport lui-même. Comme le dit le Führer : "Les hommes sont mes livres." Je serais assez d'accord avec lui. »

Je remuai un peu sous l'œil perçant du ministre.

« Oui, je pense que c'est possible. Fort possible. Les habitants affirment de manière catégorique qu'il n'y a pas de tombes dans la forêt de Katyn. Cependant, à mon avis, c'est probablement un bon signe qu'il y en a. Ils mentent, naturellement.

— Pourquoi mentiraient-ils ? »

Goebbels fronça les sourcils comme s'il considérait le mensonge comme quelque chose de tout à fait inexplicable et de révoltant.

« Le NKVD a beau avoir quitté Smolensk, les gens continuent à en avoir peur. Plus que de nous, je pense. Et ils ont de bonnes raisons pour ça. Voilà vingt ans que le NKVD, et avant lui la Guépéou et la Tchéka, tue des Russes en masse. » Je haussai les épaules. « Nous, cela ne fait que dix-huit mois. »

Goebbels parut trouver ça très drôle.

« Je dois dire une chose à propos de Staline : il sait s'y prendre avec les Russes. Les exécutions collectives sont certes un langage tout ce qu'il y a de primitif, mais c'est le meilleur langage pour leur parler.

— Eh bien, il y a ça, et le fait que ce qu'ils m'ont raconté est contredit par ce que j'ai trouvé sur le sol.

— Les ossements et le bouton ; oui, bien sûr. »

Goebbels pinça pensivement sa lèvre supérieure.

« Cela ne fait pas grand-chose pour avancer, je l'admets, mais j'ai vérifié, et il provient du manteau d'un officier polonais.

— Ce manteau ne pourrait-il pas avoir été volé à un officier polonais par un soldat de l'armée Rouge qui aurait été tué ensuite lors de la bataille de Smolensk ? demanda Goebbels.

153

— C'est une bonne question. Il s'agit certainement d'une éventualité. Mais que viennent réfuter les nombreux rapports de renseignements reçus par l'Abwehr et qui font état d'officiers polonais vus à bord d'un train arrêté sur une voie de garage d'une gare locale. Ce qui semblerait au moins confirmer qu'à un moment donné, en 1940, il y a eu des Polonais dans les environs de Smolensk.

— Dont la plupart, sinon la totalité, auraient été assassinés par le NKVD, compléta Goebbels.

— Mais nous ne saurons réellement s'il y a plus d'un cadavre que lorsque le sol aura dégelé et que nous pourrons procéder à une véritable exhumation.

— Quand ce dégel doit-il se produire ?

— Dans deux semaines au minimum », répondis-je.

Goebbels fit une grimace d'impatience.

« Est-ce qu'il n'y a pas moyen d'accélérer tout cela ? En dressant des feux sur le sol, par exemple ? Il y a sûrement quelque chose qu'on peut faire.

— Pas sans courir le risque de détruire des preuves importantes, objecta Goldsche.

— Je crains que nous ne soyons à la merci de l'hiver russe pour le moment », dis-je.

Prenant son long menton dans ses mains, Goebbels fronça les sourcils.

« Oui, oui, bien sûr. »

Il portait un costume trois pièces gris à larges revers, une chemise blanche et une cravate à rayures. La cravate n'avait pas de nœud, juste un insigne du parti faisant office d'épingle – à la façon d'un col d'infirmière –, ce qui conférait une touche raffinée et étrangement féminine à son apparence.

« Messieurs, j'entends ce que vous dites. Cependant, au risque d'énoncer une évidence, laissez-moi vous expliquer en termes clairs l'immense valeur, sur le plan de la propagande, que revêt pour nous cette enquête. Après le désastre de Stalingrad et alors que nous risquons une nouvelle catastrophe en Tunisie, nous avons absolument besoin d'un retournement comme celui-ci. Les Juifs de tous les pays s'efforcent de donner au bolchevisme un air inoffensif et de le présenter comme un danger moindre pour la paix mondiale que le national-socialisme. Ils entretiennent la fiction que les actes ignobles typiques de l'ogre russe n'ont tout bonnement jamais eu lieu. En fait, dans les milieux juifs de Londres et de Washington, le slogan actuel est que l'Union soviétique est destinée à prendre la tête de l'Europe. Cela, nous ne pouvons pas le tolérer et rester sans réaction. Il est de notre devoir de l'empêcher. Seule l'Allemagne se dresse entre ces monstres et le reste de l'Europe, et il est temps que Roosevelt et Churchill en prennent conscience. »

Il dut se rendre compte qu'il n'était pas en train de faire un discours au Sportpalast, car il s'interrompit brusquement.

Quelques secondes s'écoulèrent avant que le juge Goldsche se mette à parler.

« Oui, monsieur le ministre. Naturellement, vous avez raison.

— Dès que le sol là-bas dégèlera, je veux que les fouilles commencent, dit Goebbels. Nous ne pouvons pas nous permettre le moindre retard dans cette affaire.

— Oui, monsieur le ministre, approuva le juge.

— Mais, dans la mesure où nous disposons d'un peu de temps, continua Goebbels, deux semaines, selon vous, capitaine Gunther ? »

Je hochai la tête.

« Puis-je poser une question, Herr Reich Minister ? dit le juge. Vous avez dit "nous". Faites-vous référence à l'ensemble de l'Allemagne ou à ce ministère précis ?

— Pourquoi cette question, juge Goldsche ?

— Parce que la pratique habituelle est que le Bureau des crimes de guerre prépare des rapports d'enquête et que les Affaires étrangères les publient sous forme de livres blancs. Le ministre von Ribbentrop n'aime pas que la procédure normale ne soit pas respectée.

— Ribbentrop. » Goebbels laissa échapper un grognement de dégoût. « Au cas où cela vous aurait échappé, juge Goldsche, la politique étrangère actuelle de ce pays consiste à faire une guerre totale à ses ennemis. Il n'y a pas d'autre politique étrangère. Nous nous servons de Ribbentrop pour parler aux Italiens et aux Japonais, et pas grand-chose de plus. » Goebbels rit de sa propre plaisanterie. « Non, vous pouvez me laisser les Affaires étrangères, messieurs. Qu'ils publient leur stupide livre blanc, si cela leur fait plaisir. Mais cette enquête relève de la propagande. Votre premier point de contact dans cette affaire, c'est moi. Est-ce clair ?

— Oui, Herr Reich Minister, répondit le juge, qui semblait regretter d'avoir parlé de livre blanc.

— Qui plus est, nous pouvons peut-être tirer parti de ce délai. Supposons un instant qu'il s'agisse effectivement d'une fosse commune contenant de malheureux officiers polonais. J'aimerais avoir votre opinion sur la meilleure façon de procéder lorsque nous serons enfin en mesure de le faire. »

Le juge eut l'air perplexe.

« De la façon habituelle, Herr Doktor. Il nous faudra agir avec patience et circonspection. Nous devrons nous laisser guider par les preuves, comme c'est toujours le cas. Les enquêtes médico-légales ne sont pas quelque chose que l'on peut précipiter. Elles nécessitent une attention rigoureuse aux détails. »

Cette réponse ne sembla pas satisfaire Goebbels.

« Non, avec tout mon respect, ça n'ira pas du tout. Nous parlons ici du crime du siècle, pas d'une tombe de la Vallée des Rois. »

Il ouvrit une boîte à cigarettes qui se trouvait sur son bureau et nous invita à nous servir. Goldsche refusa pour ne pas perdre le fil de son raisonnement, mais j'en pris une. En émail blanc, la boîte avait un joli petit aigle doré sur le couvercle et les cigarettes étaient des Trummer. Je n'en avais pas vues – et *a fortiori* fumées – depuis avant la guerre. Je fus tenté d'en prendre deux et de m'en glisser une derrière l'oreille pour plus tard.

« Si nous voulons disposer de preuves solides, nous devons user de prudence, monsieur le ministre. Je n'ai jamais vu que la hâte améliore une enquête. Cela favorise les erreurs d'interprétation. En allant trop vite, nous nous exposons aux critiques de la propagande ennemie : par exemple, que nous avons falsifié quelque chose. »

Mais Goebbels écoutait à peine.

« Cela va bien au-delà de toutes les procédures normales, dit-il en s'efforçant d'étouffer un bâillement. Je pensais avoir été clair sur ce point. Écoutez, le Führer lui-même s'est pris d'intérêt pour cette affaire. Nos sources de renseignements à Londres nous informent que les relations entre les Soviets et le gouvernement polonais en

156

exil sont déjà extrêmement tendues. Voilà qui devrait les briser complètement, selon moi. Non, mon cher juge, nous ne pouvons pas nous laisser guider par les preuves, comme vous dites. C'est une réponse beaucoup trop passive à une occasion comme celle-ci. Si vous voulez bien me pardonner, votre démarche, tout en étant parfaitement juste, manque d'imagination. »

Pour une fois, je ne pus m'empêcher d'être d'accord avec le ministre, mais je gardai mon opinion pour moi. Après tout, Goldsche était mon patron, et je ne tenais pas à le mettre dans l'embarras en le désavouant devant le Dr Goebbels. Mais peut-être celui-ci devina-t-il quelque chose de ce genre car, alors que la réunion était apparemment terminée et qu'il nous raccompagnait jusqu'à la porte, le juge et moi, il me demanda de rester.

« Il y a autre chose dont je voulais discuter avec vous, capitaine, dit-il. Excusez-nous, Johannes, il s'agit d'une question personnelle.

— Oui, bien sûr, Herr Reich Minister », répondit Goldsche.

Et, l'air quelque peu déconcerté, il fut escorté vers la sortie par un des jeunes laquais du ministre.

Goebbels ferma la porte et me conduisit poliment jusqu'à un espace salon, un canapé jaune et quelques fauteuils, sous une fenêtre aussi haute qu'une perche de cueilleuse de houblon, dans ce qui pouvait passer pour un coin tranquille de son bureau. Dehors, on voyait la Wilhelmplatz et la station de métro, où j'aurais pu souhaiter être, n'importe où ailleurs que là où j'étais assis pour un tranquille petit tête-à-tête avec un homme que je croyais mépriser. Mais, ce qui me mettait le plus mal à l'aise, c'était de constater que – en privé, du moins – Goebbels était courtois, intelligent et même plein de charme. Il était difficile de relier l'individu auquel j'étais en train de parler au démagogue haineux que j'avais entendu à la radio appeler en beuglant à une « guerre totale » au Sportpalast.

« Y a-t-il vraiment une question personnelle dont vous désirez discuter avec moi ? demandai-je. Où était-ce juste une manière de vous débarrasser du juge ? »

Mais le ministre de l'Éducation du peuple et de la Propagande n'était pas homme à se laisser bousculer par un moins que rien tel que moi.

« Lorsque mon ministère s'est installé dans cette splendide demeure, en 1933, j'ai demandé à des maçons de la SA de venir pendant la nuit arracher tout le stuc et les boiseries. C'est vrai, à quoi ces brutes étaient-elles bonnes à part tout casser ? Croyez-moi, cet endroit ressemblait à un œuf en gelée et avait bien besoin d'une modernisation. Après la Grande Guerre, l'édifice avait été occupé par ces vieux schnoques de Prussiens des Affaires étrangères, et lorsqu'ils sont revenus le lendemain pour enlever toute leur paperasse – vous n'imaginez pas la quantité de poussière qu'il y avait dessus –, ils ont été absolument frappés d'horreur en voyant ce qu'on avait fait de leur précieux bâtiment. C'était vraiment drôle. Ils allaient et venaient, la bouche grande ouverte, haletant comme des poissons dans un filet de chalutier et protestant avec vigueur auprès de moi avec leur accent haut-allemand de snobs à cause de ce qui s'était passé. L'un d'entre eux m'a même dit : "Herr Reich Minister, savez-vous qu'on devrait vous mettre en prison pour ça ?" Vous vous rendez compte ? Certains de ces vieux Prussiens seraient plus à leur place dans un fichu musée.

« Et ces juges du Bureau des crimes de guerre, des fossiles eux aussi, capitaine. Leurs comportements, leurs méthodes de travail, leurs accents sont absolument antédiluviens. Même leur façon de se vêtir. On se croirait en 1903, pas en 1943. Comment peut-on se sentir à l'aise avec un col rigide ? C'est un crime de demander à un homme de s'habiller comme ça sous prétexte qu'il est magistrat. Je suis navré de le dire, mais, chaque fois que je vois le juge Goldsche, cela me rappelle l'ancien Premier ministre britannique, ce vieil imbécile de Neville Chamberlain avec son parapluie ridicule.

— Un parapluie n'est ridicule que quand il ne pleut pas, Herr Reich Minister. Vraiment, le juge n'est pas aussi stupide qu'il en a l'air. S'il peut paraître ridicule et lent, c'est que la loi est ainsi. Néanmoins, je pense avoir saisi l'essentiel.

— Bien sûr. Vous étiez un policier de premier plan. Ce qui veut dire que vous savez ce qu'est la loi dans la vie réelle et non d'après un fatras de manuels juridiques poussiéreux. J'aurais pu parler encore une heure avec le juge Goldsche qu'il m'aurait répété les mêmes sottises sur la "pratique habituelle" et la "procédure adéquate". » Goebbels haussa les épaules. « C'est pourquoi je l'ai congédié. Je veux une approche différente. Pas son stuc prussien, son lambris vétuste et son protocole chichiteux. Vous comprenez ?

— Oui, je comprends.

— Alors vous pouvez parler librement maintenant qu'il est parti. J'ai senti que vous n'étiez pas d'accord avec lui, mais que vous étiez trop loyal pour le dire. Ce qui est tout à votre honneur. Quoi qu'il en soit, contrairement au juge, vous êtes allé sur place. Vous connaissez Smolensk. Et vous avez été flic à l'Alex, ce qui est important. Cela signifie que, quelles qu'aient été vos opinions politiques, vos méthodes étaient les plus modernes d'Europe. L'Alex a toujours eu cette réputation, n'est-ce pas ?

— Oui. Pendant un moment.

— Écoutez, capitaine Gunther, tout ce que vous direz ici et maintenant restera confidentiel. Mais je désirais avoir votre point de vue et non le sien sur la meilleure façon de mener cette enquête.

— Vous voulez dire, si nous découvrons d'autres cadavres dans la forêt de Katyn lorsqu'il dégèlera ? »

Goebbels eut un hochement de tête.

« Exactement.

— Rien ne garantit que ce sera le cas. Et ce n'est pas tout. La SS a sévi dans ce secteur. Il y a là-bas des Popov qui creusent pour essayer de se procurer de la nourriture et qui craignent de sortir du sol bien plus qu'une pomme de terre. Franchement, il est sans doute beaucoup plus difficile de tomber sur un champ qui ne contienne pas de fosse commune que le contraire.

— Oui, je sais et je suis d'accord avec vous, il nous faudra être prudents. Mais il y a le bouton. Le bouton que vous avez trouvé.

— Oui, il y a le bouton. »

Je ne parlai pas du rapport de renseignements du capitaine polonais, celui que j'avais déniché dans sa botte. Il m'avait intimement convaincu qu'il y avait bien des officiers polonais enterrés dans la forêt de Katyn, mais j'avais d'excellentes raisons de ne pas en parler au ministre, au premier rang desquelles ma propre sécurité.

« Prenez votre temps, dit Goebbels. En ce qui me concerne, j'ai tout mon temps ce matin. Voulez-vous du café ? Buvons du café. »

Il décrocha le téléphone qui se trouvait sur la table basse. « Apportez-nous du café », ordonna-t-il d'un ton cassant.

Puis il reposa le combiné et s'installa confortablement sur le canapé.

Je me levai pour prendre une autre Trummer, non pas parce que j'avais envie d'une nouvelle cigarette, mais parce que j'avais besoin de réfléchir avant de répondre.

« Gunther, je sais que vous vous êtes déjà occupé d'enquêtes pour homicide délicates et de grande ampleur sous le regard des médias, dit-il.

— Pas toujours de manière satisfaisante, monsieur le ministre.

— C'est exact. En 1932, si je me souviens bien, vous avez raté une conférence de presse dans le musée de la police à l'Alex, relative à un crime sexuel commis contre une jeune fille. Il me semble même me rappeler que vous avez eu un petit différend avec un journaliste nommé Fritz Allgeier. De *Der Angriff*. »

Der Angriff était un journal fondé par Joseph Goebbels dans les derniers jours de la République de Weimar. Et j'avais une bonne raison de me remémorer maintenant l'incident. Au cours de l'enquête – qui avait été un fiasco, l'assassin n'ayant jamais été appréhendé –, un certain Rudolf Diels, qui devait prendre ensuite la tête de la Gestapo, m'avait demandé d'enterrer le dossier. Anita Schwarz était une infirme, et Diels espérait dissimuler l'affaire au public afin de ménager les susceptibilités de Goebbels, également infirme. Je refusai, ce qui ne contribua pas à faciliter ma carrière à la Kripo, même si elle était déjà plus ou moins terminée à l'époque. Peu après, je quittai la Kripo pour de bon et restai éloigné de la police jusqu'à ce que, cinq ans plus tard, Heydrich m'oblige à revenir.

« Vous avez une excellente mémoire, monsieur le ministre. » Je sentis ma gorge se serrer, mais ça n'avait rien à voir avec la cigarette que je fumais. « J'ai oublié ce que votre journal disait de cette conférence de presse, mais le *Beobachter* me traitait de laquais libéral de gauche. Êtes-vous sûr de vouloir mon point de vue sur cette enquête ?

— Oui, je m'en souviens. » Goebbels sourit. « Vous étiez effectivement un laquais, même si ce n'était pas votre faute. Mais écoutez, tout ça appartient au passé.

160

— Je suis ravi de l'entendre.

— Nous luttons pour notre survie à présent.

— Je ne peux pas le nier.

— Alors s'il vous plaît. Faites-moi part de vos idées sur ce que nous devrions faire.

— Très bien. » Je prie une profonde inspiration et lui dis ce que je pensais. « Écoutez, monsieur le ministre, les flics ont une façon de mener une enquête, les hommes de loi en ont une autre et les hommes de loi prussiens en ont une troisième. Il me semble que ce que vous souhaitez, c'est la première, parce que c'est la plus rapide. Dès que vous chargez un juriste de faire quelque chose, tout va lentement. C'est comme huiler une montre avec de la mélasse. Et, si je vous dis qu'il faudrait qu'un flic prenne les choses en main là-bas, ce n'est pas parce que je désire le poste. Franchement, j'espérais ne plus jamais revoir cet endroit. Non. C'est parce qu'il y a ici un facteur supplémentaire.

— Lequel ?

— Telle que je vois la situation, et j'espère que vous ne m'en voudrez pas de ma franchise téméraire, cette enquête devrait être bouclée de toute urgence, dans les trois prochains mois, avant que les Soviétiques enfoncent nos positions.

— Croyez-vous à notre victoire finale, capitaine ?

— Chacun sait sur le front russe que tout ça se ramènera en définitive aux maths de Staline. Lorsque nous avons repris Kharkov, cela a coûté aux Russes soixante-dix mille hommes et à nous à peu près cinq mille. La différence c'est que, si les Popov ont les moyens de perdre soixante-dix mille hommes, nous ne pouvons guère nous permettre d'en perdre cinq mille. Après Stalingrad, il y a de grandes chances qu'une contre-attaque ait lieu cet été, visant Kharkov et Smolensk. » Je haussai les épaules. « Par conséquent, cette enquête doit-être réalisée rapidement. Avant la fin de l'été. Peut-être même plus tôt. »

Goebbels hocha la tête.

« Supposons un instant que je sois d'accord avec vous. Et je ne dis pas que je le suis. Le Führer est assurément d'un autre avis. Il pense que, lorsque le colosse soviétique se mettra à courir, il s'effondrera comme jamais dans toute son histoire, après quoi nous n'aurons plus rien à craindre d'une invasion anglo-américaine. »

J'acquiesçai.

« Je suis sûr que le Führer connaît la situation mieux que moi, Herr Reich Minister.

— Mais poursuivez tout de même. Que proposeriez-vous ? »

Le café arriva. Ce qui me donna le temps d'aller prendre une nouvelle cigarette dans l'élégante boîte sur la table et de me demander si je devais mentionner une autre idée. Le bon café me fait cet effet-là.

« D'après moi, nous disposons de deux semaines avant de pouvoir faire quoi que ce soit, et je pense qu'il faudra deux semaines pour y arriver. Je veux dire, ce ne sera pas facile.

— Continuez.

— Cela va vous paraître fou. »

Goebbels haussa les épaules.

« Parlez librement, je vous en prie. »

Je fis la grimace, puis bus une gorgée de café, tout en cogitant encore un moment.

« Vous savez, je parle beaucoup avec ma mère, confessa Goebbels. Surtout le soir quand je rentre du travail. J'ai toujours pensé qu'elle connaissait beaucoup mieux l'opinion de la population que nombre de ces soi-disant experts qui jugent les choses depuis la tour d'ivoire de leurs enquêtes scientifiques. Ce que je ne cesse d'apprendre d'elle, c'est que l'homme qui réussit est celui qui est capable de réduire les problèmes à leurs termes les plus simples et qui a le courage de ses convictions, en dépit des objections des intellectuels. Le courage, peut-être, de parler même quand ce qu'il propose frise la démence. Alors, de grâce, capitaine, laissez-moi juge de ce qui est fou et de ce qui ne l'est pas. »

J'eus un haussement d'épaules. Ça semblait ridicule que je m'inquiète pour l'image de l'Allemagne à l'étranger. Qu'on nous impute un crime de plus ou de moins, quelle différence ? Mais je ne devais pas écarter la possibilité que ça en fasse une.

« Le café est bon, dis-je. Et les cigarettes aussi. Vous savez, beaucoup de médecins disent que fumer est mauvais pour la santé. En général, je n'écoute pas les médecins. Après les tranchées, j'ai tendance à croire à des choses comme la fatalité et une balle avec mon nom marqué dessus. Mais aujourd'hui, eh bien, beaucoup de médecins, voilà ce qu'il nous faut, je pense. Oui, monsieur le ministre, autant de manipulateurs de cadavres que nous pouvons en rassembler. Autrement dit, une kyrielle de pathologistes, et provenant de toute l'Europe, de surcroît. En nombre suffisant pour donner l'impression d'une enquête indépendante, si une telle chose est possible en pleine guerre. Une commission internationale, peut-être.

— Vous voulez dire, réunie à Smolensk ?

— Oui. Nous déterrons les cadavres sous les yeux du monde entier afin que personne ne puisse dire que l'Allemagne est responsable.

— Ma foi, c'est une idée plutôt audacieuse.

— Et nous devrions essayer de faire en sorte que le gouvernement ou le Parti national-socialiste, mais surtout la SS et le SD, apparaissent le moins possible.

— Intéressant. Ce qui veut dire ?

— On pourrait placer l'ensemble de l'enquête sous le contrôle de la Croix-Rouge internationale. Mieux encore, sous le contrôle de la Croix-Rouge polonaise, s'ils acceptent. On pourrait même s'arranger pour que des journalistes accompagnent la commission à Smolensk. Issus de pays neutres : la Suède et la Suisse. Et peut-être aussi quelques prisonniers de guerre alliés de haut rang : des généraux britanniques et américains, si nous en avons. Pour servir de témoins. On pourrait les mettre en liberté conditionnelle et leur donner libre accès au site. » Je haussai les épaules. « Quand j'étais flic et que je menais une enquête pour meurtre, il fallait tenir la presse au courant. Sinon elle pensait qu'on était en train de cacher quelque chose. Et c'est d'autant plus vrai ici. »

Goebbels hochait la tête.

« Cette idée me plaît. Elle me plaît beaucoup. Nous pourrions prendre des photos et réaliser des actualités comme s'il s'agissait d'un véritable reportage. Et nous pourrions aussi laisser les journalistes des pays neutres aller où bon leur semble, parler à qui ils veulent. Tout au grand jour. Oui, c'est excellent.

— La Gestapo détestera ça, bien entendu. Mais c'est une bonne chose également. La presse et les experts s'en apercevront et en tireront leurs propres conclusions, à savoir qu'il n'y a pas de secrets à Smolensk. Du moins, pas de secrets allemands.

— Laissez-moi la Gestapo, dit Goebbels. Je sais comment m'y prendre avec ces salopards.

— Toutefois, il existe un argument allant en sens contraire, fis-je observer. Et sacrément important.

— Lequel ?

— Nous ne devons pas oublier que quiconque en Allemagne a des liens de parenté avec un de nos soldats faits prisonniers à Stalingrad trouvera extrêmement inquiétant qu'on lui rappelle de quoi sont capables les rouges. Je veux dire, il est impossible de savoir si nos hommes n'ont pas connu ou ne connaîtront pas le même sort que ces officiers polonais.

— C'est juste. Et c'est une pensée terrible. Mais s'ils sont morts, ils sont morts, et nous ne pouvons rien y faire. En revanche, s'ils sont toujours en vie, il me semble que jeter une lumière sur ce crime pourrait les aider, en fait, à le rester. Après tout, les Russes nieront certainement toute responsabilité dans la mort de ces malheureux Polonais, et cela ne contribuerait guère à étayer leurs allégations s'ils étaient incapables de prouver au reste du monde que leurs prisonniers allemands sont vivants. »

J'acquiesçai. Jo pouvait se montrer extrêmement convaincant. Mais il n'en avait pas encore terminé avec moi. Cela ne faisait même que commencer.

« Vous savez, c'est tout à fait vrai, ce que vous avez dit, sur les hommes de loi. Je ne les ai jamais beaucoup aimés. La plupart des gens s'imaginent que je suis-moi-même juriste, à cause de mon doctorat. Mais ma thèse de doctorat, à l'université de Heidelberg, portait sur un écrivain romantique nommé Wilhelm von Schütz. Il a été le premier à traduire les *Mémoires* de Casanova. »

Pendant un instant, je me demandai si ce n'était pas la raison pour laquelle Jo était un tel coureur de jupons.

« J'ai même écrit un roman, vous savez. J'étais très ouvert, une sorte d'homme de la Renaissance. Ensuite, je suis devenu journaliste et j'ai acquis un véritable respect pour la police. »

Je ne relevai pas. Sous la République de Weimar, mon ancien patron à la Kripo, Bernhard Weiss, avait été fréquemment la cible des journaux nazis parce qu'il était juif et, à un moment donné, il avait même poursuivi Goebbels pour diffamation, et obtenu gain de cause. Mais, lorsque les nazis avaient pris le pouvoir, Weiss avait été obligé, pour sauver sa peau, de fuir en Tchécoslovaquie puis en Angleterre.

« Et bien sûr, deux de mes films préférés ont trait à la police de Berlin : *M* et *Le Testament du docteur Mabuse*. Subversifs et guère propices au bien public, mais tout à fait brillants. »

J'avais vaguement le souvenir que les nazis avaient interdit *Mabuse*, mais je n'en étais pas certain. Quand le ministre de la Propagande s'intéresse à votre avis, cela a tendance à affecter votre concentration.

« Aussi je suis d'accord avec vous à cent pour cent, continua-t-il. Un policier, voilà ce qu'il faut à cette enquête. Quelqu'un qui soit responsable, mais pas de façon manifeste, si vous voyez ce que je veux dire. Cela pourrait même être quelqu'un que ce ministère a autorisé à prendre toutes les mesures nécessaires, depuis sécuriser cette zone – après tout, il pourrait y avoir là-bas des saboteurs russes qui aimeraient cacher la vérité au monde – jusqu'à s'assurer la totale coopération de ces foutus flamants roses du groupe d'armées Centre. Ils n'aimeront pas davantage ça que la Gestapo, Kluge et Tresckow. Croyez-moi, j'ai dû supporter ce genre de snobisme toute ma vie. »

Cela ressemblait de façon troublante à ma propre opinion.

Goebbels prit une cigarette dans la boîte et l'alluma rapidement, absorbé dans ses pensées. J'avais la désagréable impression qu'il me jaugeait pour l'emploi qu'il avait commencé à décrire.

« Et, bien sûr, il faudrait que ce soit quelqu'un capable de faire en sorte qu'il n'y ait pas de temps perdu. Peut-être avez-vous raison là encore. À propos des maths de Staline. Et pensez-y, capitaine Gunther. Pensez au cauchemar logistique et diplomatique à l'état pur que représente la tâche de veiller à ce que tous ces étrangers et ces journalistes puissent faire leur travail sans ingérence. Pensez à la nécessité impérieuse d'avoir quelqu'un dans les coulisses, s'assurant que tout se déroule sans accroc. Oui, je vous demande d'y penser, s'il vous plaît. Vous avez été là-bas. Vous savez ce qu'il en est. Bref, ce dont cette enquête a besoin, c'est de quelqu'un pour gérer le site et la situation. Oui, il me paraît évident que cette enquête a besoin de vous, capitaine Gunther. »

Je me mis à protester, mais Goebbels balayait déjà mes objections d'un revers de main.

« Oui, oui, je sais, vous avez dit que vous ne vouliez pas retourner à Smolensk, et je vous comprends. Franchement, je ne peux rien imaginer de pire que d'être loin de Berlin. Surtout s'agissant d'un trou infâme comme Smolensk. Mais je vous le demande instamment, capitaine. Votre pays a besoin de vous. L'Allemagne vous implore de l'aider à se disculper de cet acte bestial. Si, tout comme moi, vous souhaitez que la vérité sur ce crime affreux soit imputée aux barbares bolcheviques qui l'ont commis, acceptez cette tâche.

— Je ne sais pas quoi répondre, monsieur le ministre. Je veux dire, c'est très flatteur, naturellement. Mais je n'ai rien d'un diplomate.

— Oui, j'avais remarqué. » Il haussa les épaules d'un air contrit. « Si vous me rendez ce service, vous n'aurez pas affaire à un ingrat. Vous vous rendrez vite compte que je suis quelqu'un qu'il est précieux d'avoir à ses côtés, capitaine. Et j'ai la mémoire longue, comme vous le savez déjà. » Il se mit à agiter son doigt dans ma direction ainsi que je l'avais vu faire aux actualités. « Peut-être pas aujourd'hui, peut-être pas demain, mais je n'oublie jamais mes amis. »

Il y avait, bien sûr, un revers à la médaille, même si, à ce stade, Goebbels était trop intelligent pour le signaler à mon attention, alors qu'il en était encore à essayer de me séduire. En règle générale, je préfère moi aussi avoir recours à la séduction, mais il devenait de plus en plus évident qu'il n'était pas question que j'oppose un refus à un homme à qui il suffisait de décrocher de nouveau son téléphone et de donner l'ordre à un de ses laquais, au lieu d'apporter du café, de demander à la Gestapo de se pointer à la porte de la Wilhelmplatz pour m'embarquer à la Prinz Albrecht Strasse. J'écoutai donc et, au bout d'un moment, je me mis à opiner, tant et si bien que, lorsqu'il me demanda carrément si je prenais le boulot ou pas, je répondis par l'affirmative.

166

Il sourit et hocha la tête en signe d'assentiment.

« Bien, bien. J'en suis ravi. Écoutez, je n'ai pas fait personnellement le voyage, mais je sais qu'il n'est pas de tout repos, aussi mon propre avion vous conduira là-bas. Disons demain ? Vous pouvez avoir tout ce qu'il vous faut.

— Oui, Herr Reich Minister.

— Je parlerai à Kluge lui-même afin de m'assurer que vous avez sa coopération pleine et entière, ainsi que le meilleur logement disponible. Et, bien sûr, je rédigerai une lettre expliquant vos attributions en tant que mon représentant plénipotentiaire. »

Je n'aimais pas beaucoup l'idée de représenter Goebbels à Smolensk. M'occuper de l'enquête sur la forêt de Katyn et d'une commission internationale était une chose ; mais je ne tenais guère à ce que les soldats voient en moi le sosie d'un type ayant un pied bot et un goût marqué pour les jolis costumes et les formules creuses.

« Ces choses-là ont la fâcheuse habitude de ne pas rester secrètes très longtemps, dis-je prudemment. En particulier sur le terrain. Pour la forme, il vaudrait mieux que les pouvoirs qui me sont conférés par votre lettre montrent clairement que j'agis en tant que membre du Bureau des crimes de guerre et non du ministère de la Propagande. Il serait fâcheux qu'un des journalistes, voire un membre de la Croix-Rouge internationale, ait l'impression que nous essayons de chapeauter les choses. Ce qui compromettrait tout.

— Oui, oui, vous avez raison, bien entendu. Pour le même motif, il serait préférable que vous y alliez vêtu d'un autre uniforme. Un uniforme de l'armée, peut-être. Mieux vaut garder la SS et le SD aussi éloignés que possible de la scène.

— Ça, par-dessus tout. »

Il se leva et me reconduisit jusqu'à la porte de son bureau.

« Pendant que vous serez là-bas, je compte sur des rapports réguliers par téléscripteur. Et ne vous en faites pas pour le juge Goldsche, je vais lui téléphoner immédiatement pour lui expliquer la situation. Je lui dirai que tout cela est mon idée et non la vôtre. Ce qu'il croira, bien évidemment. » Il sourit. « Je me flatte de pouvoir être très convaincant. »

Il ouvrit la porte et descendit avec moi le magnifique escalier à une telle allure que c'est à peine si je notai le boitillement, ce qui était, je suppose, le but recherché.

« Pendant un certain temps après votre départ de la Kripo, vous avez été détective privé, n'est-ce pas ?

— Oui.

— À votre retour, nous en reparlerons. Concernant un autre service que vous pourriez me rendre cet été. Et qui, comme vous le constaterez sans nul doute, pourrait se révéler très avantageux pour vous.

— Oui, monsieur le ministre. Merci. »

Le soleil brillait et lorsque, sortant du ministère, je me dirigeai ver la Wilhelmplatz, il me sembla que mon ombre avait plus de substance et de caractère que moi, comme si la masse obstruant la lumière derrière elle avait été maudite et condamnée à une veule insignifiance par quelque troll pernicieux. Sans raison valable, je m'arrêtai et crachai sur le contour noir comme je l'aurais fait sur mon propre corps. Ce qui ne m'aida guère à me sentir mieux. Au lieu de me rebattre moi-même les oreilles en m'accusant de couardise et de lâche coopération avec un homme et un gouvernement que je méprisais, ce n'était rien de plus – ou de moins – que l'expression du dégoût que je ressentais à présent pour ma propre personne. Bien sûr, me disais-je, si j'avais répondu oui à Goebbels, c'est parce que je voulais faire quelque chose pour rétablir la réputation de l'Allemagne à l'étranger, mais je savais que ce n'était qu'en partie vrai. Avant tout, j'avais cédé au diabolique Doktor parce que j'avais peur de lui. La peur. C'était un problème que j'avais fréquemment avec les nazis. Un problème que tous les Allemands avaient avec les nazis. Enfin, les Allemands encore en vie.

DEUXIÈME PARTIE

1

Vendredi 26 mars 1943

Le dégel de printemps à Smolensk semblait encore loin. Une nouvelle couche de neige couvrait les pavés brisés et les lignes de tramway tordues de la Gefängnisstrasse, une rue assez typique du sud de la ville – enfin, typique seulement au regard des normes de la guerre d'indépendance espagnole : à Smolensk, il y avait des moments où je me surprenais à chercher autour de moi Goya et son carnet de croquis. Dans la tourelle d'un char brûlé au coin de la Friedhofstrasse se trouvait le cadavre noirci d'un Popov, rendu encore plus macabre par la pancarte en allemand qu'il tenait d'une main squelettique et qui orientait la circulation vers le nord, en direction de la place du Commandant. Un cheval tirait un traîneau chargé d'une quantité invraisemblable de rondins, tandis que son propriétaire manchot, emmitouflé dans des loques matelassées, avec un bout de ficelle en guise de ceinture, marchait lentement à côté en fumant une pipe à l'odeur âcre. Une babouchka, plusieurs foulards noués autour de la tête, avait installé un étal à la porte de la prison où elle vendait des chatons et des chiots, mais pas en tant qu'animaux de compagnie ; à ses pieds, des chaussures imperméables confectionnées avec de vieux pneus de voiture. Non loin d'elle, un homme barbu portait un joug avec un seau de lait à chaque extrémité et tenait une tasse en métal. Je lui en achetai une tasse et bus le meilleur lait qu'il m'ait été donné de goûter depuis longtemps, froid et délicieux. L'homme lui-même ressemblait comme deux gouttes d'eau à Tolstoï – même les chiens à Smolensk ressemblaient à Tolstoï.

« Les Juifs sont vos ennemis éternels ! proclamait l'affiche sur le panneau à côté de la porte d'entrée de la prison. Staline et les Juifs appartiennent à la même bande de criminels. »

Comme pour s'assurer que vous aviez bien compris le message, il y avait un grand dessin d'une tête de Juif avec une étoile de David à l'arrière-plan. Le Juif clignait de l'œil d'un air sournois, malhonnête, et, afin de rappeler à tous qu'on ne pouvait pas faire confiance à cette race, l'affiche énumérait les noms de trente ou quarante Juifs qui avaient été reconnus coupables de diverses infractions. Leur sort n'était pas mentionné, mais il n'y avait pas besoin d'être le voyant Hanussen pour deviner ce que cela pouvait être : à Smolensk, il n'y avait qu'un seul châtiment en tout et pour tout si vous étiez russe.

La prison était un assemblage de cinq bâtiments datant de l'époque des tsars, regroupés autour d'une cour centrale, même si deux d'entre eux ne valaient guère mieux que des ruines. Le haut mur en brique de la cour avait un grand trou d'obus qui avait été recouvert d'un écran de fil de fer barbelé, et l'ensemble du périmètre était surveillé par un garde depuis une tour de guet équipée d'une mitrailleuse et d'un projecteur. Alors que je traversais la cour et me dirigeais vers le bâtiment principal, j'entendis une femme pleurer. Et, comme si tout ça n'était pas suffisamment déprimant, il y avait la simple potence rectangulaire que l'on était en train de dresser dans la cour de la prison. Elle n'était pas assez élevée pour garantir la délivrance d'une fracture du cou, de sorte que celui auquel elle était destinée risquait une mort par strangulation, ce qui est aussi déprimant que possible.

Malgré le trou dans le mur de la cour, la sécurité était très stricte : une fois que vous aviez franchi la porte principale de l'enfer, il fallait passer un tourniquet allant du sol au plafond, puis deux portes d'acier qui, lorsqu'elles se refermaient derrière vous, vous donnaient l'impression d'être le docteur Faust. Je tremblais un peu rien que de me trouver dans cet endroit, surtout quand un gardien grand et maigre me fit descendre un escalier circulaire en fer jusque dans les profondeurs de la prison, puis marcher le long d'un couloir en carrelage beige sentant fortement la misère, laquelle, comme tout le monde vous le dira, est un subtil mélange d'espoir, de désespoir, de graisse de friture rance et de pisse humaine.

Je me rendais à la prison locale afin de recueillir les déclarations de deux sous-officiers allemands accusés de viol et d'assassinat. Ils appartenaient tous les deux à une division de Panzergrenadier, la 3e. Je les rencontrai l'un après l'autre dans une espèce de cage avec une table, deux chaises et une ampoule nue. Le sol était couvert de gravier ou de sable, qui crissait sous mes chaussures comme du sucre renversé.

Le premier sous-officier qu'on m'amena avait une mâchoire de la taille de la Crimée et des cernes sous les yeux laissant supposer qu'il n'avait pas fermé l'œil depuis un moment. Ce qui se comprenait, vu sa situation, laquelle était grave. Il avait des marques rouges sur le cou et la poitrine comme si on y avait écrasé des cigarettes.

« Caporal Hermichen ?

— Qui êtes-vous ? demanda-t-il. Et pourquoi est-ce qu'on me garde encore ici ?

— Je suis le capitaine Gunther et je fais partie du Bureau des crimes de guerre de la Wehrmacht, ce qui devrait vous donner une idée de la raison de ma présence.

— Vous êtes un genre de flic ?

— J'ai été flic. Inspecteur. À l'Alex.

— Je n'ai commis aucun crime de guerre, protesta-t-il.

— Le prêtre n'est pas de cet avis, hélas, ce qui explique qu'on vous ait arrêté.

— Le prêtre ! répliqua le caporal d'un ton plein de mépris.

— Celui que vous avez laissé pour mort.

— Raspoutine, plutôt. Vous l'avez vu ? Ce soi-disant prêtre ? Un diable noir. »

Je lui offris une cigarette, qu'il prit, l'allumai et lui expliquai que son commandant, le maréchal von Kluge, m'avait demandé d'aller à la prison pour déterminer s'il y avait des motifs de traduction devant une cour martiale.

Le caporal poussa un grognement de remerciement pour la cigarette et contempla un instant le bout incandescent comme s'il le comparaît avec sa propre situation.

173

« Accessoirement, ces marques sur votre poitrine et votre cou. On dirait des brûlures de cigarette. Comment les avez-vous eues ?

— Ce ne sont pas des brûlures de cigarette, répondit-il. Ce sont des morsures. De punaises. Toute une foutue armada de punaises. »

Il aspira nerveusement une bouffée et se mit à se gratter avec éloquence.

« Eh bien, pourquoi ne pas me raconter ce qui s'est passé ? Avec vos propres mots. »

Il secoua la tête.

« Je n'ai commis aucun crime de guerre.

— Très bien. Parlons de l'autre type, votre camarade, le sergent Kuhr. Un sacré gaillard, hein ? Croix de fer de première classe, vieux militant, ce qui signifie qu'il était membre du parti nazi avant les élections au Reichstag de 1930, n'est-ce pas ?

— Je n'ai rien à dire sur Wilhelm Kuhr, répondit Hermichen.

— Dommage, parce que c'est votre seule chance de donner votre version de l'histoire. Je lui parlerai ensuite et j'imagine qu'il me donnera la sienne. De sorte que, s'il vous colle tout sur le dos, ce sera bien malheureux pour vous. En ce qui me concerne, vous avez l'air on ne peut plus coupables tous les deux, mais, en général, les tribunaux militaires aiment maintenir un équilibre entre justice et clémence, bien que de façon totalement arbitraire. Je suppose qu'ils ne condamneront que l'un d'entre vous. Toute la question est de savoir lequel. Vous ou le sergent Kuhr ?

— Je ne comprends vraiment pas à quoi rime tout ce cirque. Et même si j'avais tué ces deux Popov, et je ne dis pas que je l'ai fait, qu'est-ce que ça peut bien foutre ?

— Ce n'étaient pas des Popov. Juste de simples blanchisseuses.

— N'empêche, quel que soit ce que je suis censé avoir fait, les SS ont fait bien pire : Sloboda, Polotsk, Bychitsa, Biskatovo. Je suis passé par ces endroits. Ils ont bien dû exécuter trois cents Juifs rien que dans ces quatre villages. Et personne, à ma connaissance, n'a accusé ces fumiers d'assassinat.

— Viol et assassinat », dis-je, lui rappelant l'ensemble des charges qui pesaient contre lui. Je haussai les épaules. « Écoutez, j'aurais tendance à être d'accord avec vous. Pour les raisons que vous venez de mentionner, l'idée d'accuser deux crétins de votre

174

espèce de crime de guerre dans ce théâtre d'opérations me paraît absurde. Cependant, le maréchal a une vision assez différente de ces choses-là. Il n'est pas comme vous et moi. C'est un homme de l'ancien temps. Un aristocrate. Le genre qui pense qu'il y a une façon correcte de se comporter quand on sert dans la Wehrmacht et qu'un exemple doit être fait lorsqu'un soldat déroge à cette règle. Surtout alors que vous faites tous les deux partie de la section gardant son quartier général à Krasny Bor. Ce qui n'est vraiment pas de bol pour vous, caporal. Il est bien décidé à faire un exemple avec vous et le sergent Kuhr, à moins que je n'arrive à le persuader qu'il s'agit d'une erreur.

— Quelle sorte d'exemple ?

— Ils vous jugeront demain et, après vous avoir reconnus coupables, ils vous pendront dimanche.

— Ils ne feraient pas ça.

— J'ai bien peur que si. Et ils le feront. Je l'ai vu. Les commandants punissent sévèrement ce genre de truc. » Je haussai de nouveau les épaules. « Je suis ici pour vous aider, si je peux.

— Et le décret de Hitler ? dit le caporal.

— Eh bien ?

— On m'a parlé de ce décret barbare pris par le Führer et qui dit qu'on ne peut pas appliquer les mêmes règles ici, d'accord ? Étant donné que les Slaves sont de foutus barbares. » Il eut une moue de dédain. « Bon sang, tout le monde sait ça, non ? Je veux dire, regardez-les. La vie a moins d'importance ici que chez nous. Tout le monde sait ça.

— Les Popov ne sont pas si mauvais. Juste des gens essayant de subsister, de gagner leur vie.

— Non, ils n'ont rien d'humain. Des barbares, c'est bien vrai.

— D'ailleurs, ça ne s'appelle pas le décret barbare, bougre d'idiot. » Je laissai échapper un ricanement. « C'est le décret Barbarossa, d'après l'empereur romain germanique du même nom[1]. Il dirigea la troisième croisade, raison pour laquelle, probablement, nous avons baptisé ainsi l'opération militaire que nous avons

---

1. Né en 1122, Frédéric Iᵉʳ de Hohenstaufen, dit Frédéric Barberousse, fut élu roi des Romains en 1152 et couronné empereur germanique en 1155.

montée contre l'Union soviétique. Par un sens fichtrement erroné de l'histoire. Non que vous connaissiez grand-chose à l'histoire. Ce que vous feriez bien de savoir, c'est que ce décret n'a pas été transmis aux commandants locaux par Kluge. Comme beaucoup d'autres officiers d'état-major de la vieille école, le maréchal a choisi de s'asseoir sur le décret de Hitler, on pourrait même dire, de l'ignorer complètement. Et il ne s'applique certainement pas aux hommes gardant le quartier général du groupe d'armées Centre. Ce que font la SS et le SD est leur affaire. Et laissez-moi vous dire ceci : si vous et votre vieux militant de copain aviez parié sur un appel auprès de Berlin en passant par-dessus la tête du maréchal, vous pouvez tirer un trait là-dessus. Ça n'arrivera tout simplement pas. Alors vous auriez intérêt à vous mettre à table. »

Le caporal Hermichen baissa la tête et poussa un soupir.

« Ça se présente mal, hein ?

— Très mal. Si j'ai un conseil à vous donner, c'est de faire une déposition aussi vite que possible dans l'espoir de sauver votre peau. Qu'on vous pende ou non ne m'intéresse pas particulièrement. Non, ce qui m'intéresse davantage, c'est la manière dont vous, ou votre sergent, avez tué ces deux femmes.

— J'ai rien à voir avec ça. C'est le sergent Kuhr. Il les a tuées toutes les deux. Violer, oui, ça, je suis d'accord. Il a violé la mère et moi, la fille. Mais j'étais pour les laisser partir. C'est le sergent qui a insisté pour les tuer. J'ai essayé de le dissuader, mais il a répondu que c'était le mieux.

— Vous vous trouviez dans un endroit écarté, à l'ouest du Kremlin, c'est ça ? »

Le caporal hocha la tête.

« Dans la Narwastrasse. Il y a petit cimetière pas loin. C'est là que... ça s'est passé. On les a suivies depuis nos baraquements dans la Kleine Kasernestrasse où elles s'occupent du linge, jusqu'à une petite chapelle. L'église de l'archange Michel – Svirskaïa que l'appellent les Popov, je crois bien. Bref, on a attendu qu'elles sortent de l'église et on les a suivies le long de la Regimenstrasse. Quand elles sont entrées dans le cimetière, le sergent a proposé qu'on les baise à l'intérieur vu qu'elles nous avaient amenés jusque-là. D'après lui, elles avaient envie qu'on les baise. Mais c'était pas comme ça. Pas du tout comme ça.

— Vous les avez suivies comment ?

— À moto avec side-car. C'est le sergent qui conduisait.

— Ce qui signifie que c'est vous qui teniez le bidon d'essence, dans le side-car.

— Oui.

— Pourquoi ?

— Qu'est-ce que vous voulez dire ?

— Le témoin, le prêtre orthodoxe russe de l'église Svirskaïa qui vous a vus, qui a relevé le numéro de la plaque d'immatriculation de la moto et que vous avez abattu et laissé pour mort, prétend que vous avez brûlé les corps avec de l'essence, et que vous aviez l'essence à côté de vous lorsque vous avez violé les deux blanchisseuses. D'ailleurs, pourquoi ne pas avoir brûlé son corps à lui aussi ?

— On l'aurait fait, mais on n'avait plus assez d'essence et il était trop gros pour qu'on le hisse par-dessus.

— Lequel de vous deux a tiré sur le prêtre ?

— Le sergent. Il n'a pas hésité. Dès qu'il l'a vu. Il a sorti son Luger et il lui a balancé la sauce. C'était peut-être une demi-heure avant qu'on en ait fini avec les deux nanas, et pendant ce temps-là il ne mouftait pas, ce qui fait qu'on a cru qu'il était mort. Mais bien sûr, c'était juste une blessure superficielle. Il était tombé et s'était cogné l'arrière du crâne. Mais comment est-ce qu'on pouvait le savoir ?

— Dites-moi, caporal, est-ce que vous lui auriez tiré dessus de nouveau si vous aviez su qu'il était encore en vie ?

— Qui ça ? Moi, capitaine ? Oui, j'avais tellement les foies que je l'aurais fait.

— À présent, racontez-moi à quel moment vous les avez tuées.

— Pas moi, capitaine. Je vous le répète. C'est le sergent.

— D'accord. Il leur a coupé la gorge, n'est-ce pas ?

— Oui, capitaine. Avec sa baïonnette.

— Pourquoi a-t-il fait ça, à votre avis ? Au lieu de les abattre, comme il a abattu le prêtre, selon vous. »

Le caporal réfléchit un instant, puis il jeta son mégot par terre, où il l'écrasa sous le talon de sa botte.

« Le sergent Kuhr est un bon soldat, capitaine. Et courageux. Je n'en ai jamais connu d'aussi courageux. Mais c'est un homme cruel, pas de doute, et il aime bien se servir d'un couteau. Ce n'était pas la première fois que je le voyais utiliser une lame contre un gus… contre quelqu'un. On a fait prisonnier un Popov près de Minsk, et le sergent l'a tué froidement avec son couteau, encore que j'aie oublié s'il a utilisé sa baïonnette ou pas. Il a égorgé le Popov avant de lui couper entièrement sa putain de tronche. J'avais jamais rien vu de pareil.

— Avez-vous eu l'impression à ce moment-là qu'il l'avait déjà fait ? Égorger un homme ?

— Oui, capitaine. Il avait l'air de savoir exactement comment s'y prendre. Plutôt moche, mais cette fois-ci, avec les deux nanas, je veux dire, c'était encore pire. Ce qui me rend dingue, c'est pas le spectacle, capitaine, c'est le bruit. Je ne peux pas vous expliquer ça, la façon dont elles continuaient à respirer par la gorge. C'était horrible. J'en revenais pas qu'il les ait tuées ainsi. Vraiment, j'en revenais pas. Je me suis mis à vomir. Pour vous donner une idée. Elles continuaient à respirer par la gorge comme des cochons à l'abattoir quand le sergent les a arrosées d'essence.

— Est-ce lui qui leur a mis le feu ? Ou vous ? » Je marquai un temps d'arrêt. « C'est votre briquet que la Feldgendarmerie a retrouvé près de la scène de crime. Avec votre prénom marqué dessus. Erich.

— J'étais à bout de nerfs. J'ai allumé une cigarette pour me requinquer. Le sergent m'a alors arraché la clope de la main et l'a jetée sur les corps. Mais il avait utilisé tellement d'essence que j'ai failli y laisser mes putains de sourcils quand elles se sont embrasées. Je suis tombé à la renverse en m'écartant des flammes. C'est à ce moment-là que j'ai dû perdre le briquet. Dans les hautes herbes. Je l'ai cherché, mais le sergent était remonté sur la moto et la faisait démarrer. J'ai cru qu'il allait se barrer sans moi, alors je l'ai tout simplement laissé où il était. »

Je hochai la tête, allumai une cigarette et aspirai avec vigueur sur le bout légèrement tassé. La fumée m'aida à chasser le sentiment d'avilissement que j'éprouvais d'avoir écouté ce récit abject. J'avais rencontré bien des ordures et entendu pas mal d'histoires répugnantes de mon temps à la Kripo – l'Alex n'était pas surnommée la

Misère grise pour rien –, mais il y avait dans ce crime quelque chose d'encore plus affreux que tout ce que j'aurais pu imaginer. Peut-être était-ce l'idée de ces deux femmes russes, Akoulina et Klavdia Eltsina, rescapées de la bataille de Smolensk qui avait coûté la vie à Artem, le mari d'Akoulina, vivant tant bien que mal en lavant le linge de leurs nobles conquérants allemands, dont deux les violeraient et les assassineraient l'une et l'autre de la façon la plus ignoble et la plus inhumaine. Cette impression, à défaut de circonstances semblables à celles de cette affaire, je l'avais déjà éprouvée maintes fois, bien sûr. Je suppose que c'est la malédiction du recul, le fait de voir soudain le malheur qui ne cesse de peser sur des individus comme les Eltsina, la pensée qu'elles étaient destinées à rencontrer deux saligauds comme Hermichen et Kuhr et à être violées et tués dans un cimetière de Smolensk recouvert de neige.

« Je crois à votre histoire. Elle est suffisamment puante pour être exacte. Il va sans dire que le sergent Kuhr vous fera porter le chapeau, en disant que c'était votre idée. Et personne ne s'en étonnera, vu vos trois galons et et votre décoration de héros de première classe. On pense généralement que vous n'êtes pas si facile à influencer.

— Je vous dis la vérité.

— Permettez-moi de vous demander une chose, caporal. Il y a environ deux semaines, le 13 mars, deux téléphonistes du 537e régiment de transmissions ont été tués près de l'hôtel Glinka.

— J'en ai entendu parler.

— Les corps ont été retrouvés sur la berge. On leur avait coupé la gorge d'une oreille à l'autre. Avec une baïonnette allemande. Un témoin a rapporté avoir vu un suspect potentiel quitter la scène sur une moto BMW et filer vers l'ouest le long de la route de Vitebsk. Laquelle aurait aisément pu le conduire à Krasny Bor. »

Le caporal Hermichen acquiesça.

« Vous devinez pourquoi je vous pose la question. La similitude flagrante entre ces meurtres et ceux des Eltsina. »

Le caporal fronça les sourcils.

« Les qui ?

— Les deux femmes que vous avez violées et assassinées. Avez-vous oublié pourquoi je suis ici ? Ne me dites pas que vous ne connaissez pas leur nom. »

Il secoua la tête, puis il vit l'expression sur mon visage.

« C'est encore plus grave si je ne le connais pas ? »

Le ton du caporal était manifestement sarcastique, de façon peut-être compréhensible. Il avait raison. Cela n'aurait pas dû aggraver les choses, et pourtant, c'était le cas, en un sens.

« Vous êtes déjà allé à ce bordel à l'hôtel Glinka ?

— Tous les troufions sont allés à l'hôtel Glinka, répondit-il.

— Et le samedi 13 mars ? Vous y êtes allé ?

— Non.

— Vous semblez bien sûr de vous.

— Le 13 mars, c'était le week-end de la visite de Hitler, dit Hermichen. Comment pourrais-je l'oublier ? Toutes les permissions avaient été annulées.

— Mais après son départ ? »

Il secoua la tête.

« Il aurait fallu une autorisation spéciale du commandant. Ces deux types du 537ᵉ devaient être les chouchous de la classe. La plupart des gars sont restés au mess de la caserne. Il devrait être assez facile de vérifier mon histoire, je pense. J'ai joué aux cartes jusque tard.

— Et le sergent Kuhr ? »

Hermichen haussa les épaules.

« Lui aussi.

— Étant sergent, aurait-il pu sortir sans permission ?

— Peut-être. Mais quand même, le sergent n'est pas du genre à tuer deux des nôtres. Pas pour une putain. Ni quoi que ce soit d'autre. Écoutez, il détestait les Juifs, bon, tout le monde déteste les Juifs, et il détestait les Popov, mais c'était tout. Il aurait fait n'importe quoi pour un autre Allemand. Jamais il n'aurait coupé la gorge à un Fritz. Kuhr a beau être un salaud, c'est un salaud allemand. » Hermichen sourit et secoua la tête. « Oh ! j'imagine que ça serait tentant d'ajouter deux meurtres non résolus à la suite de ces deux-là, un peu comme fabriquer un de ces mots allemands à rallonge. Eh bien, ça ne marchera pas. Vous vous fourrez le doigt dans l'œil, capitaine Gunther, vous pouvez me croire.

— Possible, dis-je.

— En fait, j'en suis certain.

180

— Comment ça ?

— Écoutez, capitaine, je suis en fâcheuse posture, je m'en rends compte à présent. Je vous remercie d'essayer de m'aider. Qui sait, je pourrais peut-être vous aider à mon tour. Par exemple, en vous donnant des renseignements qui vous permettraient d'attraper votre meurtrier, celui qui a réellement tué vos deux téléphonistes.

— Quelle sorte de renseignements ?

— Oh ! non, je ne peux pas vous le dire pendant que je suis ici. Je n'aurais plus rien à vendre si je vous racontais ce que je sais maintenant. » Il haussa les épaules. « D'après ce que j'ai entendu, ils n'ont pas été tués par les partisans.

— Qu'avez-vous entendu ?

— La Feldgendarmerie aime bien garder un couvercle étanche sur le bocal de cornichons pour éviter que du vinaigre se répande. La Gestapo a pendu des habitants pour faire croire aux Popov que nous pensions que c'étaient eux. Qu'ils n'aient pas l'impression qu'ils peuvent nous tuer comme ça leur chante. Ce genre de truc. Mais ce n'étaient pas les partisans, pas vrai ?

— Alors je vous sors d'ici et vous me donnez des informations essentielles que vous prétendez détenir, c'est bien ça ?

— Exact. »

Je souris.

« Supposons que je me moque de la vérité. Que la seule chose qui m'intéresse soit de faire un peu de ménage policier. Après tout, cela arrangerait tout le monde au quartier général si on pouvait vous pendre pour ces assassinats en même temps que pour les deux autres. Normalement, je n'approuve pas ce genre de procédé, mais je pourrais faire une exception dans votre cas, caporal. Alibi ou pas, je parie que je pourrais vous coller sur le dos une nouvelle inculpation pour meurtre, à vous et à votre sergent. En fait, j'en suis même sûr.

— Ah oui ? Mon alibi est en acier trempé. Un tas d'autres types m'ont vu ce soir-là, parce que j'ai joué au skat jusque vers deux heures du matin. Chacun sait que je suis bon au skat. J'ai gagné trois parties d'affilée. À peu près soixante marks. Les perdants ne sont pas près d'oublier cette soirée. Alors bonne chance pour essayer de prouver que j'étais ailleurs.

— Ce n'est pas à moi qu'il faut souhaiter bonne chance. Je n'ai peut-être pas mentionné la potence qu'ils sont en train de dresser dans la cour pour après votre procès, et la corde avec votre nom dessus.

— Je n'ai pensé à rien d'autre depuis que vous êtes là.

— Et si je vous sortais d'ici et que je sois déçu ? En règle générale, je n'aime pas beaucoup les déceptions. Je pourrais avoir du mal à m'en remettre. Non, le mieux que je puisse faire pour vous, c'est de plaider votre cause auprès du maréchal. Je vous en donne ma parole.

— Votre parole ? Vous ne m'avez pas écouté ? Ça ne suffit pas. »

Je me levai pour partir.

« Restons-en là, Hermichen. Je ne vends pas d'assurance vie aujourd'hui. Mon carnet de commandes est plein. Vous ne présentez que des risques, fiston. Et je ne vois pas le profit.

— Le profit devrait vous sauter aux yeux. Vous élucidez l'affaire, vous avancez dans votre carrière, vous encaissez un plus gros chèque, et votre femme a de quoi s'acheter un manteau encore plus chouette. C'est ainsi que ça fonctionne avec vous autres, pas vrai ?

— Je ne suis pas du genre ambitieux. Ma carrière, comme vous dites, a fini à la poubelle il y a déjà belle lurette. Ma femme est morte, soldat. Et savoir qui a tué ces deux téléphonistes ne me préoccupe guère en réalité. Plus maintenant. Qu'est-ce que deux cadavres allemands de plus après Stalingrad ?

— Bien sûr que ça vous préoccupe. Je peux le voir dans vos yeux bleus et sur votre binette de flic roublard. Ne pas savoir quelque chose, ça les ronge littéralement, les mecs comme vous. Parfois, ça en devient même une maladie. Comme les mots croisés dans les journaux. Résoudre des crimes, arrêter des assassins, c'est la seule façon dont les poulets de votre espèce arrivent à vivre avec eux-mêmes. Comme si vous vouliez montrer que vous êtes meilleurs que tout le monde pour résoudre une énigme.

J'appelai le gardien, qui vint déverrouiller la porte.

« Ce n'est pas fini entre nous, flicard. Vous le savez et moi aussi. » Il resta là où il était et sourit de nouveau d'un air méprisant. « Eh bien, allez-y, foutez le camp. Nous savons tous les deux que vous reviendrez.

— Il se pourrait que je revienne, en effet. Rien que pour vous voir faire des pointes.

— Alors ne comptez pas sur des derniers mots. Parce qu'il n'y en aura pas. Jusque-là, le marché est sur la table. Compris ? Le jour où je m'en vais d'ici, je parle. »

Je secouai la tête et m'éclipsai, tout en m'efforçant de rire du caporal Hermichen comme d'une blague de mauvais goût. Lui, croire qu'il pouvait me faire tourner en bourrique ! Si ce n'est qu'il avait raison, bien sûr, et je le détestais pour ça. Je n'aimais pas l'idée que quelqu'un, un Allemand, ait tué ces deux types et se croie sans doute tiré d'affaire à l'heure qu'il est. C'était compréhensible dans un endroit comme la Russie, où on assassinait chaque jour impunément. Et ça ne m'aurait pas dérangé si un Popov l'avait fait. Après tout, on était en guerre. Tuer des Allemands faisait partie de leur devoir. Mais un Allemand tuant des Allemands, c'était une autre affaire. C'était inamical.

Dans la cour de la prison, on ajoutait des madriers pour consolider les montants de la potence afin de pouvoir pendre les deux sous-officiers côte à côte, comme complices. Il n'y avait que les Popov qu'on pendait en public. Ces deux hommes seraient pendus dans la plus grande discrétion. Naturellement, tout le monde, soldats comme habitants, en entendrait parler. Afin de veiller à ce que chacun à Smolensk, Allemands et Russes, se tienne correctement. La Wehrmacht ne plaisantait pas sur ce sujet.

La question était la suivante : détestais-je le caporal Hermichen au point de ne rien dire en sa faveur et de le laisser pendre ?

Située à huit kilomètres à l'ouest de Smolensk, Krasny Bor était une ancienne station thermale soviétique. Il y avait des lacs, des sources d'eau minérale et des arbres à foison, qui assuraient chaque matin à la station un apport régulier en oxygène. Mais, à part ça, on avait du mal à discerner les effets salutaires pour la santé pouvant résulter d'un tel séjour. En hiver, l'endroit était entièrement gelé ; en été, il était, paraît-il, infesté de moustiques ; les sources vous donnaient l'impression de boire l'eau du bain d'un pêcheur. Incontestablement, Krasny Bor ne pouvait guère soutenir la comparaison avec des stations thermales allemandes beaucoup plus célèbres comme Baden-Baden, où les grands hôtels et un luxe permanent étaient de mise. Raison pour laquelle, sans nul doute, des personnages comme Richard Wagner – sans parler de quelques Russes tels que Dostoïevski – avaient l'habitude de s'y rendre chaque année. Il était facile de voir pourquoi Dostoïevski ne s'était jamais donné la peine de venir à Krasny Bor : la station se réduisait à un ramassis de huttes en rondins. Mais elle était aussi proche du luxe que tout ce qui existait n'importe où à Smolensk, ce qui, joint à sa tranquillité et à son isolement, la rendaient facile à sécuriser, expliquait que le maréchal von Kluge l'ait choisie pour abriter le quartier général du groupe d'armées Centre.

Pour un vieux junker prussien, le maréchal ne manquait pas d'humour. Il aimait notamment faire des plaisanteries sur les avantages négligeables pour la santé de vivre à Krasny Bor. Ses blagues visaient habituellement les Russes et, bien que cruelles, elles étaient souvent fort appréciées d'Alok Diakov, son *Putzer*. Cependant, Kluge avait beau posséder le sens de l'humour, il n'en était pas moins impitoyable. De surcroît, il se voyait volontiers en juriste militaire, comme je ne tardai pas à le découvrir après m'être assis sur une des chaises en rotin de la confortable cabane en bois lui servant de bureau.

« Je vous remercie de vous en être occupé, capitaine Gunther, dit-il en jetant un coup d'œil à mon rapport dactylographié. Je sais que ce n'est pas pour ça que vous êtes venu à Smolensk, mais, jusqu'à ce qu'une équipe de prisonniers russes ait commencé à creuser dans la forêt de Katyn, il vaut mieux que vous vous rendiez utile. »

Il regarda par la fenêtre, agita le rideau et secoua la tête d'un air sévère.

« Il y en a, je pense, pour un moment. Au moins encore une semaine avant que ça commence à dégeler, d'après Diakov. N'est-ce pas, Alok ? »

Assis à une table en bois brut à notre droite, le Russe opina.

« Au moins une semaine, répondit-il. Peut-être plus longtemps.

— Comment êtes-vous logé ?

— Très bien, maréchal, merci. »

Kluge se leva et, s'adossant à un pan de mur en brique, il pour-suivit la lecture de mon rapport à l'aide d'une paire de lunettes demi-lune. La plus grande partie de son bureau était en bois, mais le mur contenait une série régulière d'ouvertures carrées chauffant la pièce, car, derrière la paroi, se trouvait un gros et puissant poêle qui chauffait aussi le mess des officiers.

« Eh bien, finit-il par dire. Vous avez l'air de penser qu'ils sont coupables des actes qui leur sont reprochés. »

Le maréchal était grand, il avait beau avoir le menton fuyant et les tempes dégarnies, ses manières étaient beaucoup plus vigou-reuses, de même que son intelligence ; ses hommes l'avaient sur-nommé Hans le malin.

« C'est ce qu'indiquent tous les éléments, maréchal, répondis-je. Toutefois, le sergent Kuhr semble le plus coupable des deux. Ma propre impression de Kuhr est qu'il doit être très difficile de s'op-poser à lui. À mon avis, le caporal Hermichen n'a fait que se conformer aux souhaits de son supérieur.

— Raison pour laquelle vous recommandez la clémence dans son cas ?

— Oui, maréchal.

— Mais pas pour Kuhr ?

— Je ne pense pas avoir émis de recommandations en ce qui concerne le sergent Kuhr.

— Kuhr est de loin le meilleur soldat, fit remarquer Kluge. Mais vous avez raison, c'est un individu violent.

— Vous le connaissez ?

— C'est moi qui ai remis au sergent Kuhr sa croix de fer de première classe. J'ai le plus grand respect pour lui en tant que combattant. » Kluge posa le rapport sur le coin d'un élégant bureau Biedermeier paraissant quelque peu incongru dans la pièce par ail-leurs sobrement meublée et alluma une cigarette. « Ce caporal Her-michen, je ne le connais pas du tout. Mais j'ai du mal à imaginer qu'on puisse violer quelqu'un pour se conformer aux souhaits de son supérieur. Aussi difficile qu'il soit de s'opposer à lui, comme vous dites. Après tout, si l'on prend en compte la résistance de la malheureuse victime et la nécessité pour le caporal d'être suffisam-ment excité pour consommer le viol, ce qu'il ne dément pas, apparemment, je ne vois pas comment la coercition pourrait être invoquée ici comme moyen de défense. » Le maréchal secoua la tête. « Je n'ai jamais rien compris au viol. Pour moi, la résistance n'est pas et ne pourra jamais être un corollaire de l'excitation sexuelle. L'acquiescement est le seul aphrodisiaque que je puisse concevoir.

— Alors je plaiderai la clémence pour le caporal sur la base du fait que c'est le sergent qui a égorgé les victimes. Lui-même ne le nie pas. Hermichen affirme qu'il était contre.

— Et pourtant, le caporal mentionne également la présence d'un bidon d'essence avant que le viol ait réellement commencé. Ce qui ne joue pas en sa faveur. Je vous le demande, capitaine, à quoi croyait-il que cette essence allait servir ? À un usage prophylactique, peut-être ? J'ai effectivement entendu parler d'une chose semblable, les soldats sont extrêmement stupides, il n'y a pas de limite à ce qu'ils sont capables de se faire pour éviter une chaude-pisse, ou de faire à une femme pour éviter une grossesse. Non, il savait sûrement que le sergent Kuhr avait des desseins beaucoup plus meurtriers dans le cadre de sa répugnante entreprise. Il devait se douter qu'il avait l'intention de se débarrasser des corps. Ce qui signifie qu'il a réussi à consommer le viol tout en ayant pleinement conscience de ça. Il faut le faire. »

Kluge se tourna vers son bouffon russe.

« As-tu déjà violé une femme, Alok ? »

Diakov s'arrêta d'allumer sa pipe et sourit.

« Il est possible que, deux ou trois fois, j'aie eu une fausse impression d'une fille et que je sois allé trop loin, trop tôt. C'est peut-être du viol, ou peut-être pas, je n'en sais rien. Tout ce que je peux dire, c'est que, moi, j'aurais eu des remords.

— Nous prendrons ça pour un oui, dit Kluge. Viol et consentement, m'est avis que c'est du pareil au même pour les Russkoffs comme Diakov. Malgré tout, ce n'est pas une raison pour que nos hommes se conduisent de cette manière. Le viol est terriblement néfaste pour la discipline, vous savez.

— Mais, comprenez bien, je n'ai jamais fait ça avec d'autres hommes, protesta Diakov. Dans le cadre d'une entreprise, comme le dit Sa Seigneurie. Quant à tuer une jeune fille ensuite, c'est sans excuse. » Diakov secoua la tête. « Un tel homme n'est absolument pas un homme et mérite d'être sévèrement puni. »

Kluge se tourna vers moi.

« Vous voyez ? Même mon goret de compagnie ne peut pas excuser un comportement aussi effroyable. Même Diakov pense qu'il faudrait les pendre tous les deux. »

Diakov se leva.

« Pardonnez-moi, mais ce n'est pas ce que j'ai dit, Votre Seigneurie. Pas exactement, non. Personnellement, j'épargnerais le sergent et, si vous l'épargnez, lui, vous devez épargner l'autre également.

— Mais pourquoi ? demanda Kluge.

— Comme vous, je connais aussi ce sergent, patron. C'est un très bon combattant. Très brave. Le meilleur. Il a tué beaucoup de bolcheviks et, si vous lui laissez la vie sauve, il tuera encore beaucoup plus de ces fumiers. L'Allemagne peut-elle se permettre de perdre un combattant aussi aguerri ? Un sergent respecté, possédant une croix de fer de première classe ? J'en doute. » Il haussa les épaules. « Il me semble irréaliste de s'attendre à ce qu'un soldat tue vos ennemis un jour et fasse preuve de courtoisie à leur égard le lendemain. C'est illogique.

— Néanmoins, c'est ce que j'attends d'eux, rétorqua Kluge. Mais peut-être as-tu raison, Alok. Nous verrons.

— Je ne sais pas pour le sergent Kuhr, dis-je, mais il y a un autre argument qui inciterait à épargner la corde au caporal Hermichen. »

Comme Kluge levait un sourcil, le téléphone se mit à sonner. Il décrocha le combiné, écouta un moment, dit « Oui », puis raccrocha.

« Eh bien, de quoi s'agit-il ? demanda-t-il. Votre autre argument, capitaine ?

— Le voici. Je pense qu'il détient des informations qui pourraient être précieuses, maréchal. »

Il hésita un instant tandis que j'entendais la voix grêle de l'opérateur toujours en ligne. Kluge l'entendit également et décrocha de nouveau d'un geste rageur.

« Cela fait maintenant deux semaines que je n'arrête pas de répéter à vos collègues que ce téléphone ne fonctionne pas bien, dit-il à l'opérateur. J'exige qu'il soit réparé aujourd'hui ou qu'on me fournisse une explication. » Il raccrocha brutalement. « Je suis entouré d'imbéciles ! »

Il me regarda comme si j'étais un imbécile de plus.

« Vous disiez ?

— Si vous vous rappelez, maréchal, voilà une quinzaine de jours, deux meurtres ont eu lieu à Smolensk. Des soldats qui n'étaient pas de service ont été égorgés.

— Je croyais que c'étaient les partisans. Je me rappelle fort bien. La Gestapo a pendu cinq personnes pour ça, le lendemain de la visite de Hitler à Smolensk. Afin de servir d'exemple à la ville.

— Six, rectifiai-je. Et celles qu'elle a pendues n'avaient pas tué nos hommes.

— Je m'en doute bien, capitaine, répliqua Kluge. Je ne suis pas totalement stupide. Naturellement, ces exécutions avaient pour but de servir de message aux partisans, un message éloquent, comme celui dont parle Voltaire dans son conte *Candide*.

— Je ne connais pas ce conte. Mais je crois connaître le message.

— Moi qui pensais que vous étiez quelqu'un de cultivé, Gunther. Dommage.

— Et je sais reconnaître une piste éventuelle quand j'en vois une, maréchal. Mon opinion est que ces deux hommes ont été assassinés par un autre soldat allemand et que le caporal Hermichen pourrait fournir des informations susceptibles de mener à l'arrestation du meurtrier. Enfin, si le caporal a la vie sauve.

— Suggérez-vous que nous passions un marché avec le caporal Hermichen : il vous dit ce que vous désirez savoir en échange d'une sentence plus clémente ?

— C'est exactement ce que je suggère.

— Et le sergent Kuhr ? Possède-t-il des informations relatives à cette autre enquête ?

— Non, maréchal.

— Mais s'il en possédait, conseilleriez-vous à la cour d'épargner sa vie à lui aussi ?

— Je suppose. Dans n'importe quelle enquête de police, les informations, les bonnes informations, sont assez difficiles à obtenir. Le plus souvent, nous nous appuyons sur des indicateurs, mais ils sont plutôt rares en temps de guerre. Au fil des ans, j'ai acquis un certain flair pour savoir quand un homme a une histoire à raconter. À mon avis, le caporal Hermichen rentre dans cette catégorie. Je ne dis pas qu'il ne mérite pas d'être puni – ce qui s'est passé était bestial, absolument bestial. Je crois simplement qu'épargner cet homme pourrait permettre d'appréhender un autre criminel non moins bestial. Au milieu de tant de morts et de tueries, il est très facile de commettre un meurtre en tout impunité dans cette partie du monde. Cela me gêne. Cela me gêne beaucoup. À mon avis, si nous prenons notre temps et que nous agissons avec discernement, nous pouvons faire d'une pierre deux coups au lieu d'un seul.

— Il est possible qu'à l'Alexanderplatz, à Berlin, cela passe pour une pratique de bon aloi, répondit Kluge. Mais le haut commandement de la Wehrmacht ne négocie pas avec les violeurs et les assassins. Selon vous, nous devrions épargner le caporal parce qu'il possède des informations importantes ; mais nous devrions aussi condamner le sergent parce qu'il n'a pas la chance d'avoir de telles informations, informations que le caporal aurait eu le devoir, en tant que soldat allemand, de communiquer bien avant à ses supérieurs. J'aime encore moins votre caporal Hermichen après ce que vous venez de me dire, Gunther. Il me fait l'effet d'un individu extrêmement peu fiable. Vous ne pouvez assurément pas demander à mon tribunal de conclure un accord avec un individu pareil.

— J'aimerais résoudre ce crime, maréchal.

— J'apprécie votre zèle, capitaine. Mais la Feldgendarmerie s'en occupe certainement ? Ou la Gestapo ? C'est à ça qu'elles servent.

— Le lieutenant Voss est un bon policier, maréchal. Mais, à ma connaissance, il n'y a toujours pas de suspect.

— N'est-il pas possible que le caporal et le sergent aient aussi tué ces deux téléphonistes ? Y avez-vous songé ? »

Patiemment, j'expliquai tous les faits, et pourquoi je pensais que Kuhr et Hermichen étaient innocents de ces crimes antérieurs – en particulier, que les deux hommes disposaient d'un solide alibi pour la soirée en question –, mais le maréchal ne voulut rien entendre.

« Le problème avec vous autres détectives, c'est que vous accordez trop d'importance à des notions fantaisistes telles que les alibis.

Lorsque vous aurez dirigé autant de tribunaux militaires que moi, vous ne tarderez pas à connaître toutes les astuces du simple soldat et à comprendre de quoi il est capable. De sales menteurs, Gunther. Tous autant qu'ils sont. Les alibis ne veulent rien dire dans l'armée allemande. Le Fritz moyen en uniforme mentira pour son camarade comme nous lâcherions un pet, vous et moi. Jouer au mess jusqu'à deux heures du matin ? Non, je crains que ça ne suffise pas. D'après ce que vous m'avez dit à propos de la baïonnette et de la moto, il semble parfaitement évident que vous tenez déjà les deux auteurs les plus probables de ce crime-là aussi. »

Je jetai un coup d'œil à Diakov, mais il pinça les lèvres et secoua discrètement la tête. C'est alors que je compris clairement qu'il ne servait à rien de discuter avec Kluge. J'essayai quand même.

« Mais, maréchal…

— Il n'y a pas de mais, Gunther. Nous les jugerons tous les deux dans la matinée. Et nous les pendrons l'après-midi. »

Je fis un bref signe de tête, puis me levai pour m'en aller.

« Ah ! une dernière chose, Gunther. J'aimerais que vous représentiez l'accusation, si vous n'y voyez pas d'inconvénient.

— Je ne suis pas juriste, maréchal. Je ne suis pas sûr de savoir.

— J'en ai bien conscience.

— Est-ce que le juge Conrad ne pourrait pas s'en charger ? »

Le juge Conrad était le magistrat du Bureau que Goldsche avait déjà envoyé à Smolensk. Depuis son arrivée, lui et Gerhard Buhtz – un professeur de médecine légale de Berlin – rongeaient leur frein dans l'attente d'indices supplémentaires d'un massacre.

« Le juge Conrad jugera l'affaire, avec le général von Tresckow et moi. Écoutez, je ne vous demande pas de les contre-interroger, ni quoi que ce soit de ce genre. Vous pouvez me laisser ce soin. Contentez-vous d'exposer les faits et les éléments de preuve devant la cour, pour la forme, et nous nous occuperons du reste. Cela vous est déjà sûrement arrivé quand vous étiez Kommissar.

— Puis-je vous demander qui défendra ces hommes ?

— Ceci n'a pas pour but d'être une procédure contradictoire, répondit Kluge. Il s'agit d'une cour d'enquête. Leur innocence ou leur culpabilité n'est pas déterminée par un plaidoyer, mais par les faits. Cependant, peut-être avez-vous raison, vu les circonstances, quelqu'un devrait les représenter. Je désignerai un officier de mon propre état-major pour les traiter de façon équitable. L'adjudant-major de Tresckow, le lieutenant von Schlabrendorff. Il a fait des études de droit, me semble-t-il. Un type intéressant, sa mère est l'arrière-arrière-petite-fille de Guillaume Ier, l'électeur de Hesse, ce qui signifie qu'il est apparenté à l'actuel roi de Grande-Bretagne.

— Je pourrais le faire de manière plus efficace, maréchal. Défendre ces hommes. Au lieu de les accuser. Je me sentirais beaucoup plus à l'aise. Après tout, cela me donnerait une nouvelle occasion de réclamer la clémence pour le caporal Hermichen.

— Non, non, non, s'écria-t-il d'un ton irrité. Je vous ai donné un travail à faire. Alors faites-le, bon sang. C'est un ordre. »

2

Samedi 27 mars 1943

Le procès du sergent Kuhr et du caporal Hermichen eut lieu le lendemain matin à la Kommandantur de Smolensk, qui se trouvait à moins d'un kilomètre au nord de la prison. Dehors, le ciel était devenu couleur de plomb. À l'évidence, il allait neiger, ce qui était une bonne chose, comme la plupart des gens s'accordaient à le dire, car cela signifiait que la température commençait à remonter.

Le juge Conrad tenait le rôle de président du tribunal, avec le maréchal von Kluge et le général von Tresckow pour l'assister ; le lieutenant von Schlabrendorff représentait les accusés ; et j'exposais les faits retenus à leur encontre. Mais, avant l'ouverture des débats, je parlai brièvement à Hermichen et le pressai de me dire tout ce qu'il savait sur le meurtre des deux téléphonistes.

« En contrepartie, j'informerai la cour que vous avez donné à la Feldgendarmerie des informations importantes pouvant conduire à l'arrestation d'un autre criminel. Ce qui devrait les disposer favorablement à votre égard, suffisamment pour qu'ils vous témoignent une certaine indulgence.

— Je vous l'ai dit, capitaine. Dès que je suis tiré d'affaire, je crache le morceau.

— Ça n'arrivera pas.

— Alors je vais devoir prendre mes risques. »

L'audition – c'était à peine un procès – dura moins d'une heure. Je savais qu'il m'appartenait de réclamer un verdict et une condamnation, mais je ne fis ni l'un ni l'autre, en l'occurrence, n'ayant guère envie d'exhorter la cour à faire exécuter un homme que je soupçonnais de pouvoir résoudre un crime. S'agissant du sergent Kuhr, j'étais plus ambivalent. Mais il y avait un autre facteur. Avant les nazis, j'avais cru fermement à la peine capitale. Toutes les filles de Berlin y croyaient. De mon temps, à l'Alex, j'avais même assisté à plusieurs exécutions et, bien que la vue d'un meurtrier traîné en hurlant et trépignant vers la guillotine ne me donnât aucune satisfaction, j'avais le sentiment que justice avait été faite et que les victimes avaient été dûment vengées. Depuis l'opération Barbarossa et l'invasion de l'Union soviétique, j'en étais arrivé à penser que tous les Allemands avaient joué un rôle dans un crime comme on n'en avait encore jamais vu dans une salle d'audience, de sorte que je me sentais d'autant moins à l'aise par rapport à la mascarade consistant à poursuivre deux soldats pour des actes que n'importe quel SS d'un bataillon de police aurait considéré comme faisant partie du train-train quotidien.

Il faut reconnaître que Schlabrendorff défendit avec éloquence les accusés, et les trois juges semblaient effectivement enclins à accorder un certain poids à ses propos avant de se retirer pour délibérer. Mais le trio ne mit pas longtemps à réintégrer la salle d'audience, et le juge Conrad prononça une sentence de mort, avec effet immédiat.

Comme on emmenait les accusés, Hermichen se tourna vers moi et me lança :

« On dirait que vous aviez raison, capitaine.

— Je suis désolé. Vraiment.

— Vous viendrez voir le spectacle ?

— Non, répondis-je.

— Je vous dirai peut-être ce que vous voulez savoir juste avant qu'on me passe la corde au cou. Peut-être.

— Laissez tomber. Je n'y serai pas. »

Mais je savais que c'était faux, bien sûr.

Il faisait froid dans la cour de la prison. La neige tombait doucement du ciel haletant, comme si des milliers de minuscules parachutistes prenaient part à une gigantesque invasion aéroportée de l'Union soviétique. Elle recouvrait en silence la barre transversale de la potence, transformant sa géométrie austère et sombre en une chose presque inoffensive, par exemple un morceau de coton sur une crèche de Noël dans une paisible église de campagne, ou une couche de crème sur une forêt-noire. Les deux cordes formant des boucles sous la poutre saupoudrée de sucre glace auraient pu être décoratives, tandis que, en dessous de ces trous inoccupés se balançant dans les airs, la précaire petite volée de marches en bois menant à la mort par pendaison semblait avoir été fournie par une âme plus attentionnée, comme si un enfant en avait eu besoin pour atteindre un lavabo afin de se laver les mains.

En dépit de ce qui allait se passer, il était difficile de ne pas penser aux enfants. La prison était entourée d'écoles russes : une dans la Feldstrasse, une dans la Kiewerstrasse et une autre dans la Krasnyistrasse. Alors que je garais ma voiture devant la prison, une bataille de boules de neige avait commencé, et le bruit de leur jeu et de leurs rires emplissait maintenant l'air glacial tel un vol d'oiseaux migrateurs. Pour les deux hommes attendant de subir leur sort, ce brouhaha insouciant devait avoir ranimé le souvenir douloureux de jours meilleurs. Même moi, ça me sapait le moral, me rappelant ce que j'avais été jadis et que je ne serais jamais plus.

Ceux d'entre nous qui étaient réunis pour assister à l'application de la peine – le colonel Ahrens, le juge Conrad, le lieutenant von Schlabrendorff, le lieutenant Voss, plusieurs Feldgendarmes et moi-même – éteignirent respectueusement leurs cigarettes alors que deux hommes s'approchaient de la potence. Nous nous détendîmes quelque peu en nous rendant compte qu'il s'agissait seulement de gardiens de prison et nous les regardâmes se mettre à pousser et à tirer sur les poutres comme pour tester la solidité de la charpente jusqu'à ce que, convaincu que l'édifice en bois remplirait sa fonction, l'un d'eux lève le pouce en direction de la porte de la prison. Il y eut une brève attente, puis les deux condamnés émergèrent, les mains liées devant eux, et se dirigèrent lentement vers la potence, tournant la tête d'un côté et de l'autre en un geste de désarroi et d'impuissance, comme s'ils cherchaient un moyen de s'échapper ou un signe qu'on avait commué leur peine. Ils portaient des bottes et des culottes de cheval, mais pas de tunique, et leur chemise blanche sans col était presque éblouissante.

En me voyant, le caporal Hermichen sourit et remua les lèvres pour me saluer. Pensant qu'il était décidé à me dire ce que je désirais savoir, je me rapprochai de la potence, où les gardiens exhortaient déjà les deux hommes à gravir l'escalier en bois. À contrecœur, ils obéirent, et les marches tremblèrent de façon inquiétante.

Le sergent Kuhr leva les yeux vers le nœud coulant, l'air de se demander s'il était vraiment de taille à le pendre. Maintenant que j'étais plus près, je pouvais me rendre compte qu'il s'agissait d'une bonne question : la corde faisait l'effet de n'être qu'un simple bout de ficelle, quelque chose dont on aurait pu se servir pour accrocher une décoration de Noël, et semblait à peine assez solide pour supporter un homme adulte.

« Ils ont choisi une sacrée belle journée », dit-il. Puis : « Tout ce bazar pour un peu de chatte popov. Incroyable ! » Il baissa un instant la tête alors que le bourreau la prenait au lasso et serrait la corde sous son oreille gauche. « Grouille-toi, j'ai froid.

— Tu auras bien plus chaud là où tu vas », répondit le bourreau.

Le sergent se mit à rire.

« Je ne serais pas fâché de quitter ce bled pourri, répliqua-t-il.

— Alors vous êtes venu quand même, me dit Hermichen.

— Oui.

— Je savais bien. » Il sourit. « Vous ne pouviez pas vous permettre de prendre le risque, pas vrai ? De laisser passer la chance que je puisse dire qui a vraiment tué ces deux téléphonistes. Notre ami allemand sur la moto. Avec la baïonnette tranchante comme un rasoir. On l'a vu, vous savez. Ce soir-là. » Hermichen ouvrit les mains, puis les serra de nouveau fermement. « J'ai beaucoup pensé à lui. On le pendra également si on l'attrape.

— Ce n'est pas impossible.

— Ouais, mais le hic, c'est que je ne suis pas favorable à ce qu'on pende qui que ce soit, pour des raisons évidentes.

— Il ne reste pas beaucoup de temps, lui fis-je observer.

— Vous parlez d'une foutue lapalissade », s'exclama le sergent Kuhr d'un ton hargneux.

Surmontant la honte que j'éprouvais, je demeurai à la même place, tandis que le bourreau passait le nœud coulant autour de la tête de Hermichen. Rien que d'être là, j'avais l'impression de participer à un acte dégradant de méchanceté humaine non moins cruel et brutal que celui qui avait été infligé aux deux femmes russes violées et assassinées par le tandem. Deux morts de plus dans cet endroit terrifiant ne semblaient guère avoir d'importance. Et pourtant, me demandais-je, quand s'arrêterait le massacre ? Il paraissait sans fin.

« Je vous en prie, caporal, dites-le-moi. Pour ces deux camarades morts.

— Sans compter que ça va beaucoup plus loin que ça en a l'air. C'est du moins ce qu'on prétend. »

Je déglutis avec difficulté, comme si c'était moi qui avais le nœud coulant autour du cou, inspirai profondément et pointai mon menton vers mon épaule. Je sentis les os et les nerfs de mes vertèbres craquer comme une poignée de noix du Brésil. Il faisait bon vivre – aspirer de l'air dans ses poumons. Parfois, vous avez besoin de vous en souvenir.

« Vous ne voudriez sûrement pas que leur assassin reste impuni ; ou pire, aller vous-même à la mort en étant soupçonné de les avoir tués.

— Je ne vois pas ce que ça change dans un cas comme dans l'autre, dit le sergent Kuhr. Pas pour nous, hein, Erich ? »

Il éclata de rire.

Hermichen leva les mains et essuya avec un soin scrupuleux les flocons de neige parsemant son visage et ses cheveux.

« Il a raison », dit-il.

Le bourreau descendit les marches, vérifia les nœuds des cordes attachées aux montants et contempla le terrible spectacle devant lui. Il me regarda, puis regarda de nouveau les deux condamnés, après quoi il posa sa botte noire et brillante sur l'escalier dont dépendait leur vie.

« Allons, dites ce que vous avez à dire, leur lança-t-il d'une voix dure. Et finissons-en. Je n'ai pas toute la journée.

— J'ai changé d'avis, répondit Hermichen. Je n'ai rien à dire, finalement. »

Là-dessus, il ferma les yeux et se mit à prier.

« C'est ça ! s'écria le sergent Kuhr. Qu'ils aillent se faire foutre ! Qu'ils aillent tous se faire foutre ! »

Le bourreau jeta un regard au juge Conrad, théoriquement en charge de l'exécution. Il avait beau avoir l'air sévère et porter des lunettes à monture d'écaille, il en avait quand même vu suffisamment pour la journée, et il les enleva pour les fourrer dans la poche de son manteau ; puis il hocha sèchement la tête. Dans son intérêt, j'espérais qu'il voyait maintenant flou ce qui se passait. C'était un type parfaitement honorable, et je ne le blâmais pas pour la sentence, pas le moins du monde ; il avait fait son devoir et rendu son verdict sur la base des éléments de preuve.

Le bourreau lui-même n'était guère qu'un adolescent, mais il accomplit sa tâche avec une efficacité implacable, et sans davantage d'émotion que s'il s'apprêtait à décocher un coup de pied dans le flanc d'un pneu de voiture. Pour finir, il plaça l'empeigne de sa botte contre l'escalier en bois et – presque négligemment – le poussa.

Les deux condamnés tombèrent de quelques centimètres, puis se mirent à se balancer comme des cintres, leurs jambes pédalant furieusement sur des vélos invisibles ; dans le même temps, leur cou sembla s'allonger, comme celui de footballeurs essayant de mettre un but avec la tête. Les deux hommes émirent des grognements sonores, et de la buée enveloppa leur torse alors qu'ils perdaient le contrôle de leur vessie. Je me détournai avec un sentiment de profond dégoût, auquel venait s'ajouter la colère d'avoir été trompé par le caporal Hermichen et forcé d'être témoin de sa mort sordide.

Il n'y a rien de mieux pour passer un week-end de cauchemar que de devoir assister à une pendaison.

Je me rendis au marché Zadneprovski sur la place Bazarnaïa, où l'on pouvait acheter toutes sortes de choses. Même en hiver, la place grouillait de Russes dynamiques ayant des objets à vendre maintenant que les contraintes du communisme avaient disparu : une icône, un vieux vase, un balai artisanal, des pots de betteraves et d'oignons marinés, des radis, des vêtements matelassés, des crayons, des pelles à neige, des pipes et des jeux d'échecs sculptés à la main, des portraits de Staline, des portraits de Hitler, des grenades non explosées, du papier à cigarettes, des allumettes de sûreté, du fioul domestique pour faire la cuisine, des rations de viande, des lunettes antigaz issues de l'aide américaine, des trousses de premiers soins, des piles d'exemplaires d'un magazine satirique intitulé *Crocodile*, de vieux numéros de la *Pravda*, utiles pour allumer du feu, des paquets de Mahorka, le tabac de l'armée Rouge (tellement fort que c'était comme fumer sa première cigarette) et, bien sûr, de nombreux souvenirs de ladite armée Rouge. Ces derniers étaient très populaires auprès des soldats allemands, en particulier les casques RKKA, les médailles, les tabatières, les boîtes à beurre, les cuillères, les rasoirs, la cire liquide, les étuis de pistolet TT, les compas de poignet, les pelles de tranchée, les boîtes pour plans, les sabres de cavalerie et – les plus prisés de tous – les baïonnettes SVT.

Je n'étais pas en quête d'un de ces trucs. Un souvenir est quelque chose que vous achetez pour garder un endroit en mémoire et, même s'il n'était pas encore fini, je savais que je ne voulais plus jamais me rappeler mon séjour à Smolensk. Après la journée que je venais de passer, tout ce que je désirais, c'était l'oublier le plus vite possible. J'allai donc à la place Bazarnaïa avec autre chose en tête : une source d'oubli bon marché.

J'achetai deux grandes bouteilles de bière maison, de la *brewski*, et j'étais sur le point d'acheter une bouteille de *samogon,* de l'alcool fort mais peu coûteux, également fait maison, contre lequel on ne cessait de nous mettre en garde, nous autres Allemands, quand j'aperçus soudain un visage familier. C'était le Dr Batov, de l'Académie médicale d'État de Smolensk.

« Vous n'allez pas boire cette cochonnerie, dit-il en m'arrachant le *samogon* de la main. Pas si vous voulez vous voir dans la glace demain matin.

— C'était précisément l'intérêt. Je ne suis pas sûr d'en avoir envie. J'ai entendu dire que ce qu'il fallait faire, c'était verser le *samogon* dans la *brewski* et boire le mélange. Du *yorch,* on appelle ça, n'est-ce pas ?

— Pour un homme intelligent, vous avez des idées extrêmement stupides. Si vous buvez deux litres et demi de *yorch*, vous risquez de ne plus jamais rien voir du tout. Je devrais être content qu'un soldat ennemi se tue ou se rende aveugle, mais je peux facilement faire une exception dans votre cas. Que s'est-il passé ? Je pensais que vous ne reviendriez pas. Ou votre retour à Smolensk est-il une punition pour avoir découvert leur sale petit secret ? »

Il parlait du rapport des services de renseignements polonais que nous avions traduit dans son laboratoire à l'aide d'un microscope stéréoscopique.

« En fait, j'ai décidé de ne pas en parler, répondis-je. Pour le moment, du moins. Ma vie semble déjà suffisamment instable sans l'ébranler sur ses bases. Non, si je suis de retour à Smolensk, c'est pour d'autres tâches. Encore que je m'en serais bien passé. Je voulais simplement me soûler et oublier ce que je ne connais que trop. Ç'a été ce genre de journée, je le crains. »

Et je lui racontai où j'avais été et ce que j'avais vu.

Batov secoua la tête.

« C'est un curieux exemple que vos généraux essaient de faire, dit-il. Pendre un certain genre de soldat allemand pour s'être conduit comme un autre genre de soldat allemand. Est-ce qu'ils croient que nous haïrons un peu moins les Allemands si vous exécutez un des vôtres pour avoir tué des Russes ? Après tout, c'est pour ça que vous êtes ici, non ? Vous débarrasser de nous afin de pouvoir vivre dans l'espace créé par notre absence ? Il y a là une espèce de schizophrénie.

— Juste un terme médical pour l'hypocrisie. Laquelle constitue un hommage rendu par la Wehrmacht à la vertu. Honneur et justice en Allemagne ne sont qu'une illusion. Mais une illusion que quelqu'un dans mon métier doit côtoyer tous les jours. Il m'arrive de me dire que ce n'est pas chez nos dirigeants que réside la plus grande folie, mais chez les juges pour qui je travaille.

— Je suis médecin, aussi je préfère les termes médicaux. Mais si votre gouvernement est schizophrène, alors le mien est à coup sûr dangereusement paranoïaque. Vous n'avez pas idée.

— Non, mais comparer nos notes pourrait être amusant. »

Batov sourit.

« Venez avec moi. Je vais vous montrer où vous pouvez acheter mieux que ça. Ce n'est pas de la haute qualité, mais elle ne vous enverra pas à l'hôpital. À l'Académie médicale de Smolensk, nous sommes plutôt à court de lits en ce moment. »

Nous nous dirigeâmes vers un autre coin de la place, un coin plus tranquille, dans la Kaufstrasse, où un homme au faciès comme une boîte de limaille de fer et avec qui, visiblement, Bartov avait été en affaire par le passé, me vendit une *chekouschka*, un quart de litre de vodka estonienne. La bouteille était asymétrique, de sorte que vous aviez l'impression d'être déjà ivre, et la gnôle qu'elle contenait n'avait pas l'air moins douteuse que le *samogon*, mais Batov m'assura du contraire, raison pour laquelle, probablement, je décidai d'en acheter deux et lui proposai de me tenir compagnie.

« Boire en solitaire n'est jamais une bonne idée, dis-je. Surtout lorsqu'on est seul.

— J'allais à la boulangerie de la Brückenstrasse. » Il eut un haussement d'épaules. « Mais il y a de fortes chances pour qu'ils n'aient plus de pain, de toute façon. Et même quand ils en ont, on croirait manger de la terre. Alors oui, ce serait avec plaisir. J'habite au sud du fleuve. Dans la Gudunow Strasse. On peut aller y boire ces bouteilles, si vous voulez.

— Pourquoi vous servez-vous des noms allemands pour les rues plutôt que de vos propres noms russes ?

— Parce que, sinon, vous ne sauriez pas de quel endroit je parle. Bien sûr, il pourrait s'agir d'une ruse. Étant un Popov, j'aurais pu décider de vous attirer chez moi, où des partisans attendent pour vous couper les oreilles, le nez et les couilles.

— Vous me rendriez service. Ce sont mes oreilles, mon nez et mes couilles qui semblent m'attirer des ennuis. » Je hochai fermement la tête. « Allons-y, docteur. Ce sera agréable de passer un peu de temps avec un Russe qui n'est ni un Russkoff, ni un Popov, ni un Slave, ni un sous-homme. Juste un être humain.

— Oh ! mon Dieu, mais vous êtes un idéaliste. Et manifestement dangereux avec ça. Il me paraît évident que vous avez été envoyé en Russie pour mettre cet idéalisme à rude épreuve. Ce qui est parfaitement compréhensible. Et assez judicieux de la part de vos supérieurs. La Russie est le meilleur endroit pour une expérience cruelle comme celle-ci. C'est le pays des expériences cruelles, c'est là qu'on envoie mourir les idéalistes. Tuer les gens qui croient à quelque chose est notre sport national. »

Avec les bouteilles dans le sac à provisions vide de Batov, nous allâmes récupérer ma voiture et traversâmes le pont branlant reliant provisoirement le sud au nord de la ville. Les ingénieurs allemands n'avaient pas chômé. Mais les femmes russes ne semblaient pas moins industrieuses : sur les rives du Dniepr, elles s'employaient d'arrache-pied à construire les radeaux en bois qui permettraient d'acheminer des marchandises dans Smolensk une fois que le fleuve serait redevenu navigable.

« Est-ce que ce sont les femmes qui font tout le travail ici ? demandai-je.

— Il faut bien que quelqu'un le fasse, vous ne croyez pas ? Un jour, ce sera la même chose pour vous, les Allemands, c'est moi qui vous le dis. Ce sont toujours les femmes qui reconstruisent les civilisations que les hommes se sont appliqués à détruire. »

Batov vivait seul dans un appartement étonnamment spacieux, au sein d'un immeuble en grande partie intact, d'un vert identique à celui de la plupart des églises et des bâtiments publics.

« Y a-t-il une raison pour laquelle tous les édifices sont peints en vert ? Une mesure de camouflage, peut-être ?

— À mon avis, le vert était la seule couleur disponible, répondit Batov. On est en Russie. Les explications sont généralement banales. Nous avons sans doute dépassé une sorte de plan de cinq ans pour la production de peinture, sauf que personne n'a pensé à produire plus d'une couleur. Très probablement, la peinture bleue a été faite l'année dernière. Au demeurant, le bleu est la bonne couleur pour un grand nombre de ces bâtiments. D'un point de vue historique. »

À l'intérieur, l'appartement se composait d'une série de pièces reliées par un grand couloir bordant le mur de façade. Sur ce long mur étaient fixées des étagères bourrées de livres. L'appartement sentait l'encaustique, la friture et le tabac.

« Une sacrée collection que vous avez là », fis-je remarquer.

Batov haussa les épaules.

« Ils ont un double objectif. De même qu'ils occupent mes loisirs – j'adore lire –, ils m'aident à isoler le couloir contre le froid. Une chance que les Russes écrivent des livres aussi gros. C'est peut-être pour ça. »

Nous pénétrâmes dans un petit salon confortable, chauffé par un grand poêle en céramique brun se dressant dans un coin tel un arbre pétrifié. Alors que je parcourais la pièce des yeux, Batov inséra du bois par la porte en laiton de l'âtre, puis la referma. Je savais que sa femme était morte, mais on ne voyait de photographies d'elle nulle part, ce qui m'étonna, dans la mesure où il y avait de nombreuses marques sur le papier mural là où on avait accroché des photos encadrées, ainsi que pas mal de portraits de Batov lui-même en compagnie d'une adolescente que je supposai être sa fille.

« Votre femme. Elle a été tuée pendant la guerre ?

— Non, elle est morte avant, répondit-il en allant chercher des petits verres, du pain noir et des cornichons.

— Avez-vous une photo d'elle ?

— Quelque part, acquiesça-t-il, et il indiqua d'un geste de la main l'appartement et son contenu. Dans une boîte dans la chambre, je pense. Vous vous demandez sans doute pourquoi je la cache ? Comme une vieille paire de gants.

— En effet. »

Il s'assit, et je remplis deux verres.

« À la sienne, en tout cas. Comment s'appelait-elle ?

— Ielena. Oui, à la sienne. Et à la mémoire de votre propre femme. »

Nous vidâmes nos verres avant de les reposer brutalement sur la table.

« Pas mal. Pas mal du tout. Alors c'est ça, la *chekouschka*.

— *Chekouschka* désigne en réalité la taille de la bouteille, pas son contenu. La vodka est un alcool bon marché, mais il n'y a plus que ça actuellement. »

J'acquiesçai.

« Votre femme. Je ne voulais pas être indiscret. En fait, ça ne me regarde pas.

— Si je préfère cacher ses photographies, ce n'est pas parce que je ne l'aime pas, expliqua Batov, mais parce que, en 1937, elle a été arrêtée par le NKVD pour agitation et propagande antisoviétiques. C'était une époque difficile pour le pays. Beaucoup ont été arrêtés ou ont purement et simplement disparu. Je n'affiche pas ses photos car j'ai peur en le faisant qu'il ne m'arrive la même chose. J'aurais pu les remettre, bien sûr. Après tout, ce n'est pas comme si le NKVD allait rappliquer pendant que vous autres Allemands êtes ici à Smolensk. Mais, je ne sais pas pourquoi, je n'en ai pas eu le courage. Le courage est aussi une denrée rare à Smolensk ces temps-ci.

— Qu'est-il arrivé ? À Ielena, je veux dire. Après son arrestation.

— Elle a été exécutée. À ce stade de l'histoire soviétique, arrestation et balle dans la nuque étaient plus ou moins synonymes. En tout cas, c'est ce qu'ils m'ont dit. J'ai reçu une lettre, ce qui était obligeant de leur part ; tellement de gens n'ont aucune certitude à cet égard. Oui, pour ça, j'ai eu de la chance. Elle était ukraino-polonaise, voyez-vous. Originaire des Basses-Carpates, comme il me semble vous l'avoir dit lorsque vous êtes venu à l'hôpital. En tant que Polonaise, elle faisait partie d'une communauté qualifiée de cinquième colonne, ce qui la rendait suspecte aux yeux des autorités. L'accusation était absurde, bien évidemment. Ielena était un excellent médecin, dévouée à tous ses malades. Mais cela n'a assurément pas empêché les autorités de l'accuser d'avoir empoisonné en cachette un grand nombre de ses patients russes. J'imagine qu'ils l'ont torturée afin de l'obliger à me compromettre, mais, comme vous pouvez le voir, je suis toujours là, par conséquent je ne pense pas qu'elle leur ait dit ce qu'ils désiraient. Aujourd'hui, je m'en veux de ne pas avoir quitté la Russie pour aller vivre avec elle en Pologne. Peut-être serait-elle encore en vie si nous étions partis. Mais cela vaut pour des millions de gens, je suppose. Les Juifs en particulier, mais aussi les Polonais. Depuis la guerre de 1920, il est presque aussi difficile d'être polonais sous les bolcheviks que juif sous les Allemands. Une vieille cicatrice historique, mais, comme toujours, ce sont des cicatrices profondes. Les Russes ont perdu, vous comprenez. Les forces soviétiques commandées par le maré-chal Toukhatchevski ont été battues par le général Pilsudski devant Varsovie – le miracle de la Vistule, comme on l'appelle. Staline en a toujours imputé la faute à Toukhatchevski, qui, de son côté, en imputait la faute à Staline. Ils ne pouvaient pas se voir, de sorte qu'on se demande comment il a duré aussi longtemps. Finalement, il a été arrêté en 1937, et lui, sa femme et deux de ses frères ont été exécutés ; il me semble que ses trois sœurs et une de ses filles ont été envoyées dans un camp de travail. Alors je suppose que nous pouvons nous estimer heureux d'être encore là pour pouvoir relater les faits, ma fille et moi. Comme je l'ai déjà dit, cette rue s'appelle la rue Goudounov. Oui. Mais, avant la guerre, c'était la rue Toukhatchevski. Et rien que le fait d'habiter dans une rue portant ce nom attirait les soupçons sur vous. Vous avez l'air de croire que j'exagère, mais ce n'est pas le cas. Des gens ont été arrêtés pour beaucoup moins que ça.

— Et moi qui pensais que Hitler était un sale type. »
Batov sourit.

« Hitler n'est qu'un démon mineur de l'enfer, mais Staline est le diable en personne. »

Nous bûmes deux autres verres, mangeâmes le pain et les cornichons – Batov appelait ces amuse-gueule des *zakouski* –, et la première bouteille fut bientôt finie. Il la posa à côté du pied de la table.

« En Russie, une bouteille vide sur une table est de mauvaise augure. Et on ne peut pas se permettre ça rue Toukhatchevski. C'est déjà bien assez d'avoir un *fachisti* dans mon appartement. Que la concierge aperçoive un Fritz ici, elle se signera trois fois et pensera que son immeuble est victime d'un mauvais sort. Nombreux sont ceux à l'hôpital qui nourrissent les mêmes sentiments vis-à-vis de vous autres *germanets*. Curieusement, pour quantité de Russes, il n'y a pas grande différence entre vous les Allemands et les Polonais. Probablement parce qu'il y a certaines parties de la Pologne qui étaient jadis allemandes et qui, après être devenues polonaises, sont de nouveau allemandes aujourd'hui.

— Oui, je sais. La Prusse-Orientale.

— Pour un Russe, c'est beaucoup trop compliqué. Mieux vaut tous vous haïr. Et plus sûr également. En ce qui nous concerne.

— On pourrait dire que ce sont les Polonais qui m'ont ramené à Smolensk. »

Je parlai à Batov de la forêt de Katyn et lui expliquai que nous attendions le dégel pour pouvoir commencer des fouilles.

Avec l'intérieur de sa main, il effleura son épaisse moustache à la Staline. Puis il demeura silencieux, mais ses yeux sombres étaient remplis de questions, qu'il se posait pour la plupart à lui-même, sans doute. Le visage était maigre, le nez fin, voire délicat, et la moustache noire comme conçue pour protéger les narines des odeurs les moins agréables qui affectaient tout habitant de Smolensk ; et pas seulement les odeurs, vraisemblablement : les mots et les idées de toute tyrannie gouvernementale peuvent puer autant qu'un égout qui déborde. Pendant un instant, il baissa la tête comme s'il se sentait coupable.

« Vous devez comprendre qu'en dépit de tout cela, j'aime mon pays, Herr Gunther. Beaucoup. Je suis amoureux de ma mère patrie, la Russie. Sa musique, sa littérature, sa peinture, le ballet ; oui, j'aime le ballet. Ma fille aussi. Il continue d'être toute sa vie. Il n'y a rien qu'elle ne désire davantage que de devenir une grande ballerine comme Anna Pavlova et de danser *La Mort du cygne* à Paris. Mais j'aime encore plus la vérité. Oui, même en Russie. Et je déteste toute espèce de cruauté. »

Je sentis qu'il était sur le point de me dire quelque chose, aussi j'allumai deux cigarettes, lui en tendis une en silence, ouvris la deuxième bouteille et remplis nos verres.

« En m'engageant dans ma profession, j'ai prêté serment d'aider mon prochain, commença-t-il. Mais, ces derniers temps, c'est de plus en plus difficile. La situation que nous connaissons à Smolensk est terrible. Vous le savez, naturellement. Vous avez des yeux pour voir et vous n'êtes pas un imbécile. Mais ce n'était pas moins terrible avant que vous les Allemands arriviez avec vos nouveaux noms de rues et votre supériorité aryenne. Certes, Wagner est un grand compositeur ; mais est-il plus grand que Tchaïkovski ou Moussorgski ? Je ne pense pas. Des choses ont été faites en Russie qu'aucun pays civilisé n'aurait dû tolérer qu'on fasse à un autre pays civilisé. Pas seulement par vous, mais aussi par nous, les Russes. Et l'une d'entre elles est ce qui a été fait aux Polonais.

— Si je ne vous savais pas dans cette pièce, docteur Batov, je dirais que je me parle à moi-même.

— C'est peut-être pourquoi je crois pouvoir vous déclarer ceci. Lors de notre première rencontre, j'ai eu l'impression que vous vous efforciez d'être un homme bien. Malgré l'uniforme que vous portez. Encore que, curieusement, je jurerais que ce n'est pas le même que celui que vous aviez la dernière fois.

— Il est différent, en effet. Mais c'est une longue histoire. Pour une prochaine fois.

— Je ne dis pas que vous êtes un homme bien, capitaine Gunther – vous êtes toujours capitaine, oui ? »

Je hochai la tête.

« Non, vous n'êtes pas un homme bien. Aucun de nous ne peut se targuer de l'être aujourd'hui. J'imagine que nous devons tous faire des compromis pour rester en vie. Lorsque ma femme a été arrêtée, les autorités m'ont forcé à signer un autre bout de papier déclarant que je reconnaissais l'équité de la sentence prononcée contre elle. Je ne voulais pas, mais je l'ai fait quand même. Je me disais que Ielena aurait voulu que je le signe, sauf que, la vérité, c'est que je l'ai signé parce que je savais qu'ils m'auraient arrêté dans le cas contraire. Si nous étions morts tous les deux, est-ce que cela aurait eu un sens ? J'en doute. Et pourtant… »

Il avait un sourire plein de dents d'un blanc éclatant, et il reparut brièvement sur son visage pensif, presque préoccupé, mais seulement comme un moyen d'empêcher les larmes dans ses yeux d'augmenter de volume ; il les chassa d'un battement de paupières et avala la boisson que je lui avais versée.

Par une sorte de pudeur, je détournai la tête et jetai un coup d'œil aux livres empilés à côté de sa chaise. Ils avaient tous l'air d'avoir été lus, mais je me demandai si un seul d'entre eux contenait une seule vérité comparable à celle, je l'avais deviné, qu'il connaissait aussi bien que moi : être mort est probablement le pire qui puisse vous arriver – après ça, il n'y a pas grand-chose qui ait de l'importance, et surtout pas ce que les autres disent de vous. Tant que vous pouvez respirer, vous avez une chance de réparer les vilenies auxquelles vous avez participé ; c'est en tout cas ce que je demandais dans mes prières quand il m'arrivait de prier.

Batov essuya sa moustache du revers de la main.

« Cela faisait longtemps que je n'avais pas bu de la vodka comme celle-ci, dit-il. Pour être franc, je n'en avais pas les moyens. Avant même l'invasion allemande, les choses étaient très difficiles. Et elles ne sont pas près de s'arranger. Notamment pour moi.

— Raison pour laquelle nous buvons, n'est-ce pas ? Pour oublier ce genre de merde. Parce que la vie est de la merde, mais que la solution de rechange est toujours pire. Du moins, c'est mon avis. Je suis dans un endroit sombre, mais l'autre côté du rideau m'a l'air encore plus sombre. Et ça me fait peur.

— Voilà que vous parlez comme un Russe à présent. Ça doit être la vodka, capitaine Gunther. Ce que vous dites est tout à fait juste, et c'est pourquoi tous les Russes boivent. Nous faisons semblant de vivre car mourir dépasse de loin la dose de réalité que nous sommes capables d'assumer. Ce qui me rappelle une histoire – à propos de boire du *yorsh*, en fait. Ce truc est meurtrier. Même pour ceux qui le sont également. Surtout pour eux, peut-être, parce qu'ils ont tellement plus de choses à oublier. Voyons, oui, cela devait se passer en mai 1940, lorsque deux officiers supérieurs du NKVD arrivèrent à l'hôpital d'État dans un Zis conduit par un sous-officier à casquette bleue. À cause de leur statut et du pouvoir qu'ils exerçaient, le pouvoir de vie ou de mort, on me demanda de superviser moi-même leur traitement médical. Demander est un bien grand mot ; il serait plus exact de dire que le sous-officier à casquette bleue me colla un pistolet sur la tempe en m'informant que, s'ils mouraient, il reviendrait à l'hôpital me brûler personnellement la cervelle. Il tira réellement un pistolet et me le plaça contre le crâne, histoire de bien se faire comprendre. Il m'obligea même à aider à sortir les deux officiers de l'arrière du camion, ce que je n'oublierai jamais. En laissant retomber le hayon, je pensais que les deux hommes devaient être grièvement blessés car le plancher du véhicule était couvert de sang. Sauf que le sang n'était pas le leur. En réalité, les deux membres du NKVD n'étaient pas du tout blessés, mais ivres morts. Le sous-officier avait un coup dans l'aile lui aussi. Ils avaient tous bu du *yorch* pendant plusieurs jours, et les deux officiers souffraient d'une intoxication éthylique aiguë. Sur le plancher du camion, je vis également plusieurs tabliers en cuir et une mallette qui tomba sur le sol alors que nous emportions les deux hommes et qui s'ouvrit brusquement : elle était remplie de pistolets automatiques.

— Vous souvenez-vous du nom de ces hommes ?

— Oui. L'un était le commandant Vassili Mikhaïlovitch Blokhine et l'autre le lieutenant Roudakov – Arkadi Roudakov. Mais j'ai oublié comment s'appelait le sous-officier. Et qui ils étaient n'a pas d'importance, en réalité, car je compris aussitôt ce qu'ils étaient. À savoir la pire engeance que nous ayons. Des psychopathes cautionnés par l'État. Croyez-moi, tout le monde en Russie connaît cette sorte d'individus : contrairement à la plupart des gens, les membres du NKVD appartenant à cette catégorie se moquent éperdument de ce qu'ils peuvent raconter sur qui ou quoi. Et toujours ils menacent de vous tirer dessus, comme si cela ne signifiait rien pour eux tellement ils le font souvent. Je veux dire, ce genre de brute manie les armes à feu comme moi un stéthoscope. Quand il se réveille le matin, il saisit probablement son pistolet avant même de se gratter les couilles. Et il abat quelqu'un avec encore moins de scrupule que nous ne marchons sur une fourmi, vous et moi.

« Si jamais vous agrandissiez une puce plusieurs milliers de fois, vous auriez une idée de ce que sont ces types. Laids et gonflés de sang, avec des jambes maigres et un corps gras et velu. Vous écraseriez l'un d'entre eux, il en jaillirait une telle quantité de sang que vous ne verriez plus que du rouge. Et puis il y a leur uniforme : la casquette bleue, le double holster d'épaule TT et l'ordre de l'Insigne d'honneur sur leur tunique *gymnasterka* – ils auraient reçu cette décoration de Staline lui-même pour leurs bons et loyaux services en 1937 et 1938. En d'autres termes, un de ces types aurait très bien pu être celui qui avait tiré sur ma chère épouse.

« Pendant un merveilleux instant, il sembla que le destin avait placé leur vie entre mes mains, et je sentis que mon serment d'Hippocrate ne comptait plus par rapport à la tentation irrésistible d'infliger une sorte de justice sommaire à l'un d'eux, peut-être aux deux à la fois. Je veux dire que je songeai réellement à assassiner ces hommes. Ce qui aurait été assez facile pour un médecin comme moi, une injection de potassium dans le cœur, et personne n'aurait été surpris. De fait, le lieutenant reprit conscience assez longtemps pour se lever du chariot sur lequel il se trouvait et s'écrouler de nouveau, de sorte qu'il se fractura le crâne en se cognant l'arrière de la tête contre le sol. Je me disais que je rendrais service au monde entier si je les tuais l'un et l'autre. Cela aurait été comme faire piquer des chiens dangereux. Au lieu de ça, j'ordonnai le remplacement des liquides, des solutions de dextrose, de la thiamine et de l'oxygène, et m'efforçai de les remettre sur pied. » Il marqua un temps d'arrêt, puis fronça les sourcils. « Pourquoi l'avoir fait ? Est-ce parce que je suis un honnête homme ? Ou la morale n'est-elle qu'une forme de lâcheté, comme dit Hamlet ? Je ne connais pas la réponse à cette question. Je les soignai. Et continuai à les soigner comme je l'aurais fait pour n'importe qui. Aujourd'hui encore, cela me paraît incompréhensible.

« Peu à peu, j'en appris davantage sur leurs agissements. Notamment parce que, dans son délire, l'un d'eux, le commandant, me raconta la mission dont on les avait chargés et pourquoi ils étaient ivres. Ils avaient fait la fête après avoir effectué avec succès une opération spéciale près de la gare de Gnezdovo. Je n'ai sûrement pas besoin d'expliquer à un Allemand en quoi consiste une « opération spéciale ». Vous autres utilisez également cet euphémisme, n'est-ce pas ? Quand vous voulez tuer des milliers de personnes et faire croire qu'il s'agit d'une mesure hygiénique. Et cela ne faisait que confirmer la rumeur qui courait depuis un certain temps dans la région, selon laquelle la route de Vitebsk avait été fermée pendant plusieurs jours et que des wagons avec des hommes dedans avaient été vus sur une voie de garage. À ce moment-là, je n'avais pas la moindre idée que ces hommes étaient polonais. Ce n'est que plus tard que j'ai appris que tout un convoi de Polonais avait été systématiquement liquidé.

— Il vous a parlé de ça aussi ?

— Oui, le commandant m'en a parlé. L'autre, celui qui s'était fracturé le crâne, ne s'est pas remis de sa blessure. Mais, de temps à autre, le commandant pouvait se montrer extrêmement bavard. Heureusement, il ne se souvenait jamais de ce qu'il m'avait dit, et, bien sûr, je niais qu'il m'ait dit quoi que ce soit pendant qu'il était sans connaissance. C'est curieux, mais je ne l'avais encore jamais raconté à personne. Et encore plus curieux que je doive le raconter à un Allemand. Après tout, il y a un tas de charniers dans cette

209

région du monde qui sont pleins de Juifs assassinés par les SS. Je présume que votre gouvernement désire utiliser cet incident pour faire de la propagande antisoviétique.

— Et vous ne vous trompez pas, docteur Batov. Ils souhaitent se livrer à une petite comédie de l'horreur pendant qu'on mettra au jour les cadavres de centaines d'officiers polonais, tout en évitant soigneusement les fosses communes dont ils sont eux-mêmes responsables.

— Alors votre docteur Goebbels dispose là d'une occasion de nous faire honte peut-être encore plus grande qu'il ne le soupçonne. Vous pouvez oublier les centaines de cadavres. Il y a au moins quatre mille officiers polonais enterrés dans la forêt de Katyn. Et, si la moitié de ce que le commandant Blokhine m'a dit dans son délire est vrai, Katyn n'est que la partie visible de l'iceberg. Dieu sait combien de dizaines de milliers de Polonais sont enterrées dans des endroits plus éloignés : Kharkov, Mednoe, Kalinine.

— Mais pourquoi, bon Dieu ? Tout ça à cause de la défaite de 1920 ? »

Batov haussa les épaules.

« Non, pas seulement, je pense. Sans doute aussi parce que Staline craignait que les Polonais ne fassent comme les Finlandais et ne passent du côté allemand. Comme je vous l'ai dit, aux yeux des Russes, Polonais et Allemands sont à peu près semblables. Pour cette même raison, près de soixante mille Estoniens, Lettons et Lituaniens ont aussi été exécutés par le NKVD. Les tuer paraissait probablement le moyen le plus simple de s'assurer qu'ils ne finiraient pas par nous tuer.

— Les maths de Staline, dis-je. Je n'ai jamais beaucoup aimé les maths. J'avais oublié à quel point jusqu'à ce que je vienne en Russie. » Je secouai la tête. « Malgré tout, c'est difficile à imaginer. Même pour un Allemand. De quoi sont capables les êtres humains. Hallucinant.

— C'est peut-être difficile à imaginer en Allemagne, mais pas en Russie. Hélas, les Russes sont beaucoup plus enclins à croire le pire de leur gouvernement que vous les Allemands. Il est vrai que nous avons davantage d'entraînement. Nous avons les bolcheviks et la Tchéka depuis 1917. Et avant ça, nous avions les tsars et l'Okhrana. On oublie souvent quel tyran sanguinaire était Nicolas II. Il a assassiné environ un million de Russes. Alors vous voyez, nous avons l'habitude de nous faire exterminer par nos propres dirigeants. Vous, vous n'avez Hitler et votre Gestapo que depuis 1933. En outre, c'est très facile à démontrer, n'est-ce pas ? Ce qui est arrivé à ces Polonais. Tout ce que vous avez à faire, c'est de retourner la forêt de Katyn. »

Je haussai les épaules.

« Mais, même dans ce cas, je continue à penser qu'un tas de gens se plairont à prétendre que c'est l'Allemagne qui a massacré ces hommes. Franchement, Goebbels perd son temps, à mon avis, encore que je n'irai certainement pas le lui dire. Les Américains et les Britanniques ont déjà beaucoup trop investi dans le petit père des peuples pour le laisser tomber maintenant. Cela pourrait être embarrassant pour lui que soit établi devant les autres nations ce que celles-ci savent dans leur for intérieur : que les bolcheviks sont tout aussi détestables que les nazis. Embarrassant, certes, mais je ne pense pas que cela changerait réellement quoi que ce soit, non ? »

Batov resta silencieux. Il jetait des regards de côté et, pendant un moment, je crus qu'il écoutait des bruits que je n'arrivais pas à entendre, peut-être un voisin ou même quelqu'un d'autre dans l'appartement. Mais, lorsqu'il prit une profonde inspiration et étreignit ses mains avec force, au point que ses articulations blanchirent, je compris qu'il s'armait de courage pour me dire quelque chose d'encore plus important.

« Et si j'étais en mesure de prouver de façon irréfutable que le NKVD a assassiné ces Polonais ? Si je vous disais que je possède des témoignages de ce que le commandant Blokhine et ses hommes ont fait ici, à Smolensk et dans la forêt de Katyn ? Qu'est-ce que vous pensez de ça, mon ami allemand ?

— Eh bien, les choses pourraient être différentes, je suppose. » M'interrompant, j'allumai une nouvelle cigarette et poussai le paquet à travers la table vers Batov. « Mais différentes pour qui ?

— Pourraient-elles être différentes pour ma fille et moi, par exemple ?

— Vous pensez à de l'argent ? Je peux vous donner de l'argent. Je peux même en obtenir davantage si ce que j'ai ne suffit pas.

— Non. Votre argent n'est pas important. Ni le nôtre, si on va par là. Il n'y a rien qu'on puisse acheter avec de l'argent. Pas à Smolensk. À coup sûr, on ne peut pas acheter ce dont j'ai besoin par-dessus tout : un avenir pour ma fille et moi. Il n'y a pas d'avenir pour nous ici. Voyez-vous, lorsque l'armée Rouge reprendra Smolensk, ce qui, avec tout mon respect, se produira inéluctablement, il y aura des règlements de comptes épouvantables dans cette ville. Le NKVD se lancera dans une nouvelle chasse aux sorcières pour trouver tous les traîtres ayant collaboré avec les Allemands. Et, en tant que personne ayant déjà été interrogée, dont la femme était une espionne et une agitatrice, je serai automatiquement suspect. Mais, comme si ça n'était pas assez, en tant que médecin dont l'hôpital regorge de soldats allemands blessés, ce qui équivaut purement et simplement à de la complicité avec l'ennemi, le fait est que je serai un des tout premiers à être exécutés. Ma fille aussi, probablement. J'ai moins de chance de survivre à cette guerre qu'une fourmi sur le sol.

— Quel âge a-t-elle ? Votre fille ?

— Quinze ans. Non, notre seule chance d'être encore en vie l'année prochaine, c'est si je peux vous convaincre, vous autres Allemands, de me ramener avec vous en Allemagne comme... comment dites-vous ?

— Un volontaire Zeppelin. »

Batov acquiesça.

« Pouvez-vous le prouver ? »

Il acquiesça de nouveau.

« J'ai la preuve. Une preuve telle que cela pourrait presque sembler suspect. Mais une preuve quand même. Une preuve incontestable. »

Il regarda par la fenêtre.

« Il a cessé de neiger. Nous pouvons y aller à pied, je suppose. L'hôpital n'est pas loin. Moi, je m'y rends tous les jours à pied. Mais vous les Allemands n'aimez pas beaucoup marcher. J'ai remarqué que, lorsque vous envahissez un pays étranger, vous le faites à toute allure et avec le plus de véhicules possible. Ah ! les Allemands, avec leurs voitures et leurs autoroutes. Oui, j'aimerais bien voir ça. L'Allemagne doit être un beau pays si les gens ont envie de se déplacer d'un point à un autre à une telle vitesse. Ici, personne n'est jamais pressé d'aller ailleurs en Russie. À quoi bon ? On sait que ce sera un endroit aussi infect que celui où on se trouve déjà. » Il sourit. « Êtes-vous trop ivre pour conduire votre voiture ?

— Je suis trop ivre pour prendre soin d'une jolie fille, mais je ne suis jamais trop ivre pour conduire une voiture. Et certainement pas en Russie. Si je heurte quelque chose ou quelqu'un, il est peu probable que je me fasse beaucoup de mouron. Je suis un Allemand, d'accord ? Et merde ! De plus, un peu d'air frais me dégrisera en un rien de temps.

— Voilà qui est encore parler comme un vrai Russe. Nous avons quantité d'air frais en Russie. Bien plus qu'il ne nous en faut.

— C'est pour ça que je suis venu, répliquai-je. Du moins, selon Hitler. Nous avons besoin d'espace pour respirer. Raison pour laquelle nous avons pendu ces deux soldats allemands ce matin. Tout cela fait partie du plan magistral de notre race supérieure. » J'éclatai de rire. « Je suis ivre. C'est la seule raison pour laquelle ça paraît amusant, j'imagine.

— En Russie, c'est la seule raison pour laquelle quelque chose paraît amusant, mon ami. »

Nous quittâmes l'appartement, et je mis le cap sur l'hôpital. Malgré la neige fraîche, avec tous les nids-de-poule et les crevasses, la voiture avait un peu de mal à s'agripper à la chaussée. J'avais l'impression de faire des bonds sur le plancher de l'avion de Berlin.

« Vous rappelez-vous que je vous ai parlé du lieutenant Roudakov, qui s'est fendu le crâne en tombant alors qu'il était ivre ? demanda Batov.

— Oui. » Je fis une embardée pour éviter une charrette et un cheval qui se trouvaient au milieu de la route. « Je commence à comprendre ce qu'il a dû ressentir.

— Le lieutenant s'était fait une embarrure. J'ai réussi à lui rafistoler le crâne, mais pas le cerveau. La pression sur l'encéphale a provoqué une hémorragie, endommageant les tissus fragiles, les centres de la parole, principalement. Ce qui, joint à l'attaque aiguë contre son organisme représentée par la quantité d'alcool absorbée, a suffi à le rendre invalide. La plupart du temps, il vaut un peu mieux qu'un légume. Un légume d'apparence tout à fait acceptable, en fait, dans la mesure où il lui arrive d'avoir encore quelques moments de lucidité.

— Bon sang, Batov, vous ne voulez pas dire qu'il est en vie, qu'il est toujours là ? Dans votre hôpital ?

— Bien sûr qu'il est toujours là. C'est sa ville natale. Où serait-il mieux soigné qu'à l'Académie médicale de Smolensk ? »

L'homme dans le fauteuil roulant n'avait pas l'air d'avoir participé au massacre de quatre mille personnes, mais il est vrai que, comme mon expérience personnelle me l'avait appris, rares sont les individus qui en ont l'air. Il y avait, dans les bataillons de police, des types avec des visages comme ceux des enfants de chœur favoris de Haendel, capables de charmer les oiseaux dans les arbres. Parfois, pour que l'extermination ait lieu, les assassins doivent être tout sourire.

Arkadi Roudakov avait des oreilles d'une taille normale, un front aussi droit qu'un piano de salon, des yeux et un nez parfaitement symétriques, des bras de la longueur habituelle et sans tatouages. Il ne bavait même pas d'une façon qu'on aurait pu qualifier de primitive ou d'atavique et, après le portrait brossé par Batov d'une puce agrandie, gorgée de sang, on était presque déçu de se retrouver face à un petit homme d'une trentaine d'années, séduisant, à l'expression candide, avec une épaisse chevelure noire, une bouche féminine souriante, des mains menues et des yeux marron à l'expression chaleureuse. Il faisait penser à un tailleur ou à un boulanger, quelqu'un sachant parler avec les gens au lieu de savoir seulement les tuer.

La voix de Roudakov n'était pas moins invraisemblable. À intervalles réguliers, il se mettait à redire les mêmes mots : « *Ou menia vsio v poriadke, spassiba. Ou menia vsio v poriadke, spassiba.* » Cela avec une intonation digne d'un personnage de dessin animé, comme s'il n'avait pas assez de souffle pour se faire entendre haut et clair, ou comme si quelqu'un essayait de l'étrangler.

« Qu'est-ce qu'il n'arrête pas de répéter ? demandai-je à Batov.

— "Tout va très bien, merci", répondit Batov. Naturellement, il ne va pas bien. Il n'ira plus jamais bien. Mais c'est ce qu'il croit.

Une modeste consolation, j'imagine. Au début, quand les officiers du NKVD venaient lui rendre visite, ils lui demandaient si ça allait, et il leur faisait cette réponse. Mais il est vite apparu qu'il n'était pas enclin à dire grand-chose d'autre. » Batov eut un haussement d'épaules. « C'est une réponse très soviétique, évidemment. Quand quelqu'un en Russie vous demande si ça va, vous répondez toujours ainsi car on ne sait jamais qui écoute. Toute autre réponse serait antipatriotique, bien sûr. Mais mêmes ces crétins du NKVD s'étaient rendu compte que cet homme avait un grave problème. C'est probablement pourquoi ils l'ont laissé ici et en vie, certains qu'il ne risquait pas de constituer une menace pour eux. S'il avait été du genre loquace, je parie qu'ils l'auraient embarqué pour le liquider.

— *Ou menia vsio v poriadke, spassiba.* »

Je fis la grimace.

« Je comprends pourquoi ils n'étaient pas inquiets. Avec tout mon respect, docteur Batov, je vois mal comment ce type pourrait faire un témoin. Du moins, qui satisfasse le ministère de la Propagande.

— Comme je vous l'ai expliqué, il y a des moments où il est tout à fait lucide. C'est comme si une fenêtre s'ouvrait dans son esprit et qu'un flot d'air frais et de lumière s'y déversait. Pendant ce laps de temps, il est capable de mener une conversation. C'est alors qu'il m'a parlé des assassinats dans la forêt de Katyn. Curieusement, ce sont les chiffres dont il semblait se souvenir. Par exemple, il m'a dit que, parmi les morts, se trouvaient un amiral polonais, deux généraux, vingt-quatre colonels, soixante-dix-neuf lieutenants-colonels, deux cent cinquante-huit commandants, six cent cinquante-quatre capitaines, dix-sept capitaines de vaisseau, trois mille cinq cents sergents et sept aumôniers, soit, au total, un peu plus de quatre mille hommes. Ai-je parlé de cinq mille ? Non, c'est un peu plus de quatre mille. Certes, ces périodes de lucidité ne durent jamais longtemps. Néanmoins, à cause de ce qu'il dit, il m'a semblé préférable de le mettre ici, dans une pièce fermée à clé. Pour sa protection. Sans parler de la mienne. Et de celle de la plupart des gens dans cet hôpital. Une ou deux infirmières sont au courant. Mais seulement celles en qui j'ai confiance. »

Nous nous trouvions dans une chambre privée au dernier étage. Il y avait un lit, un fauteuil et une radio, tout ce que pouvait désirer un homme ayant perdu la raison. Sur le mur était accroché un portrait de Staline, ce qui suffit à me convaincre que j'étais le premier Allemand à pénétrer dans cette pièce depuis la bataille de Smolensk. Tout Allemand qui se respecte aurait probablement brisé la vitre, ce qui fait que je choisis de l'ignorer.

« *Ou menia vsio v poriadke, spassiba.* »

Batov considéra son patient avec une expression bienveillante et, se penchant, lui caressa la joue du dos de la main.

« *Kak ska zhech*, dit-il doucement à Roudakov. *Kak ska zech. Ti khorochi droug.*

— Au temps pour l'envie de le tuer.

— De ma part, vous voulez dire ? » Batov haussa les épaules. « Qu'est-ce que cela changerait ? Ce serait comme tuer un enfant.

— Si vous aviez été à l'école à Berlin, docteur, vous sauriez pourquoi ce n'est pas toujours une mauvaise idée. » J'allumai une cigarette. « J'ai connu un certain nombre de mioches qui étaient de foutus démons ! »

L'allumette accrocha le regard de l'idiot telle la montre en or d'un hypnotiseur. À titre expérimental, je la bougeai dans un sens puis dans l'autre, avant de lui en donner un petit coup sur le front, histoire de m'assurer qu'il ne faisait pas un numéro de sourd-muet. Si c'était de la comédie, son deuxième prénom aurait pu être Stanislavski.

« *Blagodariou*, marmonna l'idiot.

— *Niezachto.* » Je lui mis la cigarette dans la bouche et il aspira automatiquement. « Ces périodes de lucidité. Peut-on les prévoir ?

— Hélas, non. Il est possible que j'arrive à le tirer temporairement de cet état au moyen d'un choc thérapeutique chimique, éventuellement du méthylamphétamine ou du thiopental, si je pouvais en trouver. Mais qui sait quel effet permanent cela pourrait avoir sur ce qui reste de ses facultés mentales.

— Inutile de le mentionner au ministère. Je présume que le bien-être futur d'un lieutenant du NKVD ne les intéresse pas beaucoup.

— Non, effectivement.

216

— Je suppose qu'on pourrait le filmer pendant qu'on l'interroge, lors d'un de ses moments de lucidité, dis-je pensivement. Mais ce n'est guère l'idéal pour ce dont on a besoin ici. » Je secouai la tête. « En outre, les gens pour qui je travaille… ce sont des juges. En général, ils aiment bien qu'un témoin ait l'air de savoir quel jour on est. Je doute que ce zèbre soit capable de faire la distinction entre son cul et son oreille. »

Mon scepticisme ne sembla pas troubler Batov.

« Je ne dis pas qu'on ne pourrait pas l'utiliser, ajoutai-je. Simplement, nos détracteurs risquent de prétendre que, étant faible d'esprit, il se contente de répéter les paroles qu'on lui dicte. Comme une marionnette.

— J'ai dit que j'avais une preuve, rétorqua Batov. Je n'ai pas dit que c'était lui. Roudakov n'est que la cerise sur le gâteau. La vraie preuve, c'est quelque chose d'autre.

— J'écoute.

— Lorsque Roudakov est arrivé ici, il avait des bagages, expliqua Batov. Dans l'un d'eux se trouvaient des registres et un FED – un appareil photo –, qui renfermait un rouleau de pellicule exposé. Les registres contenaient une liste de noms : oui, composée d'environ quatre mille noms. »

Il laissa cette révélation flotter un instant dans l'air.

« Je vois.

— Alors que Roudakov était là depuis un certain temps, j'ai fait développer la pellicule. Ces salopards du NKVD… ils avaient pris des photos. Comme s'il s'agissait d'une sorte d'expédition de chasse ou de safari. Des photos souvenirs d'eux en train d'exécuter les Polonais. Comme s'ils étaient réellement fiers de ce qu'ils avaient fait. Des hommes, les poignets attachés par du fil de fer, agenouillés au bord d'une tranchée, tandis que Roudakov et ses copains leur tiraient une balle dans la nuque. » Batov avait l'air contrit. « On a du mal à croire que quelqu'un ait envie de commémorer de tels actes, mais c'est le cas.

— Les SS font aussi ce genre de chose, dis-je. Ce n'est pas propre au NKVD.

— J'ai toujours les registres et les agrandissements que j'ai réalisés. Ensemble, ils représentent toutes les preuves qu'on puisse souhaiter de ce qui s'est passé exactement dans la forêt de Katyn. Même d'après les critères extrêmement rigoureux de vos juges allemands.

— Eh bien, on dirait que les casquettes bleues s'en sont donné à cœur joie. Puis-je voir ces photos ? Et les registres ? »

Batov parut évasif.

« Je ne peux vous montrer qu'une photo maintenant. Je la garde ici, avec Arkadi. De temps en temps, je la lui montre pour l'aider à se souvenir de ce qu'il était. »

Le Dr Batov souleva le portrait de Staline et en détacha une photographie noir et blanc de format A4.

« Je la cache pour des raisons évidentes », ajouta-t-il en me la tendant.

Sur la photo figuraient trois officiers du NKVD qui semblaient se détendre devant l'objectif. Ils portaient leur traditionnelle tunique *gymnasterka* à bandoulières et des culottes bouffantes avec de longues bottes. L'un des hommes était assis dans un vieux fauteuil en osier, un autre juché sur le bras ; Roudakov était debout à côté. Chacun d'eux tenait un revolver Nagant de la main droite et faisait le même curieux signe, on pourrait appeler ça, je suppose, des cornes de cocu, avec la gauche. Derrière eux se dressait un bâtiment dans lequel je reconnus aussitôt le château du Dniepr, où était à présent basé le 537e de transmissions.

« L'homme au milieu est Blokhine, expliqua Batov. Le commandant dont je vous ai parlé, celui qui était ivre mort. Et le type assis sur le bras du fauteuil est le sous-officier qui les a amenés tous les deux ici.

— Le signe de la main, remarquai-je. Que signifie-t-il ?

— Je pense qu'il s'agit d'un signe franc-maçon, répondit Batov. Je n'en suis pas certain. J'ai entendu dire que beaucoup d'agents du NKVD étaient francs-maçons ; des tas de gens en Russie, encore maintenant. Mais je n'en suis pas certain.

— Et celle-ci appartenait au même rouleau de pellicule que quoi ? Qu'y a-t-il sur les autres photos ?

— Des officiers polonais abattus par Blokhine et Roudakov. Des monceaux de corps. Ces trois-là en train de boire. D'autres exécutions par leurs copains. Le reste, les photos et les registres, se trouve en lieu sûr. Lorsque nous aurons, ma fille et moi, des titres de voyage pour nous rendre à Berlin, je vous donnerai tout. Vous avez ma parole. Vous comprenez, c'est des Allemands que je me méfie, capitaine Gunther, pas de vous.

— C'est très aimable à vous de le dire.

— Je pense que vous allez devoir parler de tout ça à vos supérieurs. » Il s'assit sur le lit et s'essuya le front avec un long soupir. « Je suis vraiment soûl.

— J'en doute. » Je lui souris. « Vous aviez raison tout à l'heure au marché, quand je n'étais qu'un simple Boche voulant acheter de la *brewski*. Pour un homme intelligent, je peux aussi me montrer stupide. J'imagine que vous aviez préparé cette petite scène touchante, docteur Batov. Les partisans ne m'ont peut-être pas coupé les couilles, néanmoins vous avez accompli de l'excellent travail en m'amenant ici dans votre arrière-salle pour pouvoir me tatouer la poitrine comme à un cosaque ivre dans un de vos romans interminables. Je ne vous blâme pas. Vraiment pas. Blâmer est réservé aux gens ayant une conscience plus tranquille que la mienne. Mais ne forcez pas trop votre rôle, docteur. Le public n'aime pas ça. C'est la leçon numéro un du manuel de Stanislavski pour pouvoir jouer comme quelqu'un ayant le niveau. »

Batov sourit à son tour.

« Vous avez raison, bien entendu. J'ai beau ne pas vendre de vodka ni de *brewski*, j'ai quand même quelque chose à monnayer, comme tout le monde au marché. Lorsque vous êtes venu la première fois à l'hôpital avec ce rapport des services de renseignements polonais, sa provenance ne faisait aucun doute pour moi. J'ai voulu vous parler du lieutenant, mais je n'en ai pas eu le courage. Puis vous êtes reparti et j'en ai conclu que ma chance s'était envolée. Du moins, jusqu'à ce que je vous aperçoive au marché cet après-midi. Lorsque je vous ai vu, que vous soyez de retour à Smolensk m'a semblé trop beau pour être vrai.

— Je connais bien ça.

— Alors. Nous sommes d'accord ?

— Je pense. Seulement, ça prendra un petit moment. Il vous faudra être patient.

— Je suis russe. Chez nous, la patience est innée.

« — Bien sûr, bien sûr. Ça figure sans doute dans le même grimoire que de ne pas laisser de bouteilles vides sur une table. Vous ne croyez pas plus que moi à ces balivernes. Mais voici quelque chose auquel vous pouvez croire. Et cela vient tout droit de mon holster. Lorsque vous avez fait cette réflexion comme quoi vous vous méfiez des Allemands, vous sous-entendiez que vous saviez ce que vous faites, mais je continue à me le demander. Vous prétendez avoir des preuves de ce qui s'est passé dans la forêt de Katyn, et je suis prêt à accepter votre histoire. Mais je ne suis pas le patron. En l'occurrence, c'est vous qui passerez un pacte avec le diable, pas moi. Vous le comprenez bien, n'est-ce pas ? Une fois que vous serez en pleine nature avec ce truc, je ne pourrai pas vous protéger. Contrairement à moi, voyez-vous, les nazis supportent assez mal les déceptions. S'ils pensent un instant que vous essayez de les mener en bateau d'une façon quelconque, ils risquent de sortir leur pistolet. La Gestapo peut tout aussi bien que votre propre police secrète vous tirer une balle dans la tête. Auquel cas, ce sera chacun pour soi, d'accord ? En général, c'est ce que je fais le mieux. Je n'aurai pas le temps ni même le désir de plaider votre cause ou celle des leçons de ballet de votre fille.

— Je sais ce que je fais, affirma-t-il. J'ai songé aux risques. Vraiment. Et je ne pense pas avoir quoi que ce soit à perdre.

— Quand les gens me disent ce genre de chose, je ne les crois pas la plupart du temps ou j'en déduis qu'ils n'ont pas fait le tour de la question. Mais j'imagine que vous savez effectivement ce que vous faites. Vous avez raison, je ne pense pas que vous ayez quoi que ce soit à perdre. Juste votre vie. Et qu'est-ce que ça vaut au cours actuel ? Dans mon cas, pas grand-chose et, dans le vôtre, rien du tout. Entre les deux, il n'y a probablement que beaucoup d'optimisme mal placé. Le mien surtout. »

3

Lundi 29 mars 1943

« Comment se sont passées les exécutions de samedi ? s'enquit le maréchal von Kluge. Ces deux sergents sont-ils morts dignement ?

— Seul l'un d'eux était sergent, maréchal. L'autre était caporal.

— Oui, oui, naturellement. Mais la question n'en demeure pas moins, Gunther.

— Je ne suis pas sûr que mourir dignement soit seulement possible lorsqu'on cherche désespérément à respirer au bout d'un morceau de corde, maréchal.

— Est-ce que vous me prenez pour un imbécile ? Ce que je veux dire, c'est : sont-ils morts courageusement ? Aussi courageusement qu'un soldat allemand en a le devoir ? Après tout, il est toujours possible qu'un condamné fasse ou dise quelque chose qui ait une incidence négative sur l'image de l'armée allemande. La lâcheté parmi les hommes de troupe est encore plus intolérable que les crimes gratuits. Comment se sont-ils comportés ?

— Ils sont morts courageusement, maréchal. Je ne suis pas certain que j'aurais fait face au bourreau avec une telle sérénité apparente.

— Absurde, capitaine. Je ne doute pas une seconde de votre courage. Tout homme décoré de la croix de fer comme vous connaît le vrai courage. Un soldat allemand doit savoir mourir dignement. Ou du moins, il devrait. »

Nous nous trouvions dans le bureau du maréchal à Krasny Bor. Kluge avait entamé un gros cigare et, en dépit du sujet abordé, il avait l'air aussi détendu qu'un homme peut l'être quand il a une bande rouge sur sa jambe de pantalon et une croix de chevalier autour du cou. De son chouchou russe, il n'y avait pas trace, même si un grand chien qu'on aurait pu aisément confondre avec lui occupait l'espace près des bouches de chaleur dans le mur en brique. L'animal se léchait les couilles et, tout en enviant son adresse à accomplir ce genre d'acrobatie, je songeais que c'était certainement la créature la plus heureuse de tout Smolensk.

« Ont-ils dit quelque chose ? Des dernières paroles de regret ?

— Non. Pas plus que sur le meurtre de ces deux sous-officiers, répondis-je. Ce qui est bien dommage.

— Laissez cette affaire à la Feldgendarmerie, capitaine Gunther. C'est le conseil que je vous donne. Je suis sûr qu'ils ne tarderont pas à appréhender le vrai coupable. Vous voulez savoir pourquoi je suis si confiant à cet égard ? Parce que j'ai quarante-deux ans d'expérience dans l'armée derrière moi. Pendant tout ce temps, j'ai appris que de tels incidents ont tendance à se répéter. Un homme qui en a égorgé deux autres ne mettra pas longtemps à en égorger davantage. Presque à coup sûr.

— C'est précisément ce que j'espérais éviter. Je suis un peu sentimental sur ce plan.

— Oui, certainement. Pour ne pas dire symbiotique et adjuvant. Mais la loi militaire n'a rien d'une collaboration, capitaine. Nous ne passons pas d'accords avec ceux qui sont en dessous de nous. Notre existence repose sur une obéissance et un pouvoir inconditionnels, et nous devons toujours être sans pitié, afin de réussir à vaincre même quand nous donnons l'impression d'être écrasés. L'exercice du commandement n'a pas d'autre justification que lui-même. Je préférerais sacrifier deux hommes de plus sur l'autel de l'opportunisme plutôt que de voir notre autorité militaire compromise de la détestable façon que vous avez suggérée. Un marché, avez-vous appelé ça. Idée épouvantable. Nous ne gagnerons cette guerre que si nos hommes admettent qu'il n'y a qu'une façon de la gagner, et c'est de se battre conformément à leur devoir, impitoyablement et sans attendre ni faveur ni clémence. »

C'était un joli petit discours, mais, aussi original qu'il puisse paraître, je me dis que Hitler s'était vraisemblablement fendu d'un couplet identique lorsque le maréchal et lui avaient été seuls dans ce même bureau quelques semaines auparavant. Le passage à propos de se battre impitoyablement et sans attendre ni faveur ni clémence sentait la rhétorique du Führer à plein nez.

« Ah ! au fait, capitaine, reprit Kluge, changeant de sujet. Quand je suis allé promener le chien ce matin, il a senti un changement dans l'air. Je le sais parce que nous étions à peine dehors qu'il s'est mis à gratter la terre avec sa patte. Comme s'il avait déniché un terrier de lapin. Il n'avait pas fait ça depuis l'automne dernier. Moi-même, je n'ai rien remarqué de différent, mais il est vrai que je ne suis pas un chien. Un chien ne se trompe pas sur des choses pareilles. »

Il s'interrompit un instant pour tirer sur son cigare.

« Ce que je veux dire par là, c'est que le permafrost à Smolensk est en train de fondre, Gunther. Le printemps est là et le dégel aussi. Si un chien peut creuser, alors nous également.

— Je vais m'en occuper.

— Je vous en prie. Je ne vous cache pas que toute cette affaire me déplaît. Et en particulier le ministère de la Propagande. J'espère sincèrement que nous démarrerons et clôturerons cette enquête le plus rapidement possible, que nous détournerons nos regards morbides du douloureux passé de cette région plongée dans les ténèbres de l'ignorance pour nous concentrer uniquement sur l'avenir et la manière dont nous allons livrer bataille à une armée Rouge résurgente, maintenant, en 1943. Je vous le dis franchement, capitaine. Je vais avoir besoin de toutes mes ressources pour gagner cette guerre et je ne saurais me départir d'un seul de mes hommes, et surtout pas de mes officiers, dans une entreprise qui ne peut tuer aucun ennemi. Par conséquent, lorsque vous commencerez vos fouilles, je préférerais que le Bureau des crimes de guerre se serve de prisonniers russes comme main-d'œuvre. Ce qui n'est que justice. J'estime qu'il serait humiliant pour des soldats allemands d'avoir à déterrer des cadavres laissés par les bolcheviks. Schlabrendorff vous aidera. Et Diakov, mon domestique, naturellement. C'est un expert pour ce qui est de gérer la main-d'œuvre russe

Hiwi. Nous avons utilisé un contingent de travailleurs popov pour reconstruire un pont sur le Dniepr au printemps dernier, et Diakov sait quels sont les bons. Avec un peu de chance, certains sont encore en vie. Vous pourriez peut-être en parler au juge Conrad la prochaine fois que vous le verrez.

— Je n'y manquerai pas, maréchal.

— Je doute que le reste du monde ait quoi que ce soit à fiche de cette histoire. À mon avis, le ministre se trompe s'il croit que les Alliés vont se brouiller les uns avec les autres parce que les Russes auraient exécuté quelques Polonais.

— Il s'agit probablement de beaucoup plus que quelques-uns, maréchal. D'après mes sources, il y en aurait au moins quatre mille.

— Et tous les Allemands de souche que les Polonais ont tués en 1939 ? À Posen, dans ma région, les Polonais, et notamment les soldats, se sont conduits comme des sauvages. Des familles allemandes entières ont été massacrées. Les femmes étaient violées et les hommes, fréquemment torturés avant d'être assassinés. Environ deux mille Allemands ont été massacrés dans la seule ville de Posen. Deux mille. Des membres de ma propre famille ont dû fuir pour échapper à la mort. Ma maison a été pillée. Si vous ne me croyez pas, lisez le livre blanc que votre département a rédigé à l'intention des Affaires étrangères. Personne en Prusse-Orientale ne va se soucier de ce qui est arrivé à de foutus Polonais. Moi, certainement pas. Je vous le dis, on pourrait retrouver l'armée polonaise tout entière enterrée dans la forêt de Katyn que ça ne me ferait ni chaud ni froid.

— Je ne savais pas que vous étiez de Posen.

— Eh bien, maintenant vous le savez. » Kluge aspira une bouffée de son cigare et me fit un signe de la main. « Y a-t-il une autre question pour laquelle vous vouliez me voir ?

— Oui, maréchal. »

Je lui parlai du Dr Batov et de sa proposition de nous communiquer des éléments concrets prouvant que les Soviétiques avaient assassiné des milliers de Polonais dans la forêt de Katyn.

« Je crois qu'il possède des registres contenant les noms de toutes les victimes et des photographies du forfait en train d'être commis.

Le seul problème, c'est qu'il a peur que sa fille et lui ne soient tués si le NKVD reprend possession de Smolensk.

— Il n'a pas tort. Il y aura un bain de sang dans cette ville si jamais les rouges sont de nouveau aux commandes. En comparaison, votre massacre de Katyn aura l'air du pique-nique des ours en peluche. J'imagine que tout Russe sensé est extrêmement désireux d'empêcher que cela se produise.

— Précisément. Le Dr Batov se sentirait beaucoup plus en sécurité s'il pouvait venir vivre à Berlin, maréchal.

— À Berlin ? » Kluge gloussa. « Je n'en doute pas. Moi aussi, j'aimerais bien être à Berlin. Oui, évidemment. Une petite promenade dans le Tiergarten avant une coupe de champagne à l'Adlon, puis l'Opéra suivi d'un dîner au Horcher. Berlin est ravissant à cette époque de l'année. L'Adlon est très agréable aussi. Oui, ça ne me dérangerait pas le moins du monde.

— Il souhaiterait simplement avoir des assurances à cet égard. Avant de coopérer à l'enquête du juge Conrad. Ce qu'il détient pourrait nous être réellement utile. Utile à l'Allemagne.

— Et votre médecin pourrait nous fournir des preuves ? À la satisfaction du Bureau ?

— Je pense, maréchal. »

Kluge poussa un soupir, laissant échapper un nuage de fumée de cigare, et secoua la tête, comme s'il avait pitié de moi et de ma conversation ennuyeuse.

« Je m'interroge à votre sujet, Gunther. Vraiment. Avant de devenir policier, qu'est-ce que vous étiez ? Vendeur de voitures ? Vous n'arrêtez pas de me parler de transactions que je devrais conclure, d'après vous. D'abord, ces deux sous-officiers, et maintenant ce maudit médecin russe. Vous ne connaissez donc personne dans cette ville qui soit prêt à faire quelque chose pour rien, simplement parce qu'il estime que son devoir patriotique est de dire la vérité ?

— Il ne s'agit pas d'un Allemand, maréchal. Mais d'un Russe. Il n'est pas question de devoir ni de patriotisme dans cette affaire. Uniquement d'un homme qui essaie de sauver sa vie et celle de sa fille. À l'heure actuelle, il soigne des soldats allemands blessés à l'Académie médicale d'État de Smolensk. Si c'était un patriote, il aurait filé comme les autres et nous aurait laissés nous débrouiller avec nos malades et nos estropiés. Si jamais il était capturé, cela suffirait à lui valoir une condamnation à mort. Nous devrions sûrement l'aider pour le service qu'il nous rend.

— S'il nous fallait accorder la citoyenneté allemande à chaque fichu Popov qui a collaboré avec nous, nous n'aurions pas fini d'en entendre parler. Et qu'adviendrait-il de la pureté de la race allemande, hein ? Je vous le demande ? Non que je croie à cette absurdité. Mais le Führer, lui, y croit.

— Maréchal, il nous propose beaucoup plus qu'une simple collaboration. Il est disposé à nous fournir les moyens de montrer au reste du monde quel genre d'adversaire nous combattons. Est-ce que cela ne mérite pas une sorte de récompense ? D'ailleurs, c'est déjà ce que nous faisons avec tous les hommes qui rejoignent l'Armée de libération de la Russie du général Vlassov. Dans la Déclaration de Smolensk que nos avions ont parachutée sur les positions soviétiques, il est écrit que, s'ils viennent nous retrouver, nous les revêtirons d'un uniforme allemand et nous leur offrirons une vie meilleure.

— Je vous réponds tout de suite, capitaine Gunther. Le Führer n'aime pas ces volontaires Zeppelin. Il ne leur fait pas confiance. Il ne fait confiance à aucun de ces maudits Slaves. Prenez ce général Vlassov : le Führer ne peut pas le voir en peinture. Laissez-moi vous dire que sa bon Dieu d'Armée de libération de la Russie est une idée qui ne verra jamais le jour. On pourra parachuter tous les tracts qu'on voudra sur les positions soviétiques, sa proclamation de Smolensk est vouée à l'échec. Je sais qu'en fait, Hitler pense qu'il aura besoin de quelqu'un de solide et d'impitoyable comme Staline pour garder le contrôle de la Grande Allemagne dans l'Oural. La dernière chose qu'il désire, c'est que Vlassov parvienne à le renverser. » Kluge secoua la tête. « De sacrés hypocrites, ces Popov, Gunther. Méfiez-vous de ce médecin, c'est le conseil que je vous donne.

— Et vous-même, maréchal ?

— Que voulez-vous dire ?

— Votre domestique, Alok Diakov. C'est un Slave. Est-ce que vous lui faites confiance ?

— Bien sûr que je lui fais confiance. Et pourquoi pas ? Je lui ai sauvé la vie. Cet homme m'est totalement dévoué. Il me l'a prouvé maintes et maintes fois.

— Et que comptez-vous faire de lui lorsque tout sera terminé ? Vous le laisserez ici ? Ou vous l'emmènerez avec vous ?

— Mes affaires ne vous regardent pas, Gunther. Ne soyez donc pas si impertinent.

— Vous avez absolument raison. Je m'excuse. Vos affaires ne me regardent pas. Mais, maréchal, si vous vouliez bien réfléchir à la chose juste un instant. D'après ce qu'il m'a dit, le Dr Batov a de bonnes raisons de haïr les bolcheviks, et plus particulièrement le NKVD. Ils ont assassiné sa femme. Je suis donc persuadé qu'il est aussi désireux d'être utile à l'Allemagne que votre domestique Diakov. Ou même Pechkov.

— Qui diable est Pechkov ?

— L'interprète du groupe d'armées, maréchal. Mais le Dr Batov a autant à cœur de servir l'Allemagne que lui ou Alok Diakov.

— Ça n'en donne certainement pas l'impression. À vous entendre, ce médecin semble beaucoup plus enclin à sauver sa propre peau qu'à servir l'Allemagne. Mais j'étudierai la question et je vous donnerai ma réponse plus tard, après être revenu de la chasse.

— Merci, maréchal. »

Alors que je me levais pour m'en aller, le chien cessa de se lécher les couilles et fixa sur moi un regard interrogateur, comme dans l'espoir que je lui propose une autre activité plus intéressante. Mais je n'aurais pu lui suggérer quoi que ce soit de plus raisonnable ; pas à Smolensk.

« Vous chassez les loups, demandai-je, ou autre chose ? »

Pendant un instant je fus tenté de lui demander s'il chassait les Polonais. Mais, à l'évidence, je l'avais déjà suffisamment agacé comme ça.

« Oui, les loups. Des créatures extraordinaires. Diakov semble avoir une compréhension instinctive de leur façon de penser. Vous chassez également, capitaine Gunther ?

— Non.

— Quelle vie gaspillée ! Tout homme devrait chasser. Surtout dans cette partie du monde. On chassait les loups en Prusse-Orientale quand j'étais jeune. Le Kaiser aussi, vous savez. Un client difficile à chasser, le loup. Encore plus difficile que le sanglier, c'est moi qui vous le dis. Extrêmement fuyant et rusé. Nous avons beaucoup chassé le sanglier lorsque nous sommes arrivés dans le coin. Mais ils ont tous disparu, apparemment. »

En sortant du bungalow du maréchal je mis rapidement mon manteau. L'air n'était pas aussi sec que la veille, et l'humidité qu'il contenait semblait confirmer ce que m'avait dit Kluge ; et pas seulement l'humidité. Les coups de bec d'un pic contre le tronc d'un arbre résonnaient dans la forêt environnante, semblable à un tir de mitrailleuse au loin ; on aurait dit que le dégel était enfin de retour.

Une voiture attendait devant les marches de la véranda. À côté se tenait Diakov avec deux fusils de chasse en bandoulière, fumant la pipe. Il hocha la tête vers moi et découvrit ses grandes dents blanches dans ce qui pouvait passer pour un sourire. Il avait en fait quelque chose d'un prédateur, même s'il n'était pas le seul à avoir les yeux bleus et une compréhension instinctive de la façon de penser des loups. J'avais moi-même quelques petites idées bien retorses en tête, et je n'allais pas placer l'avenir du Dr Batov exclusivement entre les mains délicates de Günther von Kluge. Il y avait à présent beaucoup trop en jeu pour se contenter d'espérer que le maréchal accède au vœu du Russe. Il était clair pour moi que j'allais devoir envoyer un télex au ministère de la Propagande à Berlin le plus rapidement possible – que si, en raison de ses préjugés sur les Slaves, le maréchal n'était pas prêt à donner à Batov ce qu'il voulait en échange de ce que nous, nous voulions, alors il me faudrait passer par-dessus la tête de Kluge et persuader le Dr Goebbels de le faire à sa place.

Je partis pour le château dans la Tatra. Le portail franchi, je tournai à gauche. Je n'étais pas allé très loin quand je vis Pechkov marcher dans la même direction. Je songeai à continuer mon chemin, mais il était difficile d'ignorer un homme faisant de tels efforts pour ressembler à Adolf Hitler. Sans doute était-ce la signification de la moustache et des cheveux assez longs peignés vers l'avant. Et, d'ailleurs, il était évident qu'il se dirigeait également vers le château.

« Je peux vous déposer quelque part ? demandai-je en m'arrêtant à côté de lui sur la route déserte.

— Vous êtes très aimable, capitaine. » Il desserra la corde autour de sa taille qui tenait son manteau et grimpa sur le siège du passager. « Tout le monde ne s'arrêterait pas pour prendre un Russe. Surtout sur une route aussi déserte.

— C'est peut-être parce que vous ne faites pas particulièrement russe. »

Je passai brutalement une vitesse et repartis.

« Vous voulez parler de ma moustache, c'est ça ? Et de mes cheveux ?

— Absolument.

— Ça fait longtemps que j'ai cette moustache, expliqua-t-il. Bien avant l'invasion allemande. Ce n'est pas un style si rare en Russie. Guenrikh Iagoda, le chef de la police secrète jusqu'en 1936, avait la même.

— Que lui est-il arrivé ?

— Il a été destitué de la direction du NKVD en 1936, arrêté en 1937 et jugé au dernier procès à grand spectacle, le Procès des 21, comme on l'appelle. Il a été reconnu coupable, ça va de soi, et fusillé en 1938. Comme espion allemand.

— Peut-être était-ce la moustache.

— Peut-être, capitaine. » Pechkov haussa les épaules. « Oui, c'est bien possible.

— Je plaisantais.

— Oui, capitaine. Je sais.

— Eh bien, je suppose que son successeur connaîtra le même sort un jour.

— C'est déjà fait, capitaine. Nikolaï Iejov était également un espion allemand. Il a disparu en 1940. On suppose qu'il a été fusillé lui aussi. Lavrenti Beria est le nouveau chef du NKVD. C'est Beria qui a orchestré le massacre de tous ces pauvres officiers polonais. Avec l'approbation de Staline, naturellement.

— Vous semblez très bien connaître ce sujet, Pechkov.

— J'ai fourni une déclaration concernant ce que je savais sur ce massacre à votre juge Conrad, capitaine. Je suis tout à fait prêt à vous en parler plus à fond. Du reste, même si mon domaine est l'ingénierie électrique, j'ai toujours été plus intéressé par la politique et les questions d'actualité.

— Pas le genre d'intérêt qu'il est conseillé d'avoir en Russie.

— Non, capitaine. Tous les pays n'ont pas la chance d'avoir un système de gouvernement comme celui de l'Allemagne. »

Je préférai ne pas répondre tandis que nous arrivions au château. Pechkov se confondit en remerciements pour le trajet, puis se rendit à la cabane de l'adjudant-major, me laissant me demander comment il se faisait qu'un ingénieur en électricité en savait autant sur l'organisation la plus secrète de toute l'histoire de la Russie.

À l'aide de la pelle à long manche fixée au capot de la Tatra, je grattai à un endroit situé près de la croix de bouleau où les premiers ossements humains avaient été retrouvés. Le sol bougea sous le bord en métal et de la terre noire russe assombrit le sillon que j'avais fait dans la neige fondante. Jetant la pelle, je creusai avec l'extrémité de mes doigts dans l'humus, comme un agriculteur désireux de semer des graines.

« Je pensais bien que c'était vous », fit une voix dans mon dos.

Je me redressai et regardai autour de moi. Il s'agissait du colonel von Gersdorff.

« J'ai été surpris d'apprendre que vous étiez de retour à Smolensk, continua-t-il. Je crois me souvenir que vous m'avez dit à Berlin que vous ne vouliez pas y remettre les pieds.

— C'est exact. Mais Jo le boiteux a estimé que j'avais besoin de congés, si bien qu'il m'a expédié ici pour faire le vide.

— Oui, c'est ce que j'ai entendu. Cela vaut certainement des vacances sur l'île de Rügen.

— Et vous ? lui demandai-je. Qu'est-ce qui vous amène au château ? Si j'ai l'air un peu nerveux en vous parlant, c'est que je crains que vous n'ayez une nouvelle bombe dans la poche de votre manteau. »

Gersdorff sourit.

« Oh ! je suis souvent ici. L'Abwehr veut qu'un rapport sur se qui passe à Smolensk soit adressé chaque jour à la Tirpitzufer[1]. Sauf que je n'aime pas beaucoup faire ça à Krasny Bor. Plus maintenant. On ne sait jamais qui écoute. L'endroit grouille de Popov.

— Oui, je sais, je viens de parler à Pechkov. Et avant ça à Diakov.

— Des faux jetons tous les deux, à mon avis. Je continue à soulever la question du nombre de Popov travaillant pour nous à l'intérieur du périmètre de la zone de sécurité que nous avons établie à Krasny Bor, mais Kluge ne veut pas entendre parler du moindre changement à ces dispositions. Il a toujours eu un tas de domestiques et, comme la plupart des domestiques allemands sont actuellement sous les drapeaux, cela signifie avoir des Russes dans le personnel. Lorsque nous sommes arrivés ici, il avait amené son majordome de Pologne, mais le pauvre bougre a été tué par un tireur d'élite des partisans peu après. Alors maintenant, il doit faire avec Diakov, son *Putzer*. Mais, en l'occurrence, ce n'est pas des Russes que Kluge se méfie, mais des autres Allemands. En particulier la Gestapo. Et, il faut bien le dire, cela rend les choses extrêmement difficiles pour ce qui est de maintenir une sécurité étroite à Krasny Bor. Même la Gestapo a son utilité. Nous lui avons demandé de vérifier les antécédents de certains de ces Russes, mais c'est pratiquement impossible. La plupart du temps, nous devons nous contenter de la parole du maire local pour savoir si telle ou telle personne est digne de confiance, ce qui est évidemment sans espoir. Je préfère donc faire mon codage et mon décodage au château. Le colonel Ahrens est un chic type. Il me laisse l'usage exclusif d'une salle. Cela me permet d'expédier mes affaires en toute tranquillité. Je sortais du château quand je vous ai vu rôder par ici, une pelle à la main.

— Le sol est en train de ramollir.

— Nous pouvons donc commencer à creuser. Demain peut-être.

— Je n'ai jamais été pour attendre le lendemain. Pas quand je peux m'y mettre aujourd'hui. »

---

1. Le quartier général de l'Abwehr était situé au 76-78 Tirpitzufer, à Berlin.

J'ôtai mon manteau et ma veste et les lui donnai.

« Ça ne vous ennuie pas ?

— Pas du tout, mon cher. » Gersdorff les plia sur son bras et alluma une cigarette. « J'adore regarder les autres travailler. »

Je remontai mes manches, ramassai la pelle et me mis à creuser.

« Eh bien, pourquoi Kluge se méfie-t-il des Allemands ? lui demandai-je.

— Parce qu'il a peur, je suppose.

— De quoi ?

— Vous souvenez-vous d'un officier de justice militaire nommé Dohnányi ?

— Oui, je l'ai rencontré à Berlin. Il appartient aussi à l'Abwehr, n'est-ce pas ? »

Gersdorff acquiesça.

« Il est chef adjoint de la section centrale de l'Abwehr dirigée par le général Oster. Il y a quelques semaines, juste avant que le Führer ne rende visite à Kluge au quartier général du groupe d'armées, Dohnányi est venu voir Kluge et le général von Tresckow.

— Je me trouvais dans le même avion que lui, dis-je en frappant le sol à coups de pelle.

— Je l'ignorais. Dohnányi est maintenant rentré à Berlin, mais il était ici pour ajouter sa voix à la mienne ainsi qu'à celle du général et de plusieurs autres officiers qui aimeraient voir Hitler mort.

— Laissez-moi deviner : von Schlabrendorff et von Boeselager.

— Oui, comment le savez-vous ? »

Je secouai la tête et continuai à creuser.

« Un coup de chance, voilà tout. Poursuivez votre histoire.

— Nous avons demandé au maréchal de se joindre à nous pour exécuter un plan visant à assassiner Hitler et Himmler quand ils viendraient le 13. L'idée était que nous tirions tous nos pistolets et que nous les abattions l'un et l'autre dans le mess des officiers à Krasny Bor. Ce genre de chose est beaucoup plus facile ici qu'à Rastenburg. À la Tanière du Loup, il est pratiquement intouchable. Les officiers doivent laisser leurs pistolets avant de pouvoir être dans une pièce avec lui. Raison pour laquelle, bien sûr, il reste là presque tout le temps. Hitler n'est pas stupide. Il sait qu'il y a pas mal de gens en Allemagne qui veulent sa mort. Quoi qu'il en soit, Kluge a accepté de faire partie du complot, mais, Himmler n'étant pas venu avec Hitler, il a changé d'avis.

— Je ne peux pas vraiment critiquer la logique du maréchal, dis-je. Vous savez, si quelqu'un réussit à tuer Hitler, il vaudrait mieux pour lui qu'il supprime également Himmler et le reste de la bande. Quand vous décapitez un serpent, son corps continue à se tordre et sa tête demeure une menace pendant encore un certain temps.

— Oui, vous avez raison.

— Je dois vous reconnaître ça, à vous autres. Trois tentatives pour assassiner Hitler en autant de semaines, et toutes bâclées. On pourrait penser qu'un groupe d'officiers supérieurs saurait comment tuer un type. C'est censé être votre point fort, nom d'un chien ! Aucun de vous ne semble avoir eu le moindre problème pour massacrer des millions d'hommes durant la Grande Guerre. Mais vous avez l'air complètement dépassés quand il s'agit de tuer Hitler. Après ça, vous allez me dire que vous aviez prévu de vous servir de balles en argent pour abattre ce salopard. »

Pendant un moment, Gersdorff parut embarrassé.

« Bon, laissez-moi deviner… À présent, Kluge a peur que quelqu'un ne se mette à table, dis-je. C'est ça ?

— Oui. La rumeur circule à Berlin que Hans von Dohnányi va être arrêté. Auquel cas, la Gestapo pourrait découvrir bien davantage qu'elle ne s'y attendait.

— Quel genre de rumeur ?

— Que voulez-vous dire ?

— En général, les membres de la Gestapo aiment bien garder sous leur casquette noire les noms de ceux qu'ils comptent arrêter, du moins, jusqu'au petit matin quand ils sonnent à la porte. Vous savez, histoire d'empêcher les gens de jouer les filles de l'air, par exemple. S'il court une rumeur, cela pourrait signifier qu'ils l'ont eux-mêmes semée pour l'inciter à prendre la fuite et débusquer éventuellement un autre lapin dont la capture les intéresse. Ce genre de rumeur : une rumeur avec fondement. Oui, ils n'hésitent pas à faire ça de temps à autre. Ou bien cela pourrait être le genre de rumeur que colportent les ennemis d'un individu pour le rendre vulnérable et jeter le discrédit sur son travail. Ce que les Anglais appellent des « fêtes romaines », quand un gladiateur était égorgé pour le plaisir d'autrui. Vous seriez surpris du préjudice qu'une telle rumeur peut occasionner à un homme.

— En fait, capitaine Gunther, c'est vous qui avez lancé cette rumeur.

— Moi ? » Je cessai de creuser. « De quoi diable parlez-vous, colonel ? Je n'ai jamais lancé de rumeur.

— Apparemment, lorsque vous avez rencontré Dohnányi dans le bureau du juge Goldsche à Berlin il y a trois semaines, vous avez mentionné que la Gestapo était venue vous voir, alors que vous étiez à l'hôpital, me semble-t-il, pour vous poser des questions sur un Juif que vous connaissiez, un certain Meyer ; qui étaient ses amis et ainsi de suite. »

Je fronçai les sourcils en me rappelant ce raid aérien de la RAF, le soir du 1er mars, au cours duquel j'avais bien failli être tué.

« C'est exact. Franz Meyer s'apprêtait à témoigner dans une enquête pour crime de guerre. Jusqu'au moment où la RAF a lâché sur son appartement une bombe qui lui a emporté la moitié de la tête. La Gestapo avait l'air de penser que Meyer était mêlé à une sorte de trafic de devises destiné à convaincre la Suisse de donner asile à un groupe de Juifs. Mais je ne vois pas…

— La Gestapo a-t-elle fait allusion à un pasteur nommé Dietrich Bonhoeffer ?

— Oui.

— C'est le pasteur Bonhoeffer et Hans von Dohnányi qui faisaient passer des devises étrangères afin d'amener la Suisse à accepter des réfugiés juifs d'Allemagne.

— Je vois.

— Et c'est cet entretien avec le juge Goldsche du Bureau des crimes de guerre qui a décidé Dohnányi à apporter son soutien pour persuader Kluge qu'un groupe d'officiers partageant la même vision…

— Vous entendez par là, des aristocrates prussiens, naturellement. »

Gersdorff demeura un instant silencieux.

« Oui, je suppose que vous avez raison. Est-ce pour cela que nous avons échoué, d'après vous ? Parce que nous sommes des aristocrates ? »

Je haussai les épaules.

« Ça m'a traversé l'esprit. »

Je crachai dans mes mains et me remis à creuser. C'était une tâche pénible, mais le sol se détachait sur le plat de ma pelle en morceaux lourds et à moitié gelés, qui, je l'espérais, se révéleraient être des strates d'histoire tourbeuses. Gersdorff en poussa négligemment un du bout de sa botte et le regarda rouler lentement le long de la pente comme un ballon de football visqueux. Car nous savions l'un et l'autre que cela aurait pu être un crâne incrusté de boue.

« Si vous croyez que c'est par snobisme que le complot a été restreint à un petit cercle d'aristocrates, vous vous trompez, dit-il. C'est tout simplement la nécessité impérieuse d'un secret absolu.

— Oui, je vois très bien l'avantage que cela présentait. Et vous vous sentiez plus à l'aise en faisant confiance à un homme avec un « von » dans son nom, c'est ça ?

— Quelque chose de ce genre.

— Ça ne ressemble pas un peu à du snobisme ?

— Peut-être bien, admit Gersdorff. Écoutez, la confiance est une denrée plutôt rare par les temps qui courent. On en trouve où on peut.

— En parlant de snobisme, j'ai passé la matinée à essayer de convaincre le maréchal de signer des papiers qui permettraient à un médecin russe du secteur d'aller vivre à Berlin. Il travaille à l'Académie médicale d'État de Smolensk et il prétend posséder des preuves de l'identité des cadavres enterrés ici. Liste de noms, photographies, il a même un Popov caché dans une chambre privée qui faisait partie de l'équipe d'assassins du NKVD responsable de ces atrocités. Une espèce de poire blette, hélas, à la suite de dommages importants au ciboulot. Toutefois, le médecin sort tout droit d'un livre de prières : tous nos souhaits se réalisent s'il nous donne ce que nous voulons. Mais il ne le fera pas s'il doit rester à Smolensk. Je ne crois pas qu'il existe de cas plus digne de recevoir un laissez-passer, mais il semble que les yeux bleus de Hans le malin soient farouchement contre. Ça me dépasse. Je pensais que, si quelqu'un devait être d'accord en l'occurrence, c'est bien un homme ayant un domestique russe. Mais le maréchal a l'air de croire que Diakov constitue une exception et que les Slaves ne valent pas beaucoup mieux que des animaux de basse-cour.

— Ce sont les Polonais qu'il déteste le plus.

— Oui. C'est ce qu'il m'a dit. Mais les Polonais ne sont pas les Russes. La question est plutôt de savoir ce qui est enterré ici, j'imagine.

— Aux yeux de Kluge, Polaks, Russkoffs, Popov, c'est du pareil au même.

— Ce qui semble être exactement l'inverse de ce que pensent les Russes, des Polonais, je veux dire. Pour eux, Polonais et Allemands, ça ne fait pratiquement pas de différence.

— Je sais. C'est l'histoire qui veut ça. Cela ne rend pas votre travail plus facile, mais je doute que Kluge accorde un laissez-passer à quiconque, sauf peut-être à Diakov.

— Et quelle est l'histoire avec Diakov ? »

Gersdorff haussa les épaules.

« Le maréchal n'avait qu'un chien de chasse. Il a dû se dire, je suppose, qu'il n'y avait aucune raison qu'il ne puisse pas en avoir un deuxième.

— Pour ma part, je n'ai jamais beaucoup aimé les chiens. Je n'en ai jamais voulu. Pourtant, d'après ce que je comprends, il est relativement facile de tout savoir sur un chien. Vous l'achetez quand c'est un chiot et vous lui jetez un os de temps à autre. Mais, avec un homme, même un Russe, j'imagine que c'est un peu plus compliqué.

— C'est au lieutenant Voss, de la Feldgendarmerie, que vous devriez vous adresser pour parler de Diakov, si vous vous intéressez à lui. Vous vous intéressez à lui ?

— Le maréchal m'a conseillé de parler à Schlabrendorff et à Diakov pour désigner de la main-d'œuvre *Hiwi* afin de retourner tout ce maudit bois. J'aimerais savoir avec qui je travaille.

— Von Schlabrendorff est un homme honorable. Saviez-vous qu'il…

— Oui, je suis au courant. Sa mère est l'arrière-arrière-petite-fille de Guillaume Ier, l'électeur de Hesse, ce qui signifie qu'il est parent de l'actuel roi de Grande-Bretagne. Ce genre de pedigree devrait se révéler très utile s'agissant d'exhumer plusieurs milliers de cadavres.

— En fait, je m'apprêtais à vous dire que c'est mon cousin. » Gersdorff sourit de bonne grâce. « Mais vous pouvez certainement faire confiance à Diakov s'agissant de trouver quelques Popov pour effectuer les fouilles. »

Je m'arrêtai un instant de creuser et me penchai pour regarder de plus près, avant de me mettre à gratter ce qui ressemblait à un crâne humain et au dos d'un manteau.

« Est-ce bien ce que je crois ? » interrogea Gersdorff.

Il se retourna et fit signe à une des sentinelles.

L'homme arriva au pas de course, se mit au garde-à-vous et salua.

« Allez chercher de l'eau, lui ordonna Gersdorff. Et une brosse.

— Une brosse comment, mon colonel ?

— Une balayette, répondis-je. Pour ramasser la poussière, si vous pouvez en trouver une.

— Oui, capitaine. »

Le soldat s'éloigna au pas de course dans la direction du château.

Pendant ce temps, je continuai à gratter le cadavre à moitié recouvert avec l'extrémité de ma pelle, mettant finalement au jour deux mains tordues, liées serré avec un morceau de fil de fer. Je n'avais jamais vu personne qui ait été écrasé par un char, mais, dans le cas contraire, je suppose que cela aurait ressemblé à ça. Pendant la Grande Guerre, j'avais trébuché sur des cadavres enfouis dans la boue des Flandres, mais ceci semblait totalement différent. Peut-être était-ce de savoir qu'il y en avait tant d'autres enterrés là ; ou peut-être était-ce le fil de fer enroulé autour des poignets presque squelettiques qui me laissait sans voix. Il n'y a pas de belles morts, mais peut-être certaines sont-elles meilleures que d'autres. Il en existe même – l'exécution par un peloton, par exemple – qui semblent conférer un peu de dignité à la victime. L'homme couché sur le ventre dans la terre de la forêt de Katyn avait assurément connu une mort très éloignée de ça. Il aurait été difficile d'imaginer spectacle plus pitoyable.

Gersdorff se signait déjà solennellement.

Le soldat revint avec une brosse et un bidon l'eau. Il me les passa, et je me mis à retirer la boue du crâne avant de le laver pour découvrir un petit orifice à l'arrière, que j'explorai avec mon index. Gersdorff s'accroupit à côté de moi et effleura le trou parfaitement régulier pour se rendre compte.

« La *vichka*[1] habituelle du NKVD, remarqua-t-il. Un petit envoi aérien de neuf grammes de la part de Staline.

— Vous parlez russe ?

— Je suis officier de renseignements. C'est une obligation, si l'on peut dire. » Il se releva et hocha la tête. « Je parle aussi le français, l'anglais et un peu le polonais.

— À quoi est-ce dû ? demandai-je. Que vous parliez le polonais ?

— Je suis né en Silésie. À Lubin. Vous savez, si Frédéric le Grand n'avait pas réintégré Lubin dans la Prusse en 1742, j'aurais fort bien pu être un des officiers polonais gisant dans cette fosse commune.

— Très amusant.

— Eh bien, on dirait que vous avez trouvé ce que tout le monde cherchait, Gunther.

— Pas moi.

— Comment ça ?

— Je n'ai peut-être pas été clair. Je ne suis pas réellement ici. Tels sont mes ordres. Le SD et le ministère de la Propagande sont supposés être à des centaines de kilomètres de cet endroit. Raison pour laquelle je porte un uniforme de l'armée au lieu d'un uniforme du SD.

— Oui, je me posais effectivement la question.

— Tout de même, il se pourrait que ça ne résiste pas à un examen attentif. Donc, je n'ai rien trouvé. À mon avis, il vaudrait mieux que le rapport mentionne que c'est vous qui avez découvert ce cadavre. D'accord ?

— D'accord. Si c'est ce que vous voulez.

— Qui sait ? Vous pourriez avoir besoin de vous rendre populaire auprès des gens que vous avez déçus en ne vous faisant pas sauter à l'Arsenal.

---

1. Acronyme de *vishïa mepa nakazania*, « degré suprême du châtiment », ou *VMN*, selon le terme officiel servant à désigner les exécutions.

— À vous entendre, c'est un miracle que j'arrive à me regarder dans la glace chaque matin.

— Pour ça, je l'ignore. Cela fait déjà longtemps que je ne regarde plus dans les miroirs. »

Avec sa fenêtre aux rideaux de chintz, ses chaises rustiques en chêne, sa cheminée et ses aquarelles encadrées représentant des lieux historiques de Berlin, le bureau des transmissions était aussi propre que le salon d'une vieille fille. Sous une étagère pleine de livres et de casques d'acier, il y avait une grande table où les messages en clair pouvaient être rédigés sur des feuilles de papier jaune ligné. Dessus se trouvaient une nappe blanche, un vase contenant des fleurs séchées, un samovar rempli de thé russe chaud et un cendrier en onyx poli. Contre le mur étaient disposés un standard de vingt-quatre lignes, un émetteur-récepteur de cinq watts Hagenuk, un gros enregistreur à bande Magnetophon, un téléscripteur Siemens et une machine Enigma à rotors de chiffrage reliée à une imprimante Schreibmax pouvant imprimer toutes les lettres de l'alphabet sur un étroit ruban de papier, ce qui signifiait que l'agent de transmission utilisant l'Enigma n'avait pas besoin de voir en clair les informations décryptées.

Le sous-officier responsable de la salle des transmissions était un jeune homme au visage ouvert, avec des cheveux roux et des lunettes à monture ambre. Il avait des mains délicates, et son toucher sur le bouton d'émission de l'énorme Torn était, d'après le colonel Ahrens, aussi sûr que celui d'un pianiste de concert. Il s'appelait Martin Quidde et il était secondé par un virtuose de la radio à l'allure encore plus juvénile, fraîchement émoulu du Kindergarten des communications de Lübeck, et qui avait un tic nerveux à la cuisse donnant l'impression qu'elle recevait continuellement une transmission télégraphique de chez lui. Tous les deux me considéraient avec un respect circonspect, comme si j'étais un morceau de pechblende à l'état brut.

« Détendez-vous, les gars, dis-je. Je ne suis pas en uniforme du SD pour le moment. »

Quidde haussa les épaules, comme s'il n'y attachait guère d'importance. Et il avait raison, bien sûr, ça n'en avait aucune. Pas dans l'Allemagne nazie, où un uniforme ne vous garantissait de rien, sinon d'être accablé d'obligations et de supérieurs, et où tout un chacun, depuis un morveux dans un short en cuir jusqu'à une vieille dame en robe de chambre, risquait d'être un mouchard de la Gestapo rapportant un mot imprudent ou un manque de patriotisme qui vous envoyait dans un camp de concentration.

« Je n'appartiens ni à la Gestapo ni à l'Abwehr. Je ne suis qu'un couillon de Berlin venu ici faire un peu d'archéologie amateur.

— Y a-t-il vraiment quatre mille Polonais enterrés dans le jardin de devant, capitaine ? »

Quidde citait le chiffre que j'avais fait figurer dans mon télex à Goebbels.

« C'est ce qui est dit dans mon message au ministère, non ?

— Vous croyez qu'ils les ont assassinés ?

— Ça en a tout l'air, répondis-je. On a dû les conduire près d'une fosse ouverte, par deux ou par trois, et leur tirer une balle dans la nuque. »

Le jeune spécialiste des transmissions, qui s'appelait Lutz et qui était au standard téléphonique, répondit à un appel qu'il était seul à entendre et se mit à déplacer les câbles sur le tableau comme autant de pièces d'échecs.

« Le général von Tresckow, fit-il dans son casque. J'ai le général Goerdeler pour vous, monsieur.

— Ça vous fait réfléchir à ce pour quoi on se bat, hein, capitaine ? dit Quidde.

— Oui, c'est sûr. Nous n'avons certainement rien à apprendre aux Popov en matière de cruauté, d'assassinat et de fourberie.

— Vous savez, j'ai souvent éprouvé le sentiment bizarre que ce lieu avait quelque chose qui cloche, dit Quidde.

— C'est un sentiment qu'il m'arrive d'avoir à Berlin, dis-je, de nouveau volontairement ambigu – à Quidde de choisir ce qu'il voulait bien entendre. Quand je vais chez des amis qui habitent à proximité de l'ancien Reichstag. Pour ma part, je ne crois pas aux fantômes, mais il est facile de comprendre pourquoi tant d'autres pensent le contraire. »

Lutz se mit à s'occuper d'un autre appel au tableau.

J'offris une cigarette à Quidde, histoire de le persuader que j'étais un type absolument franc du collier. Il ne s'attendait pas à un lapin blanc, bien sûr, mais, pour quelques cigarettes gratis, il semblait prêt à croire que mon chapeau noir était vide ; c'est pourquoi les gens comme moi fument, je suppose. En échange, il me servit du thé russe dans un petit verre avec un morceau de vrai sucre, et, tandis que j'attendais de recevoir la confirmation que le ministère avait eu l'intégralité de mon message, il me demanda si des progrès avaient été accomplis dans l'identification du meurtrier de ses deux collègues téléphonistes, le sergent Ribe et le caporal Greiss.

Je secouai la tête.

« Je sais que ces deux hommes étaient des camarades à vous, caporal, dis-je à Quidde. Mais vraiment, ce n'est pas à moi qu'il faut poser la question. Je ne suis pas chargé de l'enquête. C'est le lieutenant Voss, de la Feldgendarmerie, qui travaille sur cette affaire. Vous devriez vous adresser à lui, ou au colonel, naturellement.

— Peut-être bien, capitaine, répondit Quidde. Mais, avec tout le respect que je dois au lieutenant Voss, ce n'est pas un policier. Juste un chien de meute. Quant au colonel, eh bien, la seule chose qui le préoccupe en fait, ce sont ses maudites abeilles. Écoutez, capitaine, chacun sait, ici au château, qu'avant de faire partie du SD, vous étiez un des aigles de l'Alex.

— Même pas un baudet, caporal. » Je souris. « Merci, mais ils ont chassé les meilleurs flics en 1933.

— Et personne n'ignore que c'est Voss et le colonel qui vous ont demandé d'aller à l'hôtel Glinka pour examiner la scène de crime. Le bruit court que c'est vous qui avez émis l'hypothèse que le coupable n'était pas un Popov, mais un autre Fritz. Et maintenant, tout le monde pense que ça vous intéresse toujours de découvrir qui les a tués, vu la manière dont vous avez essayé de faire cracher à ce fumier de violeur qu'on a pendu samedi dernier ce qu'il savait sur les meurtres.

— Colonel Ahrens, dit Lutz. J'ai le lieutenant Hodt pour vous, monsieur. »

Je haussai les épaules et bus une gorgée de mon thé sucré avant de m'en allumer une pour moi – une parmi les poignées de

Trummel, sans compter la bouteille de cognac, que j'avais fauchée dans l'avion personnel de Goebbels en venant de Berlin ; le cognac s'était évaporé depuis belle lurette, mais les cigarettes continuaient gentiment à faire de l'usage. J'aspirai à fond la fumée à odeur de biscuit et, tout en marquant une pause pour me remettre les idées en place, je réfléchis à la façon de répondre aux arguments parfaitement raisonnables du caporal. Il avait raison, évidemment : en dépit de l'ordre, assez explicite, que m'avait donné Kluge d'oublier tout ce qui concernait les deux téléphonistes morts, j'étais encore très intéressé de savoir qui les avait tués. Il en faut beaucoup pour m'arracher à un véritable crime ; d'autres – dont un ou deux encore plus puissants que le maréchal von Kluge – avaient déjà essayé de me décourager, et ça n'avait pas pris non plus. Nous les Allemands avons une grande capacité à ignorer ce que nous disent les autres ; c'est ce qui nous rend si sacrément allemands. Il en a toujours été ainsi, je suppose. Rome enjoint à Martin Luther de la boucler, mais est-ce qu'il le fait ? Est-ce qu'il le fait, nom d'un chien ? Beethoven devient sourd et, malgré les conseils de ses médecins, il continue à écrire de la musique – c'est vrai, qui a besoin d'oreilles pour écouter une symphonie ? Et si un simple maréchal fait obstacle aux progrès de votre enquête, vous passez tout bonnement par-dessus sa tête pour vous adresser au ministre de la Propagande. Kluge allait m'adorer quand il découvrirait ce que j'avais fait. Et mon intérêt persistant pour les meurtres de Ribe et de Greiss serait de peu de conséquence comparé à l'irritation qu'il éprouverait quand Jo le boiteux, faisant fi du rang de Hans le malin, lui dirait que le Dr Batov devait être autorisé à venir à Berlin en fin de compte – parce que je ne doutais pas que le ministre serait d'accord. Une chose qu'on pouvait dire à la décharge de Joseph Goebbels, c'est qu'il reconnaissait toujours une bonne affaire quand il en voyait une.

« Il y a des gens que les détails non résolus ne gênent pas, dis-je. Moi, j'aime bien mettre les choses bout à bout, et même faire parfois un joli petit nœud avec. J'étais dans les tranchées pendant la dernière guerre, caporal Quidde. Ça me dérangeait quand des hommes se faisaient tuer sans raison, et ça me dérange encore aujourd'hui. Écoutez, j'ai fait de mon mieux. Mais sans succès. Le gars n'a pas voulu parler. À supposer qu'il ait su vraiment quelque chose sur ce qui s'est passé. Je ne serais pas surpris que Hermichen m'ait mené en bateau, juste pour le plaisir. Peut-être bien qu'il jouait la montre. Parfois, les meurtriers sont comme ça. S'il fallait croire tout ce qu'ils racontent, les prisons seraient vides et les guillotines mangées par la rouille. »

Quidde n'eut pas besoin de répondre ; il pressa une main contre son casque alors que l'émetteur-récepteur Torn sortait de sa torpeur tel le robot dans *Metropolis*.

« C'est sûrement votre accusé de réception de Berlin, capitaine », dit-il et, prenant un crayon, il se mit à écrire.

Quand il eut fini, il me remit la feuille et attendit patiemment que je l'aie lue.

BIEN REÇU VOTRE MESSAGE. MINISTÈRE DE L'ÉDUCATION DU PEUPLE ET DE LA PROPAGANDE. ATTENDRE DE NOUVEAUX ORDRES.

Sous ce message, il y en avait un autre :

ATTENTION À CE QUE VOUS DITES. LUTZ EST DE LA GESTAPO. IL A ÉTÉ RECRUTÉ ALORS QU'IL ÉTAIT ENCORE À L'ÉCOLE DE COMMUNICATIONS DE LÜBECK. NE VEUX RIEN DIRE DEVANT LUI. AI DES INFORMATIONS SUR RIBE ET GREISS AYANT PEUT-ÊTRE JOUÉ UN RÔLE DANS LEUR MORT, MAIS CRAINS QUE ÇA NE PUISSE ME FAIRE TUER. RETROUVEZ-MOI AU PARC GLINKA MERCREDI APRÈS-MIDI À SEIZE HEURES ET VENEZ SEUL. HOCHEZ LA TÊTE SI VOUS ÊTES D'ACCORD.

Je hochai la tête.

« Oui, c'est parfait », dis-je, avant de fourrer le message plié dans ma poche.

4

Mercredi 31 mars 1943

Goldsche avait désigné le juge Conrad pour diriger l'ensemble de l'enquête de la forêt de Katyn au nom du Bureau. C'était un haut magistrat originaire de Lomitz, près de Wittenberg, et, même s'il pouvait être un peu bourru, je l'aimais bien. Âgé d'une cinquantaine d'années, Conrad s'était distingué pendant la Grande Guerre. Après un passage à Hildesheim comme procureur de la République, il avait rejoint les services de la justice militaire en 1931 et n'avait cessé depuis d'exercer ses talents au sein de l'armée. Comme la plupart des juges du Bureau des crimes de guerre, Johannes Conrad n'était pas nazi, et aucun de nous ne se sentait à l'aise à l'idée de travailler en étroite collaboration avec le médecin légiste consultatif du groupe d'armées Centre, le Dr Gerhard Buhtz, que Kluge avait réussi à imposer aux patrons du Bureau comme responsable de la partie médico-légale de l'enquête.

À première vue, Buhtz, ancien professeur de médecine légale et de droit pénal à l'université de Breslau et expert en balistique, semblait extrêmement qualifié, mais ce n'était sûrement pas lui que j'aurais choisi, et Conrad non plus, pour jouer un rôle aussi politiquement sensible, dans la mesure où, avant d'être nommé en août 1941 au groupe d'armées Centre, Gerhard Buhtz avait été colonel dans la SS et un membre de la première heure du parti nazi. Il avait été également le chef du SD à Iéna, et Conrad fit valoir que sa participation à notre enquête constituait une tentative fort peu subtile de Kluge pour la compromettre d'emblée.

« Buhtz est un nazi fanatique, me dit Conrad tandis que nous nous rendions à une clairière dans la forêt de Katyn où avait été organisée une réunion avec Buhtz, Ludwig Voss et Alok Diakov. Que l'histoire de ce salaud vienne à s'ébruiter alors que la commission internationale est ici et cela fichera tout en l'air.

— Quel genre d'histoire ?

— Alors qu'il était à Iéna, Buhtz s'occupait des autopsies des détenus du camp de concentration de Buchenwald abattus en essayant de s'enfuir. Vous pouvez imaginer ce que cela voulait dire, et ce que valaient ses certificats de décès sur le plan de l'honnêteté. C'est alors qu'un scandale a éclaté, impliquant le médecin du camp. Un certain Werner Kircher, aujourd'hui médecin chef au RSHA à Berlin.

— Est-ce qu'il ne serait pas directeur adjoint de l'unité de médecine légale ?

— C'est exact.

— Je me disais bien que je connaissais ce nom. Eh bien, quel était ce scandale ?

— Apparemment, Buhtz a persuadé Kircher de lui laisser prélever la tête d'un jeune caporal SS qui avait été assassiné par des détenus.

— Il lui a vraiment tranché la tête ?

— Oui, pour pouvoir l'étudier dans le laboratoire. Il se trouve qu'il en avait toute une collection. Dieu sait ce qu'ils faisaient aux détenus. Quoi qu'il en soit, Himmler l'a appris et est devenu fou de rage qu'on puisse traiter un SS avec un tel manque de respect. Buhtz a été viré de la SS, raison pour laquelle il est allé d'abord à Breslau et ensuite au groupe d'armées Centre. Cet homme est un barbare. Si la commission ou n'importe quel journaliste s'aperçoit qu'il était à Buchenwald, cela nous discréditera tous. Je veux dire, qu'est-ce que vaudra la recherche allemande de la vérité et de la justice à Katyn alors que notre principal pathologiste est un savant fou ?

— Ça ressemblerait bien à Kluge de vouloir nous mettre des bâtons dans les roues avec un truc pareil. »

Pendant un instant, je songeai aux deux téléphonistes morts près de l'hôtel Glinka, auxquels quelqu'un – un Allemand – qui s'y connaissait manifestement avait presque sectionné la tête. Et je continuai à m'interroger lorsque Buhtz arriva sur une moto BMW.

J'allai le saluer et le regardai descendre de l'engin, puis ôter ses bésicles et son casque en cuir. Après quoi, je me présentai ; je lui tins même son manteau en cuir pendant qu'il cherchait ses lunettes et sa casquette d'officier de la Wehrmacht.

« Mes félicitations, il faut du courage pour circuler à moto sur ces routes.

— Pas vraiment, répondit Buhtz. C'est une question d'habitude. Et j'aime bien mon indépendance. Dans cette zone, on perd tellement de temps à attendre une voiture du parc automobile.

— C'est vrai.

— De plus, à cette époque de l'année, l'air est si pur qu'on a sur une moto une sensation de respirer qu'on ne peut jamais avoir à l'arrière d'une voiture.

— Il y a de l'air pur en abondance dans ma voiture, fis-je observer. Bien sûr, l'absence de fenêtres aide beaucoup. » J'examinai de plus près la moto ; c'était une R75, également connue comme le Type Russie, capable d'affronter une grande variété de terrains. « Vous pouvez vraiment transporter toutes vos affaires là-dessus ?

— Bien sûr, répondit Buhtz, qui ouvrit une des sacoches en cuir pour en sortir une trousse de dissection au complet qu'il étala sur la selle de la BMW. Je ne voyage jamais sans ma boîte à malices. Ce serait comme un plombier arrivant sans outils. »

Un couteau retint en particulier mon attention. Aiguisé, étincelant et aussi long que mon avant-bras. Ce n'était pas une baïonnette, mais c'était exactement ce qu'il fallait pour couper la gorge d'un homme jusqu'à l'os.

« Une sacrée lame, m'exclamai-je.

— C'est mon couteau d'amputation. En bonne partie, la pathologie sur le terrain n'est que du tourisme. Vous venez, vous regardez ce qu'il y a à voir, vous prenez quelques photos, puis vous regagnez vos pénates. Mais, en ce qui me concerne, j'aime bien avoir un bon Catlin sur moi, au cas où j'aurais envie d'un petit souvenir. » Il rit d'un air lugubre. « Certains de ces couteaux chirurgicaux, y compris celui-ci, appartenaient à mon père. »

Il remballa ses instruments, puis je lui rendis son manteau et le conduisis vers la croix de bouleau où nous attendaient les autres. La neige était presque entièrement fondue et le sol paraissait plus mou. Je chassai une mouche tout en me disant que l'hiver était bel et bien derrière nous. Cependant, dans la mesure où il y avait de fortes chances que les Russes lancent une nouvelle offensive à brève échéance, bien peu d'Allemands à Smolensk auraient pu envisager le printemps et l'été 1943 avec un grand optimisme.

« Vous pensez, si j'ai bien compris, qu'il y aurait environ quatre mille hommes enterrés dans ce bois, dit Buhtz alors que nous grimpions la pente en direction des hommes en train de patienter.

— Au moins.

— Et prévoit-on de les exhumer tous ?

— Je pense que nous devrions en exhumer le maximum pendant le temps dont nous disposons avant que les Russes entament une nouvelle campagne, répondis-je. Qui sait quand elle commencera et quelle en sera l'issue ?

— Alors il faudrait que je me mette au travail de toute urgence. J'aurai besoin d'assistants, bien évidemment. Les Drs Lang, Miller et Schmidt, de Berlin ; et le professeur Walter Specht, qui est chimiste. Et il y a aussi un de mes anciens étudiants que j'aimerais faire venir : le Dr Kramsta.

— Il me semble que le chef de la santé du Reich, le Dr Conti, a déjà pris ces questions en main, dis-je.

— Je l'espère sincèrement. Mais enfin, Leonardo Conti n'est pas toujours fiable. En vérité, je dirais qu'en tant que médecin du RSHA, il s'est révélé totalement incompétent. Un désastre. Si j'ai un conseil à vous donner, capitaine Gunther, c'est de demander au ministère de garder un œil sur lui afin de s'assurer que tout ce qui doit être fait le soit effectivement.

— Certainement, professeur. Je n'y manquerai pas. À présent, allons rejoindre les autres et commençons. »

Je l'emmenai jusqu'à l'endroit où se tenaient le juge Conrad, le colonel Ahrens, le lieutenant Voss, Pechkov et Alok Diakov.

Âgé d'environ quarante-cinq ans, Buhtz était corpulent et robuste, et marchait avec les jambes légèrement arquées, ou peut-être était-ce tout simplement le fait qu'il venait de descendre d'une grosse moto. Il connaissait déjà les autres, qui lui retournèrent son bref « Heil Hitler » avec un notable manque d'enthousiasme. Il secoua la tête, agacé, puis s'accroupit pour examiner le cadavre récemment découvert.

Comme Voss allumait une cigarette, Buhtz le fusilla du regard.

« Je vous en prie, éteignez cette cigarette, lieutenant. » Puis au juge Conrad : « Il faut absolument mettre un terme à ça. Immédiatement.

— Bien sûr, répondit Conrad.

— Vous entendez ? dit Buhtz à Voss. À partir de maintenant, personne ne doit plus fumer sur ce site. Je ne veux pas que cette satanée scène de crime soit polluée ne serait-ce que par un crachat de soldat ou une empreinte de botte. Colonel Ahrens, tout homme pris à fumer dans ce bois devra être mis aux arrêts. Est-ce clair ?

— Oui, professeur, répondit Friedrich Ahrens. Je vais faire passer la consigne tout de suite.

— S'il vous plaît. »

Buhtz se releva et considéra la pente vers la route.

« Nous allons avoir besoin d'une cabane ou d'un bâtiment quelconque pour les autopsies, dit-il. Avec des tables à tréteaux aussi solides que possible. Au moins six, de façon à pouvoir travailler sur plusieurs cadavres en même temps. Les résultats n'en seront que plus significatifs. Ah ! oui, et aussi des seaux, des civières, des tabliers, des gants en caoutchouc, un approvisionnement en eau afin que le personnel médical puisse laver le matériel humain et se laver lui-même, et de l'éclairage électrique, ça va de soi. Des photographes de la police également. Il leur faudra une bonne source de lumière, bien évidemment. Des microscopes, des boîtes de Petri, des lamelles, des scalpels et une cinquantaine de litres de formaldéhyde. »

Voss prenait force notes.

« Ensuite, je pense que nous aurons besoin d'une deuxième cabane pour un laboratoire de terrain. De plus, je vous fournirai les détails des procédures d'identification et de marquage des cadavres, ainsi que pour la conservation des effets personnels que nous trouverons sur eux. D'après ce que j'ai vu jusqu'à présent, les corps semblent avoir été recouverts de sable, dont le poids les aura pressés comme dans un gros sandwich. Et pas un sandwich très appétissant par-dessus le marché. Il y a de fortes chances pour que ce soit une bouillie plutôt immonde là-dedans. Tout ce site va sentir plus mauvais qu'un cul de blaireau quand nous commencerons réellement les exhumations. »

Le colonel Ahrens poussa un grognement.

« C'était l'endroit idéal pour avoir un billet de logement. Et maintenant, ce n'est plus qu'un ossuaire. »

Il me lança un regard furieux, comme s'il me tenait personnellement responsable de ce qui s'était produit dans la forêt de Katyn.

« Je suis désolé, colonel, dit Conrad. Mais c'est à présent la plus importante scène de crime d'Europe. N'est-ce pas, Gunther ?

— En effet.

— Ce qui me fait penser… Lieutenant Voss ?

— Professeur ?

— Il serait bon que vos services mettent sur pied une équipe pour ratisser toute cette zone afin de déceler la présence de tombes supplémentaires. Je veux savoir où il y a des tombes polonaises, où il y a des tombes russes et où il y a… autre chose. S'il y a un foutu chat enterré à un kilomètre à la ronde, je tiens à en être informé. Cette besogne exige précision et intelligence, et, bien entendu, une honnêteté scrupuleuse, aussi devra-t-elle être effectuée par des Allemands, pas des Russes. Quant au creusement sur le site lui-même, j'ai cru comprendre que des *Hiwis* seraient utilisés. Ce qui est très bien, du moment qu'ils sont capables de comprendre les ordres et de faire ce qu'on leur demande.

— Alok Diakov est en train de constituer une équipe spéciale, dis-je.

— Oui, professeur. » Diakov enleva à la hâte son bonnet de fourrure et s'inclina avec obséquiosité devant Buhtz. « Chaque jour, nous serons ici dans la forêt de Katyn pour vous servir de contremaîtres, Herr Pechkov et moi-même, professeur. J'ai une équipe de quarante hommes que j'ai déjà utilisée. Dites ce que vous voulez qu'ils fassent et nous nous en occuperons. Pas vrai, Pechkov ? »

Pechkov opina.

« Certainement, dit-il à voix basse.

— Pas de problème, continua Diakov. Je n'ai choisi que des types bien. De bons ouvriers. Honnêtes également. Je suppose que ne voulez pas de gens qui empochent ce qu'ils trouvent dans la boue.

— Très juste, approuva Buhtz. Voss ? Vous feriez bien de prévoir un groupe de sentinelles qui monteront la garde toute la nuit. Pour protéger ce site contre les pillards. Il doit être clair que quiconque sera surpris à voler se verra infliger les peines les plus sévères. Et cela inclut les soldats allemands. Eux surtout. On attend d'un Allemand des normes plus élevées, je pense.

— J'établirai une signalisation à cet effet, professeur, répondit Voss.

— S'il vous plaît. Mais, plus important encore, organisez ce groupe de sentinelles.

— Professeur, dit Diakov, si je peux formuler une petite requête ? Il serait peut-être bien que les hommes creusant ici reçoivent une sorte de rétribution. Une petite prime, n'est-ce pas ? Des rations supplémentaires. Davantage de nourriture. Un peu de vodka et des cigarettes. Étant donné que ce sera un travail très désagréable, sentant très mauvais. Sans parler de tous les moustiques qu'il y a dans ce bois en été. Mieux vaut des travailleurs satisfaits que mécontents, n'est-ce pas ? En Union soviétique, les travailleurs ne sont jamais récompensés comme ils le méritent. Les autorités font semblant de nous payer et nous faisons semblant de travailler. Mais les Allemands ne sont pas comme ça. Les travailleurs sont bien payés en Allemagne, n'est-ce pas ? »

Je me tournai vers Conrad, qui acquiesça.

« Pourquoi pas ? dit-il. Après tout, nous ne sommes pas des communistes. Oui, je suis d'accord. »

Buhtz eut un hochement de tête.

« J'aurai également besoin des services d'un entrepreneur de pompes funèbres des environs. De catafalques pour les cadavres que nous exhumons, disséquons et réinhumons par la suite. De bonne qualité. Hermétiques, si possible. Je me sens tenu de vous rappeler une fois encore que l'odeur dans ce bois va devenir très incommodante. Et vous avez raison au sujet des moustiques, Herr Diakov.

Ces insectes sont déjà bien assez irritants dans cette partie du monde, mais, à mesure que le temps va s'améliorer, ils vont devenir un danger grave. Et je ne parle pas de la multitude de mouches et d'asticots que nous trouverons sur les cadavres. Il faudra que vous prévoyiez un insecticide quelconque. Le DDT est le dernier à avoir été synthétisé et le plus efficace. Mais vous pouvez utiliser du Zyklon B s'il n'est pas disponible tout de suite. D'après mes informations, le Zyklon B ne manque pas dans certaines régions de la Pologne et de l'Ukraine.

— Zyklon B, dit Voss, continuant à écrire.

— Dans la plupart des cas, messieurs, nous essaierons d'enlever les corps sans les abîmer, poursuivit Buhtz. Toutefois, en attendant... »

Il s'approcha du cadavre que j'avais mis au jour avec une pelle à peine quarante-huit heures auparavant et retira le morceau de toile à sac dont je m'étais servi pour le recouvrir.

« Je propose de commencer immédiatement avec cet individu. »

Pendant un moment, il sonda avec son index l'orifice de balle à l'arrière du crâne.

« Juge Conrad. Auriez-vous l'amabilité de noter en même temps les choses pour moi pendant que j'effectue un examen préliminaire du crâne de ce cadavre ?

— Certainement, professeur », répondit Conrad.

Sortant papier et crayon, il se prépara à écrire.

Buhtz creusa autour du crâne avec ses doigts afin de faire assez de place pour pouvoir le retirer de la terre dans laquelle il gisait. Il regarda de plus près le haut et le devant puis déclara :

« La victime A paraît avoir été blessée par balle à l'os occipital, près de l'ouverture de la partie inférieure du crâne, ce qui est compatible avec le fait d'avoir été abattu, sur le mode exécution, d'une balle dans la nuque et à bout portant. Il semble y avoir un orifice de sortie dans le front, ce qui m'amène à la conclusion que la balle ne se trouve plus dans la cavité crânienne. »

Il déballa son paquet d'instruments chirurgicaux sur le sol et, sélectionnant le grand couteau d'amputation que j'avais vu un peu plus tôt, il se mit à trancher les os du cou.

« Cependant, en mesurant la taille de ces orifices, nous devrions pouvoir déterminer de façon sommaire le calibre de l'arme qui a été utilisée pour exécuter cet homme. »

Sa façon de se servir du couteau ne trahissait aucune hésitation, et je me demandai s'il aurait été capable de décapiter un homme vivant avec autant d'adresse et de célérité. Lorsqu'il fut complètement coupé, il leva le crâne, l'enveloppa soigneusement dans la toile à sac et le posa par terre, près des pieds du lieutenant Voss.

Pendant ce temps, je lançai un regard au juge Conrad, qui s'en aperçut et opina en silence, comme si les gestes du professeur dans la forêt de Katyn confirmaient la curieuse anecdote qu'il m'avait racontée sur l'ablation de la tête du caporal SS à Buchenwald.

C'est Diakov qui, de ses yeux de lynx, repéra la douille. Par terre, à l'endroit qu'avait occupé récemment le crâne de l'officier polonais. Il s'accroupit et farfouilla dans la boue avant de se relever avec l'objet minuscule entre ses doigts épais.

« Qu'avez-vous trouvé ? demanda Buhtz.

— On dirait une douille, professeur, répondit Diakov. Peut-être celle-là même qui contenait la balle ayant tué ce pauvre Polonais. »

Buhtz la prit et la tint dans la lumière.

« Excellent. Bravo, Diakov. Il me semble que nous démarrons sur les chapeaux de roue. Merci, messieurs. Si quelqu'un a besoin de moi, je serai dans mon laboratoire de Krasny Bor. Avec un peu de chance, demain à la même heure, nous serons déjà en mesure de dire quel type d'arme a tué cet homme. »

Je devais reconnaître que Buhtz était plus impressionnant que je ne m'y attendais. Nous le regardâmes dévaler la pente en direction de sa moto. Il portait le crâne sous le bras et faisait penser à un arbitre quittant un match de foot avec la balle.

Conrad ricana.

« Qu'est-ce que je vous disais ? murmura-t-il.

— Oh ! je ne sais pas, répondis-je. Il a l'air de s'y connaître.

— Peut-être, admit Conrad à contrecœur. Peut-être qu'il s'y connaît. Mais, ce soir, il fera bouillir cette tête pour préparer de la soupe avec. Vous verrez si je me trompe. »

Le lieutenant Voss huma l'air.

« Ça sent déjà mauvais, dit-il.

— Oui, plutôt, approuva Diakov. Et si nous, nous pouvons le sentir, les loups le sentiront aussi. Ce n'est pas seulement des pillards qu'on doit se soucier. Il se pourrait très bien qu'ils reviennent dîner gratis. Ça risquerait même d'être dangereux. Croyez-moi, vous n'avez pas envie de rencontrer une meute de loups affamés la nuit.

— Est-ce qu'ils mangeraient vraiment une chose morte depuis si longtemps ? » demanda le lieutenant Voss.

Diakov sourit.

« Bien sûr. Pourquoi pas ? Qu'elle soit casher ou pas, un loup n'est pas très regardant sur sa nourriture. Le plus important pour lui, c'est de se remplir l'estomac avec quelque chose, n'importe quoi. Même s'il vomit la plus grande partie, il en restera toujours, vous pouvez en être certain. Hé, colonel, vous devriez peut-être augmenter la protection du bois à partir de ce soir.

— Ne me dites pas ce que je dois faire, Diakov, rétorqua Ahrens. Vous avez peut-être la confiance du maréchal, mais vous n'avez pas encore la mienne. »

Avec un visage comme un ciel d'orage, il se mit à redescendre la colline alors que nous entendions la moto de Buhtz démarrer et s'éloigner en grondant.

« Qu'est-ce qui lui prend, à Ahrens ? demanda le juge Conrad. L'idiot !

— Il n'a rien, affirma Diakov. Simplement, ça ne lui plaît pas beaucoup que cet endroit pittoresque commence déjà à avoir l'air et l'odeur d'un tas de merde. » Il éclata de rire. « C'est le problème avec vous, les Allemands. Vous avez un odorat tellement sensible. Nous autres Russes, quand les choses sentent mauvais, nous ne nous en apercevons même pas. Hein, Pechkov ? »

Il donna un coup de coude à celui-ci, qui grimaça, gêné, puis se détourna.

« Raison pour laquelle, nous avons le même gouvernement pourri depuis 1917, ajouta Diakov. Parce que nous n'avons aucun odorat. »

Il y avait un message de Berlin pour moi dans la salle des transmissions du château du Dniepr. Martin Quidde avait déjà terminé son service, et ce fut Lutz, son jeune téléphoniste – qu'il croyait être une taupe de la Gestapo au sein du 537ᵉ – qui me remit l'enveloppe jaune. Il connaissait la teneur du message, bien entendu, puisque c'est lui qui l'avait décodé, mais je pouvais voir qu'il brûlait d'envie de me poser une question, et, comme j'aime bien, si je peux, rester aussi proche de la Gestapo que possible, je lui offris une Trummer de mon étui et fis comme si j'étais ravi de bavarder un moment. Mais ce que je désirais, en réalité, c'était avoir un agent de la Gestapo qui veille sur moi. Parfois, quand vous cherchez quelqu'un pour assurer vos arrières, le mieux est encore de recruter la personne même dont le travail consiste à planter un couteau dedans.

« Merci beaucoup, capitaine, dit-il en tirant des bouffées avec un enthousiasme manifeste. Ce sont les meilleures cigarettes auxquelles j'ai goûté depuis longtemps.

— Je vous en prie.

— Quidde prétend que vous n'appartenez pas à l'armée, mais au SD.

— Voilà qui devrait vous indiquer quelque chose.

— Devrait ?

— Ça devrait vous indiquer que vous pouvez me faire confiance. Être franc avec moi. »

Lutz hocha la tête, mais, de toute évidence, j'allais être forcé de le laisser courir un peu avant d'arriver à le dompter.

« Il n'en va pas de même de tous les membres du 537ᵉ, dis-je prudemment. Tous ne sont pas aussi dévoués au parti que vous et moi. En dépit des apparences, la loyauté, la vraie, est une qualité relativement rare actuellement. Les gens disent « Heil Hitler », mais, pour la plupart, ça ne signifie strictement rien.

— Très juste.

— Ce n'est qu'une figure de style. Un trope. Vous savez ce que c'est qu'un trope, Lutz ?

— Je n'en suis pas certain.

— C'est un mot, une expression devenue pratiquement un cliché. Ce qui suppose que, pour d'aucuns, les mots n'ont guère de sens ; qu'ils ont été détournés de la signification qu'on leur attribue habituellement. Beaucoup de gens disent « Heil Hitler » et font le salut juste pour éviter d'avoir des ennuis avec la Gestapo. Mais

Adolf Hitler ne représente pas grand-chose pour eux, et certainement pas ce qu'il représente pour vous et moi, Lutz. Je veux parler des membres du SD et de la Gestapo. J'ai raison, n'est-ce pas ? Vous travaillez pour la Gestapo ? Non, inutile de répondre. Je sais ce que je sais. Mais ce que je ne sais pas encore, c'est si je peux compter sur vous, Lutz. Si je peux compter sur vous comme je ne peux compter sur personne d'autre dans ce régiment. Si je peux vous parler en toute confiance et si vous pouvez me parler de la même façon. Suis-je assez clair ?

— Oui, capitaine. Vous pouvez compter sur moi, capitaine.

— Bien. Maintenant, dites-moi quelque chose, Lutz. Est-ce que vous connaissiez bien ces deux téléphonistes ?

— Oui, assez bien.

— C'étaient de bons nazis ?

— C'étaient… » Il hésita. « De bons téléphonistes.

— Ce n'est pas la question que je vous ai posée. »

Lutz hésita de nouveau, mais un instant seulement cette fois-ci.

« Non, capitaine. On n'aurait pu dire ça ni de l'un ni de l'autre, à mon avis. En fait, je les avais déjà signalés à la Gestapo parce que je les soupçonnais de tremper dans un marché noir local. »

Je haussai les épaules.

« Ce qui n'est pas rare avec les individus affectés aux transmissions ou aux approvisionnements.

— Je les ai aussi signalés pour certaines remarques que je jugeais déloyales. Il y a deux mois de ça. En février. Juste après Stalingrad. Ce qu'ils disaient semblait particulièrement déloyal après Stalingrad.

— Vous les avez signalés au poste de la Gestapo de Gnezdovo, ici à Smolensk ?

— Oui. Au capitaine Hammerschmidt.

— Et qu'a-t-il fait ?

— Rien. Rien du tout. » Il rougit légèrement. « Ribe et Greiss n'ont même pas été interrogés, et je me suis demandé pourquoi j'avais pris cette peine. Je veux dire, ce n'est pas rien de dénoncer quelqu'un pour trahison, surtout quand il s'agit d'un camarade.

— Et c'en était, d'après vous ? De la trahison ?

— Oh ! oui. Ils faisaient sans cesse des plaisanteries sur nos dirigeants. Je leur ai dit d'arrêter, mais ils n'en ont tenu aucun compte. Ça a même été pire. Lorsque le Führer est venu il y a quelques semaines, j'ai proposé qu'on aille jusqu'à la route voir sa voiture passer alors qu'il se rendait au quartier général de Krasny Bor. Ils ont tout bonnement éclaté de rire et se sont mis à raconter de nouvelles blagues sur lui. J'étais vraiment furieux, capitaine. Après tout, c'est un crime grave. Enfin quoi, on est là, en pleine guerre, à lutter pour notre propre survie, et ces deux salopards sapaient la volonté du pays de se défendre. Franchement, je ne regrette pas du tout qu'ils soient morts, capitaine, si ça veut dire ne plus avoir à écouter leurs conneries.

— Vous souvenez-vous de certaines de ces blagues ?

— Oui, capitaine. Une. Mais je préférerais ne pas la répéter.

— Allons, voyons, Lutz. Personne ne pensera qu'elle est de vous.

— Très bien, capitaine. La voici. Un évêque visite une église des environs et, dans le vestibule, il aperçoit des tableaux accrochés au mur. Il y a un portrait de Hitler, un de Goering et, entre les deux, une peinture de Jésus. L'évêque questionne le pasteur sur un tel agencement et le pasteur lui répond que ces trois tableaux l'aident à se rappeler ce qui est écrit dans la Bible : que le Christ a été crucifié entre deux malfaiteurs. »

Je souris en moi-même. J'avais entendu de nombreuses variantes de cette blague, mais pas depuis un certains temps. En général, les gens qui faisaient des plaisanteries sur les nazis se défoulaient purement et simplement, mais, pour moi, c'était toujours comme un acte de résistance politique.

« Oui, je comprends que ça puisse rendre quelqu'un furieux, lui dis-je. Eh bien, vous avez tout de même fait ce qui s'imposait. J'imagine que la Gestapo avait des questions plus urgentes à régler avant la venue du Führer à Smolensk. Je ne manquerai pas de contacter ce capitaine Hammerschmidt et de lui demander pourquoi il n'a pas pensé à interroger ces hommes. »

Lutz acquiesça, mais il ne semblait guère convaincu par mon explication.

« Cependant, la prochaine fois que vous entendrez quelque chose qui risque d'influer sur notre moral ou notre sécurité à Smolensk, il vaudrait mieux que vous m'en parliez d'abord.

— Oui, capitaine.

— Bien.

— Il y a une chose que je voulais vous demander, capitaine.

— Allez-y, Lutz.

— Ce Dr Batov, dont le ministère de l'Éducation du peuple vous a dit qu'il pouvait venir vivre en Allemagne. Est-ce normal, capitaine ? C'est un Slave, non ? Et les Slaves sont racialement corrompus. Je croyais que le but de notre marche vers l'Est était de chasser ces races inférieures, pas de les assimiler à la société allemande.

— Vous avez raison, évidemment, mais il faut parfois faire des exceptions dans l'intérêt commun. Le Dr Batov est sur le point de rendre un service très important à l'Allemagne en matière de propagande. Un service si important qu'il pourrait contribuer à changer le cours de la guerre. Je n'exagère pas. En fait, je m'apprête justement à aller le voir, pour lui annoncer la bonne nouvelle. Et pour qu'il fournisse ce service dont je vous parle. »

Là encore, Lutz ne sembla guère convaincu par mes arguments. Ce qui ne m'étonna pas outre mesure. C'est le problème avec les nazis purs et durs : la stupidité, l'ignorance et les préjugés les empêchent d'avoir une vue d'ensemble. Mais, même sans ça, il est peut-être impossible de traiter avec eux.

Le parc Glinka était un jardin paysager avec des arbres et de ridicules petits sentiers à l'intérieur de la partie sud de l'enceinte du Kremlin et à un jet de pierre de l'hôtel de ville et de l'église luthérienne. On pouvait sentir les odeurs du cirque installé un peu plus loin et entendre les plaintes des animaux de la ménagerie ; encore qu'il s'agissait peut-être de quelques ivrognes se livrant à une gentille petite fête horizontale du côté de la Rathausstrasse, avec rincette, feu de camp et chiens de compagnie.

Au milieu du parc se dressait une grande statue de Glinka. Ses chaussures en bronze pointure cinquante-six étaient entourées d'une clôture en fer forgé à laquelle on avait donné l'aspect de papier à musique, où étaient inscrites des notes dont on devinait, sans même savoir lire la musique, qu'elles provenaient probablement de sa symphonie la plus populaire. Avec les nazis maîtres d'un bon morceau du pays, il était difficile d'imaginer un compositeur soviétique trouvant de quoi écrire une symphonie, à moins que quelque maestro moderne ne se sente suffisamment inspiré pour faire une nouvelle ouverture à la victoire, avec canon et cloches véritables, et une armée russe triomphante. Encore que, maintenant que j'y songeais, ce n'était pas difficile du tout à imaginer : 1812 et la retraite désastreuse de la Grande Armée fuyant Moscou commençait à prendre une actualité pour le moins troublante. J'espérais seulement ne pas finir moi aussi sous la forme d'un corps gelé gisant dans la neige sur la longue route du retour à Berlin.

Je vis Martin Quidde avant qu'il m'aperçoive. Il flânait avec une valise en cuir dans une main et une cigarette dans l'autre, l'air de n'avoir aucun souci au monde, alors qu'en fait c'était tout le contraire. Il m'avait à peine repéré qu'il regarda dans un sens puis dans l'autre, tel un chien acculé se demandant dans quelle direction s'enfuir.

« Était-ce un grand compositeur, d'après vous ? lui demandai-je. Méritait-il vraiment ça ? Ou est-ce qu'il leur manquait simplement une jolie statue à mettre dans ce parc lorsqu'un boyard a fermé pour de bon le couvercle de son piano ? » Je vérifiai les dates de Glinka sur le socle. « 1857. Il me semble que c'était hier. À l'époque, l'Allemagne n'était encore qu'un pétillement dans l'œil bleu de Bismarck. Si le vieux sang et fer avait su à ce moment-là ce que nous savons aujourd'hui, l'aurait-il fait, à votre avis ? Unifier tous les États allemands en une grande et heureuse famille ? Je me demande. »

Quidde m'entraîna précipitamment parmi les arbres, comme si nous risquions davantage d'attirer les soupçons en restant près de la statue. Il regarda avec anxiété derrière lui à plusieurs reprises, au cas où Glinka serait descendu de son socle pour nous poursuivre avec une baguette et quelques mesures de musique sérieuse.

« Vous savez, je ne crois pas que ce que je dis sur Herr Glinka le gêne beaucoup, fis-je remarquer. Pas autant que pas mal d'autres personnes auxquelles je pense. Mais c'est vrai de presque tout le monde de nos jours.

— Vous serez nettement moins optimiste à cet égard quand je vous aurai dit ce que je sais », répondit-il.

J'allumai une cigarette et expédiai l'allumette sur le sol couvert de neige fondue. Je m'étais remis à trop fumer, mais tel est l'effet que vous produisait la Russie. Après Stalingrad, on avait du mal à faire grand cas de sa santé, sachant le nombre de Russes qui espéraient vous étriper avant peu.

« Alors je ne tiens probablement pas à le savoir. Peut-être que je devrais suivre davantage l'exemple de Beethoven. Il me semble qu'il s'en est plutôt bien tiré pour un type n'entendant rien. Devenir sourd est sans doute excellent pour la santé en Allemagne. Ces derniers temps, j'ai l'impression qu'écouter ce que racontent les autres peut avoir des conséquences fatales. Surtout ce que racontent nos dirigeants.

— Je ne vous le fais pas dire », lança Quidde d'un ton âpre.

Il retira son casque et se frotta la tête comme un forcené.

« À présent, je commence à voir et à entendre, et j'ai dans l'idée que je me trouve devant un homme qui a entendu bien plus que Midge Gillars[1] sur Radio Berlin.

— Si Midge savait ce que je sais, elle chanterait un tout autre air. Sauf que cette fois-ci, ce ne serait pas celui du diable.

— N'empêche, ce sont des airs sympas, non ? Et je sais de quoi je parle. Je suis un apôtre de la musique légère. Simplement, ne le dites pas au type sur le socle.

— Vous êtes venu seul ? » demanda-t-il avec impatience.

Je haussai les épaules.

« Je pensais amener deux danseuses de music-hall, mais vous m'avez effectivement recommandé de venir seul. Bon, de quoi s'agit-il ? »

D'une main incertaine, Quidde alluma une nouvelle cigarette avec le mégot de la précédente. Ce qui ne contribua pas à lui calmer les nerfs : des panaches de fumée s'échappaient de sa bouche crispée et de ses narines frémissantes comme le nuage de vapeur d'un train fou.

---

1. Actrice américaine, Mildred Gillars (1900-1988) devint présentatrice à Radio Berlin de 1940 à 1945. Destinées à saper le moral des Alliés, ses émissions, dans lesquelles elle se présentait comme « Midge at the Mike » (« le moucheron au micro »), diffusaient des discours antisémites et hostiles au président Roosevelt, ainsi que de la musique anglaise ou américaine. Jugée pour trahison en 1949, elle fut libérée sur parole en 1961.

« Vous feriez bien de lâcher un peu d'hydrogène, caporal, ou vous allez vous mettre à flotter. Du calme. N'importe qui penserait que vous êtes nerveux. »

Quidde me tendit la valise.

« Qu'est-ce que c'est ?

— Une bande magnétique enregistrée, répondit-il.

— Que voulez-vous que j'en fasse ? Je ne possède pas de magné-tophone. Je ne saurais même pas m'en servir.

— Cet enregistrement a été fait par Friedrich Ribe, expliqua Quidde. Et il se pourrait bien que ce soit ce qui l'a fait tuer. Seules deux personnes étaient au courant du contenu de cette bande, et l'une d'elles est morte.

— Ribe. »

Quidde acquiesça.

« Eh bien, comment avez-vous réussi à sauver votre gorge ?

— Je me pose aussi la question. À mon avis, Ribe et Greiss ont été tués parce qu'ils figuraient sur le même tableau de service poussiéreux. Leur meurtrier a dû croire qu'ils avaient entendu tous les deux ce que Friedrich Ribe était seul à savoir. Et moi, bien sûr. Jamais Ribe n'aurait laissé Werner Greiss écouter ce qu'il y a sur cette bande. À ce moment-là, on pensait tous que c'était Greiss le mouchard de la Gestapo, alors qu'en fait, ça avait toujours été Jupp Lutz. Je ne l'ai moi-même appris qu'il y a une quinzaine de jours, lorsqu'un copain de Lübeck m'en a parlé dans une lettre.

— Mais Ribe vous a passé l'enregistrement. »

Quidde hocha la tête.

« Nous étions amis. De bons amis. Nous soutenant l'un l'autre depuis longtemps. »

Je jetai un coup d'œil à l'intérieur de la valise, qui contenait une boîte avec les initiales de l'Entreprise d'électricité générale – AEG – marquées dessus.

« Bon. Ce n'est pas l'orchestre symphonique de la MDR, ni *The Lost Chord*[1] non plus. Alors qu'y a-t-il sur cette bande ?

---

1. « L'Accord perdu ». L'une des chansons les plus célèbres du compositeur britan-nique Arthur Sullivan, écrite en 1877. Elle fut enregistrée notamment par Enrico Caruso.

— Vous vous rappelez quand le Führer est venu à Smolensk il y a quelques semaines ?

— Je continue à chérir ce souvenir.

— Hitler a eu un entretien avec Hans le malin dans son bureau à Krasny Bor. En tête à tête. Très discret apparemment, ni aide de camp ni adjudant-major, rien que tous les deux. Si ce n'est que le téléphone dans le bureau ne marchait pas correctement. Il ne raccroche pas toujours quand on remet le combiné sur le support, si bien qu'on continue à entendre tout ce qui se dit. Enfin, plus ou moins.

— Et Ribe a donc décidé d'enregistrer la conversation ?

— Oui.

— Bon Dieu ! À quoi est-ce qu'il pensait ?

— Il voulait un petit souvenir. De la voix de Hitler. On a l'habitude de l'entendre prononcer des discours, mais personne ne sait comment il est dans l'intimité.

— Une photo dédicacée aurait été moins dangereuse.

— Oui. À environ la moitié de la bande, Kluge se doute qu'on peut les entendre, Hitler et lui, car il soulève le combiné et le repose plusieurs fois brutalement avant que ça coupe.

— Et alors… Hitler et Kluge avaient peur que les plans pour la campagne d'été 1943 ne soient dans le lac ? Oui, je comprends que ça pouvait un tantinet les déranger.

— Oh ! c'est pire que ça », dit Quidde.

Je secouai la tête. Je ne pouvais rien imaginer de pire que de trahir des secrets militaires. Cela dit, mon idée du pire était encore limitée à cette époque par une foi naïve dans la décence inhérente à mes concitoyens. Après avoir passé près de vingt ans dans la police de Berlin, je pensais tout connaître en matière de corruption, mais, à moins d'être vous-même corrompu, vous ne pouvez jamais savoir de quoi sont capables les autres dans leur soif de lucre et de faveurs. Sans doute croyais-je encore à des notions telles que l'honneur, la probité et le devoir. La vie avait à m'apprendre la plus dure de toutes les leçons, à savoir que, dans un univers corrompu, la seule chose à laquelle on peut à peu près se fier, c'est la corruption et la mort et encore plus de corruption, et que l'honneur et le devoir n'ont guère de place dans un monde contenant un Hitler ou un

Staline. Mais ce que ma réaction comporta peut-être de plus naïf, c'est que je fus réellement surpris de ce que Quidde me dit ensuite.

« Sur la bande, on entend distinctement Adolf Hitler et Günther von Kluge discuter pendant près d'un quart d'heure. Ils parlent de la nouvelle campagne d'été, mais seulement en passant, avant que Hitler se mette à questionner Kluge sur sa propriété familiale en Prusse. Et il devient de plus en plus clair que, si Hitler est venu au quartier général de Smolensk, c'est en grande partie parce que, en dépit de ses largesses antérieures à l'égard du maréchal, il a eu vent de rumeurs à Berlin selon lesquelles Kluge était plutôt mécontent de sa politique. Ce que Kluge dément avec mollesse, affirmant qu'il ne se préoccupe que de l'avenir de l'Allemagne et de vaincre l'armée Rouge. Après quoi, Hitler en arrive au véritable motif de sa présence. Tout d'abord, il parle d'un chèque de un million de marks fait à Kluge par le Trésor allemand en octobre 1942 pour contribuer à la mise en valeur de ses biens. Il mentionne qu'il a donné une somme identique à Hindenburg en 1933. Il rappelle aussi à Kluge qu'il avait promis de l'aider à assumer les dépenses relatives à la gestion des biens en question et qu'à cette fin il a apporté avec lui son chéquier personnel. Ce qu'on entend ensuite, c'est Hitler remplissant un chèque, et, même si le montant exact n'est pas précisé dans l'enregistrement, on devine, d'après les paroles du maréchal lorsque Hitler le lui remet, qu'il est à nouveau d'au moins un million de marks, peut-être plus. Dans tous les cas, à la fin de la partie enregistrée de l'entretien, Kluge assure le Führer de sa loyauté indéfectible et déclare que les rumeurs quant à son mécontentement ont été largement exagérées par les membres du haut commandement qui sont jaloux de ses relations avec Hitler. »

Je fermai un instant les yeux. Tout s'expliquait à présent – pourquoi un Allemand avait assassiné les deux téléphonistes. Il me paraissait évident qu'on avait voulu les réduire au silence au sujet de la découverte de ce gigantesque pot-de-vin. Quelqu'un agissant au nom de Hitler ou de Kluge, voire les deux, les avait supprimés l'un et l'autre. Également claire était la raison pour laquelle Kluge avait décidé de se retirer du complot du groupe d'armées Centre pour tuer Hitler alors que ce dernier se trouvait à Smolensk : cela n'avait rien à voir avec l'absence de Heinrich Himmler et tout à voir avec un chèque d'environ un million de marks.

Cependant, non moins indéniable était la certitude à vous glacer le sang que Martin Quidde m'avait mis gravement en danger tout autant que lui-même.

Je roulai les yeux et allumai une cigarette. Le vent s'empara de la fumée et me la rabattit dans la figure, me faisant larmoyer. Je m'essuyai les paupières du revers de la main, puis songeai à m'en servir pour gifler le caporal Quidde et essayer de lui remettre les idées en place. Il était peut-être déjà trop tard, mais j'espérais que non.

« Eh bien, quelle histoire !

— C'est vrai. Tout est sur la bande.

— Oh ! je n'en doute pas. Ni du fait que je risque de ne plus jamais dormir. Je n'ai rien contre une histoire d'épouvante de temps à autre. J'ai même aimé *Nosferatu* lorsqu'il est passé au cinéma. Mais votre petit récit est beaucoup trop effrayant, y compris pour moi. Que voulez-vous que j'en fasse, caporal ? Je suis un flic, pas ce foutu Lohengrin. Et si je voulais me suicider, je prendrais de gentilles petites vacances à Solingen avant de me jeter du pont de Müngsten.

— Je pensais que vous disposiez peut-être d'un moyen d'action par rapport à cette affaire, répondit Quidde. Ces hommes ont été assassinés, après tout. À quoi bon avoir un Bureau des crimes de guerre et une Feldgendarmerie si on n'enquête pas sur les vrais crimes ? »

Je lui rendis la valise.

« Vous avez besoin que je vous fasse un diagramme d'Euler ? Les nazis sont à la tête de l'Allemagne. Ils tuent tous ceux qui se mettent en travers de leur chemin. Le Bureau n'est qu'une façade, caporal. Et la Feldgendarmerie est là pour contrôler les bidasses quand ils ont trop bu de bière, et même parfois quand ils ont violé et assassiné deux femmes russes. Mais pas ça. Jamais ça. Ce que vous venez de me dire est la meilleure raison qu'il m'ait été donné d'entendre pour que je laisse complètement tomber l'affaire. Par conséquent, il n'y a pas d'affaire. Plus maintenant. Pas pour moi. En fait, il se

pourrait même que je ne pose plus jamais de questions embarras-
santes dans cette ville popov paumée et glaciale.

— Alors je parlerai à quelqu'un d'autre.

— Il n'y a personne d'autre.

— Écoutez, deux de mes camarades et amis ont été tués de sang-
froid. On leur a coupé la gorge comme à des animaux de basse-
cour. Il n'y a aucune excuse à ça, quoi qu'ils aient fait. Friedrich
Ribe a commis une erreur. Il aurait dû être traduit devant la justice
militaire. Ou même une cour martiale. Mais pas se faire assassiner
de sang-froid. Alors peut-être que j'irai porter ça ailleurs.

— Il n'y a nulle part ailleurs, espèce d'idiot.

— Au haut commandement, à Berlin. Au Reichsführer Himmler,
éventuellement. Réfléchissez. Cette bande est la preuve qui pourrait
régler son compte à Hitler. Lorsque les gens apprendront quel
genre de fripouille les dirige, ils ne voudront plus l'avoir pour chef.
Oui, Himmler pourrait être l'homme qu'il faut.

— Himmler ? » J'éclatai de rire. « Vous ne comprenez donc pas,
espèce de tête de linotte. Personne ne touchera à ce truc, même avec
des pincettes. Ils pousseront cette merde dans le trou de souris le plus
proche et vous avec. Non seulement vous vous condamnerez vous-
même à un séjour en camp de concentration, mais, très probablement,
vous mettrez d'autres personnes en péril. Des personnes meilleures que
vous, peut-être. À supposer que Himmler cuisine Kluge. Que se
passera-t-il ? Il est fort possible que celui-ci essaie de sauver sa peau en
faisant plonger quelqu'un d'autre. Vous y avez songé ? »

Je pensais au petit cercle de conspirateurs aristocratiques de
Gersdorff.

« Alors ça intéressera peut-être le mouvement clandestin de
publier ceci, dit Quidde. J'ai entendu parler d'un groupe de Munich
qui avait imprimé des tracts contre les nazis. Des étudiants. Ils
pourraient faire un tract avec la transcription de cette bande.

— Pour un homme suffisamment avisé pour que tout ça lui
flanque une peur bleue il y a dix minutes, vous montrez à présent
une indifférence remarquablement stupide à l'égard de votre propre
bien-être. Les membres du groupe dont vous parlez sont déjà morts.
Ils ont été arrêtés et exécutés en février.

— Qui a dit que j'avais une peur bleue ? Et qui a dit que je me souciais de mon bien-être ? Écoutez, capitaine, je crois en l'avenir de l'Allemagne. Et l'Allemagne n'aura aucun avenir à moins que quelqu'un ne fasse quelque chose avec cet enregistrement.

— Je souhaite un avenir pour l'Allemagne tout comme vous, caporal, mais je vous le promets, ce n'est pas la bonne façon de s'y prendre.

— On verra bien », répliqua Quidde.

Il remit son casque, fourra la valise sous son bras et fit mine de s'en aller.

Je le saisis par le bras.

« Non, ce n'est pas suffisant. Je veux votre parole que vous n'en soufflerez mot à personne. Que vous détruirez cette bande.

— Vous voulez rire ?

— Non. Je suis parfaitement sérieux, caporal. Tout ça n'a, hélas, rien de drôle. Vous vous conduisez comme un imbécile. Si seulement vous vouliez m'écouter. Il y a peut-être quelqu'un qui aimerait bien entendre cette bande, un colonel de l'Abwehr que je connais, mais, franchement, je doute que cela fasse une grande différence à court terme. »

Il ricana d'un air méprisant, retira vivement son bras, puis continua à marcher, moi sur ses talons tel un amoureux implorant.

« Alors, vous avez décidé de me mettre des bâtons dans les roues, hein ? » fit-il.

Pendant un instant, je songeai à Gersdorff et à Booselager, au juge Goldsche et à Dohnányi, au général von Tresckow et au lieutenant von Schlabrendorff. Ils avaient beau se montrer veules, peut-être même incompétents, c'était quasiment la seule opposition à Hitler et à sa clique. Tant que ces aristocrates seraient libres, il existait une chance qu'ils commettent contre lui un attentat couronné de succès. Et si on fournissait à Himmler un prétexte pour soumettre Kluge à un interrogatoire, il était non moins possible que ce dernier lâche Gersdorff et les autres pour ne pas se retrouver avec le Reichsführer sur le paletot.

Et si Gersdorff était arrêté, qui finirait-il par lâcher ? Moi, peut-être ?

« Je ne plaisante pas, dis-je. Je veux votre parole que vous garderez le silence, sinon… sinon je vous tuerai moi-même. L'enjeu est trop important. On ne peut pas vous laisser risquer la vie d'hommes bien qui ont déjà essayé de tuer Hitler et qui, s'il plaît à Dieu, essaieront de nouveau. Enfin, si on leur en laisse la possibilité.

— Quels hommes ? Je ne vous crois pas, Gunther.

— Des hommes mieux placés que vous et moi et ayant une chance de réussir. Des hommes ayant leur entrée à la Tanière du Loup à Rastenburg et au QG du Loup-Garou à Vinnitsa. Des hommes appartenant au haut commandement de l'armée allemande.

— Allez vous faire foutre, répliqua Quidde avant de me tourner le dos. Et qu'ils aillent se faire foutre eux aussi. S'ils étaient si bien que ça, ils l'auraient déjà tué à l'heure qu'il est. »

Je secouai la tête, exaspéré. Il y avait une décision importante à prendre sur-le-champ et absolument pas de temps pour y réfléchir. Il en va ainsi pour un tas de crimes. Ce n'est pas que vous ayez l'intention d'en commettre un, c'est juste que vous êtes à court de solutions valables. À un moment, vous vous trouvez avec un stupide petit crétin vous envoyant vous faire foutre d'un ton hargneux et menaçant de compromettre la seule source un tant soit peu réaliste de complot contre Hitler, et l'instant suivant vous avez pressé un Walther automatique contre l'arrière de cette tête de mule puis vous appuyez sur la détente, et le petit crétin s'effondre sur le sol humide avec du sang jaillissant de son casque comme un puits de pétrole, et vous êtes déjà en train de vous demander comment vous pourriez donner à ce meurtre fâcheux mais nécessaire l'apparence d'un suicide, de façon que, éventuellement, la Gestapo ne pende pas six autres Russes innocents en représailles pour la mort d'un Allemand.

Je parcourus du regard le petit parc. Les ivrognes étaient trop imbibés pour avoir remarqué quoi que ce soit ou s'en soucier – difficile de savoir. De son élégant socle en pierre, Glinka avait assisté à toute cette foutue scène ; et, bizarrement, je me rendis compte tout à coup que le sculpteur avait représenté le compositeur de telle manière qu'il semblait écouter quelque chose. Ce qui était ingénieux : on aurait presque dit que Glinka avait entendu la détonation. Rapidement, je remis le cran de sûreté de mon pistolet et le fourrai dans ma poche, puis je pris le Walther en tous points identique du caporal Quidde. J'actionnai la glissière afin d'introduire une balle dans la culasse et tirai un nouveau coup de feu dans le sol à proximité, avant de placer avec soin le pistolet automatiquement armé dans sa main. Je ne ressentais pas grand-chose pour le défunt – il est difficile d'être désolé pour un imbécile –, mais j'éprouvais en revanche une pointe de regret d'avoir été forcé de supprimer un fichu idiot pour en aider plusieurs autres.

Puis je ramassai la seconde douille ainsi que la valise avec la bande compromettante – il n'était pas question de les laisser là – et m'éloignai à grands pas en espérant que personne n'entende le martèlement de mon cœur dans ma poitrine.

Par la suite, il me vint à l'idée que j'avais tué ou, pour être plus exact, exécuté Martin Quidde exactement de la même manière que le NKVD avait assassiné tous ces officiers polonais. Il est juste de dire que ça me donna matière à réflexion. J'appris aussi que la musique sur la clôture autour des pieds de Glinka provenait de son opéra *Une vie pour le tsar*. Ce n'est pas un titre très excitant pour un opéra. Mais il est vrai qu'*Une vie pour un groupe de traîtres de la haute* n'est pas terrible non plus. Et, dans l'ensemble, je préfère de beaucoup résoudre un meurtre qu'en commettre un.

Après ce qui s'était passé dans le parc Glinka, je n'avais guère envie d'aller voir le Dr Batov. C'est une de mes petites particularités. Lorsque je tue un homme de sang-froid, ça a tendance à me perturber, et la bonne nouvelle que j'avais à annoncer au médecin – que le ministère avait approuvé son repeuplement à Berlin – aurait peut-être semblé une moins bonne nouvelle qu'elle n'aurait dû. En outre, je m'attendais à moitié à ce que le lieutenant Voss de la Feldgendarmerie débarque à Krasny Bor et m'engage dans le rôle de détective-conseil comme précédemment. Ce que je souhaitais, bien entendu. De fait, j'espérais pouvoir détourner son esprit simple des théories extravagantes qu'il aurait pu échafauder sur ce meurtre. Je n'étais pas de retour dans mon petit bungalow en bois que, fidèle à son habitude, il vint frapper à la porte.

Voss avait quelque chose d'un clebs. C'était peut-être la plaque en métal étincelante fixée à une chaîne qu'il portait autour de son cou épais pour montrer qu'il était en service – ce qui avait valu aux membres de la Feldgendarmerie le surnom de « chiens enchaînés » ou de « chiens d'attaque » –, mais Voss avait un beau visage à l'expression si lugubre qu'on l'aurait aisément pris pour la chose réelle. Le lobe de ses oreilles était aussi long que son manteau en cuir, et ses grands yeux marron contenaient tellement de jaune qu'ils ressemblaient à l'écusson qu'il portait au bras gauche. J'avais déjà vu des limiers à l'air plus humain que Ludwig Voss. Mais ce n'était pas un soldat amateur : le ruban du front de l'Est et l'insigne d'assaut d'infanterie indiquaient une histoire plus héroïque que le simple maintien de l'ordre. Il avait pris part à bien d'autres actions que monter la garde à une barrière de péage.

« Du feu, une bouilloire, une chaise confortable, c'est un endroit sympa que vous avez là, capitaine Gunther », dit-il en jetant un coup d'œil circulaire à la pièce douillette.

Il était tellement grand qu'il avait dû se baisser pour franchir la porte.

« Un peu case de l'oncle Tom, répondis-je, mais c'est toujours mieux que rien. Que puis-je pour vous, lieutenant ? J'ouvrirais volontiers une bouteille de champagne en votre honneur, mais je crois que nous avons bu les cinquante dernières hier soir.

— On a trouvé un autre téléphoniste mort, annonça-t-il en balayant la vanne d'un revers de main.

— Ah ! je vois. Ça devient une véritable épidémie. On lui a aussi coupé la gorge ?

— Je ne sais pas encore. Je viens seulement d'avoir l'information à la radio. Deux de mes hommes ont découvert le corps dans le parc Glinka. J'espérais que vous pourriez venir examiner les lieux avec moi. Au cas où il y aurait là une sorte de schéma.

— Un schéma ? C'est un terme que nous autres flics utilisons uniquement dans le monde civilisé. Il faut des trottoirs pour discerner un schéma, Ludwig. Vous ne l'avez pas encore compris ? À Smolensk, c'est le foutoir complet. »

À quel point, je commençais seulement à m'en rendre compte, grâce à Martin Quidde et à Friedrich Ribe.

« Il s'agit du caporal Quidde.

— Quidde ? J'ai parlé avec le malheureux il y a à peine quelques jours. D'accord, allons voir ça. »

C'était étrange de se tenir près du cadavre d'un homme que j'avais moi-même assassiné quelques heures auparavant. Enquêter sur la mort de ma propre victime est une chose que je n'avais encore jamais faite – et que je ne tenais pas à refaire –, mais il y a un commencement à tout, et la nouveauté de la situation contribua à susciter mon intérêt suffisamment longtemps pour que j'informe Voss qu'à mon œil chassieux mais aguerri le défunt montrait tous les signes d'un suicide.

« L'arme dans sa main a l'air prête à tirer. À vrai dire, ça m'étonne même qu'il l'ait encore. On s'attendrait à ce qu'un Popov l'ait barbotée. Quoi qu'il en soit, après un examen approfondi de tous les éléments disponibles que l'on peut observer ici, le suicide semblerait l'explication la plus évidente.

— Je me demande, fit Voss. Est-ce que vous garderiez votre casque en fer si vous aviez l'intention de vous suicider ? »

Ça aurait dû me clouer le bec, mais il n'en fut rien.

« Et est-ce que vous vous flanqueriez une balle dans l'arrière du crâne comme ça ? continua Voss. J'ai l'impression que la plupart des gens qui se tirent dans la tête le font sur le côté.

— Raison pour laquelle un grand nombre de ceux qui s'y prennent ainsi n'en meurent pas, répondis-je avec conviction. Les tirs dans la tempe, c'est comme les certitudes aux courses. Parfois, le cheval ne va pas jusqu'à la ligne d'arrivée. Pour des besoins ultérieurs, si jamais vous tenez à vous supprimer, tirez-vous plutôt une balle dans la nuque. De la même façon que les Popov ont tué ces Polonais. Personne ne survit à un coup de feu qui traverse l'os occipital comme l'a fait celui-ci. Ce qui explique qu'il ait choisi cette méthode. Parce qu'il en connaissait un rayon.

— Oui, je vois bien comment ça marche. Mais est-il vraiment possible de procéder ainsi… sur soi-même, je veux dire ? »

Je sortis mon Walther – le même pistolet qui avait tué Quidde –, vérifiai le cran de sûreté, levai mon coude et plaçai la gueule de l'automatique contre ma propre nuque. La démonstration était suffisamment éloquente. C'était aisément réalisable.

269

« Il n'avait même pas besoin de retirer son casque, fis-je remarquer.

— Très bien, dit Voss. Suicide. Je ne possède pas votre savoir-faire ni votre expérience de l'Alexanderplatz.

— Pour ma part, les explications évidentes ne me gênent pas. Parfois, il est tout simplement beaucoup trop difficile d'être intelligent, suffisamment intelligent pour ignorer ce qui crève les yeux. Eh bien, je ne suis pas assez intelligent pour proposer une autre explication dans le cas présent. Se tirer une balle dans la tête est une chose, se couper soi-même la gorge en est une autre complètement différente. D'ailleurs, cette fois-ci, nous avons même l'arme du crime. »

Voss enleva le casque de Quidde pour révéler un trou dans le front du cadavre.

« Et apparemment, nous avons aussi la balle, dit-il en inspectant l'intérieur en fer de la coiffe du téléphoniste. On peut la voir, enfoncée dans le métal.

— Ainsi on peut la voir. Pour tout l'effet que ça va nous fera à Smolensk.

— Nous devrions peut-être chercher dans son logement une lettre de suicide.

— Oui, admis-je. Il y avait peut-être une femme. Ou il n'y avait pas de femme. Dans un sens comme dans l'autre, ça peut sembler une raison suffisante pour certains Fritz. Mais, même s'il n'y a pas de lettre, ça ne changera pas grand-chose. Qui la lirait de toute façon, à part vous, moi et éventuellement le colonel Ahrens ?

— C'est quand même curieux, vous ne trouvez pas ? Trois types du régiment de transmissions connaissant une fin prématurée en autant de semaines.

— On est en guerre, dis-je. Connaître une fin prématurée, voilà ce qui arrive quand on est dans ce pays minable. Mais je comprends votre point de vue, Ludwig. Peut-être y a-t-il quelque chose de louche dans ces ondes radio, après tout. C'est ce que pensent certains, n'est-ce pas ? Qu'elles sont dangereuses ? Toute cette énergie vous échauffant la cervelle ? Cela expliquerait sûrement ce qui se passe au ministère de l'Éducation du peuple.

— Les ondes radio… Oui, je n'y avais jamais songé », répondit Voss.

Je souris ; je barbotais dans les faux-fuyants comme un canard dans l'eau, tout en me demandant jusqu'à quel point mes ailes et mes pattes palmées pouvaient rendre cette eau trouble avant que je m'envole à tire-d'aile loin du théâtre de mon crime.

« Ces gars des transmissions vivent juste à côté d'un puissant émetteur, du matin au soir. Le pylône à l'arrière du château ressemble à s'y méprendre au grand Flandrin. C'est un miracle que des antennes n'aient pas poussé sur leur foutu ciboulot. »

Voss fronça les sourcils.

« Le grand Flandrin ?

— Pardon. C'est ainsi que nous autres Berlinois appelons la tour de la radio à Charlottenburg. » Je secouai la tête. « Peut-être que les ondes radio ont donné au pauvre cerveau de Quidde des démangeaisons qu'il a décidé de gratter avec une balle de Walther automatique. Probablement alors qu'il était debout par-dessus le marché, puisque l'herbe est éclaboussée de sang.

— C'est une théorie intéressante, concéda Voss. À propos des ondes radio. Mais vous n'êtes pas sérieux.

— Non, ce serait difficile à prouver. » Je secouai de nouveau la tête. « Il est plus vraisemblable qu'il ait été simplement déprimé d'être ici, dans ce trou merdique, à la merci d'une contre-offensive de l'armée Rouge cet été. Je vois bien où il voulait en venir. Smolensk conduirait n'importe qui au suicide. Franchement, je n'ai pensé à rien d'autre que de me brûler la cervelle depuis que je suis là.

— C'est une façon de rentrer chez soi, admit Voss.

— Oui, il règne une curieuse atmosphère au château du Dniepr et dans la forêt de Katyn. Le colonel Ahrens semblait lui-même très préoccupé aujourd'hui. Vous ne trouvez pas ?

— Il le prend assez mal, c'est certain. Je n'ai jamais rencontré d'officier plus soucieux du bien-être de ses hommes.

— Ça change agréablement, c'est vrai. » Plissant les yeux, je regardai les arbres. « Mais pourquoi ce parc ? Vous croyez que ce gars était un amateur de musique ?

— Je ne sais pas. C'est si tranquille. »

En entendant un grand cri et un gloussement rauque, je regardai autour de moi. Les ivrognes étaient toujours là, avec les clébards et le feu de camp. Il n'y avait pas que les romans qui étaient absurdement longs en Russie, les beuveries aussi ; celle-ci commençait à ressembler à *Guerre et Paix*.

« Ou presque, corrigea Voss.

— Vous parlez russe, lieutenant ?

— Un peu, répondit-il. Fais ci et fais ça, pour l'essentiel. Vous savez… la langue de l'occupant.

— C'est sans doute une perte de temps, mais allons demander à l'armée Rouge si elle a vu quelque chose.

— Je crains que les ordres ne me viennent beaucoup plus facilement que les questions. Et je ne suis pas sûr de comprendre les réponses.

— Nous finirons par faire de vous un détective, Ludwig. »

Je poussais le bouchon un peu loin et je le savais, mais je ne joue pas au skat et je n'ai jamais beaucoup aimé les dés, de sorte qu'à Smolensk, il me fallait trouver des sensations fortes où je pouvais. L'hôtel Glinka était interdit aux gogos comme moi, qui préfèrent qu'une fille fasse ce genre de truc par choix plutôt que par obligation. Ce qui ne laissait que le roman russe incroyablement épais posé dans ma chambre et les méandres d'une conversation avec une bande de solides buveurs popov qui avaient peut-être vu un civil répondant à ma propre description tirer de sang-froid sur un soldat allemand. Bien sûr, parler à chaque témoin éventuel, c'est ce qu'aurait fait un vrai détective de toute façon, et je pariais sur l'idée qu'ils étaient incapables de se rappeler quoi que ce soit, ou qu'ils s'en foutaient royalement. Et lorsqu'au bout de cinq minutes de bavardage avec ces poivrots, nous nous retrouvâmes, Voss et moi, sans rien d'autre qu'un flot de haussements d'épaules hébétés et craintifs, et une haleine extrêmement fétide dans les narines, j'avais tout de même l'impression d'être un gagnant. Ce n'était pas comme faire sauter la banque à Monte-Carlo, mais ça me suffisait.

5

Jeudi 1ᵉʳ avril 1943

Le lendemain matin, j'allai voir le Dr Batov à l'Académie médicale d'État de Smolensk. J'avais fini par considérer le bâtiment jaune canari comme typiquement soviétique – le genre d'hôpital gigantesque résultant très probablement du plan quinquennal ambitieux d'un commissaire à l'aspirine pour soigner les malades et les blessés en Russie. Les panneaux d'affichage de l'immense salle des admissions arboraient encore des avis jaunissants en lettres cyrilliques vantant l'efficacité du personnel médical de Smolensk et proclamant que le nombre de patients traités s'était accru d'une année sur l'autre, comme si les malades avaient été des tracteurs. Compte tenu de ce que je savais maintenant sur Staline, je me demandai ce qui serait arrivé si le nombre de patients traités avait chuté. Les communistes en auraient-ils conclu que l'état de santé des Russes était en voie d'amélioration ? Ou le directeur de l'Académie aurait-il été fusillé pour ne pas avoir atteint son objectif ? C'était un dilemme intéressant et qui soulignait un point de divergence bien réel entre nazisme et communisme comme formes de gouvernement : dans la Russie soviétique, il n'y avait aucune place pour l'individu ; à l'inverse, l'État ne régissait pas tout en Allemagne. Les nazis ne tuaient jamais quelqu'un parce qu'il avait été stupide, inefficace ou tout simplement malchanceux. En général, ils attendaient d'avoir une raison pour vous flinguer, alors que les cocos se faisaient

273

un plaisir de vous flinguer sans la moindre raison – mais, quand on va vous flinguer, quelle différence ?

Batov était absent de son bureau au cinquième étage, et, ne l'ayant pas vu dans son laboratoire, je demandai à un aide-soignant allemand à l'air las s'il savait où je pouvais trouver le médecin russe. Il me répondit que cela faisait deux jours qu'on ne l'avait pas vu à l'hôpital.

« Il est malade ? Chez lui ? Il a pris un congé ? Quoi ? »

L'aide-soignant eut un haussement d'épaules.

« Je ne sais pas, capitaine. Mais ça ne lui ressemble vraiment pas. Ça a beau être un Popov, je n'ai jamais connu de toubib plus dévoué à ses patients. Et pas seulement ses patients, les nôtres aussi. Il était censé opérer un de nos hommes hier après-midi et il n'est pas venu. Maintenant, le type est mort. Alors vous pouvez tirer vos propres conclusions.

— Qu'est-ce qu'en pensent les infirmières russes ?

— Difficile à dire, capitaine. Nous autres Allemands ne raffolons pas beaucoup des Popov et ils ne raffolent pas beaucoup des Allemands. La moitié des auxiliaires médicaux viennent d'être envoyés au Sud-Est, à un endroit appelé Prokhorovka. Batov était à peu près le seul avec qui on pouvait discuter, sur le plan professionnel.

— Qu'est-ce qu'il y a à Prokhorovka ?

— Aucune idée, capitaine. C'est près de Koursk, je n'en sais pas plus. Mais il s'agit d'un ordre top secret, et je n'aurais pas dû en parler. Nos gars eux-mêmes n'ont pas été mis au courant de l'endroit où ils allaient. Je ne l'ai découvert que parce que des boîtes de pansements ont été prélevées sur les stocks et que quelqu'un avait marqué la destination sur le côté.

— Il n'y a aucune chance que Batov soit dans la même charrette, je présume ?

— Aucune, capitaine. Jamais on n'incorporerait de force un Popov.

— Bon, je ferais mieux de passer chez lui, je suppose.

— Si vous le voyez, dites-lui de se dépêcher de revenir. Nous avons besoin de lui plus que jamais, maintenant que nous manquons tellement de personnel. »

C'est alors que j'eus l'idée de chercher Batov dans la chambre privée où était soigné Roudakov, mais elle était vide, et le fauteuil roulant dans lequel j'avais vu ce dernier avait disparu. Le lit n'avait pas l'air d'avoir été défait. Même le cendrier donnait l'impression de ne pas avoir servi depuis un moment. Je posai la main sur la radio, qui marchait la dernière fois que je m'étais trouvé dans la pièce, et elle était froide. Je levai les yeux vers le portrait de Staline, mais il ne dit mot. Il me dévisageait avec méfiance de son regard noir sans éclat et, lorsque je passai ma main derrière, à la recherche de la photo des trois membres du NKVD, pour m'apercevoir qu'elle avait disparu, je commençai à avoir un mauvais pressentiment.

Je quittai l'hôpital et fonçai jusqu'à l'immeuble de Batov. Je sonnai, frappai à la porte, mais personne ne répondit. La concierge en bas avait un cornet acoustique qui aurait pu appartenir au musée Beethoven de Bonn et elle ne parlait pas un mot d'allemand, mais ce ne fut pas nécessaire ; ma pièce d'identité suffit probablement à la persuader que j'étais de la Gestapo : elle se signa d'abondance, bien sûr, ainsi que l'avait présagé Batov, après quoi elle trouva rapidement des clés et m'introduisit dans l'appartement de celui-ci.

Elle avait à peine ouvert la porte que je compris que quelque chose n'allait pas : les précieux livres du médecin qui étaient si soigneusement rangés la dernière fois jonchaient maintenant le sol. Sentant que j'étais sur le point de découvrir quelque chose d'affreux – une légère odeur aigre-douce de décomposition flottait dans l'appartement –, je pris la clé, chassai la babouchka, puis refermai la porte.

Je pénétrai dans le salon. Le grand poêle en céramique dans le coin était encore chaud, mais pas le corps inerte de Batov. Il gisait face contre terre sur le parquet sans tapis, sous un méli-mélo de livres, de journaux et de coussins. Sur le côté de son cou s'étalait une blessure de la taille d'une tranche de pastèque. On avait enfoncé une chaussette dans sa bouche meurtrie et, vu le nombre de doigts manquant à sa main droite, il était clair que quelqu'un l'avait préparé à jouer le *Concerto pour la main gauche* de Ravel sur le montant de la fenêtre ou, plus vraisemblablement, l'avait torturé méthodiquement : quatre doigts et un pouce sectionnés s'alignaient en une série verticale sur le manteau de la cheminée comme autant de mégots de cigarettes. Je me demandai pour quelle raison il était resté immobile pendant ce temps-là, jusqu'à ce que j'aperçoive la seringue hypodermique plantée dans sa cuisse. On avait dû lui injecter une sorte de relaxant musculaire utilisé en chirurgie, et celui qui l'avait fait n'avait rien d'un novice. Cela avait dû être suffisant pour l'empêcher de bouger, sans supprimer la douleur pour autant.

Avait-il fourni l'information qui avait suscité ce traitement ? Vu l'état dans lequel on avait mis l'appartement et le nombre de doigts exposés, cela semblait peu probable. Si quelqu'un peut supporter la perte de plus d'un doigt, il peut vraisemblablement supporter la perte des cinq.

« Je suis désolé, dis-je à haute voix, parce que j'étais pratiquement convaincu que les souffrances et la mort de Batov avaient été occasionnées par cette même information qu'il m'avait promise : la preuve écrite et photographique de ce qui s'était passé dans la forêt de Katyn. Vraiment. Si seulement… si seulement j'étais venu hier, comme je l'avais prévu, vous seriez peut-être encore en vie. »

Bien sûr, il m'avait déjà traversé l'esprit que l'absence du lieutenant Roudakov de sa chambre à l'Académie médicale de Smolensk pouvait signifier qu'il avait connu une fin macabre analogue, mais c'est à cet instant seulement que je me mis à me demander dans quelle mesure l'agent du NKVD était réellement infirme. Roudakov avait-il pu duper Batov en lui faisant croire que son état était pire qu'il n'était ? Quel meilleur moyen de se cacher de ses collègues du NKVD que de simuler un handicap mental ? Dans ce cas, n'était-il pas tout à fait possible que le Dr Batov ait été assassiné par l'homme même qu'il avait essayé de protéger ? La vie n'était-elle pas ainsi parfois ?

Je me rendis dans la chambre à coucher. Je n'avais jamais rencontré la fille unique de Batov ; je ne connaissais même pas son nom ; tout ce que je savais d'elle, c'était son âge et le fait qu'elle ne célébrerait pas son seizième anniversaire ni ne danserait *Le Lac des cygnes* à Paris. En tant qu'inspecteur de police criminelle, j'avais vu quantité de cadavres, dont pas mal de cadavres de femmes, et, naturellement, il est juste de dire que la guerre m'avait rendu moins

276

sensible à la vue de morts violentes, mais rien ne m'avait préparé au spectacle effroyable qui m'accueillit dans cette chambre.

La jeune fille avait été attachée aux quatre coins du lit et torturée avec un couteau, comme son malheureux père. Son meurtrier lui avait fendu le nez horizontalement et lui avait coupé les deux oreilles avant de lui ouvrir les veines d'un bras. Elle portait toujours une paire de couvre-chaussures en caoutchouc. Très probablement, elle était rentrée dans l'appartement alors que l'assassin n'avait pas réussi à arracher à son père l'information qu'il cherchait, et il s'était mis à jouer du couteau sur la fille, à qui on avait enfoncé également une chaussette dans la bouche pour étouffer ses hurlements. Mais où étaient ses oreilles, me demandai-je ?

Je finis par les retrouver toutes les deux à l'intérieur de la poche de poitrine de la veste du mort, comme si le tueur les avait apportées dans la pièce l'une après l'autre avant que Batov lui dise exactement ce qu'il désirait savoir.

Un rapide coup d'œil dans l'autre chambre à coucher me confirma que Batov avait effectivement parlé. Un portrait de Lénine avait été décroché du mur, contre lequel il était maintenant appuyé. L'espace qu'il avait masqué était un pan de briquetage dont on avait retiré plusieurs briques tels les morceaux d'un puzzle. Il y avait juste assez de place dans la cachette rectangulaire – de la hauteur et de la largeur d'une boîte aux lettres – pour contenir les registres et les photos que le Dr Batov avait promis de me donner.

Dans la salle de bains, je baissai mon pantalon et m'assis sur la cuvette des toilettes pour cogiter un peu tout en fumant une ou deux cigarettes. Sans la sanglante diversion que constituaient les deux cadavres, il était plus facile de réfléchir à ce que je savais et à ce que je croyais savoir.

Je savais qu'ils étaient morts l'un et l'autre depuis guère plus d'une journée : le corps de Batov était couvert de livres et de journaux, ce qui signifiait que l'accès pour les mouches femelles avait été plus difficile, mais des masses d'œufs minuscules n'ayant pas encore donné naissance à des larves tapissaient déjà les paupières de la jeune fille. En fonction de la température, les œufs de mouche libèrent habituellement leurs larves dans les vingt-quatre heures – surtout quand le cadavre est retrouvé à l'intérieur, où la température est plus élevée, même en Russie. Toutes choses qui voulaient dire qu'ils étaient probablement morts l'après-midi précédent.

Je savais aussi que c'était une perte de temps que de demander à la concierge si elle avait vu ou entendu quelque chose. D'une part, mon russe n'était pas à la hauteur d'un interrogatoire et, d'autre part, son cornet augurait mal de chances de succès. En tant que détective, j'avais vu des témoins plus prometteurs à la morgue. Cela dit, depuis le meurtre de Martin Quidde, j'avais nettement l'impression d'être un détective homicide.

Aurais-je pu empêcher ça, telle était la question que je n'arrêtais de me poser, mais la même réponse ne cessait de m'assaillir : si Quidde fait part de ce qu'il savait à quelqu'un de la Gestapo, de la Feldgendarmerie, de la Kripo, de la SS ou même de la Wehrmacht, cela aurait été la meilleure façon de torpiller toute chance future que Gersdorff – ou un de ses collègues – arrive à tuer Hitler. La vie de personne, ni celle de Quidde, ni à coup sûr la mienne, n'était plus importante que ça. Pour la même raison, je n'ignorais pas que j'allais devoir parler à Gersdorff de Quidde et de la bande magnétique afin de lui montrer qu'on ne pouvait plus faire confiance à Kluge.

Je savais que l'assassin de Batov aimait se servir d'un couteau – un couteau est une arme de combat rapproché telle qu'il faut nécessairement prendre plaisir aux dommages que l'on peut causer à un autre être humain. Ce n'est pas une arme pour âmes sensibles. J'aurais pu dire que l'homme qui avait assassiné Batov et sa fille était le même que celui qui avait tué les deux téléphonistes, Ribe et Greiss – la méthode d'égorgement était à l'évidence identique –, sauf que les mobiles de ces crimes semblaient totalement différents.

Je savais qu'il me fallait trouver Roudakov même s'il était mort pour l'éliminer en tant que suspect. Il avait entendu ce que Batov m'avait raconté sur les preuves écrites et photographiques du massacre de Katyn, ainsi que les termes du marché qu'il m'avait proposé. Si ce n'était pas un mobile, pour un ancien officier du NKVD, de tuer un homme et sa fille, alors je ne savais pas ce que c'était. S'il avait tué les Batov, il s'était éclipsé depuis longtemps, j'imagine, et il était peu probable que la Feldgendarmerie puisse attraper quelqu'un d'assez débrouillard pour avoir simulé un handicap mental pendant près de trois ans.

Je savais que je devais me rendre immédiatement à la Kommandantur pour signaler les meurtres, afin que les Feldgendarmes et les flics russes locaux soient dépêchés sur les lieux. La mort avait déjà fait tant de ravages à Smolensk et aux alentours que le lieutenant Voss allait se demander si le meurtre n'était pas devenu contagieux dans l'oblast dont il était responsable. Avec quatre mille hommes enterrés dans la forêt de Katyn, je commençais à me poser moi-même la question.

Mais, par-dessus tout, je savais que j'allais avoir un gros problème avec le ministre de l'Éducation du peuple et de la Propagande lorsque je lui dirais que les preuves supplémentaires de ce qui s'était passé à Katyn que je lui avais promises s'étaient volatilisées en même temps que notre unique témoin potentiel et que nous allions devoir tabler sur les analyses médico-légales et rien d'autre.

À cet égard, il était heureux pour Goebbels, l'Allemagne et l'enquête de Katyn que Gerhard Buhtz soit un médecin légiste extrêmement compétent – beaucoup plus compétent que nous ne l'avions supposé, le juge Conrad et moi.

Je n'allais pas tarder à découvrir à quel point.

La cantine des officiers de Krasny Bor était une pièce de style rustique ressemblant un peu à une salle à manger dans un hôtel suisse de province, mis à part les serveurs russes affublés de vestes blanches de cérémonie et l'étincelante médaille en argent du régiment sur le buffet ; et jamais un hôtel suisse de province, même à haute altitude, n'aurait eu de nuages dans sa salle à manger : près du plafond en bois de la cantine planait sans cesse une épaisse couche de fumée de cigarette, telle une nappe de brouillard persistante sur un aérodrome. Parfois, je m'adossais à ma chaise, contemplais cette nuée grise stagnante et essayais de m'imaginer chez Horcher à Berlin ou même à La Coupole à Paris. La nourriture à Krasny Bor était aussi abondante qu'au Bendlerblock. Avec une liste de vins et une sélection de bières qui auraient fait envie à n'importe quel restaurant de la capitale, c'était et de loin ce qu'il y avait de plus agréable dans le fait de se trouver à Smolensk. Le chef était un authentique cordon-bleu, originaire du Brandebourg, et, pour les Berlinois comme moi, il y avait toujours de l'excitation dans l'air quand ses deux meilleurs plats – les Königsberger Klopse[1] et la tourte de lamproie – figuraient au menu. Ayant commandé mon déjeuner au garçon, je fus donc pour le moins chagriné lorsqu'un planton vint m'avertir que le professeur Buhtz me demandait de toute urgence dans sa cabane-laboratoire. J'aurais peut-être répondu au planton de dire à Buhtz d'attendre la fin du repas, si Kluge n'avait pas été assis à la table voisine et n'avait certainement entendu le contenu du message, qui, après tout, venait de quelqu'un ayant le grade de major dans la Wehrmacht. Kluge était toujours très prussien pour ce genre de choses et voyait d'un mauvais œil les officiers subalternes se soustrayant à leurs obligations au profit de leur estomac. C'était un homme sobre et qui, contrairement au reste d'entre nous, ne s'intéressait guère aux plaisirs de la table. Sans doute préférait-il les plaisirs de son compte en banque. Je me levai donc et partis à la recherche du médecin légiste.

Son laboratoire de fortune était facilement reconnaissable à la moto BMW garée juste devant. C'était un des plus grands bâtiments dans le périmètre extérieur du quartier général de l'armée à Krasny Bor. Je savais que Buhtz disposait d'un laboratoire encore plus grand et mieux équipé à l'hôpital de la ville, dans l'Hospital-strasse, près de la gare principale, mais il se sentait plus en sécurité à Krasny Bor, du fait que, l'automne précédent, des médecins allemands travaillant à l'hôpital de Vitebsk avaient été enlevés puis mutilés sexuellement avant d'être assassinés par les partisans.

À ma grande surprise, je trouvai le professeur en compagnie de Martin Quidde, dont le corps était maintenant couché dans un cercueil ouvert sur le plancher. Des points de suture rudimentaires, en forme de Y, couraient le long de son torse comme les rails d'un train électrique pour enfant, et le haut de son crâne laissait voir une ligne violette révélatrice, témoignant qu'on l'avait retiré puis remis en place tel le couvercle d'une boîte à thé. Mais ce n'était pas à propos de Quidde que Buhtz m'avait convoqué pour discuter en toute discrétion ; du moins, pas tout de suite.

---

1. Boulettes de viande avec de la sauce aux câpres.

« Désolé d'interrompre votre déjeuner, Gunther, dit-il. Je ne voulais pas parler de ça devant tout le monde au mess.

— Vous avez probablement raison, professeur. Ce n'est jamais une bonne idée de parler de médecine légale quand d'autres personnes sont en train de déjeuner.

— Eh bien, c'est assez urgent. Pour ne pas dire sensible. Et ce n'est pas à l'estomac de nos collègues officiers que je pense.

— De quoi s'agit-il ? » demandai-je froidement.

Il ôta son tablier en cuir et me conduisit jusqu'à un microscope près d'une fenêtre dépolie.

« Vous vous souvenez du crâne que j'ai rapporté du bois de Katyn ? Votre cadavre polonais ?

— Comment pourrais-je l'oublier ? En dehors des pièces de William Shakespeare, ce n'est pas souvent qu'on a l'occasion de voir un homme avec une tête en décomposition sous le bras.

— Cet officier n'a pas été abattu, comme on aurait pu s'y attendre, avec un pistolet russe comme un Tokarev ou un Nagant.

— J'aurais pensé que le trou était trop petit pour avoir été fait par un fusil », murmurai-je.

Buhtz alluma une lampe posée à côté du microscope et m'invita à jeter un coup d'œil à la douille.

« Non, en effet, vous avez raison, dit-il, tandis que je regardais à travers l'oculaire. Absolument raison. En bas de la douille que votre ami russe Diakov a trouvée dans la fosse commune, la marque et le calibre sont clairement visibles dans le laiton, comme vous pouvez le constater. »

Tout en parlant, il tirait sur sa tunique de l'armée. Apparemment, ouvrir le caporal Quidde l'avait mis en appétit.

« Oui, dis-je. Geco 7.65. Merde alors, c'est l'usine Gustav Genschow à Durlach, non ?

— Vous êtes un vrai détective, répondit Buhtz. Oui, il s'agit d'une cartouche allemande. Du 7,65 ne rentrerait pas dans un Tokarev ni un Nagant. Ces armes n'acceptent que des munitions de calibre 7,62. Mais une cartouche 7,65 convient très bien à un Walther comme celui que vous portez sous le bras, je parie. »

Je haussai les épaules.

« Eh bien, que voulez-vous dire ? Qu'ils ont été abattus par des Allemands, en définitive ?

— Non, non. Je veux dire qu'ils ont été abattus par des armes allemandes. Voyez-vous, je sais qu'avant la guerre cette usine a vendu des armes et des munitions aux Popov des pays baltes. Le Tokarev et le Nagant sont très bien, en un sens. Le Nagant peut s'utiliser avec un suppresseur de son, contrairement aux autres, et beaucoup d'escadrons de la mort du NKVD aiment bien s'en servir quand la discrétion est de rigueur. Il est réellement très silencieux. Mais si vous voulez faire le travail le plus efficacement et le plus rapidement possible, et que le bruit ne vous gêne pas – et je n'ai pas l'impression qu'il les aurait gênés, surtout au beau milieu de la forêt de Katyn –, le Walther est une arme de choix. Je n'essaie pas de faire du patriotisme. Pas le moins du monde. Le Walther ne s'enraye pas, et il n'a pas de ratés. Si vous voulez exécuter quatre mille Polonais en un week-end, il vous faut des pistolets allemands pour mener la tâche à bien. Et vous vous apercevrez, à mon avis, que ces quatre mille hommes ont tous été liquidés de la même manière ».

Je me souvins alors que Batov avait parlé d'une mallette pleine de pistolets automatiques, et je compris qu'il devait s'agir de Walther.

« À présent, il va être beaucoup plus difficile de prétendre que ces types ont été tués par les Popov, fis-je remarquer. Il y a une délégation de Polaks importants venant de Varsovie, de Cracovie et de Lublin qui doit arriver ici la semaine prochaine, parmi lesquels deux foutus généraux, et nous allons devoir leur dire que leurs camarades ont été tués avec des pistolets allemands.

— Vous savez, je ne serais pas surpris que le NKVD se soit servi de Walther pour une autre raison également. Autre que leur fiabilité. Il se peut très bien qu'il ait voulu brouiller les pistes. Donner l'impression que c'est nous qui les avons massacrés. Au cas où quelqu'un découvrirait cette fosse commune. »

Je gémis bruyamment.

« Le ministre va adorer. En plus du reste. »

Je lui parlai de Batov et de la disparition des preuves matérielles.

« Désolé, fit Buhtz. Je vais tout de même demander au ministère de téléphoner à la fabrique Genschow pour voir ce que disent leurs contrats d'exportation. Il est possible qu'ils arrivent à repérer un lot de munitions similaires.

— Mais vous avez dit qu'il s'agissait d'une série allemande standard, n'est-ce pas ?

— Oui et non. Je m'occupe de balistique depuis 1932 et, sans vouloir me vanter, je suis un peu un expert dans ce domaine. Je peux vous dire, Gunther, que, si le calibre reste standard, la composition métallurgique des munitions peut varier légèrement au fil du temps. Certaines années, il y a un peu plus de cuivre ; d'autres années, un peu plus de nickel. Et, en fonction de l'âge de ces munitions, on pourrait avoir une idée du moment où elles ont été fabriquées, ce qui permettrait de corroborer les actes d'exportation. Auquel cas, nous serions en mesure de dire avec certitude que cette balle faisait partie d'un lot de munitions vendu aux Popov baltes par exemple en 1940, lorsque nous avons eu le pacte de non-agression avec le camarade Staline. Ou même avant l'arrivée au pouvoir des nazis, quand ces fumiers de sympathisants des rouges du SPD menaient le bal. Cela montrerait que ce sont eux qui les ont effectivement tués, et ce serait presque aussi bien que de trouver une balle de fabrication russe. »

Ne voyant pas l'intérêt de mentionner mon ancienne allégeance au SPD, je hochai la tête en silence et m'écartai du microscope.

« Ainsi, reprit Buhtz, nous devrions peut-être nous contenter de dire à la délégation polonaise ce que nous savons sur les cadavres que nous avons dénichés jusqu'ici, et en rester là pour le moment. Pas la peine de spéculer inutilement. Vu les circonstances, je pense qu'il vaudrait mieux les laisser assumer le plus possible le travail concret sur le site.

— Ça me va.

— Au fait, parlez-vous polonais ? demanda Buhtz. Parce que moi pas.

— Je croyais que vous étiez allé à l'université de Breslau ?

— Pendant seulement trois ans. D'ailleurs, c'est une université principalement germanophone. Mon polonais convient parfaitement pour commander un repas infect dans un restaurant, mais, quand il s'agit de médecine légale ou de pathologie, c'est une autre histoire. Et Johannes Conrad ?

— Pas le polonais. Juste le russe. Avec quelques Feldgendarmes, il est en train d'interroger les habitants à Gnezdovo, pour voir ce qu'ils peuvent nous dire de plus sur ce qui s'est passé. Il me semble que Pechkov parle le français ainsi que l'allemand et le russe, de sorte qu'il pourrait être utile. Mais le ministère nous envoie également un officier de réserve viennois parlant couramment le polonais. Le lieutenant Gregor Sloventzik.

— Voilà qui sonne très bien, répondit Buhtz.

— Il était journaliste. Raison pour laquelle le ministère le connaît, je suppose. Je crois qu'il parle plusieurs autres langues.

— Y compris celle de la diplomatie, j'espère. Je n'ai jamais été très doué pour ça.

— Ni vous ni moi, professeur. Et certainement pas depuis Munich. Quoi qu'il en soit, Sloventzik effectuera toutes les traductions pour vous.

— Je suis ravi de l'entendre. Je n'ai pas besoin de davantage de complications en ce moment. Ç'a été ce genre de matinée, malheureusement. Ce téléphoniste qu'ont trouvé les Feldgendarmes. Martin Quidde. » Il montra le cadavre couché dans un cercueil par terre près de la porte du fond. « J'ai cru comprendre, d'après les propos du lieutenant Voss, que vous pensiez, vous et lui, qu'il s'agissait d'un suicide.

— Euh, oui. En effet. » Je haussai les épaules. « Il y avait encore un automatique avec le chien abaissé dans sa main. En l'absence de poème épinglé à sa poitrine, ça paraissait assez clair, à mon avis.

— C'est ce qu'on pourrait croire, hein ? » Buhtz sourit fièrement. « Mais je crains que ce ne soit pas le cas. J'ai tiré tout un chargeur avec cette arme, et il n'y a pas une balle qui soit la même que celle que j'ai trouvée dans le casque de la victime. C'est comme je vous le disais tout à l'heure. À propos de la métallurgie. Le projectile qui lui a traversé le crâne était certes du 7,65 mm. Mais la charge était nettement plus lourde, avec un peu plus de nickel. Le caporal a été tué par une charge de soixante-treize grains, contre la charge normale de soixante grains que contient le chargeur de son pistolet et qui est la norme pour le 537e de transmissions. La charge de soixante-treize grains est normalement réservée aux unités de police et à la Gestapo. »

Il avait raison, évidemment ; et je l'avais su – il y a des lustres –, mais pas ces derniers temps. Quand le plomb se met à voler dans les airs, d'où il vient et combien il pèse sur une balance cessent très vite d'avoir la moindre importance.

« Quelqu'un a donc essayé de faire croire à un suicide, c'est bien ce que vous prétendez ? demandai-je, comme si je ne le savais pas.

— Exact. » Le sourire de Buhtz s'élargit. « Et je doute que qui que ce soit d'autre dans ce satané pays aurait pu vous le dire.

— Eh bien, c'est une chance. Encore que le lieutenant Voss ne va pas être très content, j'imagine. Il n'a toujours pas résolu le meurtre des deux autres téléphonistes.

— Néanmoins, cela établit une sorte de profil. Je veux dire, quelqu'un en veut vraiment à ces pauvres bougres du 537e, vous ne croyez pas ?

— Avez-vous essayé de passer un coup de téléphone d'ici ? C'est impossible. Je ne serais pas étonné que vous teniez le mobile. N'empêche, je suppose qu'un Popov n'aurait pas pris la peine de maquiller ça en suicide, non ?

— Je n'y avais pas songé. » Il hocha la tête. « Oui, c'est rassurant pour les Allemands vivant dans cette ville, je présume.

— Malgré tout, professeur, si un Allemand était responsable du meurtre, il serait peut-être judicieux de ne faire aucune mention de tout cela à la Gestapo. Au cas où elle se mettrait en tête de pendre d'autres habitants en représailles. Vous savez comment elle est, professeur. La dernière chose que nous désirons, c'est une commission internationale arrivant à Smolensk pour tomber sur une potence improvisée avec des poires russes poussant dessus.

— Un homme, un Allemand, a été assassiné, capitaine Gunther. On ne peut pas fermer les yeux là-dessus.

— Non, bien sûr que non, professeur. Mais peut-être que, jusqu'à ce que toute cette affaire avec la commission internationale soit terminée, il serait dans l'intérêt politique de l'Allemagne de glisser ça sous du foin dans la grange, en quelque sorte. Pour sauver les apparences.

— Oui, je comprends bien. Je vais vous dire, capitaine. Vous avez été Kommissar à l'Alex, n'est-ce pas ? »

J'acquiesçai.

« Très bien. Je vous promets de garder le silence sur le meurtre du caporal Quidde, Gunther, si vous me promettez de trouver son meurtrier. Est-ce que ça vous paraît équitable ? »

Je hochai la tête.

« D'accord, professeur. Même si je ne sais pas trop comment procéder. Jusqu'à présent, il s'est plutôt bien débrouillé pour ce qui est d'effacer ses traces.

— Eh bien, faites de votre mieux. Et si tout le reste échoue, on peut demander à chaque homme équipé d'une arme de police de tirer une balle dans un sac de sable. Cela devrait restreindre considérablement vos recherches.

— Je vous remercie, professeur. Il n'est pas impossible que j'accepte votre proposition.

— Je vous en prie. Vous avez jusqu'à la fin du mois. Ensuite, il faudra vraiment que j'en parle à la Gestapo. Est-ce d'accord ?

— Très bien. Marché conclu.

— Bon. Alors allons déjeuner. J'ai entendu dire qu'il y avait des Königsberger Klopse au menu aujourd'hui. »

Je secouai la tête.

« J'ai déjà mangé », répondis-je.

Mais, en vérité, entre l'odeur de formaldéhyde, le cadavre et la perspective d'avoir à enquêter sur un assassinat que j'avais moi-même commis, j'avais perdu l'appétit.

6

Mercredi 7 avril 1943

À la salle Glinka de Smolensk – où ailleurs ? –, j'assistai à un récital de piano et d'orgue, à l'invitation du colonel von Gersdorff. Au programme : Bach, Wagner, Beethoven et Bruckner. Toutefois, alors qu'il était censé célébrer les mérites éternels de notre patrie, il ne réussit qu'à nous rendre malades de ne pas être chez nous et, dans mon cas, à Berlin, à écouter de la musique plus entraînante à la radio : j'aurais même pu résister à un ou deux morceaux de Bruno and His Swinging Tigers[1]. Bien sûr, étant un aristocrate, Gersdorff possédait une croix de fer en musique classique. Il avait même apporté avec lui une partition ancienne, reliée en cuir, qu'il suivit pendant le *Clavier bien tempéré* de Bach, ce qui me parut non seulement superflu, mais même un peu trop tape-à-l'œil, comme de se munir des Lois du jeu à un match de football.

Après le récital, nous allâmes prendre un verre au bar des officiers dans l'Offizierstrasse, où, dans un coin tranquille faisant l'effet d'être à un million de kilomètres de la salle de billard du German Club de Berlin, le colonel me dit qu'il avait reçu un télex comme quoi Hans von Dohnányi et le pasteur Dietrich Bonhoeffer avaient

---

1. Également appelé Charlie and His Orchestra, orchestre de jazz engagé par Joseph Goebbels pour des émissions à destination de la Grande-Bretagne. Les arrangements étaient de Lutz Templin, le chef d'orchestre, sur des paroles du ministère de la Propagande.

été finalement arrêtés par la Gestapo et étaient actuellement détenus à la Prinz-Albrechtsstrasse.

« S'ils le torturent, il se pourrait que Hans leur parle de la bombe Cointreau, de moi, du général von Tresckow et du reste, dit-il, mal à l'aise.

— Oui, ça se pourrait, répondis-je. En fait, c'est même très probable. Peu d'hommes sont capables de résister à un interrogatoire de la Gestapo.

— Pensez-vous qu'on soit en train de les torturer ? demanda-t-il.

— Connaissant la Gestapo ? » Je haussai les épaules. « Tout dépend.

— De quoi ?

— S'ils ont des amis puissants. Une chose que vous devez comprendre, c'est que ces types de la Gestapo sont des lâches. Ils ne se risqueraient pas à infliger un tel traitement à quelqu'un de particulièrement bien introduit. Pas avant d'avoir lu la partition aussi minutieusement que vous l'avez fait dans la salle de concert. » Je secouai la tête. « Je ne connais pas très bien le pasteur...

— Sa sœur Christel est mariée à Hans. Sa mère est la comtesse Klara von Hase. Laquelle est la petite-fille de Karl von Hase, qui était le pasteur du Kaiser Guillaume II.

— Je ne voulais pas parler de ce genre de relations, dis-je poliment. Votre ami Hans von Dohnányi est-il proche de l'amiral Canaris ?

— Suffisamment proche pour que cela puisse leur causer du tort à tous les deux. Canaris figure depuis déjà un certain temps sur une liste d'ennemis dressée par le SD ; de même que le patron de Hans, le général Oster.

— Rien d'étonnant. Le RSHA n'a jamais aimé partager la responsabilité de la collecte de renseignements et de la sécurité. Bon, et le ministère de la Justice ? Dohnányi y a travaillé, n'est-ce pas ?

— Oui. Il a été conseiller spécial du ministre Gürtner, de 1934 à 1938, et a ainsi rencontré Hitler, Goebbels, Goering et Himmler, toute l'équipe infernale.

— Voilà qui devrait certainement faciliter les choses. On ne torture pas quelqu'un qui connaissait le Führer de vue à moins d'être absolument sûr de ce qu'on fait. Peut-être que ce Gürtner pourrait être également utile.

— J'ai bien peur que non. Il est mort il y a deux ans. Mais Hans connaît très bien Erwin Bumke. C'est un haut magistrat, mais je suis persuadé qu'il essaiera d'aider Hans s'il le peut. »

Je haussai les épaules.

« Alors il n'est pas complètement dépourvu d'amis. Ce qui devrait sûrement dissuader la Gestapo. En outre, Dohnányi est un aristocrate ; il fait partie de l'armée et l'armée s'occupe des siens. Il y a de fortes chances pour qu'elle exige un tribunal militaire.

— Oui, c'est vrai, dit Gersdorff avec une expression de soulagement palpable sur son visage avenant. De hauts dirigeants de la Wehrmacht ne manqueront pas d'intercéder en sa faveur, quoique discrètement. L'oncle du général von Tresckow, le maréchal von Bock, par exemple. Et le maréchal von Kluge, bien sûr.

— Non. Je ne compterais pas sur Hans le malin si j'étais vous.

— Absurde, répliqua Gersdorff. Günther a beau être un peu prussien dans son sens du devoir et de l'honneur, je suis fermement convaincu que c'est un honnête homme. Voilà maintenant plus d'un an que Henning von Tresckow est son chef des opérations et... »

Je secouai la tête.

« Allons prendre l'air. »

Une fois dehors, nous remontâmes la Grosse Kronstädter Strasse jusqu'aux murailles du Kremlin de Smolensk. Se détachant sur un ciel pourpre rempli d'étoiles, la forteresse avait l'air en pain d'épices, comme l'espèce de maison comestible que je mangeais chaque Noël dans mon enfance. Là, dans le silence froid, je grattai une allumette contre la brique, et nous allumâmes des cigarettes tandis que je me mettais à lui raconter ce que m'avait dit Martin Quidde.

« Je n'arrive pas à le croire, protesta Gersdorff. Pas un homme tel que Günther von Kluge. Il est issu d'une famille extrêmement distinguée. »

Je ris.

« Vous pensez vraiment que ça fait une différence ? Le vieux code aristocratique ?

— Bien sûr. Forcément. Oui, je vois que vous trouvez ça très drôle, mais c'est avec ces valeurs que j'ai vécu toute ma vie. Et je suis fermement convaincu que c'est la seule chose qui sauvera l'Allemagne du désastre absolu. »

Je haussai les épaules.

« Peut-être. Mais j'ai quand même raison en ce qui concerne Kluge. Vous ne pouvez pas vous fier à lui.

— Non, vous avez tort. Il connaît mon père. Ils viennent de la même partie de la Prusse-Occidentale. Lublin et Posen ne sont pas très éloignées l'une de l'autre. Votre caporal doit se tromper.

— Il ne se trompe pas. Pas du tout.

— Vous en êtes sûr ?

— Tout à fait sûr. Je ne l'ai pas entendu personnellement, mais, d'après lui, il existe ici à Smolensk un enregistrement de la conversation de Hitler avec Kluge. À Krasny Bor.

— Seigneur, où est-il ?

— En sécurité. »

Je sortis la bande de la poche de mon manteau et la lui donnai.

Gersdorff la regarda pendant un moment d'un air ébahi, puis secoua la tête. Finalement, il dit :

« Ma foi, si c'est vrai, cela expliquerait beaucoup de choses. Pourquoi Günther a changé d'avis à la dernière minute s'agissant de tirer tous ensemble sur Hitler. Tout s'éclaire à présent. Ses atermoiements. Ses objections tatillonnes. Il est exact que Henning ne lui a toujours pas pardonné son attitude. Mais ça, c'est autre chose. De parfaitement méprisable.

— Je suis bien d'accord avec vous.

— Le salaud. Quand je pense que Henning a mis son veto à l'idée d'une bombe à Krasny Bor pour épargner la vie de Günther. On aurait pu coincer Hitler là sans l'ombre d'un doute. Voyez-vous, c'est toujours le même problème : arriver à le faire sortir de son quartier général, où il est bien protégé. Je doute fort que nous ayons de nouveau l'occasion de le tenir seul comme ça. Bon Dieu !

— C'est regrettable, en effet.

— Ce caporal, dit Gersdorff. Il est digne de confiance ?

— Maintenant, oui.

— Comment pouvez-vous en être sûr ?

— Il est mort. Je l'ai tué. Ce crétin menaçait de montrer l'enregistrement à toutes sortes de gens. Vous pouvez imaginer comment ça aurait fini. Du moins, je suppose. Dans le cas contraire, vous n'avez sans doute pas l'esprit aussi conspirateur qu'il faudrait, selon moi. Ni aussi impitoyable.

— Vous l'avez assassiné ?

— Si vous préférez ce mot. Oui, je l'ai assassiné. Je n'avais pas d'autre solution.

— Froidement.

— Et cela venant de l'homme qui s'apprêtait à faire sauter Hitler un dimanche.

— Oui, mais Hitler est un monstre. Ce type que vous avez tué était un simple caporal.

— Si j'ai bonne mémoire, Hitler était caporal également. Et votre bombe Cointreau ? Ce n'est pas uniquement Hitler qui aurait été tué, mais son pilote et son photographe, et peut-être son foutu chien par-dessus le marché, qui sait ? »

Je souris, savourant presque sa gêne pudibonde, avant d'esquisser une éventuelle chaîne de causes à effets dans laquelle un maréchal von Kluge compromis était interrogé par la Gestapo et, littéralement pris de panique, balançait tout ce qu'il savait sur les complots pour tuer le Führer ourdis au sein de l'armée. Comme justification téléologique, ça n'aurait peut-être pas beaucoup plu à Platon ni à Kant, mais ce fut suffisant pour prévenir tout ergotage de la part de mon très sourcilleux ami.

« Oui, je vois comment cela aurait pu se terminer, dit Gersdorff. Cependant, supposons que quelqu'un s'intéresse à la mort de cet homme ? Que se passera-t-il ?

— Supposons que vous me laissiez m'occuper de ça. »

Nous retournâmes ensuite à sa voiture et regagnâmes Krasny Bor. La route nous fit passer devant la forêt de Katyn, désormais illuminée et étroitement gardée pour empêcher le pillage, même si les sentinelles ne semblaient pas avoir découragé la population locale ni les soldats allemands ayant quartier libre : durant la journée, le bois recevait la visite d'une foule de badauds venus regarder les exhumations derrière un cordon de sécurité, Kluge ayant refusé de leur interdire l'accès au site.

« Comment se passent les fouilles ? demanda Gersdorff.

— Pas très bien. Beaucoup d'hommes déterrés jusqu'ici sont en fait des Polonais germanophones. Des officiers *Volksdeutsche* de l'ouest de l'Oder, ce qui est votre coin, n'est-ce pas ?

— Des Polonais silésiens, dites-vous ?

— Exact. Comme vous l'auriez peut-être été si votre famille avait fait fortune un peu plus à l'Est. Je crains que ce ne soit pas très bien interprété par la délégation polonaise lorsqu'elle arrivera ici après-demain. Ça risque de lui donner l'impression que nous ne nous soucions d'eux que parce que ce sont des *Volksdeutsche*. Et que nous n'en aurions strictement rien à fiche s'ils étaient polonais à cent pour cent.

— Oui, cela pourrait être embarrassant.

— Et ça n'a certainement pas arrangé les choses que quelqu'un à Berlin révèle que ces hommes sont les mêmes que ceux qui avaient été mis par les Soviétiques dans deux camps : Starobielsk et Kozelsk. Au nombre de douze mille. Or je suis pratiquement sûr à présent que, à quelques centaines près, il n'y a que quatre mille hommes enterrés dans la forêt de Katyn. Nous n'en avons pas déniché un seul qui avait séjourné à Starobielsk. »

Gersdorff secoua la tête.

« Oui, le professeur Buhtz m'a parlé de ça.

— Cet homme est plein de bonnes nouvelles. Il n'a pas encore réussi à trouver un seul officier polonais abattu avec une arme russe.

— Il y a d'autres mauvaises nouvelles, malheureusement. J'ai eu un télex de la Tirpitzufer à Berlin. L'Abwehr m'a prévenu que nous aurions probablement un visiteur dans la forêt de Katyn demain, lequel, je dois dire, n'est guère distingué. Loin de là.

— Ah ! Qui est-ce ?

— Vous n'allez pas aimer ça du tout.

— Vous savez quoi, colonel ? Je commence à avoir l'habitude. »

7

Jeudi 8 avril 1943

À la fin de l'été 1941, j'avais eu vent d'une rumeur courant à l'Alex selon laquelle des atrocités avaient été commises par un bataillon de police à un endroit appelé Babi Yar, près de Kiev. Mais il ne s'agissait que d'une rumeur qui, à l'époque, fut aisément écartée parce que, même alors, être un policier était censé signifier que vous n'étiez pas un criminel. C'est curieux comme ces choses-là peuvent changer rapidement. Au printemps 1943, j'avais suffisamment l'expérience des nazis pour savoir qu'avec eux, pire était une rumeur, plus il y avait de chance qu'elle soit vraie. Du reste, j'avais déjà eu un aperçu de ce qui s'était passé à Minsk, et c'était assez effroyable – le souvenir de ce dont j'avais été témoin continuait à me hanter –, mais jamais personne à Berlin ne prenait une voix basse et horrifiée pour parler de Minsk comme il le faisait pour évoquer Babi Yar. Tout ce que je savais avec certitude, c'est que trente-cinq mille Juifs, hommes, femmes et enfants, avaient été massacrés dans un ravin au cours d'un week-end de septembre, et que l'officier commandant l'opération, le colonel Paul Blobel, se trouvait maintenant à côté de moi dans la forêt de Katyn.

Blobel devait avoir une cinquantaine d'années, même s'il faisait beaucoup plus vieux. Les ombres sous ses yeux étaient remplies d'une obscurité bien plus profonde que la peau. Il était chauve, avec une bouche mince et étroite, et un nez effilé. Sans doute était-ce le fruit de mon imagination, mais il y avait quelque chose de maléfique chez lui, et je n'aurais nullement été surpris si les doigts et les ongles des mains qu'il gardait fermement derrière son dos avaient été aussi longs que la tige de ses bottes. Il portait un manteau noir du SD boutonné jusqu'au col comme un conducteur de bus en hiver, mais il ressemblait bien plutôt à un revenant sorti de la fosse même près de laquelle nous nous tenions.

« Vous devez être le capitaine Gunther », me dit-il avec un accent qui était peut-être de Berlin et qui me rappela que, parmi toutes les choses qu'un homme peut prendre au petit déjeuner, quelques-unes sortent d'une bouteille à col long.

Je hochai la tête.

« Voici une lettre d'introduction, continua-t-il, plein de gravité, d'une voix zézayante, en me montrant une lettre élégamment tapée à la machine. Je vous prierai d'accorder une attention particulière à la signature en bas de la page. »

Je jetai un coup d'œil au contenu, qui s'intitulait « Opération 1005 » et qui demandait que « toute la coopération nécessaire soit fournie au porteur dans l'exécution de ses ordres ultrasecrets ». Je notai également la signature ; il était difficile de ne pas la regarder plusieurs fois, pour être sûr, sans parler de replier la lettre avec d'infinies précautions avant de la rendre, prudemment, comme si le papier était imprégné de soufre et risquait de s'enflammer à tout instant. Elle était signée par le chef de la Gestapo en personne, Heinrich Müller.

« Comme si j'étais assis à l'avant de la classe, répondis-je.

— Le Gruppenführer Müller m'a confié une tâche très délicate, expliqua-t-il.

— Eh bien, voilà qui change un peu.

— Oui. » Il eut un faible sourire. « N'est-ce pas ? »

Je n'avais assurément pas envie de passer du temps en compagnie d'un individu de cet acabit. Il aurait été facile de lui dire de prendre la poudre d'escampette ; après tout, la présence de Blobel, vêtu de son uniforme de colonel du SD de surcroît, était contraire à tout ce sur quoi je m'étais mis d'accord avec le ministre du Reich Goebbels. Mais, comme je voulais que ce type déguerpisse le plus vite possible de la forêt de Katyn, j'étais résolu à répondre à ses questions et à coopérer à sa mission – dans la mesure de mes possibilités. La dernière chose que je désirais, c'est que Blobel cause des problèmes au siège de la Gestapo et nous attire les foudres de Müller sous prétexte que nous lui avions mis des bâtons dans les roues, moi ou quelqu'un d'autre, et, pire que tout, qu'il soit encore là le lendemain lorsque la délégation polonaise arriverait à Smolensk.

Il sembla se détendre un peu après ma piètre plaisanterie et tira de sa poche une flasque en métal ondulé presque aussi grande qu'une boîte de masque à gaz. Il dévissa le bouchon et me tendit la flasque. En tant qu'inspecteur de police judiciaire, je m'étais fait une règle de ne jamais boire avec mes clients, mais voilà déjà un bout de temps que je n'arrivais plus à garder le cap. Par ailleurs, c'était de l'excellent schnaps, et une bonne lampée contribua à atténuer les effets qu'avait sur mon moral la compagnie que je fréquentais, sans parler du boulot consistant à exhumer quatre mille victimes de meurtre. L'odeur de décomposition humaine était continuellement présente, et je ne restais jamais très longtemps près de la fosse principale sans allumer une cigarette ou me couvrir le nez et la bouche avec un mouchoir imbibé d'eau de Cologne.

« En quoi puis-je vous être utile, colonel ?

— Je peux parler franchement ? »

Je jetai un regard à la scène devant nous : des dizaines de prisonniers de guerre russes étaient occupés à creuser dans ce qui avait reçu le nom de « Fosse numéro un » – une tranchée en forme de L mesurant vingt-huit mètres de long sur seize mètres de large. Deux cent cinquante cadavres environ étaient couchés dans la rangée du haut, mais on estimait que près d'un millier de cadavres supplémentaires gisaient juste au-dessous. Maintenant que le terrain avait dégelé, creuser était devenu relativement facile ; le plus délicat était de retirer les corps en entier, et il fallait prendre beaucoup de précautions pour transférer un cadavre de la fosse sur une civière, le soulever nécessitant pas moins de quatre hommes.

« Je ne pense pas que ça va beaucoup les déranger, répondis-je.

— Non, peut-être pas. Eh bien, comme vous le savez probablement, il y a environ dix-huit mois, dans le cadre de l'opération Barbarossa, un certain nombre d'actions de police ont eu lieu un peu partout en Ukraine et dans l'ouest de la Russie. Des milliers de Juifs autochtones ont été... disons, déplacés de façon permanente.

— Pourquoi ne pas dire "exécutés" ? » Je haussai les épaules. « C'est bien ce que vous entendez par là, n'est-ce pas ?

— Très bien. Disons qu'ils ont été exécutés. Quel que soit le terme utilisé, cela ne fait aucune différence pour moi, capitaine. En dépit de ce que vous avez peut-être entendu raconter, je n'ai rien à voir avec ce genre de chose. Plus importante aujourd'hui est la question de savoir ce que nous faisons.

— On pourrait penser qu'il est un peu tard pour les regrets, non ?

— Vous vous trompez à mon sujet. » Blobel avala une nouvelle rasade de schnaps à sa flasque. « Je ne suis pas ici pour justifier ce qui s'est passé. Personnellement, j'ai été incapable de participer à ces actions abominables pour des raisons humanitaires évidentes, et il m'a fallu quitter le front et rentrer chez moi. Ce qui m'a valu de sévères critiques de la part du général Heydrich, qui m'a traité de poule mouillée et m'a accusé d'être juste bon à fabriquer de la porcelaine. Ce sont ses propres mots.

— Heydrich a toujours eu le sens de la formule.

— Il s'est montré très désagréable à mon égard. Et ça après tout ce que j'ai fait pour la SS. »

J'hésitai à m'en prendre de nouveau à lui. Était-il possible que j'aie mal jugé Paul Blobel ? Qu'il ne soit pas tout à fait le sinistre criminel de guerre que décrivait la rumeur ? Que nous ayons éventuellement quelque chose en commun, lui et moi ? À entendre le récit du traitement que lui avait infligé Heydrich l'année précédente, il était difficile de ne pas penser que j'avais eu, en comparaison, quelque chose comme une vie de rêve. Ou n'était-ce qu'un menteur éhonté ? On ne pouvait jamais savoir avec mes collègues du RSHA.

« Mon rôle opérationnel ici est simplement de santé publique, continua-t-il. Je ne parle pas du genre de métaphore dont on nous rebat les oreilles dans ces stupides films de propagande – vous savez, ceux qui assimilent les Juifs à de la vermine... Non, je parle de véritables questions de santé environnementale. Vous comprenez, bon nombre des fosses communes qui sont restées après ces actions spéciales de police pourraient créer de sérieux problèmes d'hygiène sur des terres dont on espère qu'elles finiront par être cultivées par des émigrants allemands. Certaines de ces tombes sont devenues un danger tangible pour l'environnement, susceptible de provoquer une catastrophe écologique dans les régions voisines. Ce que je veux dire, c'est que les fuites provenant des corps se sont infiltrées dans la nappe phréatique et mettent à présent en péril les puits locaux et l'eau potable. En conséquence, le général Müller m'a chargé d'exhumer une partie de ces corps dans le but de s'en débarrasser plus efficacement. Et la raison de ma présence ici est de voir si nous ne pouvons pas apprendre quelque chose des Soviétiques quant à la manière de faire disparaître de grandes quantités de cadavres. »

J'allumai une cigarette. Ce n'était pas seulement l'odeur des exhumations que la fumée de tabac aidait à supporter, mais aussi les mouches ; elles devenaient déjà épouvantables, et on n'était qu'en avril. À en croire Diakov, le pire mois pour les mouches à Smolensk était mai. Buhtz avait renoncé à nous empêcher de fumer sur le site. Personne n'avait compté avec l'obstination de ces insectes, et fumer était à peu près la seule chose qui les tenait à distance. Presque tous les prisonniers de guerre russes travaillaient dans la fosse numéro un avec une cigarette à la bouche en permanence, ce qui, pour certains, était un paiement suffisant pour la tâche déplaisante qu'on exigeait d'eux.

« C'est comme vous pouvez le constater, dis-je. Jusqu'à présent, toutes les victimes ont été abattues exactement de la même façon. Et je dis bien, exactement : un coup de feu tiré à quelques centimètres seulement, soit de très près, et dans la même protubérance à la base du crâne. Presque toutes les blessures de sortie se situent entre le nez et la ligne des cheveux. Indubitablement, les agents du NKVD responsables de cette action spéciale n'en étaient pas à leur coup d'essai. En effet, ils l'avaient déjà effectuée tellement de fois qu'ils étaient capables de prévoir où et quand les corps tomberaient dans la fosse. En fait, on peut affirmer avec une quasi-certitude que nul n'avait le droit de juste tomber dedans comme un chien mort. Il y a peut-être douze couches de cadavres dans cette fosse commune. La tête des cadavres de chaque rangée semble reposer sur les pieds de ceux qui se trouvent en dessous, et il n'y a rien là qui n'ait été pensé et planifié. Lorsque tous les hommes étaient morts, ou du moins avaient été abattus, des tonnes de sable étaient poussées sur eux, ce qui permettait de comprimer les corps en une sorte de gros gâteau momifié. Apparemment, le NKVD a même perfectionné le processus de décomposition. Les fluides s'échappant des corps semblent avoir formé une sorte de joint étanche autour du gâteau. Enfin, des bouleaux ont été replantés au sommet de la fosse. C'est vraiment très méthodique, et notre plus grand problème en ce qui concerne l'exhumation a été l'eau de surface, de la neige fondue, qui a inondé les tombes, raison pour laquelle ça sent maintenant si mauvais. Il y a quelques semaines, on pouvait être ici et remarquer le parfum d'une jeune fille à trente mètres de distance. À présent, comme vous pouvez certainement en juger par vous-même, ça pue horriblement. »

Blobel acquiesça, mais l'odeur ne semblait pas le gêner le moins du monde.

« Oui, ça a l'air extrêmement bien organisé, admit-il. J'ai été architecte et j'ai vu des travaux de fondation moins bien faits que cette fosse commune. Absolument étonnant. On se demande comment une chose aussi ingénieuse a pu être découverte. » Il marqua un temps d'arrêt. « En fait, comment l'a-t-on découverte ?

— Il semblerait qu'un loup affamé ait déterré un fémur, répondis-je.

— Vous y croyez vraiment ? »

Je haussai les épaules.

« Il ne m'était pas venu à l'idée de croire quoi que ce soit d'autre. En outre, ces bois sont infestés de loups.

— Vous en avez vu un ?

— Non, mais j'en ai entendu. Pourquoi ? Vous avez une autre théorie, colonel ?

— Oui. Des pillards. Des Popov des environs à la recherche d'objets précieux. Une montre ou une alliance, voire une dent en or. D'après mon expérience, ces Slaves voleraient n'importe quoi, même s'il leur faut déterrer quelques cadavres pour y parvenir. J'ai déjà vu ça, à Kiev. Mais ce n'est pas nouveau, bien sûr. Les gens pillent les tombes depuis l'époque des pharaons.

— Eh bien, ici, ils auraient perdu leur temps. Nous n'avons rien trouvé en guise de trésor funéraire pour la vie future sur ces pauvres bougres. Je dirais que le NKVD les a délestés de tout ce qui pouvait avoir de la valeur.

— Une pratique courante avec les communistes, pas vrai ? La redistribution des richesses. »

Blobel sourit de sa petite plaisanterie. Qui était meilleure que la mienne, mais je n'étais pas vraiment d'humeur à rigoler, pas avec l'estomac en capilotade.

« Dites-moi, capitaine Gunther, allez-vous brûler ces cadavres ?

— Non, répondis-je. Les aspects politiques de la situation sont très délicats et semblent écarter cette possibilité. C'est ce qui m'a été dit par le ministère. Nous avons donc décidé de laisser les Polonais régler la question eux-mêmes. Ils devraient être ici demain. Il semble plus que probable qu'il faudra les réinhumer. Pour le moment, en tout cas.

— Tous ? »

Je haussai les épaules.

« Ce n'est pas à moi de me prononcer, Dieu merci. Je ne suis qu'un simple policier.

— J'ai déjà entendu ça. » Blobel sourit. « Du reste, ajouta-t-il, les brûler n'est pas si facile non plus. Surtout quand les cadavres sont humides. Croyez-moi, j'en sais quelque chose. Et, bien évidemment, c'est un tel gaspillage d'essence et de bois de chauffage précieux. Sans compter que, une fois que vous les avez brûlés et réduits à presque rien, il y a encore la cendre à éliminer. Il faut la camoufler aussi. Et, de surcroît, il y a si peu de temps pour faire les choses convenablement.

— Ah ! Pourquoi ça ?

— Les Russes vont arriver, bien sûr. Dans moins de six mois, toute cette zone aura été envahie. Et vous pouvez parier votre dernier mark que, si vous ne brûlez pas ces foutus cadavres jusqu'à ce qu'il ne subsiste qu'une fine couche de scories, les Russes feront tout leur possible pour prouver que c'est nous qui les avons exécutés.

— Là-dessus, vous avez raison. » Je crachai ; c'était ça ou vomir. L'odeur commençait vraiment à m'incommoder, ainsi que la conversation. « Vous en avez vu suffisamment ? lui demandai-je.

— Oui, je pense. Vous avez été d'une grande aide.

— Voilà qui est réconfortant. »

Blobel sourit de nouveau.

« Eh bien, je ne peux pas rester ici à bavarder, j'ai un avion à prendre.

— Vous repartez déjà ? »

Il hocha la tête.

« Hélas.

— Vous voulez que je vous dépose à l'aéroport ? »

Je tenais à être débarrassé de lui avant l'arrivée de la délégation polonaise.

« C'est très aimable à vous. »

— Pas de problème. Où allez-vous ensuite ?

— Kiev. Et ensuite Riga. Puis retour à Kulmhof. Ou Chelmno, comme l'appellent les habitants.

— Qu'y a-t-il à Kulmhof ?

— Rien de bien, répondit Blobel. Un tableau de Titien qui aurait très mal tourné. »

Et je le crus. Beaucoup plus tard, j'en vins à la conclusion que c'était la seule chose vraie qu'il ait dite de toute la matinée.

8

Jeudi 15 avril 1943

La Croix-Rouge polonaise avait débarqué dans la forêt de Katyn la veille, toute l'équipe de foot des onze représentants, dont le Dr Marian Wodzinski, un expert en médecine légale au visage de marbre, originaire de Cracovie, et trois assistants de laboratoire. En Allemagne, Marian a tendance à être un prénom masculin, aussi, lorsque le lieutenant Sloventzik apprit que le Dr Marian Kramsta arrivait le lendemain de Breslau pour aider le professeur Buhtz, il supposa tout naturellement que le Dr Kramsta était aussi ingrat à regarder que le Dr Wodzinski et me demanda si ça ne me dérangerait pas d'aller le chercher à l'aéroport. Ça me dérangeait d'autant moins qu'en examinant de plus près la liste des passagers, je m'aperçus que le Dr Kramsta était une Marianne. Et ça ne me dérangea pas du tout lorsque je vis ses escarpins en cuir verni ornés de nœuds en gros-grain descendre la passerelle de l'avion de Berlin. Ses jambes n'étaient pas moins élégantes que ses chaussures, et l'effet général, qui me sembla particulièrement gracieux, n'était gâché que par l'espèce d'idiot maladroit l'accueillant sur le tarmac, lequel réussit momentanément à laisser son admiration l'emporter sur ses bonnes manières.

« Ce sont des jambes, dit-elle. Une paire assortie, la dernière fois que j'ai regardé.

— Vous dites ça comme si je leur accordais trop d'attention.

— Parce que ce n'est pas le cas ?

301

— Jamais de la vie. Quand je vois une jolie paire de jambes, bien sûr, il faut que j'y jette un coup d'œil. Darwin appelle ça la sélection naturelle. Vous en avez peut-être entendu parler. »

Elle sourit.

« J'aurais dû écouter le pilote et les mettre en sûreté dans un étui à carabine où elles ne peuvent causer aucun mal.

— Me faire descendre pour une bonne cause ne me déplairait certainement pas, répliquai-je.

— On peut arranger ça. Mais, pour l'instant, je le prends comme un compliment.

— Je vous en prie. Cela fait un moment que je n'en avais pas fait un avec autant d'empressement. »

Je récupérai ses valises en haut de la passerelle et les portai à la voiture, mais de justesse – elles étaient lourdes.

« S'il y a d'autres chaussures à l'intérieur, je préfère vous avertir : le maréchal ne prévoit pas de bals du régiment.

— Il s'agit essentiellement de matériel scientifique, expliqua-t-elle. Et je suis désolée que ce soit si pénible à porter.

— Vraiment, ça ne me dérange pas du tout. Je pourrais passer toute la journée à aller chercher des choses pour vous et à les porter.

— Je m'en souviendrai.

— Vous savez, le professeur Buhtz ne m'a pas dit qu'il attendait une femme à Smolensk.

— Je crache un peu trop de jus de tabac pour qu'il pense à moi sous cet angle. Mais j'imagine qu'il vous a dit qu'il attendait un médecin. Curieusement, il est possible d'être les deux à la fois, même en Allemagne.

— Ça me rappelle que je devrais y retourner un jour.

— Vous êtes ici depuis longtemps ?

— Je ne sais pas. Hindenburg est toujours président ?

— Non, il est mort. Il y a neuf ans.

— Je suppose que ça répond à votre question. »

Je finis de charger ses valises à l'arrière de la Tatra, et elle m'offrit une cigarette d'une petite boîte de Caruso.

« Ça fait un moment que je n'en avais pas vu, dis-je, et elle me l'alluma.

302

— Un ami de Breslau m'approvisionne en cigarettes de bonne qualité. Mais pendant encore combien de temps, je l'ignore.

— Un ami épatant que vous avez là » J'indiquai les valises d'un signe de tête. « Il y a tout ?

— Oui. Et merci. Maintenant, tout ce qu'il vous reste à faire, c'est de m'aider à les déposer à l'endroit où nous allons, quel qu'il soit. Je prie simplement pour qu'il y ait une baignoire.

— Oh ! il y en a une. Il y a même de l'eau chaude pour mettre dedans. Je pourrais vous frotter le dos si vous voulez.

— Je vois que la voiture est livrée avec une pelle, fit-elle remarquer. Est-ce pour assommer le conducteur si jamais il lui vient des idées lubriques ?

— Bien sûr. Vous pouvez aussi vous en servir pour m'enterrer. Sous une forme ou sous une autre, ça se fait beaucoup dans cette partie du monde.

— C'est ce que j'ai entendu dire.

— Je ne sais pas si ça compte comme une idée lubrique, mais, si j'avais su que c'est vous qui veniez, j'aurais pris quelque chose de plus confortable.

— Vous voulez dire avec des fenêtres ? Et un siège à la place d'une selle ?

— Dites-moi si vous désirez que je baisse la capote.

— Est-ce que cela changerait quelque chose ?

— Probablement pas. »

Le Dr Kramsta ramena d'une main une étole en fourrure noire autour de son cou et serra de l'autre les revers de son manteau assorti. Sous un petit chapeau cloche brodé de perles noires, ses cheveux étaient roux, mais pas autant que sa bouche, qui était pleine comme un bol de cerises mûres. Sa poitrine n'était pas moins généreuse et, pour une raison ou une autre, cela me rappela les deux églises de chaque côté de Gendarmenmarkt, la cathédrale française et la cathédrale allemande, avec leurs dômes en parfaite adéquation. Plissant les yeux, je lui jetai un regard en biais, mais j'eus beau recommencer je ne sais combien de fois, m'efforçant de l'enlaidir, elle paraissait toujours aussi belle. Elle le savait, bien sûr, et alors que cela aurait été un défaut chez la plupart des femmes, elle savait que je savais qu'elle savait, et c'était très bien comme ça.

Quand elle fut installée au mieux, je démarrai la voiture et me mis en route.

« Vous connaissez mon nom, dit-elle. Mais je ne connais pas le vôtre, apparemment.

— Je m'appelle Bernhard Gunther, et voilà près de trois semaines que je n'ai pas parlé à quelqu'un avec qui j'avais envie de le faire. C'est-à-dire, jusqu'à ce que vous sortiez de cet avion. À présent, j'ai l'impression d'avoir attendu que vous vous manifestiez ou que le monde finisse. Il y a quelque temps, lequel des deux n'avait guère d'importance en réalité, mais, maintenant que vous êtes ici, j'ai cette soif soudaine et inexpliquée de tenir le coup un peu plus longtemps. Peut-être même assez longtemps pour vous faire rire, si ça n'a pas l'air trop présomptueux.

— Me faire rire ? Dans mon travail, ce n'est pas chose facile, Herr Gunther. La plupart des hommes abandonnent dès qu'ils flairent ma marque de parfum habituelle.

— Et qu'est-ce que ça peut bien être, docteur ? Juste au cas où je passerais devant une succursale de Wertheim[1].

— Formaldéhyde n° 1.

— Mon préféré. » Je haussai les épaules. « Non, vraiment. J'ai été flic des homicides au Praesidium de la police sur l'Alexander-platz à Berlin.

— Ce qui explique votre goût étrange en matière de parfum. Eh bien, que faites-vous dans la forêt de Katyn ? D'après ce que j'ai entendu dire, ce n'est pas précisément un mystère. Tout le monde en Europe sait qui est l'assassin.

— Pour le moment, je marche sur une corde raide entre le Bureau des crimes de guerre et le ministère de l'Éducation du peuple. En outre, je travaille sans filet.

— Un sacré numéro, semble-t-il.

— Vous pouvez le dire. Je suis censé veiller à ce que tout se déroule sans problème ici. Comme une vraie enquête de police. Ce qui n'est pas le cas, bien évidemment. Mais c'est ça, la Russie. Un

---

1. Célèbre grand magasin de Berlin.

homme ayant peur de l'échec ne devrait jamais venir dans ce pays. Encore une chance qu'ils aient essayé de faire marcher le bolchevisme en Russie, sans quoi nous serions vraiment dans le pétrin.

— Voilà un point de vue intéressant.

— J'ai des tas de points de vue intéressants sur toutes sortes de sujets. Vous faites quelque chose de particulier ce soir ?

— J'espérais pouvoir dîner. Je meurs de faim.

— Le dîner est à sept heures trente. Et il y a un excellent chef cuisinier. De Berlin.

— Ensuite, vous pourriez peut-être me montrer la cathédrale.

— Ce serait avec plaisir.

— Les cathédrales ont toujours plus belle allure la nuit. Surtout en Russie.

— On dirait que vous êtes déjà venue en Russie, docteur Kramsta.

— Mon père était diplomate. Enfant, j'ai vécu dans beaucoup d'endroits intéressants : Madrid, Varsovie et Moscou.

— Et lequel avez-vous préféré ?

— Madrid. Sans la guerre civile, il est probable que j'y vivrais encore.

— J'aurais pensé que les opportunités ne manquaient pas pour un bon médecin après une guerre civile.

— Il faudra plus qu'une boîte de Traumaplast pour remettre ce pays sur pied, Herr Gunther. De plus, qui a dit que j'étais un bon médecin ? Les contacts avec les patients m'ont toujours fait défaut, c'est le moins qu'on puisse dire. Je n'ai jamais été bonne dans ce domaine. Je n'ai pas suffisamment de patience pour tous leurs malaises, leurs douleurs et leurs maladies imaginaires. Je préfère de beaucoup travailler avec les morts. Les morts ne se plaignent jamais de votre manque de compassion, ni que vous ne leur donniez pas le médicament adéquat.

— Alors vous devriez vous sentir comme un poisson dans l'eau à Smolensk. On estime qu'il y a au moins quatre mille cadavres enterrés dans la forêt de Katyn.

— Oui, j'ai entendu l'annonce à Radio Berlin, mardi soir. À part qu'ils avaient l'air de dire qu'il s'agissait de douze mille. »

Je souris.

« Vous savez comment est Radio Berlin avec les faits et les chiffres. »

Au QG de Krasny Bor, je conduisis le Dr Kramsta à ses quartiers, portai les bagages à l'intérieur et lui griffonnai une carte du complexe.

« Ma cabane se trouve de ce côté, au cas où vous auriez besoin de quelque chose. Je vais maintenant sur le site. Le professeur Buhtz y est presque toujours en ce moment. Mais, si vous voulez, je peux attendre un quart d'heure et vous viendrez avec moi. Sinon, je vous verrai au dîner.

— Non, je vais vous accompagner. J'ai hâte de m'y mettre. »

Lorsque je revins, elle avait mis un pantalon blanc, un turban blanc, un manteau blanc et des bottes noires ; elle ressemblait au Maure du chocolat Sarotti, mais, sur elle, c'était d'enfer : j'ai toujours eu un faible pour les femmes en manteau blanc. Je repris la direction de la forêt et garai la Tatra. Sans attendre, elle sortit un mouchoir, l'aspergea de parfum Carat et le pressa contre son nez et sa bouche.

« Cela fait vraiment un moment que vous êtes là ?

— Je suis désolé pour Hindenburg.

— Gnezdovo, dit-elle comme nous grimpions la côte en direction du bord de la fosse numéro un. Cela signifie la colline de la chèvre, n'est-ce pas ?

— Oui, mais vous ne verrez pas beaucoup de chèvres par ici. Il y a des loups dans ces bois. Et avant que vous ne posiez la question, je ne parle pas de moi. Des vrais.

— Vous dites ça pour me faire peur.

— Croyez-moi, docteur, il y a beaucoup de choses plus effrayantes que quelques loups dans les parages. »

Presque en haut de la côte, nous arrivâmes en vue de la remise en bois récemment construite. Plusieurs dizaines de cadavres étaient exposées, et, avec l'aide du lieutenant Sloventzik faisant office d'interprète, Buhtz parlait à un groupe de civils maigres, au visage lugubre, appartenant à la Croix-Rouge polonaise.

Voss s'approcha dès qu'il m'aperçut. Je le présentai au Dr Kramsta, qui s'excusa rapidement et alla rejoindre le professeur Buhtz.

« Est-ce la nouvelle pathologiste attendue par Buhtz ?

— Mmm.

306

— Alors je crois que je viens de décider de léguer mon corps à la science.

— Bon, mais ne cassez pas votre pipe tout de suite. J'ai besoin de vous ici à Smolensk.

— Peut-être bien, répondit-il. Je pense tenir une piste au sujet de la mort de ces téléphonistes. »

Réprimant mon appréhension, je hochai la tête.

« Je vous écoute.

— C'est assez délicat, capitaine. »

Je serrai le poing derrière mon dos. Non pas que je me préparais à le frapper. J'essayais de me cuirasser contre ce qui allait suivre.

Mais Voss avait une tout autre explication à ce qui était arrivé à Ribe et à Greiss.

« La nuit dernière, mes hommes ont agrafé un chauffeur de l'armée en route pour Krasny Bor avec une fille russe cachée à l'arrière du camion. Nommée Tania. Au début, il a prétendu s'être arrêté pour la prendre en stop, mais la fille était bien roulée et sur son trente et un : jolie robe, chaussures classe, bas de soie, et elle parlait un peu l'allemand par-dessus le marché. Ce qui n'est pas fréquent pour une souris popov. De plus, quand nous l'avons fouillée, nous avons trouvé un flacon de Mystikum dans son sac à main. Un parfum très cher, capitaine, même en Allemagne.

— Oui, je commence à saisir. Vous voulez dire qu'il s'agissait d'une putain.

— Une demie, en tout cas. Elle avait un boulot dans la journée. Toujours est-il que nous l'avons interrogée et, tout d'abord, nous avons eu droit au mur du Kremlin, mais, comme on menaçait de la livrer à la Gestapo, elle s'est mise à parler. Et quand il a su ce que Tania nous avait raconté, le chauffeur nous a balancé le reste de l'organisation. Il s'appelle Reuth, Viktor Reuth. Il semble que certains des gars travaillant au standard avaient monté un réseau de prostitution. Pour les officiers. La plupart du temps, tout ce que vous aviez à faire, c'est de glisser un mot à Ribe ou à Quidde, qui appelaient l'hôtel Glinka, où le portier – l'énergumène en manteau de cosaque – se rendait à une maison située à deux pas, dans l'Olga-strasse, et ordonnait à une des filles d'aller au grand magasin de la Kaufstrasse, où on la faisait entrer en catimini par la porte de derrière. Mais, cette fois-ci, on avait dit à Tania d'attendre devant la maison qu'un chauffeur de la 3ᵉ division d'infanterie motorisée vienne la prendre pour la conduire directement ici. »

Je hochai la tête. Le grand magasin Goum, dans la Kaufstrasse, servait de cantonnement à la plupart des officiers allemands de Smolensk. Krasny Bor était réservé à l'état-major général.

« Les filles de l'Olgastrasse étaient un cran au-dessus des putes du Glinka. Elles étaient choisies parce c'étaient des amateurs et qu'elles avaient l'air aryen, avec de jolis vêtements et de bonnes manières. Les vêtements étaient fournis, semble-t-il, par les membres du réseau, ou par des officiers allemands. Tania – celle que nous avons ramassée la nuit dernière – travaillait comme infirmière à l'Académie médicale d'État de Smolensk. Et voici le plus intéressant, capitaine. Le portier du Glinka, il se trouve que son nom est Roudakov. Tout comme le type dont vous avez déclaré qu'il avait disparu de l'hôpital, celui qui pourrait être un suspect dans la mort du Dr Batov et de sa fille. J'ai effectué quelques vérifications. Apparemment, Oleg Roudakov a un frère qui faisait partie du NKVD. Du moins, d'après quelques-unes des filles qui vivent dans la maison de l'Olgastrasse.

— Je vois. Et où est-il maintenant ?

— C'est bien ça le problème, capitaine. Il s'est volatilisé lui aussi. Lorsque nous sommes allés à son domicile de la Glasbergstrasse, le placard était vide et tous ses vêtements avaient disparu.

— Ce serait peut-être le moment de me dire à quel officier était destinée Tania.

— Le capitaine Hammerschmidt, de la Gestapo. Tous les mercredis soir, il est de permanence au bureau de la Gestapo à Krasny Bor.

— La Gestapo. Eh bien, voilà qui explique un certain nombre de choses. »

Je pensais aux récriminations de Lutz, se plaignant que Hammerschmidt avait refusé d'enquêter sur ses allégations à propos de la déloyauté de Ribe ; mais ce n'est pas ce que je dis à Voss.

« Ça explique pourquoi il n'a pas fait venir Tania au siège de la Gestapo à Gnezdovo. Commettre un acte illicite sous les yeux de la Wehrmacht est une chose ; le faire sous les yeux de vos propres collègues de la Gestapo en est une autre.

— Il n'est pas possible de poser une question pareille, n'est-ce pas ? demanda Voss. Pas à un chef de la Gestapo locale.

— Apparemment, vous êtes en train d'apprendre comment devenir un flic dans l'Allemagne moderne. Mieux vaut ne jamais poser de question à moins de connaître déjà la réponse. À qui d'autre avez-vous parlé de ça ? Dans nos propres rangs, je veux dire.

— Jusqu'ici, il n'y a que moi, un secrétaire adjoint de la Feldgendarmerie et vous à être au courant. Et Viktor Reuth, bien sûr.

— Et le téléphoniste qui a appelé le Glinka pour réclamer une fille hier. Qui était-ce, au fait ?

— La fille et le chauffeur affirment tous les deux qu'il s'agissait d'un arrangement de longue date entre Hammerschmidt et Tania. Chaque mercredi soir. Il n'y a pas eu d'appel du standard du 537ᵉ au Glinka la nuit dernière parce que ce n'était pas nécessaire. »

Je me dis que je pourrais toujours essayer de vérifier ça auprès de Lutz, ma nouvelle source de la Gestapo au sein de la salle des transmissions.

Voss secoua la tête.

« Écoutez, capitaine. Je ne tiens pas à me bagarrer avec la Gestapo à cause de cette histoire. À vrai dire, je n'ai pas envie qu'on examine mes antécédents de plus près. Il y a une ou deux choses, de petites choses, que je n'aimerais pas qu'on sache. Rien de grave, notez bien. Ce n'est pas comme si j'avais un parent juif ou quoi que ce soit de la sorte, simplement…

— Ne craignez rien. J'ai le même problème. Comme tout le monde, je pense. C'est là-dessus qu'ils tablent. Ce genre de peur. La faiblesse humaine normale fait de nous tous des lâches. »

Voss opina.

« Merci. Alors que fait-on maintenant ?

— Je ne sais pas. Vraiment pas. En réalité, je crois que j'en sais déjà beaucoup trop. Et je préférerais que ce ne soit pas le cas. Je pensais avoir un assez bon mobile pour expliquer que Ribe et Greiss aient été assassinés.

— Ah ! Vous ne me l'aviez pas dit. Et lequel, si je peux vous poser la question ? »

Je secouai la tête.

« Croyez-moi sur parole, lieutenant, il s'agit d'une chose que vous n'aimeriez pas non plus qu'on sache. Quoi qu'il en soit, j'ai maintenant l'impression qu'il existe un autre mobile, non moins valable bien que très différent, qui aurait pu les faire tuer. Ils étaient dans le racket du vice. Avec n'importe quel racket, les choses peuvent facilement tourner mal : quelqu'un a peut-être estimé avoir été lésé dans l'affaire. L'argent est la meilleure raison du monde d'éprouver du ressentiment et de commettre un meurtre. Lorsque Ribe et Greiss ont été découverts égorgés près de l'hôtel Glinka, peut-être avaient-ils reçu du portier l'argent que celui-ci avait prélevé aux filles. Ce qui constituait un autre motif de les tuer, bien évidemment. Si quelqu'un a vu le portier leur remettre de grosses poignées de billets, cela aurait pu leur valoir aussi de se faire couper la gorge.

« Et puis il y a la filière Roudakov. Le Dr Batov s'apprêtait à me remettre des preuves matérielles de ce qui s'est passé à Katyn. Sauf que quelqu'un l'a torturé et assassiné pour l'en empêcher. Son patient, le lieutenant Roudakov, était un des membres du NKVD responsables de ce massacre. Mais maintenant il a disparu. De même que l'homme qui pourrait être son frère et qui était portier et maquereau au Glinka.

— Je viens de penser à une chose, capitaine, dit Voss. Ces deux sous-officiers de la Panzergrenadier qui ont été pendus pour le viol et le meurtre des deux femmes russes.

— Eh bien ?

— Ils étaient de la 3e division, expliqua Voss. Laquelle a absorbé la 386e division motorisée, qui avait plus ou moins cessé d'exister après Stalingrad.

— De sorte qu'ils servaient peut-être aussi de chauffeurs dans le racket organisé par les gars des transmissions. Tout comme Viktor Reuth. Histoire de se faire de petits à-côtés. Et ils avaient un meilleur prétexte d'être sur la route que les signaleurs.

— C'est peut-être ça que votre caporal Hermichen voulait négocier pour avoir la vie sauve, dit Voss. Qu'ils faisaient partie du même racket que les deux types qui se sont fait égorger.

— Oui, ça se pourrait. Ça se pourrait bien. »

J'allumai une cigarette et laissai la fumée douceâtre exorciser de mes narines la détestable odeur de mort flottant dans l'air. Contrairement au Dr Kramsta, je n'avais pas de Carat pour asperger mon mouchoir. Je n'avais même pas de mouchoir.

« J'aimerais parler à cette Tania. Afin de savoir combien d'autres filles habitant la maison de l'Olgastrasse étaient infirmières et avaient un emploi de jour à l'Académie médicale d'État de Smolensk. Où est-elle à présent ?

— En train de ronger son frein à la prison de la Gefängnisstrasse. Et probablement de faire du charme aux gardiens pour qu'ils la laissent sortir. C'est qu'elle est très jolie, notre Tania. Et très séduisante.

— Blonde, dites-vous ?

— Blonde avec des yeux bleus et une peau de miel. Comme une pin-up en première page de *New People*.

— Elle me plaît déjà. Néanmoins, il m'arrive de penser que les jolies femmes dans cette partie du monde sont comme les trams, lieutenant.

— Que voulez-vous dire, capitaine ?

— Vous n'en voyez pas un seul pendant des semaines, puis vous en croisez deux dans la même journée. »

Il n'y avait pas de pavillon pour les femmes à la prison de la Gefängnisstrasse, mais quelques-unes des cellules de détention provisoire – qui abritaient plusieurs détenus à la fois – leur étaient réservées, ce qui était toujours mieux que rien, je suppose. Les gardiens faisaient tous partie de l'armée ou de la Feldgendarmerie, et s'ils montraient un certain respect aux prisonnières dont ils avaient la charge, c'était uniquement en comparaison avec leurs prisonniers de sexe masculin. Grâce aux nombreuses femmes soldats se battant dans l'armée Rouge, il était généralement admis parmi les Allemands que les femmes russes étaient potentiellement aussi mortelles que les hommes russes. Sinon plus. Dans l'hebdomadaire de la Wehrmacht, on pouvait souvent lire des histoires de filles servant d'appât et partant avec un Fritz sans méfiance qui finissait par perdre bien plus que sa virginité.

Ils amenèrent Tania dans la même pièce déprimante que celle où j'avais interrogé le malheureux caporal Hermichen. Dès qu'elle entra, je compris que je l'avais déjà vue, mais, étant donné la sévérité des uniformes d'infirmières russes, elle paraissait alors très différente de ce dont elle avait l'air maintenant. Voss n'avait pas exagéré : ses cheveux avaient la couleur de la montre de poche de mon père et ses yeux étaient aussi bleus qu'une lune de la mi-été. Tania était le genre de blonde qui aurait pu arrêter toute une division blindée rien qu'en exhibant ses sous-vêtements.

« Pourquoi suis-je encore ici ? demanda-t-elle à Voss avec impatience.

— Cet homme veut vous poser quelques questions, voilà tout », répondit Voss.

Je hochai la tête.

« Si vous répondez franchement, nous vous laisserons probablement partir, Tania, lui dis-je avec douceur. Aujourd'hui, ça ne m'étonnerait pas. Je ne pense pas que vous ayez fait grand-chose de mal dans cette affaire. Pas plus que quiconque, maintenant que je vous ai vue. »

Elle hocha la tête.

« Merci.

— En réalité, ce n'est pas à vous que nous nous intéressons, mais aux Allemands avec qui vous avez travaillé. Et à Oleg Roudakov, le portier du Glinka.

— Il s'est enfui, déclara-t-elle. D'après ce que j'ai entendu dire par les autres filles.

— Les filles de la maison de l'Olgastrasse ?

— Oui.

— Est-ce que certaines d'entre elles sont aussi infirmières ? lui demandai-je. À l'Académie médicale d'État de Smolensk ?

— Oui. Plusieurs. Du moins les plus jolies, qui parlent un peu l'allemand.

— Et qui ont besoin d'argent, hein ?

— Tout le monde a besoin d'argent.

— Pourquoi Oleg Roudakov s'est-il enfui ? À cause de ce qui vous est arrivé ?

— Non. À mon avis, il s'est enfui à cause ce qui est arrivé au Dr Batov. »

Son allemand s'améliorait au fil de l'interrogatoire. On ne pouvait pas en dire autant de mon russe. Je possédais quelques guides de conversation avec lesquels je continuais à m'exercer, mais sans grand succès.

« Le Dr Batov était-il impliqué dans votre réseau de prostitution ?

— Pas directement. Il nous aidait à rester en bonne santé. Vous comprenez ?

— Oui. Avez-vous une idée de qui aurait pu le tuer ? »

Tania secoua la tête.

« Non. Personne ne sait. C'est pour ça que les gens ont peur. Et qu'Oleg s'est enfui, je pense.

— Saviez-vous qu'Oleg Roudakov avait un frère qui était hospitalisé à l'Académie médicale de Smolensk ?

— Tout le monde sait ça à Smolensk. Les frères Roudakov étaient tous les deux de Smolensk. Oleg donnait de l'argent à l'hôpital, au Dr Batov, pour s'occuper de son frère, Arkadi.

— Parlez-moi d'Arkadi. Était-il aussi grièvement blessé que le disait Batov ? Ou peut-être qu'il le croyait ?

— Vous voulez dire, est-ce qu'Arkadi faisait semblant ? » Elle haussa les épaules. « Je ne sais pas. C'est possible. Arkadi a toujours été très futé. À en croire les gens. Je ne le connaissais pas avant sa blessure, quand il était au NKVD, mais, pour être lieutenant dans le NKVD, il faut être futé. Assez futé pour ne plus jamais avoir à faire ce que lui et d'autres ont été forcés de faire dans la forêt de Katyn. Assez futé pour inventer un moyen qui ne signifie pas qu'il sera exécuté lui aussi.

— Alors vous savez ça également ? Ce qui s'est passé dans la forêt de Katyn ?

— Tout le monde à Smolensk est au courant de cette horreur. Tout le monde. Ceux qui prétendent le contraire sont des menteurs. Ils mentent parce qu'ils ont peur. Ou parce qu'ils détestent les Allemands encore plus que le NKVD. Je ne peux pas dire pourquoi parce que je n'en sais rien, mais ils mentent. Mentir est la meilleure façon de rester en vie dans cette ville. Il y a trois ans, quand cette chose a eu lieu, oui, c'était au printemps 1940, la milice a fermé la route de Vitebsk, mais elle n'a pas arrêté le train. Il paraît que, près de Gnezdovo, les gens qui se trouvaient dans le train ont entendu des coups de feu venant de la forêt de Katyn, du moins, jusqu'à ce le NKVD vienne dans les wagons s'assurer que toutes les fenêtres étaient fermées.

— Vous en êtes sûre ? demandai-je.

— Que tout le monde sait ce qui s'est passé ? Oui, j'en suis sûre. De même que tout le monde sait que deux mille Juifs du ghetto de Vitebsk ont été massacrés par l'armée allemande à Mazourino. Sans parler de tous les Juifs qu'on a retrouvés flottant dans la Zapadnaïa Dvina. On dit que les lamproies pêchées dans la Zap sont plus grosses cette année à cause de tous les cadavres dont elles ont dû se nourrir. »

Voss poussa un grognement, sans doute parce qu'il avait mangé de la tourte de lamproie au dîner la veille à Krasny Bor.

Je souris.

« Merci, Tania. Vous avez été très utile.

— Je peux m'en aller ?

— Nous allons vous raccompagner chez vous si vous voulez.

— Non, je vous remercie, j'irai à pied. Ça va la nuit, quand personne ne vous voit. Mais pas dans la journée. Une fois que vous les Allemands aurez quitté Smolensk, ce ne sera pas facile par ici, je pense. Il vaut mieux que le NKVD ne sache pas que je vais avec des Allemands. »

La Gestapo locale était stationnée dans une maison d'un étage près de la gare de Gnezdovo, de sorte que les agents pouvaient monter à bord du train et surprendre quiconque allait jusqu'à l'arrêt suivant, à savoir la gare de Smolensk. La Gestapo adorait les surprises, et moi aussi, raison pour laquelle je me trouvais là, bien sûr, même si, par égard pour le lieutenant Voss, j'avais décidé de lui épargner l'épreuve de m'accompagner pour parler au capitaine Hammerschmidt, qui allait avoir une grosse surprise, peut-être même la plus grosse surprise de toute sa carrière. Je me garai dans une cour pavée à côté de deux Mercedes 260 camouflées, descendis de voiture et regardai plus longuement le bâtiment devant moi. Les murs criblés d'impacts de balles étaient peints de deux tons contrastés de vert, le plus foncé assorti à la couleur des tuiles du toit, et il y avait des œils-de-bœuf à l'étage ; les fenêtres du rez-de-chaussée étaient toutes munies d'épais barreaux. L'horloge au-dessus de l'arcade de l'entrée était arrêtée sur six heures, ce qui pouvait être pris comme une métaphore, dans la mesure où c'est souvent à cette heure-là de la matinée que la Gestapo préférait venir frapper à votre porte. Dans un bosquet de bouleaux blancs à deux pas de la maison se trouvait un tas de sacs de sable flanqué de poteaux en bois de sinistre augure. Bref, tout avait l'air normal, même si le bâtiment manquait de simplicité à mon goût : une pincée de copeaux de chocolat sur le toit de crème glacée à la menthe aurait à peine paru déplacée. L'endroit était silencieux, ce qui n'avait rien d'inhabituel ; la Gestapo n'a jamais eu de problèmes avec les voisins bruyants. Même les écureuils dans les arbres se tenaient tranquilles. Lentement, une locomotive à vapeur approcha en ahanant, venant de l'est. Fort sagement, elle ne s'arrêta pas dans la gare déserte – s'arrêter dans le voisinage de la Gestapo était rarement une bonne idée. Je ne le savais que trop bien, mais je n'ai jamais été très bon pour écouter les conseils, surtout les miens.

Je pénétrai à l'intérieur, où plusieurs agents en uniforme étaient assis derrière des machines à écrire, s'évertuant à taper avec deux doigts et à faire comme si je n'existais pas. J'allumai donc une cigarette et parcourus calmement les papiers épinglés sur le panneau d'affichage. Parmi eux figurait un avis de recherche concernant le lieutenant Arkadi Roudakov, ce qui me sembla non dénué d'ironie au regard du fait que, d'après l'emblème sur le tableau d'affichage et sur les tiroirs des classeurs – une épée à manche jaune sur un bouclier rouge –, la maison avait dû appartenir au NKVD avant d'appartenir à la Gestapo.

« Puis-je vous aider ? » demanda un des agents d'un ton manifestement peu serviable.

À la pointe d'indignation dans sa voix grincheuse et sur son visage également maussade, il aurait aussi bien pu s'adresser à un écolier impertinent.

« Je cherche le capitaine Hammerschmidt. »

J'allai à la fenêtre et fis mine de regarder dehors, mais l'essentiel de mon attention était focalisé sur la mouche courant le long de la vitre. Il y avait des mouches partout à présent, fruit des activités de la Gestapo et du NKVD.

« Il n'est pas là.

— Quand doit-il revenir ?

— Qui veut le savoir ? demanda le type.

— Moi. »

Je tâchai de l'égaler en arrogance et en mépris, certain de remporter la partie, et même sans problème.

« Et qui êtes-vous ? »

Je lui montrai ma carte d'identité, ce qui était mieux que n'importe quel atout, ou que ma lettre du ministère.

L'agent s'inclina.

« Désolé, capitaine. Il a été rappelé à Berlin ce matin. De manière inopinée.

— A-t-il dit pourquoi ?

— Congé pour raison personnelle, capitaine. Un décès dans sa famille.

— Eh bien, en voilà, une surprise. Enfin, ce n'est nullement une surprise. Pas pour moi, en tout cas.

— Comment ça, capitaine ?

— J'ignorais que les décès revêtaient une telle importance pour la Gestapo. »

Je laissai ma carte sur le coin du bureau de l'agent.

« Demandez-lui de passer me voir au quartier général du groupe d'armées. C'est-à-dire, lorsqu'il aura fini son deuil à Berlin. Dites-lui… dites-lui que je suis un ami de Tania. »

Le Dr Marianne Kramsta eut un effet galvanisant notable sur le mess des officiers de Krasny Bor : c'était comme si quelqu'un avait ouvert une fenêtre sale et laissé entrer le soleil dans cette pièce en bois étouffante. Presque tous les officiers du QG du groupe d'armées semblaient la trouver attirante, ce qui ne m'étonnait guère et elle non plus probablement, car elle ne s'était pas tant changée pour le dîner qu'armée pour la conquête de tous les Allemands de Smolensk. Ce n'était peut-être pas entièrement juste : Marianne Kramsta portait une ravissante robe en crêpe gris avec des manches longues et une ceinture assortie et, même si elle avait l'air superbe, le fait est qu'elle aurait eu l'air superbe dans une bâche de camion. Je regardai non sans un certain amusement un homme lui tirer sa chaise, un autre aller lui chercher un verre de Moselle, un troisième lui allumer sa cigarette et un quatrième lui trouver un cendrier. Dans l'ensemble, on lui faisait beaucoup de courbettes, de claquements de talons et de baisemains, la sienne devant ressembler à la fin de la soirée à une boîte de Petri. Même Kluge semblait sous le charme. Ayant insisté pour que le Dr Kramsta et le professeur Buhtz se joignent à lui et au général von Tresckow à sa table, il ne tarda pas à commander du champagne – il est vrai qu'après avoir encaissé le chèque de Hitler il pouvait se le permettre – et à se conduire comme un jeune sous-officier amoureux dans un roman à l'eau de rose. De manière générale, tout le monde se comportait comme s'il y avait finalement eu un bal des officiers, avec une seule jeune fille, et j'en étais presque arrivé à la conclusion que le séduisant médecin avait complètement oublié notre rendez-vous, lorsque, peu après neuf heures, et sous les yeux écarquillés de chacun, elle se présenta à ma propre et insignifiante table de coin, un manteau de fourrure à la main, et me demanda si j'étais prêt à l'emmener à Smolensk voir la cathédrale de l'Assomption.

Je me levai d'un bond, tel un jeune sous-officier moi-même, écrasai ma cigarette, aidai la jeune femme à enfiler son manteau et l'accompagnai jusqu'à une Mercedes 260 que j'avais empruntée pour la soirée à Gersdorff. J'ouvris la porte de la voiture et la fis monter.

« Oh, elle a le chauffage ? demanda-t-elle lorsque je fus assis à côté d'elle.

— Le chauffage, des sièges, des fenêtres, des essuie-glaces, tout sauf une pelle, répondis-je en prenant le volant.

— Ce n'est pas une blague », s'exclama-t-elle.

Je jetai un coup d'œil sur ma droite pour m'apercevoir qu'elle tenait la crosse d'un Mauser Broomhandle[1] posée sur ses genoux. La crosse fait office d'étui : vous pressez un bouton à l'arrière, et cela fait sortir le pistolet qui y est fixé. Très ingénieux.

---

1. Il fut surnommé « Broomhandle » par les collectionneurs américains à cause de sa crosse en bois ressemblant à un manche à balai.

« Il se trouvait dans le vide-poche de la porte, expliqua-t-elle. Comme une carte routière.

— Le type à qui appartient cette voiture est de l'Abwehr. Il aime bien arriver à destination. Un Mauser Broomhandle fera ça pour vous.

— Un espion. Comme c'est excitant.

— Soyez prudente avec ce machin, dis-je instinctivement. Il est probablement chargé.

— En fait, non, dit-elle en vérifiant la culasse. Mais il y a deux chargeurs dans le vide-poche. Et vraiment, vous n'avez pas à vous inquiéter. Je sais ce que je fais. Je me suis déjà servie d'armes à feu.

— Je vois ça.

— J'ai toujours aimé ce bon vieux canon-boîte. C'est ainsi que mon frère appelait ce pistolet. Il en avait deux.

— Deux pistolets valent toujours mieux qu'un. C'est ma devise.

— Malheureusement, ça n'a pas été très efficace pour lui. Il a été tué pendant la guerre civile espagnole.

— De quel côté ?

— Cela importe à présent ?

— Pas pour lui. »

Elle remit le Mauser à l'intérieur de la crosse, puis dans le vide-poche en cuir de la porte. Après quoi elle ouvrit la boîte à gants.

« Votre copain espion. Il n'aime pas prendre de risques, pas vrai ?

— Hmm ? »

Je lui jetai de nouveau un coup d'œil. Cette fois-ci, elle était en train de sortir une baïonnette de son fourreau dont elle effleura le tranchant avec le pouce.

Je ralentis à la grille, fis un signe de la main aux sentinelles et m'engageai sur la route principale, où je passai le levier de vitesses au point mort, levai le pied de l'embrayage, appuyai sur le frein et examinai la baïonnette de plus près.

« Attention, elle est aussi aiguisée qu'un scalpel. »

C'était une K98 modèle standard comme on pouvait en trouver sur le fusil court à mécanisme à verrou de n'importe quel soldat allemand ; et elle avait raison : le tranchant était mince comme du papier.

« Qu'y a-t-il ? demanda-t-elle. C'est juste une baïonnette.

— Oui, c'est juste une baïonnette, n'est-ce pas ? »

Avec un hochement de tête, je la lui rendis pour qu'elle la remette dans la boîte à gants – après tout, la baïonnette de Gersdorff avait un fourreau. Et je ne voyais pas l'utilité de lui dire qu'une baïonnette avait probablement servi à assassiner quatre personnes à Smolensk, dont une jeune femme qui avait été torturée.

« Je me faisais la réflexion, je suppose, que le propriétaire de cette voiture n'est pas précisément du genre à jouer du couteau. »

À mon avis, il n'était guère du genre à se faire exploser non plus. J'enclenchai une vitesse et continuai mon chemin.

« Mais, bien sûr, on n'est jamais trop prudent le soir dans un pays ennemi.

— À vous entendre, on dirait que je dois rester très près de vous, Gunther.

— Comme une pilule que j'aurais avalée. Mais c'est vous le médecin. Vous devez savoir ce qui est bon pour nous deux.

— Appelez-moi Ines, voulez-vous ? Comme la plupart des gens.

— Ines ? Je croyais que votre prénom était Marianne.

— C'est exact. Mais je ne l'ai jamais tellement aimé. Quand j'étais jeune et que je vivais en Espagne, j'ai décidé que je préférais de beaucoup Ines. Ma mère voulait m'appeler ainsi. C'est mieux, vous ne trouvez pas ?

— En fait, plus j'y réfléchis, plus ça s'améliore. Oui, je trouve qu'il vous va bien. Comme cette fourrure et le Carat que vous portez. »

Pendant tout le chemin jusqu'à Smolensk, je divertis Ines par ma conversation. Son sourire lumineux et son rire facile étaient une sorte de récompense à mes yeux : quand je lui parlais, c'était comme s'il n'y avait personne d'autre au monde.

Nous arrivâmes à la périphérie de la ville. À la barrière sur le pont Pierre-et-Paul, nous montrâmes nos papiers aux Feldgendarmes. Du fait de mes relations avec le lieutenant Voss, ils commençaient à me connaître, mais, en découvrant Ines Kramsta, les jambes croisées, sur le siège avant de la Mercedes, ils eurent un tressaillement.

« Attention, les gars, elle est médecin, et, si vous ne nous laissez pas passer, c'est de l'huile de ricin pour vous deux.

— Je boirais n'importe quoi en ce moment, avoua un des flics.

— Où allez-vous, si je peux me permettre de vous poser la question, capitaine ? demanda l'autre.

— Le toubib veut voir la cathédrale. Saint Luc est le saint patron des médecins.

— Oui, alors vous pourriez peut-être le persuader de veiller sur deux sentinelles de la Feldgendarmerie pendant qu'il y est.

— Nous ferons assurément de notre mieux », répondit Ines.

Il n'y avait pas grand-chose à faire à Smolensk le soir si vous ne vouliez pas goûter aux plaisirs des bordels ou du cinéma local, et la cathédrale de l'Assomption regorgeait de Russes pieux et de quelques soldats allemands presque aussi pieux. Que ces derniers l'étaient également se reconnaissait au fait qu'ils priaient Notre-Dame et saint Luc, mais c'était peut-être parce que notre position dans le sud de la Russie devenait critique – les forces soviétiques s'élançaient maintenant vers l'ouest et menaçaient d'isoler le groupe d'armées A dans le Caucase, de la même manière que la 6ᵉ armée avait été encerclée à Stalingrad. D'une façon ou d'une autre, il y avait amplement de quoi prier si vous étiez allemand. Je suppose que les Russes priaient pour que leur cathédrale soit encore debout quand les Allemands se retireraient de Smolensk. Ils avaient quelque peu matière à prier, eux aussi. Dans tous les cas, Dieu allait devoir choisir un camp et le choisir vite : les communistes mécréants ou les Allemands blasphémateurs. Qui voudrait être Dieu face à un choix pareil ?

À l'intérieur, debout devant l'iconostase, nous restâmes un long moment silencieux, puis le silence céda peu à peu la place à la réflexion. Avec autant d'or tout autour, ce n'est pas ça qui manquait. La cathédrale était belle, je dois l'admettre, et ce n'est pas seulement l'or qui me la faisait apprécier. Elle me rappelait un peu la cathédrale de Berlin dans Unter den Linden, où j'allais à Pâques avec ma mère. Toutes les cathédrales me font cet effet, raison pour laquelle j'ai tendance à les éviter. Je suppose que Freud aurait appelé ça un complexe d'Œdipe, mais, pour ma part, je pense tout simplement que ma mère me manque.

« On raconte que Napoléon aimait tellement cette cathédrale qu'il menaçait de tuer tout soldat français qui volerait quoi que ce soit de l'iconostase, dis-je à voix basse à son oreille.

« — Les dictateurs sont ainsi. Toujours à menacer de tuer quelqu'un.

— Pourquoi les gens veulent-ils être dictateurs, du reste ?

— Pas les gens. Les hommes. Et avez-vous remarqué qu'ils prétendent toujours adorer l'art et l'architecture ?

— Possible, mais je sais que Hitler n'a même pas pris la peine de voir cette cathédrale quand il est venu ici il y a quelques semaines. Du moins, pas de la terre. Peut-être avait-il eu un bon aperçu depuis les airs.

— Alors il est passé à côté d'une expérience merveilleuse.

— Amen. Vous savez, je ne suis jamais sorti avec une fille dans une cathédrale. J'aurais peut-être dû tenter le coup avant. Être ici avec vous me ferait presque croire en Dieu.

— À mon avis, l'encens vous monte à la tête.

— Sans doute avez-vous raison. Je viens d'avoir cette idée mégalomaniaque d'essayer de vous annexer dans le Grand Reich allemand.

— Je crois qu'il est temps que vous me rameniez à Krasny Bor.

— Quoi, et rater le Kremlin au clair de lune ?

— Demain soir. Si vous voulez. En outre, le professeur Buhtz préfère démarrer son travail d'analyse le matin à la première heure.

— L'oiseau qui se lève tôt capture le premier ver, hein ?

— Dans mon domaine, c'est toujours une possibilité. Mais l'inverse est plus probable. Il n'y a pas grand-chose qui échappe aux vers. Croyez-moi, ils peuvent nous en apprendre beaucoup. C'est une de mes spécialités : la dégénérescence des tissus. Depuis combien de temps un corps est mort. Ce genre de chose.

— Vous avez raison. Je ferais mieux de vous raccompagner.

— Eh bien, je pensais que vous aimiez mon parfum, Gunther.

— Formaldéhyde n° 1 ? Oh ! je l'aime énormément. Mais il faut aussi que je prenne un peu de repos. J'emmène une fille voir le Kremlin au clair de lune demain soir. »

Nous nous connaissions à peine et pourtant, sans jamais l'avoir admis par plus qu'un mot ou un effleurement, nous reconnaissions chacun dans les yeux de l'autre quelque chose qui – contre toute attente et au-delà de toute compréhension – donnait l'impression que nous étions appelés à devenir amants. Derrière notre conversation pétillante et la courtoisie d'usage, nous nous comprenions à un niveau invisible, et cela aurait gâché le jeu si l'un de nous avait exprimé à haute voix ce que nous espérions sincèrement qu'il se passerait. Il n'y avait aucun aveu de ce que nous ressentions vraiment, une attraction atavique qui était davantage que de la luxure et pas encore de l'amour non plus. Les mots, même des mots allemands, auraient été insuffisants et certainement trop maladroits pour ce que nous éprouvions. Pas plus que ce non-dit planant dans l'air entre nous ne soulevait la moindre espèce d'objection. Rien ; pas une fois. Il semblait simplement que nous savions tous les deux ce qui allait se passer, parce qu'il devait en être ainsi. Bien sûr, ce genre de truc arrivait souvent pendant la guerre. Malgré tout, cela donnait l'impression de quelque chose sortant de l'ordinaire. Peut-être était-ce l'endroit où nous nous trouvions et ce que nous faisions, comme s'il y avait tant de morts autour de nous que cela aurait été une sorte de blasphème que de ne pas accepter ce que la générosité capricieuse de la vie semblait vouloir nous imposer.

Et lorsque, devant sa porte en bois, nous nous tournâmes l'un vers l'autre dans l'expectative, les arbres de Krasny Bor retinrent leur souffle argenté et les ténèbres fermèrent discrètement leurs yeux noirs afin que rien ne puisse contrarier cet épisode final. Mais, tel un chef d'orchestre s'efforçant de faire observer un long silence à ses musiciens, je me contentai de la tenir dans mes bras et de contempler l'ovale parfait de son visage dans l'attente du moment où je pourrais respirer l'haleine grisante de sa bouche et goûter le paradis délicat de ses lèvres. Puis je l'embrassai. Alors que ma bouche frôlait la sienne, j'entendis un bourdonnement dans mes oreilles et je sentis un bond dans ma poitrine aussi violent que si on avait retiré brusquement le mécanisme amortisseur d'un piano à queue et que toutes les cordes aient résonné en même temps. Mon apothéose était totale.

« Est-ce que vous entrez, Bernhard Gunther ? demanda-t-elle.

— Je pense que oui.

— Vous savez une chose, Bernie ? Avec la chance que vous avez, vous devriez vous mettre à jouer. »

9

Mercredi 28 avril 1943

Je devais reconnaître ça à Goebbels : le ministre avait choisi avec soin son responsable des relations publiques à Katyn. Le lieutenant Gregor Sloventzik n'était même pas membre du parti. En outre, il semblait faire de l'excellent boulot – un vrai petit Edward Bernays[1], ayant parfaitement compris la science du bourrage de crâne. Je n'avais encore jamais rencontré, je pense, un type plus doué pour manipuler les autres – tous, du maréchal à Boris Bazilevski, le maire adjoint de Smolensk.

Officier de l'armée de réserve, il avait travaillé comme journaliste pour la *Wiener Zeitung* avant la guerre, si bien qu'il connaissait les gens du ministère. Le premier secrétaire d'État à la Propagande, Otto Dietrich, et Arthur Seyss-Inquart, le commissaire du Reich dans les Pays-Bas occupés, d'origine autrichienne, étaient tous les deux connus pour être ses amis intimes. Onctueux et de belle prestance, Sloventzik avait une quarantaine d'années, un sourire facile et des manières impeccables. Il était grand, avec des cheveux assez longs et un visage de rapace, et, en raison de son teint mat, il ne répondait en rien à l'idée que l'on se fait d'un nazi. Il portait un

---

1. Né en 1891 à Vienne et mort en 1995 à Boston, il est considéré comme le père de la propagande institutionnelle, dont il mit au point les méthodes en se servant des idées sur la psychologie de Gustave Le Bon et des théories psychanalytiques de Freud, son oncle.

uniforme de lieutenant fait sur mesure comme s'il avait été colonel et, sous son bras droit, il transportait sans arrêt un grand classeur contenant des pages de faits et de chiffres clés relatifs à ce qu'on avait découvert sur les corps enterrés dans la forêt de Katyn. Son efficacité et ses talents diplomatiques n'avaient d'égal que ses dons pour les langues ; mais ses pouvoirs de diplomatie s'écrasèrent au sol lorsque, quelques heures avant l'arrivée des représentants de la commission internationale, la Croix-Rouge polonaise décida que Sloventzik avait gravement insulté la nation polonaise tout entière, en conséquence de quoi elle envisageait de rentrer immédiatement en Pologne.

Le comte Casimir Skarzynski, le secrétaire général de la Croix-Rouge polonaise, avec qui j'avais tissé quelques liens – je n'aurais pas appelé ça de l'amitié à proprement parler –, et l'archidiacre Jasinski vinrent me trouver à ma cabane de Krasny Bor, où ils étaient logés au grand agacement du maréchal von Kluge, pour m'exposer le problème.

« J'ignore qui et ce que vous êtes exactement, Herr Gunther, déclara le comte avec circonspection. Et cela ne m'intéresse pas vraiment. Mais…

— Je vous l'ai déjà dit, monsieur le comte, j'appartiens au Bureau des crimes de guerre de Berlin. Avant la guerre, j'étais un modeste policier. Un inspecteur des homicides. Il y avait alors des lois contre ce genre de chose. Quand des gens en tuaient d'autres, on les mettait en prison. Bien entendu, c'était avant la guerre. Quoi qu'il en soit, jusqu'à votre arrivée, le juge Conrad et moi étions, à l'invitation de la Wehrmacht, chargés de l'enquête à Katyn. »

Il opina.

« Oui. Si vous le dites. »

Je haussai les épaules.

« Pourquoi ne pas m'expliquer comment le lieutenant Sloventzik a insulté votre pays, et je verrai ce que je peux faire pour régler ça ? »

Le comte ôta un chapeau Homburg marron de sa tête et essuya son front haut. Très grand, distingué, il avait les cheveux gris d'un homme dans la soixantaine et était vêtu d'un costume trois pièces en tweed qui paraissait déjà trop chaud pour être confortable. Cela dit, il semblait hier encore que Smolensk était trop froid pour être confortable.

Plus petit d'au moins une tête, l'archidiacre portait un complet noir et une barrette. Il retira ses lunettes et secoua sa figure émaciée.

« Je ne suis pas sûr que cela puisse se régler. Sloventzik s'est montré inflexible, contrairement à son habitude. Sur deux points distincts.

— Voilà qui ne lui ressemble pas du tout, dis-je. Il est si extra-ordinairement raisonnable. »

Le comte poussa un soupir.

« Pas cette fois-ci, murmura-t-il.

— Sloventzik nous a informés à plusieurs reprises que notre rapport devait faire état de douze mille cadavres dans la forêt de Katyn, dit l'archidiacre. C'est le chiffre fourni par le ministère allemand de la Propagande dans ses émissions de radio. Nos propres informations, émanant du gouvernement polonais à Londres, suggèrent un chiffre de moins de la moitié. Mais Sloventzik ne veut pas en démordre et a même laissé entendre que, s'il devait se trouver en désaccord avec les chiffres de notre gouvernement, cela risquait de lui coûter sa tête. Ce qui, je le crains, a amené plusieurs membres de notre groupe à se poser des questions sur leur propre sécurité.

— Voyez-vous, ajouta le comte, un ou deux membres de la Croix-Rouge polonaise ont des amis et des relations qui ont souffert aux mains de la Gestapo, ou même qui ont été décapités dans des prisons allemandes à Varsovie et à Cracovie.

— Je comprends, dis-je. Écoutez, je suis certain de pouvoir arranger cette affaire, messieurs. Je demanderai à Berlin que cette question soit clarifiée dans les vingt-quatre heures. En attendant, je peux vous assurer qu'en ce qui concerne la sécurité de tous les membres de la Croix-Rouge polonaise, il n'y a absolument aucune crainte à avoir. Et je vous présente mes excuses pour les inquiétudes qui ont pu être les vôtres aujourd'hui. J'ajouterai que le lieutenant Sloventzik a travaillé extrêmement dur avant l'arrivée de la commission internationale afin que tout se passe bien. Vous comprenez que son unique souci a été de faire en sorte que ce crime bestial soit traité de façon appropriée. Pour être franc, messieurs, je pense qu'il a travaillé trop dur. Du moins, c'est mon cas.

— Oui, c'est bien possible, admit le comte. Il est tout à fait zélé à bien des égards. Il y a cependant une autre question, et c'est celle des *Volksdeutsche*. Les Polonais nés en Pologne pour qui l'allemand et non le polonais est la langue maternelle. Les Polonais qui, avant la Grande Guerre, étaient des Prussiens de l'Est. Des *Allemands ethniques*.

— Oui, je sais ce que c'est, dis-je patiemment. Mais qu'est-ce que les Allemands ethniques ont à voir avec ça ?

— La plupart des cadavres qui ont été retrouvés jusqu'ici sont ceux d'officiers polonais d'origine allemande, expliqua le comte.

— Écoutez, je suis désolé, messieurs, mais ces officiers sont morts, et je ne pense pas que l'endroit d'où ils viennent ait beaucoup d'importance à présent s'ils ont été massacrés par les Russes.

— Cela importe au contraire, répliqua l'archidiacre avec raideur, parce que Sloventzik a ordonné qu'on sépare les officiers polonais qui se trouvent être des *Volksdeutsche* d'origine et ceux qui ne le sont pas. Le lieutenant propose que les Allemands ethniques de Silésie reçoivent une sépulture distincte. C'est comme si le reste des Polonais devaient être traités comme des citoyens de seconde classe parce que ce sont des Slaves ethniques.

— Les Slaves qui ont été exhumés n'auront pas droit à un cercueil, dit le comte.

— Eh bien, il n'est que lieutenant. Étant son officier supérieur, je peux très facilement annuler cet ordre. Je lui dis de faire quelque chose et il salue en disant : "Oui, m'sieur."

— On pourrait raisonnablement le penser, dit le comte. Surtout dans une armée allemande se targuant d'obéir aux ordres. Toutefois, nous sommes convaincus que Sloventzik a été mis là par le maréchal von Kluge, qui, comme vous le savez, j'en suis sûr, est lui-même un Allemand silésien. De Posen. Et qui ne porte pas dans son cœur les Polonais ethniques comme nous. »

Voilà que ça se compliquait ; ce n'était pas seulement Kluge qui, comme feu Paul von Hindenburg, était un Allemand de Silésie, le colonel von Gersdorff aussi et, à ma connaissance, plusieurs autres officiers supérieurs du groupe d'armées Centre, dont une majorité de fiers aristocrates prussiens qui avaient bien failli devenir polonais à cause du traité de Versailles.

« Je vois ce que vous voulez dire. » Je leur offris à chacun une cigarette. Les cigarettes polonaises étant ce qu'elles sont, ils acceptèrent avec reconnaissance. « Et vous avez parfaitement raison. Le maréchal y est sans doute pour quelque chose. Je doute que son sens de l'honneur et sa fierté se soient remis de la guerre de Sept Ans. Cependant, je peux vous promettre, messieurs, que cette affaire est suivie au plus haut niveau à Berlin. C'est le Dr Goebbels lui-même qui a insisté pour qu'on vous confie la direction de l'enquête ici à Katyn. Il m'a dit que rien ne devait contrecarrer votre rôle déterminant dans cette affaire. Mes propres ordres précisent que les autorités militaires allemandes de Smolensk doivent apporter à la Croix-Rouge polonaise toute l'aide nécessaire. »

Je souris en moi-même et portai ma main à ma bouche comme si je risquais de vomir après avoir avalé des mensonges aussi flagrants – et pas seulement ceux de Goebbels, mais également ceux que je m'étais racontés.

« Il se peut, toutefois, que ces ordres doivent être entendus à nouveau dans certaines sphères. Je peux même les inscrire dans le classeur du lieutenant si vous le souhaitez. Pour être sûr qu'il s'en souvienne.

— Merci, dit l'archidiacre Jasinski. Vous nous avez été très utile. »

De tous les représentants de la Croix-Rouge polonaise, c'était probablement celui qui avait le plus peur des nazis. D'après ce que Freiherr von Gersdorff m'avait raconté, lorsque Jasinski était évêque de Lodz, il avait été placé en résidence surveillée. Le gouverneur du district de Kalisz-Lodz, un certain Friedrich Uebelhoer, l'avait forcé à balayer le parvis de la cathédrale, tandis que son évêque auxiliaire, Mgr Tomczak, avait été envoyé dans un camp de concentration après avoir été roué de coups. Ce genre de chose peut mettre à rude épreuve la foi d'un homme, non seulement dans ses semblables, mais aussi en Dieu. J'avais vu l'archidiacre se signer au bord de la fosse numéro un. Il l'avait fait avec un tel empressement que je m'étais demandé s'il s'était rappelé ce à quoi il avait cru, alors même que la réalité qu'il avait sous les yeux aurait dû lui dire que

Dieu ne se trouvait pas dans la forêt de Katyn, ni nulle part ailleurs, selon toute vraisemblance. Même la cathédrale ressemblait davantage à un musée.

Je souris.

« Ne me remerciez pas encore, monsieur l'archidiacre. Laissez-moi un peu de temps, en l'occurrence. L'histoire m'a appris qu'on pouvait toujours compter sur mes supérieurs pour accumuler les déceptions.

— Une dernière chose, dit le comte.

— Deux, dit l'archidiacre. La Szkola Podchorazych.

— S'il vous plaît. » Je regardai ma montre. « Je crois que j'approche de la limite de mon utilité.

— Le classeur du lieutenant contient d'autres erreurs sur lesquelles nous avons essayé d'attirer son attention, continua le comte. Il affirme que les arbres sur la fosse ont quatre ans, ce qui signifierait qu'ils ont été plantés en 1939, un an avant…

— Je pense que nous avons tous en mémoire ce qui s'est passé en 1939, dis-je.

— Et il prétend que les épaulettes de certaines des victimes sont marquées "JP" alors que c'est en fait "SP", les initiales de l'école polonaise d'élèves officiers.

— Si vous voulez bien me pardonner, monsieur le comte, je dois me rendre à l'aéroport pour m'occuper des sommités médicales de dix pays, sans parler de journalistes et d'autres représentants de la Croix-Rouge.

— Bien sûr, dit le comte.

— Mais rassurez-vous, messieurs, je vous promets de parler aujourd'hui à Berlin de ces deux autres questions dont nous avons discuté. Cela me donnera quelque chose à faire. »

Buhtz, Ines, Sloventzik et moi allâmes en autocar chercher les experts et leurs assistants à l'aéroport. L'autocar me paraissait bizarre. Fourni par le SS, il avait des fenêtres neuves et le plancher sous le tapis était en acier épais ; sous le capot, un moteur Saurer, mais équipé d'un curieux gazogène courant sur des copeaux de bois – on pouvait encore sentir les énormes quantités de monoxyde de carbone qu'il produisait longtemps après que l'engin eut disparu –, parce que, d'après le chauffeur, on manquait d'essence et que toutes nos réserves de carburant étaient maintenant envoyées dans le nord afin d'approvisionner la 9e armée. Ce qui était exact, je le savais, mais cet autocar me faisait tout de même une drôle d'impression.

Ines était tout excitée, me dit-elle, à l'idée que la commission internationale se compose des personnalités les plus distinguées du monde de la médecine légale en dehors de la Grande-Bretagne et des États-Unis, et elle espérait apprendre beaucoup de ces hommes au cours des trois jours qu'ils passeraient à Smolensk. Elle brûlait d'impatience comme une petite fille s'apprêtant à rencontrer ses vedettes de cinéma préférées. Le professeur Naville de Genève et le professeur Cortes de Madrid étaient, déclara-t-elle, les deux plus éminents spécialistes dans son domaine ; les autres venaient de pays aussi divers que la Belgique, la Bulgarie, le Danemark, la Finlande, la Croatie, l'Italie, la Hollande, la Bohême-Moravie, la Roumanie, la Slovaquie, la Hongrie et la France. Ne faisant pas officiellement partie de la commission internationale, Buhtz et Ines présenteraient aux experts les indices qu'ils avaient recueillis sur les neuf cent huit cadavres qu'ils avaient exhumés jusqu'à présent ; mais le rapport primordial de la commission devait être établi sans aucune participation allemande. Jouer le rôle de Monsieur Loyal convenait parfaitement à Buhtz. Il était fatigué. Depuis le début d'avril, il avait analysé plus de viscères qu'un devin étrusque et identifié près de sept cents hommes. Ines, pour sa part, avait effectué plusieurs dizaines d'autopsies, et je me demandais ce qu'elle ferait de mes propres entrailles quand tout serait bel et bien fini.

En vérité, aucun de ces grands experts n'était particulièrement excitant à regarder ; c'étaient pour la plupart des vieillards fumant la pipe, vêtus de manteaux en gabardine, avec des porte-documents cabossés et des chapeaux en feutre tout aussi cabossés. Aucun d'entre eux ne ressemblait, même vaguement, à ce qui était en jeu : beaucoup d'argent et pas mal d'ennuis. Et ce n'était peut-être pas davantage une véritable commission d'enquête internationale qu'un rassemblement de pathologistes. Il s'agissait – si quelqu'un s'était arrêté pour écouter la comédie du silence écrite par les nazis – de l'opération de propagande la plus chère jamais imaginée par le Doktor ; avec un petit coup de main de ma part, bien sûr. J'avais mes raisons pour ça et, si tout se passait bien, j'aurais sans doute accompli quelque chose d'important.

Une fois que l'avion eut atterri et qu'on eut compté les experts sur l'écritoire à pince de Sloventzik, nous apprîmes qu'à la dernière minute le professeur Cortes d'Espagne avait décidé de ne pas venir et que le Dr Agapito Girauta Berruguete, professeur d'anatomie pathologique à l'université de Madrid, avait pris sa place.

Cette nouvelle sembla troubler Ines, qui resta muette durant tout le trajet de retour à Krasny Bor. Je l'interrogeai à ce propos, mais elle sourit d'un petit air triste et répondit que ce n'était rien, d'une façon qui laissait supposer qu'il y avait bien plus qu'elle n'était prête à le dire – comme le font parfois les femmes. C'est ce qui les rend mystérieuses aux yeux des hommes et, à l'occasion, exaspérantes aussi. Mais elles ont leurs secrets, et il ne sert à rien de s'inquiéter comme un chien serrant dans sa gueule un bout de chiffon ; le mieux à faire quand ça se produit, c'est de ne pas insister, tout simplement.

Ayant laissé les experts s'installer à Krasny Bor, je fis un saut jusqu'au château pour envoyer un télex au ministère afin qu'on annule tout ordre local relatif à une sépulture séparée pour les officiers polonais *Volksdeutsche* et qu'on rectifie le nombre de morts dans les émissions officielles. Lutz était le téléphoniste de service. Pendant que j'attendais une réponse de la Wilhelmstrasse, je lui offris une cigarette et lui demandai s'il était au courant du réseau de prostituées qu'avaient monté Ribe et Quidde.

« Je savais qu'ils se livraient à un trafic quelconque, mais j'ignorais qu'il s'agissait de prostituées, répondit-il. Je pensais que c'étaient des surplus de l'armée, ce genre de truc. Des cigarettes, de la saccharine, un peu d'essence.

— Le capitaine Hammerschmidt de la Gestapo était apparemment un client régulier. Ce qui expliquerait qu'il ait été aussi peu enclin à donner suite à votre rapport initial.

— Je vois.

— Il est également possible que ce soit ce qui a conduit à leur assassinat. Quelqu'un a peut-être estimé qu'il n'avait pas eu sa part. » Je secouai la tête. « Des idées ?

— Aucune, répondit Lutz

— Ça ne vous ennuyait pas, par exemple, d'être tenu en dehors du coup ?

— Pas assez pour les tuer, si c'est ce que vous voulez dire.

— C'est ce que je veux dire. »

Lutz haussa les épaules, et il en aurait peut-être raconté davantage si le télégraphe n'était pas entré en action.

« On dirait qu'il s'agit de votre réponse de Berlin, annonça-t-il, tout en se mettant à déchiffrer le message. »

Lorsqu'il eut fini, il se tourna vers la machine à écrire.

« Inutile de le taper, dis-je. Je peux lire vos majuscules. »

Le message était de Goebbels lui-même.

TOP SECRET. INCIDENT DE KATYN FAIT SENSATION. SOVIÉTIQUES ONT ROMPU RELATIONS DIPLOMATIQUES AVEC POLONAIS EN RAISON « ATTITUDE DU GOUVERNEMENT POLONAIS EN EXIL ». REUTERS A PUBLIÉ PREMIER ARTICLE EN CE SENS. OPINION PUBLIQUE AMÉRICAINE ACTUELLEMENT DIVISÉE. JE DIFFÈRE LA NOUVELLE ICI EN ALLEMAGNE POUR LE MOMENT. TOUTEFOIS GOUVERNEMENT BRITANNIQUE REPROCHE AUX POLONAIS DE FAIRE NAÏVEMENT NOTRE JEU. J'ATTENDS NOUVEAUX DÉVELOPPEMENTS POUR VOIR CE QU'IL EST POSSIBLE DE FAIRE DE CES INFORMATIONS. REPRÉSENTE UNE VICTOIRE COMPLÈTE POUR PROPAGANDE ALLEMANDE. RAREMENT AU COURS DE CETTE GUERRE ELLE AVAIT ENREGISTRÉ UN TEL SUCCÈS. FÉLICITATIONS À VOUS ET À TOUS CEUX CONCERNÉS PAR FORÊT DE KATYN. AI DEMANDÉ À KEITEL EN SA QUALITÉ DE CHEF DE L'OKW D'ORDONNER À KLUGE D'ACCÉDER À DEMANDE CROIX-ROUGE POLONAISE TOUCHANT VOLKS-DEUTSCHE. GOEBBELS.

« Très bien, dis-je à Lutz. Maintenant vous pouvez le taper au propre. D'autres personnes doivent le lire, y compris la Croix-Rouge polonaise. »

Lorsque Lutz eut terminé de taper le message, je le pliai et le glissai soigneusement dans une enveloppe. Alors que je quittais le château, je tombai sur Alok Diakov. Selon son habitude, il portait la Mauser Safari, cadeau du maréchal. En me voyant, il enleva respectueusement sa casquette et se fendit d'un grand sourire, comme s'il savait que je savais qu'il était là pour voir Maroussia, la fille de cuisine avec qui il avait une affaire de cœur.

« Capitaine Gunther. Comment allez-vous ? Ça fait plaisir de vous voir.

— Diakov. Je voulais justement vous demander quelque chose. Lors de notre première rencontre, le colonel Ahrens m'a dit qu'on vous avait arraché à un escadron de la mort du NKVD qui s'apprêtait à vous abattre. Est-ce exact ?

— Pas un escadron, capitaine. Un agent du NKVD appelé Mikhaïl Spiridonovitch Krivenko et son chauffeur. Des soldats allemands m'ont découvert menotté à sa voiture après que je l'ai tué. Il m'emmenait à la prison de Smolensk, capitaine. Ou peut-être qu'il comptait m'exécuter. Je l'ai frappé et, ensuite, impossible de dénicher la clé des menottes. Le lieutenant Voss m'a trouvé assis au bord de la route à côté du corps.

— Et le NKVD vous avait arrêté parce que vous étiez professeur d'allemand. C'est bien ça ?

— Oui, capitaine. » Il haussa les épaules. « C'est bien ça. Aujourd'hui, si vous ne travaillez pas pour le NKVD et que vous parlez l'allemand, c'est pratiquement comme si vous faisiez partie de la cinquième colonne. En tout cas, après 1941, lorsque l'Allemagne a attaqué la Russie, ça m'a rendu suspect aux yeux des autorités. Ç'aurait été pareil si j'avais été russo-polonais.

— Oui, je sais. » Je lui donnai une cigarette. « Dites-moi, connaissiez-vous d'autres agents du NKVD à Smolensk ?

— Vous voulez dire, à part Krivenko ? Non, capitaine. » Il secoua la tête. « En général, j'essayais de les éviter le plus possible. Ils sont faciles à reconnaître, capitaine. Le NKVD a un uniforme très caractéristique. Des noms, j'en entends parfois. Comme je viens de vous le dire, je préfère me tenir à l'écart de ces individus. C'est la meilleure chose à faire.

— Quels noms avez-vous entendus ? »

Diakov réfléchit un instant, puis il prit l'air peiné.

« Iejov, capitaine. Iagoda. Ce sont des personnages illustres dans le NKVD ; tout le monde a entendu leurs noms. Et aussi Beria. Lui, bien sûr.

— Je pensais à des agents d'un rang inférieur. »

Diakov secoua la tête.

« Cela fait un bout de temps, capitaine.

— Roudakov. Ça vous dit quelque chose ?

— Tout le monde connaît ce nom à Smolensk, capitaine. Mais de quel Roudakov voulez-vous parler ? Le lieutenant Roudakov était le chef de la section locale du NKVD. Après son accident, son demi-frère Oleg est revenu à Smolensk pour s'occuper de lui. D'où, je n'en sais rien. Mais quand les Allemands ont pris la ville, il a obtenu la place de portier au Glinka pour pouvoir rester et surveiller son frère. Vous savez ce que je pense, capitaine ? Je pense qu'il a découvert que le Dr Batov vous avait parlé de ce qui s'était passé à Katyn. Et qu'il a tué Batov et emmené Arkadi dans un endroit sûr. Pour le protéger. Pour se protéger l'un et l'autre, à mon avis.

— Vous avez peut-être raison. »

Diakov eut un haussement d'épaules.

« Dans la vie, on ne peut pas toujours gagner, capitaine. »

Je souris.

« Je ne suis pas certain de l'avoir jamais appris.

— Y a-t-il autre chose que je puisse faire pour vous, capitaine ? demanda Diakov d'un ton onctueux.

— Non, je ne pense pas.

— Vous savez, capitaine, maintenant que j'y pense, il y a quelqu'un qui sait peut-être des choses sur Oleg Roudakov : Pechkov. Avant de décrocher son emploi de traducteur pour l'adjudant-major à Krasny Bor, il traduisait pour les filles de l'hôtel Glinka. De façon que la patronne puisse dire aux jeunes Allemands combien et pendant combien de temps. »

Les experts de la commission internationale étaient hébergés dans un vaste baraquement de Krasny Bor libéré par des officiers allemands – lesquels allèrent loger pour la plupart dans le grand magasin Goum de Smolensk. Et ce soir-là, en l'absence de la moitié de son état-major, le maréchal von Kluge offrit à ces professeurs chevronnés l'hospitalité de son mess, ce qu'il n'avait pas fait avec les membres de la Croix-Rouge polonaise. Il est vrai que, parmi les nombreux pays représentés au sein de la commission, cinq étaient favorables à l'Allemagne et deux étaient neutres. En outre, le maréchal avait envie

de parler français – ce qu'il faisait très bien – avec le professeur Spee-
lers de Gand et le Dr Costedoat de Paris. Je ne dirais pas que nous
formions une joyeuse assemblée. Non, ce n'est pas ce que j'aurais dit.
D'une part, Ines n'assistait pas au dîner, ce qui, en tout cas pour
moi, était comme souffler une bougie délicieusement parfumée. Et,
après l'histoire de Tania sur la Zapadnaïa Dvina, manger de nouveau
de la tourte de lamproie ne me tentait guère. Mais je n'eus pas
d'autre choix que d'ingurgiter la conversation soporifique du juge
Conrad, qui avait passé le plus clair de son temps à interroger des
témoins russes récalcitrants sur ce qui s'était passé à Katyn, ce qui
était bien la dernière chose dont j'avais envie de parler.

Après un excellent cognac et une cigarette de la propre boîte en
argent du maréchal, j'allai faire une promenade dans le parc de
Krasny Bor. Je n'étais pas allé très loin lorsque le colonel von Gersdorff me rejoignit.

« Belle nuit, dit-il. Je peux me joindre à vous ?

— Je vous en prie. Mais je ne suis pas d'une compagnie très
agréable ce soir.

— Moi non plus. J'ai sauté le dîner. Je ne sais pas pourquoi,
mais manger avec tous ces spécialistes de médecine légale ne me
disait rien. C'était un peu comme l'aquarium du zoo de Berlin là-
dedans. Tous ces poissons froids dans leurs petits espaces précis. J'ai
échangé quelques mots avec l'un d'entre eux cet après-midi : le
professeur Berruguete, d'Espagne. C'était comme parler à une
espèce très désagréable de calmar. Je suis donc sorti me promener
à la place. Et vous voici à présent. »

Malgré tous mes efforts, j'avais du mal à imaginer le colonel
tenant cette baïonnette ; un sabre de duel, peut-être, ou même le
Mauser Broomhandle, mais pas une baïonnette. Il n'avait pas l'air
du genre à couper la gorge à quelqu'un.

« De quoi avez-vous parlé ? demandai-je.

— Avec le professeur ? Il a exprimé des opinions extrêmement
déplaisantes sur les races et sur l'eugénisme. Il semble penser que
les marxistes sont des dégénérés, qui affaibliront notre race allemande si nous les laissons vivre. Bon Dieu, je vous jure que ces
fascistes espagnols donneraient aux nazis l'air de modèles de raison
et de tolérance.

— Et vous, colonel, qu'en pensez-vous ? Des marxistes ?

— Oh ! s'il vous plaît, ne parlons pas de politique, pour l'amour du ciel ! Même si je n'aime pas beaucoup les communistes, je ne les ai jamais considérés comme sous-humains. Malavisés, peut-être. Mais pas dégénérés ni racialement corrompus, comme il le fait. Sapristi, Gunther, pour qui me prenez-vous ?

— Vous n'êtes pas l'imbécile que je croyais, c'est certain. »

Gersdorff éclata de rire.

« Merci beaucoup.

— Au fait, quoi de neuf concernant Dohnányi et Bonhoeffer ?

— Ils sont tous les deux à la prison militaire de Tegel, attendant leur procès. Mais jusqu'ici, nous avons eu beaucoup de chance. Le juge-avocat général désigné pour instruire leur affaire est Karl Sack. Il est très favorable à notre cause.

— Voilà une bonne nouvelle.

— Entre-temps, nous avons écouté votre enregistrement. Le général von Tresckow et moi-même. Et Schlabrendorff.

— Ce n'est pas mon enregistrement, fis-je observer. C'est celui du caporal Quidde. Que les choses soient bien claires, en cas de problème. Je n'ai pas de juge-avocat général parmi mes amis.

— Oui. D'accord. Je comprends. Toujours est-il qu'il confirme assurément ce que vous avez dit à propos de Kluge. Vous savez, je ne l'ai pas cru quand vous m'avez mis au courant, mais il m'était difficile d'ignorer la preuve que constitue un tel enregistrement. Dans tous les cas, cela jette un éclairage entièrement nouveau sur notre conspiration à Smolensk. Il est évident que ceux que nous pensions dignes de confiance ne le sont pas. Henning – je veux dire, Tresckow – est très affecté et en colère contre le maréchal. Ce sont de vieux amis, après tout. En même temps, il semble maintenant que Kluge ne soit pas le premier junker que Hitler ait soudoyé. Il y en a eu d'autres, y compris, j'en ai bien peur, Paul von Hindenburg. Il est même possible qu'en 1933, Hitler ait accepté d'abandonner l'enquête du Reichstag sur l'« aide à l'Est » et le détournement des subventions parlementaires par des propriétaires terriens en échange de la bénédiction du président pour qu'il devienne chancelier. »

Je hochai la tête. Ce n'était que ce que beaucoup comme moi avaient toujours soupçonné : un accord passé en coulisse avec les aristocrates ruinés de Prusse-Orientale qui avait permis aux nazis de prendre le contrôle du gouvernement allemand.

« Alors il semble normal que ce soit à votre classe sociale de se débarrasser de Hitler, puisque c'est vous en premier lieu qui nous l'avez imposé.

— Touché, fit Gersdorff. Mais, écoutez, vous ne pouvez pas dire que nous n'avons pas essayé.

— Personne ne peut dire que vous, vous n'avez pas essayé, admis-je. Pour les autres, je m'interroge. »

D'un air penaud, Gersdorff regarda sa montre.

« Je ferais bien de m'en aller. Le général von Tresckow doit se joindre à moi pour boire un verre dans un moment. » Il jeta sa cigarette d'une chiquenaude. « Au fait, vous avez appris la nouvelle ? Les Soviétiques ont rompu leurs relations avec les Polonais à Londres. J'ai reçu un télégramme de l'Abwehr ce matin. Il semblerait que le plan du petit Doktor fonctionne.

— Oui. Je regrette presque de lui en avoir donné l'idée.

— Vous lui en avez donné l'idée ?

— Je pense. Encore que, le connaissant, il croit probablement qu'elle est entièrement de lui.

— Pourquoi avoir fait ça ?

— Vous avez vos plans pour renverser tout ça et moi les miens. Peut-être mes plans demandent-ils moins de courage que les vôtres, colonel. En fait, j'en suis même certain. J'aspire à être en vie quand ma bombe explosera. Pas une vraie bombe, vous comprenez. Mais il y aura une sorte d'explosion et, je l'espère, des répercussions graves.

— Voulez-vous me les dire ?

— La confiance ne vient pas facilement à un Fritz avec mon passé, colonel. Peut-être que si j'avais un arbre généalogique encadré sur le mur de mon manoir en Prusse-Orientale, je pourrais vous les communiquer. Mais je ne suis qu'un enfant ordinaire de Mitte[1]. Le seul arbre généalogique dont je me souvienne est un tilleul plutôt minable dans la cour sombre que ma mère qualifiait de jardin.

---

1. Quartier populaire situé dans le centre historique de Berlin.

D'ailleurs, je pense qu'il vaut mieux pour vous ne pas savoir ce que je fais. Je ne suis pas encore sûr à cent pour cent d'avoir pris la bonne décision, mais, quand je serai passé à l'acte – ou pas –, je tiens à n'être responsable que devant ma propre conscience et celle de personne d'autre.

— Maintenant, je suis vraiment intrigué. J'ignorais que vous aviez un esprit aussi indépendant, Gunther. Et aussi débrouillard. Bien sûr, il y a la manière plutôt intrépide avec laquelle vous avez tué le caporal Quidde d'une balle dans la tête dans le parc Glinka. Oui, il ne faut pas oublier ce qui est arrivé là-bas.

— Ça ne fait certainement pas de moi un esprit indépendant, colonel. Pas depuis l'opération Barbarossa. Ces jours-ci, tout le monde tire dans la tête de quelqu'un. Il était nécessaire de mettre le crâne du caporal en perce, et je me suis simplement trouvé au bon endroit au bon moment. À cet égard, j'ai toujours eu de la chance. Non, c'est mon goût de l'aventure qui m'a convaincu de prendre le chemin qui est le mien. Ça et un désir irrésistible de causer des problèmes à ceux qui les ont créés.

— Et quand bien même. Que se passera-t-il ? Si je vous disais que ce que vous avez en tête risque également de me causer des problèmes, à moi et à mes amis ? Tout comme vous pensiez que le caporal Quidde risquait de vous en causer ?

— Êtes-vous en train de me menacer, colonel ?

— Pas du tout, Gunther. Vous m'avez mal compris. J'essaie seulement de dire qu'il y a un moment où il faut avoir le bras ferme quand on vise quelque chose. Ou quelqu'un. Quelqu'un comme Hitler, par exemple. Et que cela aide de ne pas faire tanguer le bateau pendant ce temps-là.

— C'est tout à fait juste. Et je m'en rappellerai certainement la prochaine fois que vous le viserez. » Je fis la grimace. « Quelle qu'en soit la date. »

Àprès le départ de Gersdorff, je marchai seul un moment et fumai une nouvelle cigarette dans l'obscurité envahissante. J'étais tenté d'aller frapper à la porte d'Ines, mais je ne tenais pas à lui donner l'impression que je ne pouvais pas passer toute une soirée sans elle. Et j'étais sur le point de reconnaître que je ne pouvais pas passer toute une soirée sans elle quand j'entendis deux coups de feu au loin ; il y eut un bref intervalle, puis un gros éclat détaché d'un bouleau effleura ma tête en filant dans les airs et, une fraction de seconde plus tard, j'entendis un troisième coup de feu. Je me jetai à terre et éteignis ma cigarette. Quelqu'un essayait de me tuer. Voilà un moment que je ne m'étais pas fait canarder, ce qui ne rendait pas l'expérience moins personnelle et désagréable pour autant.

Je gardai la tête baissée pendant quelques minutes, puis lançai des coups d'œil nerveux autour de moi. Tout ce que je pouvais voir, c'étaient des arbres et encore des arbres. Ma propre cabane et le mess des officiers se trouvaient de l'autre côté de la station thermale ; la porte d'entrée d'Ines, à deux ou trois cents mètres de distance, mais, sans savoir d'où venaient les coups de feu, il était inutile que je prenne mes jambes à mon cou. J'aurais aussi bien pu courir vers le tireur que dans le sens contraire.

Une autre minute s'écoula, puis encore une autre. Deux pigeons ramiers se posèrent sur une branche au-dessus de moi, et le vent se mit à souffler par rafales avant de s'arrêter complètement. Les battements de mon cœur mis à part, tout était maintenant silencieux. Ignorant la douleur aiguë dans mes côtes – j'étais tombé sur la racine d'une souche d'arbre abattu –, j'essayai une nouvelle fois d'évaluer d'où venaient les coups de feu, mais sans succès, et, décidant que la prudence était mère de sûreté, je me précipitai vers la souche, tâchant de me blottir au maximum dessous. Puis je tirai mon pistolet, actionnai discrètement la culasse et attendis qu'il se passe quelque chose. Quatre années interminables dans les tranchées m'avaient appris la sagesse de rester à sa place sans rien faire quand on est sous le feu, jusqu'à ce qu'on puisse distinguer une cible. Je demeurai donc totalement immobile, osant à peine respirer, les yeux levés vers la cime des arbres et le ciel du soir, me répétant qu'un des gardes de Krasny Bor avait sûrement entendu les coups de feu et me demandant qui avait envie de me descendre au point de faire en sorte que cela se produise le plus tôt possible. Je pouvais penser à un certain nombre de personnes, mais la plupart se trouvaient à Berlin, et, peu à peu, au lieu de m'interroger sur l'identité de mon assaillant, j'en vins à remettre en question le bien-fondé du plan que je n'avais pas voulu révéler à Gersdorff.

À la vérité, on pouvait à peine appeler ça un plan. Conçu dans le bureau du ministre de l'Éducation du peuple et de la Propagande, il n'avait rien d'héroïque, à coup sûr, et ne soutenait pas la comparaison avec la bravoure de l'attentat de Gersdorff contre Hitler. En un sens, ce n'était qu'une tentative pour rétablir la valeur de la vérité dans un monde qui l'avait altérée ; car, à l'instant même où j'avais évoqué auprès de Goebbels l'idée d'inviter des journalistes étrangers à Katyn, je m'étais dit que la meilleure chose à faire avec le rapport du renseignement militaire que j'avais trouvé dans la botte gelée du capitaine Max Schottlander, c'était de le donner aux journalistes. Si je ne pouvais pas détruire les nazis, je pouvais peut-être les mettre sévèrement dans l'embarras.

Huit correspondants étaient arrivés de Berlin. Bien sûr, c'étaient en majorité des laquais des nazis, venus d'Espagne, de Norvège, de France, de Hollande, de Belgique, de Hongrie et de Serbie, et il était peu probable qu'ils publient un texte prouvant sans l'ombre d'un doute le caractère criminel de l'actuel gouvernement allemand ; mais les correspondants des pays neutres – Jaederlund du *Stockholms Tidningen* et Schnetzer du journal suisse *Der Bund* – avaient l'air de s'intéresser encore à la vérité ; une vérité qui dévoilait le mensonge le plus énorme de toute la Seconde Guerre mondiale : *comment elle avait commencé.*

Tout le monde en Europe avait entendu parler de l'incident de Gleiwitz. En août 1939, un groupe de Polonais avait attaqué un émetteur radio allemand installé à Gleiwitz, en Haute-Silésie, une provocation dont le régime nazi s'était servi pour justifier l'invasion de la Pologne. Même en Allemagne, certains n'avaient pas cru à la version des événements fournie par celui-ci, mais le rapport de Max Schottlander était la première preuve tangible de la perfidie des nazis. Le rapport montrait sans ambiguïté que des prisonniers du camp de concentration de Dachau avaient été forcés de revêtir des uniformes polonais et, sous l'égide d'un commandant de la Gestapo nommé Alfred Naujocks, de lancer un assaut sur le territoire allemand. Après quoi les prisonniers avaient tous été tués par injection létale, puis criblés de balles pour faire croire – lorsqu'on avait convié les correspondants de la presse internationale à venir examiner la scène – qu'une attaque de saboteurs avait été repoussée par de braves soldats allemands.

Goebbels avait ses propres objectifs de propagande, et moi aussi à présent. On n'empêcherait pas l'histoire de savoir ce qui s'était réellement passé à Gleiwitz, pas si je pouvais y faire quelque chose.

Parler à un des correspondants réunis à Smolensk n'allait pas être facile. Ils étaient sans cesse accompagnés par Lassler, le secrétaire des Affaires étrangères, par Schippert, du département de la presse de la chancellerie du Reich et par le capitaine Freudeman, un militaire local qui, d'après Gersdorff, était très probablement de la Gestapo. Je pensais que le mieux était que je discute avec un des reporters le lendemain, lorsqu'ils visiteraient le laboratoire temporaire où toutes les pièces sur Katyn récupérées dans la fosse numéro un étaient maintenant exposées ; il s'agissait de la véranda, vitrée tout spécialement, de la maison en bois où était cantonnée la Feldgendarmerie, à Glouchtchenki, juste à la sortie de Smolensk – le laboratoire de la forêt de Katyn s'étant révélé inadapté à cause de l'odeur envahissante des cadavres et de la nuée de mouches qui s'était abattue sur la fosse à ciel ouvert.

Je dus rester couché sous la souche, comme un de ces soldats polonais défunts, pendant dix ou quinze minutes, et c'est peut-être cette image qui me fit changer d'avis sur ce que je me proposais de faire. Je ne dirais pas que je me mis à voir les choses à travers les yeux des morts de la forêt de Katyn. Simplement, alors que j'étais allongé là, dans ce qui était quasiment une tombe ouverte, la situation commença à m'apparaître sous un nouveau jour. Ce que je prévoyais de faire du rapport de renseignement du capitaine Schottlander me rendit tout à coup mal à l'aise. Et je me souvins de quelque chose que mon père m'avait dit un jour, lors d'une dispute très allemande à propos de Marx, de l'histoire et de « l'esprit du monde sur un cheval » – je crois que c'est l'expression qu'il utilisa. Il essayait, sans succès, de me convaincre de ne pas m'engager dans l'armée en août 1914. « L'histoire, dit-il avec une inconséquence dédaigneuse qui fit que je cessai sur le moment de prêter attention à ses paroles, c'est très joli, et peut-être qu'elle avance en tirant la leçon de ses erreurs, mais ce sont les être humains qui comptent vraiment ; rien n'a davantage d'importance. » Et, tandis que j'observais la cime des arbres, je compris que c'était une chose de se sentir responsable devant l'Histoire, mais que c'en était sûrement une autre encore plus grande de se sentir responsable devant plus de quatre mille hommes. Surtout quand ils avaient été assassinés ignominieusement et enterrés dans une tombe anonyme. Leur destin méritait d'être raconté, et d'une façon qu'on ne puisse pas contester, ce qui serait sans aucun doute le cas si un nouveau et odieux mensonge des nazis était dévoilé maintenant à la presse mondiale. Tout effort sincère du ministre de l'Éducation du peuple et de la Propagande pour faire connaître la vérité sur ce qui s'était passé dans la forêt de Katyn serait certainement compromis si jamais je révélais la vérité sur ce qui s'était vraiment passé à Gleiwitz.

Il faisait nuit lorsque j'osai quitter l'abri de ma propre tombe ouverte. Il était maintenant évident que celui qui m'avait tiré dessus s'était éclipsé depuis longtemps et que personne d'autre n'avait entendu les coups de feu. À l'exception d'une chouette à laquelle mon manque de courage faisait pousser des hululements railleurs, les bois de Krasny Bor étaient silencieux. J'aurais sans doute signalé l'incident à la Feldgendarmerie, mais je ne tenais pas à perdre davantage de temps. J'essuyai donc la terre sur mon uniforme de l'armée et allai frapper chez elle.

Ines accueillit mon apparition à sa porte avec un mélange de stupeur et d'amusement. Il y avait une cigarette pas allumée dans sa main, et ses bottes ainsi que sa tenue blanche de médecin gisaient sur le sol, là où elle les avait laissées tomber un peu plus tôt. Elle semblait nettement moins contente de me voir que le soir précédent, mais peut-être était-elle fatiguée.

« On dirait que tu as besoin de boire un verre, déclara-t-elle en me conduisant à l'intérieur. Correction : on dirait que tu en as déjà bu deux. Qu'est-ce que tu as fait ? Tu as exhumé un cadavre à mains nues ?

— J'ai bien failli en devenir un moi-même. Quelqu'un vient de me tirer dessus.

— Quelqu'un que tu connais ? »

Elle referma la porte, puis regarda par la fenêtre.

« Ça n'a pas l'air de t'étonner beaucoup.

« — Qu'est-ce qu'un cadavre de plus par ici, Gunther ? J'ai passé toute la journée avec eux. Je n'avais jamais vu autant de morts. Tu as fait la guerre, la Grande Guerre. Est-ce que ça ressemblait à ça ?

— Oui, maintenant que tu en parles.

— Il est encore là-bas, d'après toi ? »

Elle tira le rideau et se tourna vers moi.

« Qui ça ? Le tireur ? Non. Malgré tout, je crois que je ferais mieux de rester ici. Au cas où. »

Ines secoua la tête.

« Pas ce soir, Roméo. Je suis épuisée.

— Tu as quelque chose à boire ?

— Je pense. Si tu n'as rien contre l'eau-de-vie espagnole. » Elle désigna le lit. « Assieds-toi.

— Je n'ai absolument rien contre. »

Ines ouvrit une de ses valises, en sortit une flasque de la taille d'une bouillotte et m'en versa dans une tasse à thé. Je m'installai sur le bord du lit, avalai une gorgée et laissai l'alcool courir le long de mes nerfs et les mettre gentiment sous anesthésie, une nouvelle fois.

« Merci. » J'indiquai d'un signe de tête la flasque dans sa main. « Il y a un chien qui va avec cette chose ? Pour secourir les voyageurs ?

— Il faudrait, n'est-ce pas ? C'est un cadeau fait à mon oncle, par le personnel infirmier de l'hôpital de la Charité de Berlin, au moment où il a pris sa retraite.

— Je comprends pourquoi il a dû partir. Il devait drôlement biberonner. »

Elle portait un pantalon bouffant noir et une épaisse veste en tweed sur une chemise à carreaux ; ses cheveux roux étaient rassemblés en un chignon à l'arrière de sa tête et elle avait des mocassins noirs aux pieds ; elle sentait légèrement la sueur et son teint généralement pâle avait l'air un tout petit peu plus coloré – comme il arrive aux rousses naturelles quand elles ont fait un effort intense tel que courir ou faire l'amour.

« Tu es blessé, tu sais ça ?

— C'est juste une égratignure. Je me suis jeté à terre quand les tirs ont commencé et j'ai atterri sur une racine d'arbre.

« — Enlève ta chemise, que je puisse mettre de l'iode dessus.

— Oui, docteur. Mais je préfère que tu sauves la chemise, si possible. Je n'en ai pas apporté beaucoup avec moi, et la blanchisserie ici est un peu lente. »

J'ôtai ma cravate puis ma chemise et la laissai nettoyer l'égratignure avec de l'ouate.

« À mon avis, cette chemise est fichue, dit-elle.

— Une chance que j'aie du fil et une aiguille.

— J'envisage de te demander d'aller les chercher. Ta blessure est assez profonde, en fait. Mais, pour l'instant, voyons comment tu te débrouilles avec un pansement.

— Oui, docteur. »

Ines ouvrit un paquet contenant un bandage et se mit à l'enrouler autour de ma poitrine. Elle travaillait rapidement et avec habileté, comme si elle voulait m'éviter de souffrir.

« Tu sais, je pense que ton dévouement au chevet des malades est parfait.

— C'est peut-être parce que tu es habitué à t'asseoir sur mon lit.

— Exact.

— Ressers-toi de l'eau-de-vie. »

Je remplis de nouveau ma tasse, mais avant que j'aie eu le temps de la boire, elle me la prit des mains et la but elle-même.

« Pourquoi est ce que tu n'es pas venue dîner ce soir ?

— Je te l'ai déjà dit, Gunther, je suis épuisée. Après être allés chercher la commission à l'aéroport, nous sommes revenus à la fosse numéro un, le professeur Buhtz et moi, et nous avons effectué seize autres autopsies. La dernière chose que j'avais envie de faire, c'est de mettre une jolie robe et qu'une kyrielle de galants officiers me baisent la main. Elle sent encore le gant de caoutchouc qui l'enveloppait.

— Dure journée.

— Dure, mais fructueuse. En plus d'avoir reçu une balle, certains de ces Polonais ont été d'abord frappés à coups de baïonnette, probablement parce qu'ils ont résisté quand on les a traînés au bord de la fosse. » Elle s'interrompit et finit d'attacher le bandage. « Détail intéressant, la plupart des cadavres que nous avons exhumés ne sont pas du tout en état de décomposition. Ils se trouvent dans la phase de dessiccation et de formation d'adipocire. Les organes internes ont presque une couleur normale. Et le cerveau est plus ou moins... Eh bien, c'est intéressant pour moi, en tout cas. » Elle sourit, d'un petit sourire triste, me caressa la joue et ajouta : « Voilà. C'est fini.

— Il y a de la boue sur tes chaussures.

— Je suis sortie faire une promenade au lieu de venir dîner.

— Tu as vu quelque chose de suspect ?

— Comme un type avec une arme à feu ?

— Oui.

— La dernière fois que j'ai jeté un coup d'œil, il y en avait plusieurs près du portail.

— Je veux dire, se cachant dans les buissons.

— Je devrais vraiment te faire une injection antitétanique. Dieu sait ce qu'il y a dans le sol alentour. Heureusement pour toi, j'en ai apporté de Breslau. Au cas où je me couperais en travaillant ici. Non, je n'ai rien vu de ce genre. Dans le cas contraire, j'aurais réveillé le chef de la police. »

Elle alla chercher sa trousse, trouva une seringue assez déplaisante à regarder et la remplit avec une petite ampoule de vaccin contre le tétanos.

« Elle appartenait aussi à ton oncle ?

— En fait, oui.

— On dirait que ça va faire mal.

— Oui. C'est probable. Il vaut donc mieux que je te pique dans les fesses. Si je t'enfonce cette aiguille dans le bras, tu auras mal pendant plusieurs jours et ensuite tu ne seras sans doute pas en mesure de faire un gentil petit salut. Ce n'est pas ce que tu veux ? De cette façon, seule ta dignité sera affectée. Pas ton nazisme. »

Lorsque l'aiguille pénétra, j'eus la sensation qu'elle glissait jusque dans ma jambe, mais, bien sûr, ce n'était que le vaccin antitétanique froid.

« Ma dignité sera-t-elle affectée si je gémis ?

— Évidemment. Tu n'as jamais été scout ? Ils sont censés ne pas crier quand ils souffrent. »

Je gémis.

« Je crois que tu confonds avec les Spartiates. »

Elle frotta de l'alcool dessus, puis me laissa tranquille. La seringue hypodermique regagna un petit étui en cuir noir doublé de velours avec un fermoir devant.

« Et je n'ai jamais été scout, dis-je en boutonnant mon pantalon. Ni nazi non plus.

— As-tu songé que c'est peut-être la raison pour laquelle on a essayé de te tuer ? »

Je remis ma tunique sans enfiler ma chemise.

« En général, je préfère garder ça pour moi. Alors, non.

— Là commence le problème, tu ne crois pas ? Trop de gens gardant le silence sur ce qu'ils pensent réellement ? »

Elle reprit sa cigarette toujours intacte, l'alluma, mais avec nervosité, comme si elle risquait de lui exploser dans la bouche.

« Et toi, qu'est-ce que tu penses ?

— Moi ? » Elle jeta l'allumette par terre. « Je suis une nazie d'un bout à l'autre. Brun SA à l'extérieur et noir phalangiste au milieu. Je hais les politiciens qui ont poignardé l'Allemagne dans le dos en 1918 et je hais les idiots de la République de Weimar qui ont mis le pays en faillite en 1923. Je hais les communistes, je hais les gens qui habitent l'ouest de Berlin et je hais les Juifs. Je hais ces foutus Britanniques et ces nom de Dieu d'Américains et le traître Rudolf Hess et le tyran Joseph Staline. Je hais les Français et je hais les défaitistes. Je hais même Charlie Chaplin. Est-ce suffisamment clair ? Maintenant, si tu n'y vois pas d'inconvénient, changeons de sujet. Nous pourrons parler politique autant que tu voudras quand nous serons bouclés dans un camp de concentration.

— Tu as tout à fait raison. Je t'aime beaucoup, tu le sais, n'est-ce pas ? »

Ines fronça les sourcils.

« Comment ça ?

— Comment ça comment ça ?

— Oui. Je ne t'ai rien dit de ce que je pense.

— Peut-être pas, mais juste à l'instant, quand tu as froncé les sourcils, ton visage m'en a dit long, docteur. Par exemple, que tu ne croyais pas un traître mot de tout ce que tu as raconté. »

Nous regardâmes l'un et l'autre autour de nous alors que, quelque part à l'extérieur, dans la forêt de Krasny Bor, retentissaient des coups de sifflet.

« Il vaudrait mieux que tu restes là, dis-je en posant la main sur la poignée de la porte.

— J'aurais dû te planter cette aiguille dans l'os iliaque, répliquat-elle en passant devant moi. Tu ne comprends donc pas ? Je suis un médecin, pas une fragile figurine de Meissen.

— Des médecins, il y en a plein à Krasny Bor. Pour la plupart laids, vieux et parfaitement interchangeables. En revanche, les figurines de Meissen sont plutôt rares. »

Les coups de sifflet avaient cessé, mais, comme d'habitude, les flics étaient faciles à trouver. Il y avait deux sous-officiers de la Feldgendarmerie dans la forêt : les lampes de poche, modèle militaire standard, suspendues aux boutons de leur manteaux faisaient penser aux yeux d'un énorme loup. À leurs pieds gisait ce qui avait l'air d'un vieil imperméable et d'un chapeau Homburg égaré. Une forte odeur de cigarette flottait dans l'air, comme si quelqu'un venait d'en sortir une, à laquelle se mêlaient de légers effluves de ces bonbons à la menthe Pez que suçaient presque tous les soldats de l'armée allemande quand ils allaient voir une fille ou qu'ils n'avaient rien de mieux à faire que de ruminer leurs pensées.

« C'est le capitaine Gunther, dit l'un d'eux.

— Nous avons découvert un corps, capitaine », dit l'autre.

Il dirigea sa lampe vers un type allongé par terre, tandis que d'autres hommes en uniforme arrivaient avec davantage de lampes, si bien que la scène ne tarda pas à ressembler à un rituel ésotérique de nuit d'été, avec nous tous en cercle, la tête inclinée dans ce qui pouvait passer pour une prière. Mais il était trop tard pour l'homme étendu sur le sol : aucune prière ne le ramènerait jamais à la vie. Il avait environ soixante ans ; le sang avait teinté ses cheveux gris en rouge ; un de ses yeux était fermé, mais il avait la bouche ouverte, et sa langue pendait de ses lèvres barbues comme s'il la tendait pour goûter à quelque chose – peut-être avait-il sucé lui aussi un bonbon à la menthe. Il semblait avoir été tué d'une balle dans la tête. Je ne l'avais jamais vu.

« Il s'agit du professeur Berruguete, dit Ines. De la commission internationale.

— Bordel de merde ! Quel pays ?

— L'Espagne. Il était professeur de médecine légale à l'université de Madrid. »

Je poussai un grognement sonore.

« Tu en es sûre ?

— Oh ! oui. Absolument sûre.

— Ça pourrait être la fin de tout. Les Polonais craignent déjà pour leur vie. Si les membres de la commission ont vent de cette histoire, ils risquent de ne jamais sortir de leur maudit baraquement.

— Alors tu vas devoir essayer de maîtriser la situation, dit-elle calmement. Tu ne penses pas ?

— Ce ne sera pas facile.

— Non. Mais que peux-tu faire d'autre ?

— Messieurs, voici le Dr Kramsta, dis-je à la Feldgendarmerie. Elle aide le professeur Buhtz dans la forêt de Katyn. Écoutez, vous feriez bien d'aller chercher tout de suite le lieutenant Voss à Glouchtchenki. Et l'adjudant-major du général von Tresckow, le lieutenant von Schlabrendorff. Le maréchal devra être averti, bien sûr. Par ailleurs, je veux qu'on mette en place un cordon de sécurité à proximité immédiate de cette scène de crime. Aucun membre de la commission internationale ne doit voir ou entendre quoi que ce soit à ce sujet. Aucun. C'est compris ?

— Oui, capitaine.

— Si l'un d'entre eux vous pose des questions sur les coups de sifflet, c'était une fausse alerte. Et si quelqu'un vous interroge à propos du professeur, il a dû rentrer inopinément en Espagne.

— Oui, capitaine. »

Ines s'était agenouillée près du corps. Elle pressa ses doigts contre le cou du défunt.

« Le corps est encore chaud, murmura-t-elle. Il ne peut pas être mort depuis longtemps, une demi-heure tout au plus. » Elle se pencha en avant, flaira la bouche du cadavre puis fit la grimace. « Il pue l'ail, tu sais.

« — Fouillez la zone, ordonnai-je aux deux Feldgendarmes. Voyez si vous pouvez retrouver l'arme du crime.

— Peut-être que la personne qui t'a tiré dessus tout à l'heure n'en avait pas après toi. Peut-être que c'était Berruguete qu'elle visait.

— Ça en a l'air, dis-je, encore qu'on ne voyait pas très bien pourquoi, si quelqu'un visait Berruguete, il avait failli m'atteindre du côté opposé de la forêt.

— Ou peut-être que c'est toi qu'elle visait et lui qu'elle a atteint. Coup de chance pour toi. Manque de chance pour lui.

— Oui, même moi je peux comprendre ça.

— Tenez, dit Ines à un des Feldgendarmes. Passez-moi votre lampe de poche. »

Je me penchai à côté d'elle tandis qu'elle examinait de plus près le corps sans vie.

« Il semble avoir reçu une balle dans le front.

— Juste entre les deux yeux. Un joli coup.

— Tout dépend.

— De quoi ?

— De la distance à laquelle se trouvait le tireur lorsqu'il a fait feu avec le canon. »

J'acquiesçai.

« Il sent l'ail, effectivement.

— Mais ce n'est pas la raison pour laquelle Berruguete n'était pas précisément populaire auprès de ses confrères médecins.

— Et quelle est la raison ?

— Il avait des idées assez extrêmes.

— Ça ne l'exclut pas vraiment de la bonne société. Pas de nos jours. Certains de nos citoyens de premier plan professent des idées qui embarrasseraient le docteur Mabuse. »

Ines secoua la tête.

« D'après ce que j'ai entendu dire, les idées de Berruguete étaient encore pires que ça.

— Alors peut-être que l'un d'entre eux l'a buté. Jalousie professionnelle. Un vieux compte à régler. Pourquoi pas ?

— Ce sont tous des médecins hautement respectés. Voilà pourquoi.

— Mais ce collègue espagnol n'était pas hautement respecté. En tout cas, pas par toi, docteur Kramsta.

— Non. C'était… un… » Elle secoua la tête et sourit. « Mais peu importe ce que je pense de lui, n'est-ce pas ? Maintenant qu'il est mort.

— Non, je suppose. »

Elle se releva et regarda autour d'elle.

« Si j'étais toi, je m'en tiendrais à ma première réaction. À savoir camoufler cela plutôt que d'essayer d'en savoir davantage. Il y a des choses plus importantes en jeu, non ? Ces experts de la commission internationale ont déjà suffisamment de questions délicates de leur cru sans que tu leur en poses d'autres.

— Très bien, répondis-je en me redressant à mon tour. Il y a cette façon. Et puis il y a ma façon : la façon Gunther.

— C'est-à-dire ?

— Je peux peut-être découvrir qui a fait ça sans poser de questions délicates à quiconque. Au cours de ces dix dernières années, je suis devenu assez efficace à cet égard.

— Je le parierais.

— Capitaine ! cria un des Feldgendarmes. Ici, capitaine. On a trouvé un pistolet. »

Nous nous dirigeâmes vers lui, Ines et moi. Le flic était à soixante-dix ou quatre-vingts mètres de distance. Sa lampe était dirigée vers le sol, pointée droit sur un Mauser Broomhandle, très semblable à celui qu'Ines avait vu dans le vide-poche de la portière de la voiture de Gersdorff. J'aurais même pu dire que c'était le même, à cause du numéro 9 brûlé et peint en rouge sur la poignée pour avertir son utilisateur de ne pas le charger par erreur avec des munitions 7,63, mais d'utiliser uniquement les cartouches 9 mm Parabellum pour lesquelles le pistolet avait été rechambré.

« Il me dit quelque chose, remarqua Ines. Est-ce que ton ami avec la 260 ne possède pas un Mauser identique ?

— Oui, en effet.

— Tu ferais bien de vérifier s'il est toujours en sa possession.

— Je ne vois pas ce que ça prouverait.

— Je ne sais pas, mais ça pourrait prouver que c'est lui qui l'a fait, répondit-elle.

— Oui, je suppose.

— Tu sais, je ne comprends pas pourquoi tu as besoin d'être si méfiant, Gunther. Je ne faisais qu'une suggestion.

— Tu te rappelles, dans ta cabane, il y a un instant. Je t'ai dit qu'il me faudrait peut-être une piqûre antitétanique et tu as répondu que tu ne pensais pas que ce soit nécessaire. »

Elle fonça les sourcils.

« Je n'ai rien dit de tel. Et toi non plus.

— Exactement. Tu fais ton boulot, docteur, et moi le mien. D'accord ? »

Elle se leva brusquement, en colère. Ses mains tremblaient, et il lui fallut un moment pour se calmer.

« Parce que c'est ton boulot ? dit-elle d'une voix égale. De jouer ici au détective ? Je me demande. Je croyais que tu travaillais à Katyn pour le ministère de la Propagande ?

— En fait, c'est le ministère de l'Éducation du peuple et de la Propagande ; et être un détective, faire la lumière, autrement dit parvenir à la totale saisie d'une situation, c'est ce à quoi je suis bon. Alors je m'y tiendrai peut-être.

— À t'entendre, être détective a presque quelque chose de religieux.

— Si prier aidait à résoudre les crimes, il y aurait plus de chrétiens qu'il n'y a de lions pour les dévorer.

— Alors, de mystique. »

J'empruntai la lampe de poche du Feldgendarme et la tournai rapidement vers le sol pendant qu'elle parlait. Quelque chose de petit retint mon attention, mais je le laissai où il se trouvait pour le moment.

« Possible. L'objectif ultime de la science de la détection criminelle est un état de parfaite compréhension et, bien sûr, la libération de soi-même de divers états d'emprisonnement. » Je haussai les épaules. « Encore que, ces derniers temps, il n'y a qu'un état d'emprisonnement qui ait un sens pour quiconque.

— De l'autoprotection, hein ?

— Ça vaut généralement mieux que de finir comme ton ami le Dr Berruguete.

— Ce n'était pas mon ami, répondit-elle. Je ne le connaissais même pas.

— Très bien. Ça fait peut-être de toi la personne toute désignée pour pratiquer une autopsie.

— Peut-être, dit-elle avec raideur. Dans la matinée, éventuellement. Mais maintenant, je vais me coucher. Donc si tu as envie de me voir, je serai dans ma cabane. »

Je la regardai s'éloigner dans l'obscurité. J'avais envie de la voir, aucun doute. J'avais envie de sentir ses cuisses soyeuses enroulées autour de moi comme la nuit précédente. J'avais envie de sentir mes mains s'écraser sous ses fesses tandis que je la pénétrais. Mais cela m'ennuyait un peu qu'elle ait essayé, oh ! si subtilement, de m'empêcher de me comporter en détective. Et aussi qu'elle ait mentionné le mot canon avant même qu'on ait retrouvé le Mauser Broomhandle. Bien sûr, peut-être avait-elle l'habitude de qualifier les armes à feu de canons. Quand elle avait tripoté le pistolet dans la Mercedes de Gersdorff, elle s'était du reste servie de l'expression « canon-boîte », comme certains appelaient le Mauser C96. Et je savais qu'elle était capable de manier une arme à feu. Je l'avais vue manipuler le Mauser avec autant d'assurance que s'il s'était agi de son briquet Dunhill.

M'ennuyait également qu'elle ait été aussi prompte à l'accuser du meurtre et qu'elle ait eu de la boue sur ses chaussures lorsque j'étais allé la voir dans sa cabane, chaussures qu'elle avait mises peu de temps après avoir enlevé sa tenue blanche de médecin et ses bottes.

Je me penchai et récupérai l'objet que j'avais vu sur le sol : un mégot. Il en restait plus que suffisamment pour qu'un vendeur de rue de Berlin puisse le mettre sur son plateau de cigarettes à moitié fumées, ce qui était la façon dont la plupart des gens – les pauvres, en tout cas – s'y prenaient pour compléter leur ration quotidienne de trois Johnny[1].

Avait-elle fumé sur la scène de crime ? Je ne m'en souvenais pas.

Et puis il y avait la filière espagnole. J'avais fortement l'impression qu'il y avait bien plus dans son séjour en Espagne qu'Ines ne le disait.

Gersdorff avait un petit verre à la main ; le gramophone jouait quelque chose de raffiné, mais je n'étais pas assez raffiné pour le

---

1. Surnom donné aux cigarettes de la célèbre marque John Player.

351

reconnaître. Il n'était pas seul : il se trouvait avec le général von Tresckow. Ils avaient une carafe de vodka, du caviar, des cornichons, des tranches de pain grillé sur un plateau en argent gravé et des cigarettes roulées à la main. Ce n'était pas le German Club, mais ça semblait quand même assez fermé.

« Henning, voici la personne dont je t'ai parlé. Bernhard Gunther. »

À ma grande surprise, Tresckow se leva et inclina poliment sa tête chauve, ce qui fit bondir mes sourcils jusqu'à mon cuir chevelu ; je n'étais pas habitué à être traité avec courtoisie par les flamants roses du coin.

« Je suis enchanté de vous rencontrer, déclara-t-il. Nous avons une dette envers vous, capitaine. Rudi m'a dit ce que vous aviez fait pour notre cause. »

Je lui répondis à mon tour par un hochement de tête poli, mais la façon dont il avait parlé de « notre cause » m'agaça, comme s'il fallait avoir une bande rouge sur sa jambe de pantalon ou une chevalière en or avec son blason familial gravé dessus pour vouloir se débarrasser d'Adolf Hitler. Tresckow et ses amis aristocrates collet monté se donnaient des airs – c'était compréhensible –, mais celui-là me parut le pire de tous.

« À vous entendre, on croirait un genre de ploutocratie, général. J'ai l'impression que la moitié de la planète aimerait se défaire de cet individu. Avec deux ou trois balles dedans.

— Absolument. Absolument. » Il tira une bouffée de sa cigarette et sourit. « D'après Rudi, vous êtes un type plutôt coriace. »

Je haussai les épaules.

« J'étais coriace l'année dernière. Et peut-être aussi l'année d'avant. Mais plus maintenant. Pas depuis mon arrivée à Smolensk. J'ai découvert à quel point il est facile de se retrouver au fond d'une fosse commune avec une balle dans la nuque, juste parce qu'il y a un "ski" à la fin de votre nom. Un type coriace est quelqu'un de difficile à tuer, voilà tout. Ce qui, je suppose, fait de Hitler le type le plus coriace de toute l'Allemagne en ce moment. »

Tresckow se prit celle-là dans le menton.

« Vous êtes berlinois, n'est-ce pas ? demanda-t-il.

— Oui.

— Bien. » Il serra son poing, qu'il leva devant son visage et le mien ; de toute évidence, il avait bu. « Bien. L'idéal de la liberté ne peut jamais être dissocié des vrais Prussiens comme nous, Gunther. Entre la rigueur et la compassion, la fierté personnelle et la considération pour notre prochain, il doit sûrement exister un équilibre, vous ne croyez pas ? »

Je ne m'étais jamais considéré comme un Prussien, mais il y a un commencement à tout, aussi je hochai patiemment la tête ; comme la plupart des généraux allemands, Tresckow aimait bien le bruissement de sa propre autorité naturelle.

« Oh ! sûrement, répondis-je. Je suis tout à fait favorable à un peu d'équilibre. Où et quand c'est possible.

— Désirez-vous de la vodka, Gunther ? demanda Gersdorff. Du caviar, peut-être ?

— Non, colonel. Pas pour moi. Je suis ici pour le travail. »

Cela faisait provincial et borné, comme si j'étais hors de mon élément, mais je me fichais éperdument de ce qu'ils pouvaient bien penser. C'était le Berlinois en moi, pas le Prussien.

« Des problèmes ?

— Je le crains. Mais, avant d'en venir là, je voulais vous prévenir… Ce dont nous avons parlé un peu plus tôt, que je fasse tanguer le bateau avec mes propres plans… vous pouvez oublier ce que j'ai dit. C'était une très mauvaise idée. Sous une forme ou une autre, j'en ai pas mal comme ça. Et je me suis rendu compte que je n'avais pas autant d'indépendance d'esprit que je le croyais.

— Puis-je savoir quels étaient ces plans ? » demanda le général.

Âgé d'une quarantaine d'années, Henning von Tresckow était l'un des plus jeunes généraux de la Wehrmacht. Peut-être l'oncle de sa femme y était-il pour quelque chose, mais ses nombreuses décorations racontaient une histoire plus édifiante. De fait, il était pétri de culture et aussi brillant qu'un sabre de cavalerie astiqué. Tout le monde semblait l'adorer – Kluge lui demandait sans cesse de réciter du Rilke dans le mess des officiers. Toutefois, il y avait quelque chose d'inflexible chez lui qui me rendait méfiant. J'avais le sentiment que, comme tous les membres de sa classe sociale, il détestait Hitler beaucoup plus qu'il n'avait jamais aimé la république et la démocratie.

« Disons seulement que je suis allé me promener, tout comme Rilke. Et que j'ai été saisi par ce que nous ne pouvons pas saisir et qui m'a modifié. »

Tresckow sourit.

« Vous étiez au mess, l'autre soir.

— Oui, général. Et j'ai entendu votre interprétation. Que j'ai trouvée excellente. Vous avez vraiment du talent. Mais il se trouve que j'ai toujours aimé Rilke. C'est probablement mon poète préféré.

— Et pour quelle raison, selon vous ?

— Essayer de dire ce qu'on ne peut pas dire semble un dilemme très allemand. Surtout dans ces périodes troubles et inquiétantes. Et j'ai changé d'avis au sujet de ce verre. Étant donné que les choses sont devenues un peu plus inquiétantes qu'elles ne l'étaient auparavant.

— Ah ? » Gersdorff m'en servit un à la carafe. « Comment cela ? »

Il me tendit le verre, que je vidai d'un trait, histoire de garder en ordre son logement exigu mais bien aménagé : le lit de Gersdorff avait un édredon de l'épaisseur d'un cumulus et ses meubles donnaient l'impression de venir de chez lui, ou du moins un de ses chez-lui. Il me remplit un autre verre. Après l'eau-de-vie, c'était sans doute une erreur, mais, depuis la guerre, je n'ai rien contre le fait de mélanger les alcools. Ma politique en matière de boisson n'est que le résultat des restrictions et de ce que l'école d'économie autrichienne appelle la praxéologie : j'accepte tout ce qui se présente – d'ordinaire – chaque fois que l'occasion se présente.

« Quelqu'un a tué l'expert espagnol de la commission internationale. Le professeur Berruguete. D'une balle entre les deux yeux. Difficile de faire plus inquiétant.

— Ici, à Krasny Bor ? »

J'acquiesçai.

« Qui a fait ça ? demanda Tresckow.

— Bonne question, général. Hélas, je l'ignore.

— Vous avez raison. C'est inquiétant. »

Je hochai la tête.

« Ce qui l'est encore plus, c'est qu'on s'est servi de votre pistolet pour le faire, colonel.

— Mon pistolet ? »

Il jeta un coup d'œil au ceinturon et à l'étui pendus à l'extrémité de son lit.

« Pas celui-ci. Je parle du Mauser Broomhandle dans le vide-poche de la porte de votre voiture. J'espère que vous ne m'en voudrez pas, mais j'ai déjà vérifié. Il n'y est plus, malheureusement.

— Grand Dieu, est-ce que cela fait de moi un suspect ? demanda Gersdorff avec un sourire ironique.

— Combien de personnes savaient qu'il se trouvait là ?

— Dans le vide-poche de la porte ? Un grand nombre. De plus, je ne ferme jamais la porte à clé. Comme vous vous en êtes certainement rendu compte. Après tout, nous sommes censés être dans une zone sécurisée à Krasny Bor.

— L'avez-vous déjà utilisé ici, à Smolensk ? demandai-je.

— Sous l'emprise de la colère ? Non. C'était une arme d'appoint. Au cas où. Il y a aussi un pistolet automatique dans le coffre. Ma foi, on ne peut jamais être trop prudent sur ces routes russes. Vous savez ce qu'on dit : une arme pour la frime et une autre pour faire sauter la cervelle de quelqu'un. Le Walther est très bien de près, mais le Mauser est aussi précis qu'une carabine quand l'étui-crosse est fixé, et il est sacrément puissant.

— L'étui-crosse a disparu également, dis-je, et on ne l'a pas retrouvé jusqu'ici.

— Bon sang ! » Gersdorff fronça les sourcils. « Dommage. J'aimais beaucoup cette arme. Elle appartenait à mon père. Il l'utilisait quand il était dans les gardes. »

Passant un bras sous le lit, il en sortit la mallette de transport vide, complétée par de l'huile pour armes à feu et plusieurs lames-chargeur contenant neuf balles chacun.

Avec admiration, Tresckow fit courir sa main sur la surface en bois ciré de la mallette.

« Très joli, dit-il, avant d'allumer une cigarette. Vous voyez un magnifique pistolet allemand comme celui-ci et vous vous demandez comment il est possible que nous soyons en train de perdre cette fichue guerre.

— C'est vraiment dommage pour cette crosse, se plaignit Gersdorff.

« — On la récupérera sans doute demain matin.

— Dites-moi où se trouvait le pistolet et j'irai chercher moi-même.

— Pouvons-nous oublier un instant votre pistolet, colonel ? »

Il commençait à sérieusement me taper sur les nerfs tous les deux : Gersdorff semblait se soucier davantage de la perte de la crosse de son arme que de la mort du professeur Berruguete. Quant à Tresckow, il passait déjà en revue la collection de disques classiques de son copain.

« Un homme est mort. Un homme important. Ce qui pourrait se révéler extrêmement dommageable pour nous, pour l'Allemagne. Si le reste de ces experts apprend ce qui s'est passé, ils risquent de prendre tous le large, et nous aurons alors besoin d'une nouvelle lessive.

— Il semble que vous en ayez vous-même besoin, d'une nouvelle lessive, Gunther, fit remarquer le général. Où est votre chemise, pour l'amour du ciel ?

— Je l'ai perdue aux courses. Bon, laissons ce sujet de côté. Écoutez, messieurs, c'est très simple. Je dois mettre un frein à ça et rapidement. En pleine guerre, cela peut paraître ridicule, mais, d'ordinaire, j'essaierais de mettre la main sur le type qui a tué cet Espagnol, sauf que, pour le moment, je pense qu'il est plus important de ne pas effrayer les suspects. Je veux parler, bien sûr, du groupe d'experts de la commission internationale.

— Sont-ils suspects ? demanda le général.

— Nous sommes tous suspects, répondit Gersdorff. N'est-ce pas, Gunther ? N'importe qui aurait pu se servir du Mauser se trouvant dans ma voiture. Par conséquent, nous faisons tous l'objet de soupçons. »

Je ne le contredis pas.

Le général von Tresckow sourit.

« Je me porte garant pour le colonel, capitaine Gunther. Il est resté toute la soirée avec moi.

— Je regrette, mais le capitaine sait que ce n'est pas vrai, Henning, répondit von Gersdorff. Lui et moi sommes allés faire un tour dans la forêt en début de soirée. Je suppose que j'aurais eu largement le temps après ça. Je sais assez bien tirer. À l'école militaire de Breslau, j'étais considéré comme le meilleur tireur de ma promotion.

— À Breslau, dites-vous ?

— Oui. Pourquoi cette question ?

— Eh bien, vous n'êtes pas le seul à avoir des liens avec Breslau, apparemment. Le professeur Buhtz, d'une part…

— Et votre amie, le charmant Dr Kramsta, d'autre part, ajouta Gersdorff. Il ne faut pas l'oublier. Et oui, avant que vous ne posiez la question, je la connais, en quelque sorte. Ou du moins, sa famille. C'est une Kramsta, de Muhrau. Ma défunte épouse, Renata, lui était apparentée, de façon lointaine.

— Les Schwartzenfeldt sont apparentés aux Kramsta ? dit le général. Je ne savais pas. »

C'était beaucoup plus que je n'en savais moi-même, à propos d'Ines, à propos de tout. Quelquefois, j'avais cette étrange idée que je ne connaissais rien ni personne – personne que les « von » et les « zu » auraient appelé quelqu'un.

« Oui, dit Gersdorff. Je crois que son frère Ulrich et elle sont venus à notre mariage, en 1934. Son père travaillait aux Affaires étrangères. Un diplomate. Mais nous avons perdu le contact peu après, et cela fait des années que nous ne nous sommes pas vus. Ulrich est devenu très à gauche… à la vérité, je pense qu'il était communiste et qu'il me considérait purement et simplement comme un nazi. Il a été tué après s'être battu pour les républicains en 1938 ; assassiné par les fascistes dans un camp de concentration espagnol.

— Comme c'est affreux, dit le général.

— En effet, une chose affreuse, admit Gersdorff. Une chose ignoble. Je m'en souviens.

— Il semble qu'il y ait là un motif de meurtre, fit remarquer le général, montrant galamment Ines Kramsta du doigt. Mais le capitaine Gunther a raison, Rudi. Nous avons besoin de maîtriser cette situation avant qu'elle ne nous échappe. » Il s'autorisa un nouveau sourire ironique. « Bon Dieu, Goebbels va devenir fou quand il saura ça.

— Oui », dis-je, comprenant que c'était probablement moi qui allais devoir l'en informer ; il venait à peine de se remettre de

357

l'annonce du meurtre du Dr Batov et de la disparition des seules preuves matérielles de ce qui s'était passé précisément à Katyn.

« Et il n'y a qu'une personne qui sera ravie du tour pris par les événements, c'est le maréchal, ajouta le général. Il déteste tout ça.

— Ainsi que le meurtrier. Ne l'oublions pas. » J'avais prononcé le mot « meurtrier » d'un ton très ferme, à son intention. « Je suis sûr qu'il est aussi content qu'un bonhomme de neige avec une carotte neuve.

— Prenez les mesures qui vous semblent appropriées, Gunther, déclara le général. Je vous soutiendrai entièrement. Parlez à mon adjudant-major et dites-lui que vous avez besoin de régler ce problème. Si vous voulez, je lui en toucherai un mot.

— S'il vous plaît.

— Je pourrais peut-être contacter la Tirpitzufer, proposa Gersdorff. Pour voir si la section espagnole de l'Abwehr peut dénicher quelque chose sur ce médecin. Comment s'appelle-t-il, déjà ? »

Je le lui notai sur un bout de papier.

« Le Dr Agapito Girauta Ignacio Berruguete. De l'université de Madrid. »

Tresckow bâilla et décrocha le téléphone.

« Ici le général von Tresckow, dit-il à l'opérateur. Trouvez le lieutenant von Schlabrendorff et envoyez-le tout de suite aux quartiers du colonel von Gersdorff. » Il s'interrompit. « Ah bon ? Eh bien, passez-le-moi. » Il couvrit le micro et se tourna vers Gersdorff. « Pour je ne sais quelle raison, Fabian est à côté, avec ces téléphonistes épouvantables du château. »

Il attendit un moment, tapant sa botte avec impatience, tandis que je me demandais pourquoi il les trouvait épouvantables. Était-il possible qu'il soit au courant du réseau de prostituées ayant fonctionné par le biais du standard téléphonique du 537e ? Ou étaient-ils épouvantables juste parce qu'ils n'étaient pas barons et chevaliers ?

« Fabian ? Qu'est-ce que vous faites là ? finit-il par dire. Ah ! je comprends. Vous croyez réellement pouvoir vous en occuper tout seul ?... Il est costaud, vous savez. Vraiment ? Je vois. Oui, vous n'aviez pas le choix. Bien. Écoutez, venez me voir à mes quartiers quand vous serez de retour. Et, pour l'amour du ciel, pas d'imprudence. Je vais voir si je ne peux pas vous envoyer de l'aide. »

Tresckow reposa le téléphone et expliqua la situation.

« Le *Putzer* de Kluge est ivre. Une paysanne travaillant au château l'a plaqué, et cette espèce d'ignorant de Popov a passé toute la soirée assis à côté de la fosse numéro un avec une bouteille à se saouler à mort. Il a, paraît-il, un pistolet sur les genoux et menace de tirer sur tous ceux qui s'approchent. Prétend qu'il veut se tuer.

— Je connais un tas de gens ici qui aimeraient le faire pour lui, répliqua Gersdorff. Moi inclus. »

Tresckow éclata de rire.

« Exactement. Il semble que le colonel Ahrens ait téléphoné au bureau du maréchal et que Kluge ait demandé à ce pauvre Fabian d'aller là-bas résoudre le problème. Typique de Hans le malin que de refiler le sale boulot à quelqu'un d'autre. Quoi qu'il en soit, c'est ce que Fabian est en train d'essayer de faire, mais sans succès. » Il secoua la tête avec amertume. « Je ne sais vraiment pas pourquoi Kluge garde ce type. Nous nous porterions tous beaucoup mieux s'il se tirait effectivement une balle.

— Je n'aimerais pas avoir à désarmer Diakov, fit remarquer Gersdorff. Pas s'il est ivre.

— C'est ce que j'étais en train de penser, dit le général.

— Croyez-vous que Fabian soit à la hauteur ? Il est juriste, pas soldat. »

Tresckow haussa les épaules.

« J'aurais bien dit à Fabian d'oublier le Russe et de revenir ici, parce que ce qui se passe à Krasny Bor est manifestement plus important. Mais, à supposer qu'ils ne rentrent pas directement chez eux demain matin, les experts de Gunther voudront voir la vallée des Polaks avant tout le reste. Dans ces circonstances, la dernière chose qu'ils auront probablement envie de rencontrer, c'est un fichu Russe saoul avec un pistolet à la main. »

Gersdorff se mit à rire.

« Cela pourrait ajouter un peu de réalisme. »

Le général esquissa un sourire.

« Possible.

— Je sais que vous êtes général, dis-je, mais j'ai une meilleure idée. Que diriez-vous d'arranger les choses ici pendant que je vais à la forêt de Katyn m'occuper de Diakov ? »

Ça n'avait certainement pas l'air d'une meilleure idée, pas pour moi. Peut-être regrettais-je mon petit discours comme quoi je n'étais pas un type coriace ; ou peut-être me sentais-je d'humeur à frapper quelqu'un, et Diakov faisait une victime idéale. Entre la Croix-Rouge polonaise, un énergumène me tirant dessus et le meurtre du Dr Berruguete, ç'avait été ce genre de journée.

« Vous voulez bien, Gunther ? Nous vous en serions tous les deux extrêmement reconnaissants.

— Croyez-moi sur parole, j'ai déjà eu affaire à des ivrognes.

— Qui est mieux placé qu'un flic de Berlin pour faire face à une situation semblable, hein ? » Il me donna un tape dans le dos. « Vous êtes un chic type, Gunther. Un vrai Prussien. Oui, bien sûr, vous pouvez me laisser arranger les choses ici. »

Gersdorff avait boutonné sa tunique et remplissait un autre verre.

« Je vais vous emmener, Gunther, dit-il. Je dois expédier ce message à la Tirpitzufer. » Il sourit. « Vous savez, ça ne me déplairait pas de vous voir vous occuper de Diakov. » Il me tendit le verre. « Tenez. J'ai dans l'idée que vous allez en avoir besoin. »

10

Jeudi 29 avril 1943

Il était plus de minuit lorsque nous atteignîmes la forêt de Katyn. Je la préférais dans l'obscurité – l'odeur et les mouches n'étaient pas aussi pénibles. L'atmosphère était plus calme également, ou du moins elle aurait dû. Nous entendîmes Diakov longtemps avant de le voir ; il beuglait une chanson larmoyante en russe. Gersdorff arrêta la voiture devant la porte d'entrée du château, où le colonel Ahrens attendait avec les lieutenants Voss et von Schlabrendorff, et plusieurs hommes de la Feldgendarmerie et du 537ᵉ. Ils se baissèrent tous en même temps lorsqu'une détonation retentit dans la forêt. Il n'était pas difficile d'imaginer ce bruit multiplié par quatre mille au début du printemps 1940.

« Il fait ça de temps à autre, expliqua le colonel Ahrens. Il tire un coup de feu en l'air, pour que tout le monde sache qu'il ne bluffe pas. »

Je les regardai les uns après les autres et poussai un grognement railleur. Diakov n'était pas le seul à avoir quelques verres dans le nez.

« C'est un Popov ivre, dis-je d'un air méprisant. Pourquoi ne pas aller chercher un tireur d'élite et descendre ce salopard ?

— Ce n'est pas n'importe quel Popov, répondit Schlabrendorff. C'est le propre *Putzer* du maréchal. L'homme qui couche à côté de son chien sur la véranda.

— Il a raison, Gunther, dit Gersdorff. Tuez Alok Diakov, et il est fort probable que Kluge vous tuera. Il est très attaché à ce maudit *Putzer*.

— Vous ne pourriez pas le descendre même si vous le vouliez, ajouta Voss. Il a brisé tous ces fichus projecteurs. Ceux de la fosse numéro un, où nous pensons qu'il est assis. De sorte qu'il est difficile de distinguer la moindre cible.

— Ouais, mais pas pour lui, fit remarquer Schlabrendorff. Ce type est comme un chat. Ivre ou pas, je vous jure qu'il peut voir dans le noir.

— Donnez-moi votre matraque, dis-je à un des Feldgendarmes. Il entendra l'*Air de Berlin* dans le théâtre de la forêt avant que j'aie fini de lui caresser la tête. »

Le flic me passa son gourdin, et je le soupesai un instant dans ma main.

« Souhaitez-moi bonne chance, dis-je à Gersdorff. Et pendant que je suis parti, mettez Voss au courant du dernier meurtre. On ne sait jamais, il aura peut-être une idée de qui l'a commis. »

Très bien, Gunther, m'exhortai-je en me mettant à grimper la pente dans la direction du Russe en train de chanter, maintenant, on y va pour de bon. Après toutes ces belles paroles, tu vas devoir leur montrer un petit échantillon de travail de police à l'ancienne mode.

Bien sûr, cela faisait longtemps que je n'avais pas fait quoi que ce soit d'aussi honnête.

Jusqu'ici, quatre vastes charniers avaient été découverts dans la forêt de Katyn, mais de nouvelles fouilles avaient révélé l'existence d'au moins trois charniers supplémentaires. Les fosses numéros un, deux, trois et quatre étaient déjà presque entièrement dégagées jusqu'à une profondeur d'environ deux mètres et la couche supérieure de cadavres complètement apparente. La plupart des corps extraits à ce stade provenaient des fosses numéros deux, trois et quatre. Les fosses numéros cinq, six et sept n'avaient été qu'en partie mises à nu, quelques centimètres de terre seulement ayant été retirés. Tout cela voulait dire qu'il était difficile de circuler dans l'ensemble du secteur, même de jour, et je dus avancer vers Diakov en diagonale, à travers les fosses cinq et six ; à deux reprises, je faillis me trahir en trébuchant.

Toujours buvant et chantant, Diakov était installé sur la branche la plus courte du L que dessinait la fosse numéro un, qui était encore pleine de cadavres. Je savais exactement où il se trouvait parce que je pouvais voir le bout incandescent de sa cigarette rougeoyer dans les ténèbres. Il me sembla reconnaître l'air, mais je n'étais pas sûr du tout en ce qui concernait les paroles, qui ne ressemblaient à aucun dialecte russe qu'il m'ait été donné d'entendre.

« Del passat destruim misèries, esclaus aixequeu vostres cors, la terra serà tota nostra, no hem estat res i ho serem tot[1]. »

Cela n'avait rien d'exceptionnel, bien sûr : à Smolensk, on ne parlait pas seulement le russe, mais aussi le ruthénien blanc, sans compter le polonais et, jusqu'à notre arrivée, le yiddish. Je suppose que plus personne ne parlait le yiddish – c'est-à-dire, plus personne de vivant.

Lorsque je fus à peut-être moins de dix mètres, je ramassai un morceau de bois dans l'intention de le lancer à la tête de Diakov, mais je finis par le lancer beaucoup plus haut en m'apercevant qu'il ne s'agissait pas d'un bâton, mais de restes humains. L'os atterrit avec fracas dans un bosquet de bouleaux, près de l'endroit où il était assis. Diakov poussa un juron et tira un coup de feu dans les branches. Ce fut une diversion suffisante pour me permettre de parcourir à toute vitesse le reste de la distance, puis de le frapper avec la matraque du Feldgendarme.

Cela faisait un moment que je ne m'étais pas servi d'une trique de policier. Du temps où j'étais un flic en uniforme, il aurait fallu que je sois à l'agonie pour qu'on me la prenne. Pour patrouiller dans une ruelle obscure à Wedding à deux heures du matin, une matraque était votre meilleur ami. Elle était utile pour frapper aux portes, taper sur un comptoir de bar, réveiller un ivrogne endormi ou mater un chien féroce. Très peu de choses pouvaient mettre fin à une altercation aussi vite qu'un coup de matraque sur une épaule ou sur le côté de la tête. Elle était caoutchoutée, mais uniquement dans le but de la rendre plus facile à tenir par temps humide. À l'intérieur, c'était du plomb cent pour cent, et l'effet produit vous laissait littéralement baba : être touché à l'épaule vous donnait

---

1. Il s'agit de *L'Internationale* en catalan.

l'impression d'avoir été heurté par une voiture que vous n'aviez pas vue venir ; être touché à la tête vous donnait l'impression d'avoir été renversé par un tram. Une certaine dextérité était nécessaire pour placer un coup capable de faire perdre connaissance à un homme sans le blesser davantage et, dans une bagarre, c'était rarement possible. En outre, je manquais sérieusement de pratique, et il faisait noir. J'avais visé l'épaule de Diakov, sauf que j'étais en déséquilibre à cause du terrain accidenté, de sorte que je l'atteignis à la tempe, juste au-dessus de l'oreille, et avec plus de force que je ne l'avais prévu. On aurait dit un coup de départ avec une canne en noyer au club de golf de Wannsee.

Sans un bruit, il bascula dans la fosse numéro un comme s'il n'allait pas remonter, et je me mis à jurer, non pas parce que je l'avais touché trop violemment, mais parce que je savais que nous allions devoir descendre parmi tous ces cadavres de Polonais puants pour le sortir de là, peut-être même l'emmener à l'hôpital.

J'allumai une cigarette, récupérai le Walther P38 et la bouteille qu'il tenait quand je l'avais atteint, en avalai une gorgée et criai à Voss et à Schlabrendorff d'apporter des lampes et une civière. Quelques minutes plus tard, nous avions hissé son corps sans connaissance hors de la fosse, et l'Oberfeldwebel Krimminski, qui possédait quelques connaissances médicales, était agenouillé à côté de lui, vérifiant son pouls.

« Je suis vraiment impressionné, avoua Gersdorff tout en examinant le P38 de Diakov.

— Son crâne aussi, dis-je. J'y suis peut-être allé un peu fort.

— Je ne crois pas que j'aimerais m'attaquer à un homme armé comme ça dans le noir, ajouta-t-il aimablement. Écoutez, cet idiot avait toute latitude de se rendre. Vous n'avez rien à vous reprocher, Gunther. Il vous a tiré dessus, n'est-ce pas ? Et il restait trois balles dans son chargeur. Vous auriez très bien pu vous faire tuer.

— Ce n'est pas ma propre opinion qui m'inquiète, répondis-je. Je peux vivre avec. C'est le mécontentement du maréchal qui me préoccupe.

— Bonne question. Il risque de s'écouler un moment avant que ce type soit capable de trouver son propre cul, sans parler des meilleurs lieux de chasse de Smolensk.

— Comment va-t-il ? demandai-je à Krimminski.

— Il est en vie, murmura l'Oberfeldwebel. Mais sa respiration est superficielle. Naturellement, ça pourrait être l'alcool. Dans tous les cas, il va avoir droit à une migraine carabinée. Plus une bosse comme un œuf de canard sur le côté du crâne.

— On ferait mieux de le conduire à l'hôpital et de leur demander de garder un œil sur lui, suggérai-je, me sentant quelque peu coupable.

— Cela pourrait être une bonne idée, approuva Schlabrendorff.

— Donnez-moi de ses nouvelles dans la matinée, voulez-vous ?

— Bien sûr. Je leur demanderai de téléphoner au bureau dès que possible.

— Et pour l'amour du ciel, pas un mot de tout ceci au professeur Buhtz, dis-je à personne en particulier. S'il apprend que nous avons piétiné sa scène de crime pour aller rechercher ce Popov, il risque de piquer une crise.

— Vous vous y entendez à mécontenter tout le monde, n'est-ce pas, Gunther ? dit le colonel Ahrens. Tôt ou tard.

— Vous avez remarqué ça vous aussi, hein ? »

Au château, Gersdorff envoya un télex à l'Abwehr à Berlin pour leur demander des informations sur le Dr Berruguete. Nous étions assis dans le petit salon propret qu'Ahrens avait aménagé pour les officiers attendant une réponse, sous une gravure d'Ilia Répine représentant des Russes tirant une barge le long d'une côte. Ils avançaient avec difficulté, et leurs visages barbus et désespérés me rappelaient les prisonniers de l'armée Rouge que nous utilisions pour retirer les cadavres des fosses. Je ne sais pas ce qu'il en était des Russes, mais je ne pouvais pas regarder l'un d'entre eux sans que mon âme, puis mon dos, commencent à me faire mal.

« Quelle soirée, s'exclama Gersdorff.

— Surtout quand on se fait tirer dessus, dis-je. Deux fois. »
Je lui parlai des coups de feu à Krasny Bor.

« Voilà pourquoi vous ne portez pas de chemise, dit-il en m'offrant une cigarette. Et pourquoi votre tunique est sale.

— Oui, mais ça n'explique certainement pas pourquoi on m'a tiré dessus.

— Je n'aurais jamais pensé que c'était un des grands mystères de la vie. Pas de la part de quelqu'un d'aussi indiscipliné que vous, mon ami.

— Je ne suis pas toujours indiscipliné. C'est un petit service spécial que je réserve à tous ceux qui ont une bande rouge sur la jambe de leur pantalon.

— Alors que diriez-vous d'un cas d'erreur sur la personne ? »

Gersdorff alluma nos cigarettes avec son briquet et se pencha en arrière sur sa chaise. C'était le fumeur le plus élégant que j'aie jamais vu : il tenait sa cigarette entre ses doigts du milieu afin de limiter la quantité de taches sur ses ongles bien manucurés et, du même coup, tout ce qu'il disait avait l'air également mesuré.

« Il se peut que le meurtrier ait eu l'intention de vous abattre et qu'il ait touché le Dr Berruguete à la place. Le colonel Ahrens, peut-être. Et d'ailleurs, qu'avez-vous fait pour l'offenser de façon aussi flagrante, Gunther ? Il semble nourrir une aversion très personnelle à votre égard, allant bien au-delà de la simple insubordination.

— Les démons qui dorment au-dehors, dis-je avec un signe de tête en direction de la fenêtre. Il préférerait probablement que je les laisse enterrés là.

— Oui, j'imagine. C'était un gentil petit poste avant que nous nous mettions à creuser. L'air était, certes, beaucoup plus respirable.

— À mon avis, on peut raisonnablement supposer qu'un des deux coups de feu a tué le Dr Berruguete et que seul le troisième m'était destiné ; ou pas, étant donné que le tireur m'a manqué, peut-être délibérément, ou peut-être parce que j'étais plus loin. Berruguete se trouvait du côté opposé du bois, après tout. Raison pour laquelle je ne crois pas à une erreur sur la personne. Quel est le degré de précision de votre Broomhandle, d'ailleurs ?

— Avec la crosse fixée ? Très bon à une centaine de mètres. Mais la mire est plus optimiste. Mille mètres, à l'en croire ; une centaine de mètres me semble à peu près correct. Mais, pardonnez-moi, pourquoi quelqu'un vous tirerait-il dessus avec l'intention de vous manquer ?

— Pour m'obliger à me tenir tranquille le temps qu'il prenne le large, peut-être.

— Oui, le Mauser est excellent pour ça. Gardez le doigt sur la détente, et c'est comme un tuyau d'arrosage de balles.

— Voilà un bon moment que je n'en ai pas utilisé un. Et jamais avec des munitions de 9 mm. Beaucoup de recul ? »

Gersdorff secoua la tête.

« Presque pas. Pourquoi ? »

Je secouai la tête à mon tour, mais, étant un officier de renseignements, Gersdorff ne se laissait pas si facilement embobiner ni traiter comme un imbécile. Il sourit.

« Vous voulez dire, en réalité : une femme aurait-elle pu faire feu ?

— J'ai dit ça ?

— Non, mais c'est ce que vous pensez. Bon sang, Gunther, êtes-vous en train de suggérer que le Dr Kramsta aurait pu tuer le Dr Berruguete ?

— Je ne suggère rien, affirmai-je. C'est vous, apparemment. Je vous ai juste demandé si le C96 avait beaucoup de recul.

— C'est un médecin, continua-t-il, ignorant ma dérobade. Et une dame. Encore qu'on pourrait penser le contraire dans la mesure où, de façon inexplicable, elle semble éprouver à votre égard un engouement particulier.

— J'ai connu des médecins aussi meurtriers que n'importe quel Mauser. Ces cliniques huppées de Wannsee en sont pleines. Sauf que là, c'est la facture qui fait mal, pas les balles. Quant aux dames, colonel, ma politique est simple : si elles peuvent partir en claquant une porte pour mettre fin à une dispute, elles peuvent très bien tirer avec un pistolet pour arriver au même résultat.

— Vous pensez donc qu'elle est suspecte ?

— On verra, n'est-ce pas ? »

Le téléphoniste Lutz entra dans la pièce, porteur d'un télex de Berlin. Il exécuta un élégant salut hitlérien, puis nous laissa seuls, même si, ayant décodé le message sur l'Enigma, il en connaissait parfaitement le contenu.

« Il est de l'amiral Canaris en personne », dit von Gersdorff.

Je jetai un coup d'œil à ma montre.

« Je suppose qu'il fait partie de ces amiraux qui n'arrivent pas à dormir à terre.

— Pas avec Himmler derrière son dos. »

Gersdorff se mit à lire à haute voix.

« RENCONTRÉ BERRUGUETE EN 1936. SON ASSASSINAT NE ME SUR-
PREND PAS, B. AYANT ÉTÉ ARCHITECTE MAJEUR DE LA RÉPRESSION
FRANQUISTE APRÈS LA GUERRE. »

« Oui, bien sûr, dit-il, s'interrompant un instant. Canaris était stationné en Espagne pendant la guerre civile, s'efforçant de mettre sur
pied un réseau d'espions. Il a appris à parler couramment l'espagnol
quand il était prisonnier au Chili en 1915. Il n'y a personne à la
Tirpitzufer qui en sache plus que lui sur la péninsule ibérique. C'est
l'amiral qui a persuadé Hitler de soutenir Franco durant la guerre.
L'Espagne a toujours été un de ses domaines d'intérêt particuliers.

— Je suppose que chacun y a trouvé son compte », dis-je.

Gersdorff m'ignora – il était très doué sur ce plan – et reprit la
lecture du télex.

« B. A ÉTUDIÉ LA MÉDECINE À L'UNIV. VALLADOLID ET L'ANTHRO-
POLOGIE À L'INSTITUT KAISER-WILHELM DE BERLIN OÙ IL A ÉTÉ
INFLUENCÉ PAR OTMAR FREIHERR VON VERSCHUER ET PROF. DOHNA-
SCHLODIEN, PARTISANS DE LA STÉRILISATION DES HANDICAPÉS MEN-
TAUX. A ENSEIGNÉ LA GÉNÉTIQUE À LA CLINIQUE MILITAIRE DE
CIEMPOZUELOS. 1938 MET EN PLACE UN BUREAU D'INSPECTION DES
PRISONNIERS DE GUERRE DANS CAMPS DE CONCENTRATION PRÈS DE
SAN PEDRO DE CARDEÑA. A MENÉ DES EXPÉRIENCES SUR PRISONNIERS
DE GUERRE DES BRIGADES INTERNATIONALES POUR ÉTABLIR EXISTENCE
D'UN GÈNE ROUGE, CONVAINCU QUE TOUS LES MARXISTES SONT
GÉNÉTIQUEMENT RETARDÉS. A FOURNI À FRANCO DES ARGUMENTS
SCIENTIFIQUES POUR JUSTIFIER CONCEPTIONS FASCISTES SUR NATURE
SOUS-HUMAINE DES ADVERSAIRES ROUGES. A EFFECTUÉ INVESTIGA-
TIONS MÉDICO-LÉGALES SUR NOMBREUX COMMUNISTES ESPAGNOLS
POUR PROUVER EXISTENCE D'UN CERVEAU PLUS PETIT. PROBABLEMENT
RESPONSABLE DU PROGRAMME DE STÉRILISATION ESPAGNOL ET DE
L'ENLÈVEMENT DE 30 000 ENFANTS À DES FAMILLES COMMUNISTES.
CROIT QUE TOUS LES ROUGES SONT DÉGÉNÉRÉS ET QUE SI ON LEUR
PERMET DE PROCRÉER ILS AFFAIBLIRONT LA RACE ESPAGNOLE. RIDI-
CULE, BIEN SÛR, DONC BON DÉBARRAS. COMMUNISTES PAS MALÉ-

FIQUES, SEULEMENT DANS L'ERREUR. ROSA LUXEMBURG FEMME LA PLUS INTELLIGENTE QUE J'AIE JAMAIS RENCONTRÉE. CANARIS. »

Gersdorff tira une dernière bouffée de sa cigarette avant de l'éteindre.

« Nom de Dieu ! s'exclama-t-il.

— Aucun lien de parenté avec eux, je suppose ? dis-je cruellement. Verschuer et Dohna-Schlodien ? »

Gersdorff fonça les sourcils.

« Il me semble avoir rencontré un Dohna-Schlodien qui commandait un Freikorps[1] lors des insurrections silésiennes. C'était un membre de la marine, pas un médecin. Peut-être est-ce à son fils que Canaris fait allusion. Mais je proteste énergiquement contre l'insinuation selon laquelle ma famille approuverait d'une quelconque manière la stérilisation des handicapés mentaux.

— Du calme, Bismarck. Je n'insinue rien qui vous ferait expulser du club.

— Vraiment, Gunther, je me demande comment vous avez pu rester aussi longtemps en vie. Surtout sous le gouvernement actuel.

— J'aime bien la façon dont vous dites ça. Comme si vous pensiez qu'il y a un autre gouvernement attendant à quelques pâtés de maisons.

— C'est très simple. Quand nous nous serons débarrassés de Hitler, nous désignerons un gouvernement digne de ce nom.

— Vous voulez dire, un gouvernement de barons. Ou même la restauration de la monarchie.

— Serait-ce un si mauvais choix ? Dites-moi. Votre opinion m'intéresse.

— Non, elle ne vous intéresse pas. Vous le croyez seulement. Et je ne tiens pas à connaître la vôtre sur la situation allemande aujourd'hui, ni sur ce que l'avenir nous réserve. Vous faites partie de l'Abwehr. Vous devez en savoir plus que quiconque sur ce qui se passe. Est-il possible, selon vous, que des médecins allemands procèdent à des expériences semblables ?

---

1. Milices de droite qui furent utilisées à partir de 1919 soit pour défendre la frontière allemande à l'Est, soit pour réprimer les activités communistes. Dissous en 1921, les Freikorps rejoignirent l'armée ou la SA, puis les organisations hitlériennes.

— Franchement ? Je pense que les nazis sont capables d'à peu près tout. Après Borissov...

— Borissov ?

— Une ville dans l'oblast de Minsk. Début 1942, nous avons découvert que six camps de la mort fonctionnaient dans les parages de Borissov, où plus de trente mille Juifs avaient été systématiquement exterminés. Depuis lors, nous avons appris l'existence de nombreux camps beaucoup plus importants : Sobibor, Chelmno, Auschwitz-Birkenau, Treblinka. Je ne doute pas un instant qu'il se passe dans ces endroits des choses qui horrifieraient tout Allemand honnête. Il est également certain que l'on est déjà en train de supprimer les handicapés mentaux dans des cliniques spéciales un peu partout dans le Reich.

— C'est bien ce que je pensais. »

Nous nous tûmes un moment, puis Gersdorff brandit le message en clair.

« Eh bien, voilà votre mobile. De toute évidence, ce Dr Berruguete était un salaud. Et méritait d'être zigouillé.

— Avec une telle attitude, je ne pense pas que vous ayez beaucoup d'avenir comme policier, colonel.

— Non, peut-être pas.

— N'avez-vous pas dit que le Dr Kramsta avait un frère, Ulrich, qui était mort dans un camp de concentration espagnol ?

— En effet. Sauf que j'ignore si Berruguete avait quoi que ce soit à voir là-dedans.

— Mais cela se pourrait.

— Cela se pourrait effectivement.

— Le Dr Kramsta n'a pas desserré les dents dans l'autocar depuis l'aéroport quand il est apparu que le Dr Cortes avait été remplacé par le Dr Berruguete. Il semble qu'elle ait tout de suite reconnu son nom. Il y a ça et le fait qu'elle savait où se trouvait votre Mauser. Elle a même admis savoir s'en servir. Je ne serais pas surpris qu'elle puisse faire passer une balle à travers une boutonnière à cent mètres.

— Autre chose avant que vous téléphoniez à la Felgendarmerie ?

— Il y avait une cigarette près du Mauser. Une Caruso. Le Dr Kramsta fume des Caruso. Et il y avait de la boue sur ses chaussures lorsque je l'ai vue un peu plus tôt dans la soirée. »

Gersdorff jeta un coup d'œil à ses bottes faites main.

« Il y a aussi de la boue sur les miennes, Gunther, mais je n'ai tué personne. » Il secoua la tête. « Malgré tout, cela pourrait expliquer pourquoi le tireur vous a raté lorsqu'il vous a tiré dessus. Quoique, franchement, je commence à penser qu'il s'agissait d'une erreur. J'aime mieux ne pas savoir comment vous traitez vos ennemis, si c'est ainsi que vous traitez vos amis. »

J'écrasai ma propre cigarette et souris patiemment.

« Je n'ai pas dit que j'allais la leur envoyer, dis-je. Je veux simplement savoir qui l'a fait, c'est tout. Au cas où elle déciderait d'assassiner d'autres membres de la commission internationale. Écoutez, on peut encore s'en tirer pour un, même si le jury s'est retiré à cet égard jusqu'au petit déjeuner, mais je ne les vois pas rester à Krasny Bor et mener tranquillement leur enquête pendant qu'une Médée moderne se livre à une vendetta personnelle contre la profession médico-légale à l'échelon européen.

— Non, peut-être pas, admit Gersdorff. Encore qu'il me paraît peu probable que le Dr Kramsta ait un motif de les tuer.

— Je ne sais pas. Ce Français, le Dr Costedoat, m'a l'air assez tentant. »

Gersdorff éclata de rire.

« Oui, un Allemand n'a jamais besoin de beaucoup d'encouragement pour tirer sur un Français. Alors qu'allez-vous faire ? Avoir une explication avec elle ? La frapper au visage à coups de crosse pour lui arracher des aveux avant la fin de la journée ? Si vous le souhaitez, vous pouvez emprunter ma lampe.

— Je m'interroge. » Je haussai les épaules. « Faire feu en visant de façon à me manquer représente un sacré tir, même avec un Broomhandle. Cette balle est passée à seulement quelques centimètres de moi. »

— Oui, je vois ce que vous voulez dire. Du moins, je pense.

— Ce que je veux dire, c'est qu'elle aurait très facilement pu m'atteindre, après tout. C'est ce que j'ai le plus de mal à comprendre, si c'est bien elle qui a tué Berruguete.

— Elle vous aime trop pour risquer de vous tuer, c'est ça ?

— Un truc de ce genre.

— Elle tire peut-être encore mieux que vous ne pensez.

— Je croyais que vous étiez de son côté.

— Mais je le suis. Simplement, ça me plaît de vous voir imaginer que quelqu'un pour qui vous avez manifestement beaucoup d'attachement était peut-être prêt à vous tuer pour satisfaire sa vengeance.

— Oui, dit ainsi, ça paraît très amusant. Je m'étonne que vous n'ayez pas la partition pour la lire pendant que vous profitez du spectacle. Histoire d'avoir toujours deux mesures d'avance sur ce qui se passe.

— C'est ce que ferait un bon officier de renseignements.

— Mmm. Vous savez, moi aussi je lis les partitions, colonel. Elles ne sont pas reliées en cuir ni imprimées par Bernhard Schott, et je ne pense pas que vous les trouveriez très drôles, mais elles me divertissent. Celle que j'ai en ce moment sur les genoux est un opéra avec non pas un meurtre, mais plusieurs. Il est même possible qu'ils soient tous liés entre eux par le même leitmotiv, malheureusement je n'ai pas l'ouïe suffisamment fine pour avoir repéré ce que c'est. Je n'ai pas l'oreille musicale, voyez-vous.

— Rappelez-moi. Les autres meurtres.

— Les deux téléphonistes, Ribe et Greiss ; le Dr Batov et sa fille ; et maintenant le Dr Berruguete.

— Sans oublier l'assassinat du pauvre Martin Quidde. Mais, au moins, nous connaissons le coupable.

— Oui, absolument. Et vous savez, je suis passablement fatigué de vous entendre en parler parce que j'ai eu l'idée stupide de le tuer pour empêcher vos noisettes de finir dans la mangeoire du cheval. Les vôtres et celles de la moitié de l'état-major général à Smolensk.

— N'allez pas penser que je ne vous suis pas reconnaissant. Je le suis. De même que le général von Tresckow. Ou est-ce que vous n'écoutiez pas ?

— Je n'entends peut-être plus aussi bien depuis qu'on m'a tiré dessus.

— Mais ces autres victimes. Vous ne pensez pas que le Dr Kramsta les a tuées également ?

— Non, bien sûr. Compte tenu du fait qu'elle n'était même pas là au moment où les meurtres en question ont eu lieu. Je dois bien reconnaître que je suis un piètre policier car personne n'a encore été appréhendé pour aucun d'entre eux. Ce qui, à vrai dire, est la seule raison que je vois de croire que le Dr Kramsta est innocent, après tout.

— Oui, vous avez raison. Jusqu'ici, vous avez fait preuve de beaucoup plus d'efficacité dans le rôle d'assassin que dans les autres tâches dont vous aviez la charge.

— J'aimerais pouvoir vous retourner le compliment, colonel. »

Je me levai de bonne heure et me rendis au mess. Le petit déjeuner était toujours le meilleur repas de la journée à Krasny Bor. Il y avait du café – du vrai café, Kluge n'aurait toléré rien de moins –, du fromage, du pain de seigle et de blé entier, du beurre salé, des roulés à la cannelle, du gâteau danois et, naturellement, des saucisses à tire-larigot. La vie était très différente, bien sûr, pour les simples soldats, et personne au QG du groupe d'armées ne posait trop de questions sur ce qu'ils avaient pour le petit déjeuner ; personne ne posait trop de questions sur les saucisses non plus. On estimait généralement qu'il s'agissait de viande de cheval, mais il y avait aussi des pots de Löwensenf de Düsseldorf[1] sur la table afin que le goût de votre saucisse ressemble davantage à celui des saucisses pur porc que vous mangiez chez vous. La carafe de schnaps était toujours laissée ostensiblement sur la table pour ceux qui aimaient commencer la journée avec l'estomac vide. En général, je prenais de tout, y compris du schnaps, étant donné que je n'avais que peu de temps pour déjeuner et encore moins pour le café et le gâteau aux pommes qui apparaissaient comme par enchantement au mess vers quatre heures. Certains officiers allemands finissaient même par prendre du poids pendant leur séjour à Smolensk. Contrairement aux habitants, bien entendu – sans parler de nos prisonniers de guerre ; eux ne risquaient pas de prendre du poids.

En dépit de ma nuit brève, j'étais là avant qu'aucun des membres de la commission internationale soit arrivé au mess. Le maréchal

---

1. Moutarde forte.

également et, dès qu'il me vit, Kluge vint à ma table, tira impatiemment une chaise avec le pied et s'assit. Son visage de granite gris était un modèle de colère féroce, telle une gargouille sur une vieille église allemande.

« J'apprends par le colonel Ahrens que c'est vous qui avez cru bon de cogner sur la tête de mon domestique Diakov avec une matraque hier soir », dit-il à travers ses dents jaunes serrées.

Il était évident qu'il m'aurait mordu s'il n'avait pas été un officier et un gentilhomme.

« Avec tout mon respect, maréchal, il était ivre et tirait sur les gens, répondis-je.

— Des sottises. J'aurais compris votre attitude, Gunther, s'il avait été dans un tram où un bâtiment plein de monde. Mais non, il se trouvait au milieu d'une fichue forêt. La nuit. Je pense que quiconque ayant pour deux sous de cervelle se serait rendu compte qu'il était hors d'état de nuire. Les seules personnes sur lesquelles il risquait de tirer, ce sont quelques milliers de vos chers cadavres polonais. »

Voilà soudain que c'étaient mes cadavres polonais.

« Ce n'est pas l'impression que cela donnait à ce moment-là, maréchal. Le général von Tresckow m'a demandé d'aider son adjudant-major et…

— Quelqu'un a-t-il été blessé ? Non, bien sûr. Mais comme un stupide flic berlinois à la main lourde, vous vous êtes senti obligé de lui fendre le crâne. Et vous y avez sans doute pris plaisir, pardessus le marché. La police de Berlin est réputée pour ça, n'est-ce pas ? Fendre les crânes et poser des questions ensuite ? Vous auriez dû le laisser cuver. Vous auriez dû attendre le matin. Il aurait retrouvé toute sa raison à l'heure qu'il est au lieu d'être inconscient, bon Dieu.

— Oui, maréchal.

— Je viens d'avoir un coup de fil de l'hôpital. Il est toujours sans connaissance. Et il a une bosse sur la tête de la taille de vos fichues méninges. »

Kluge se pencha en avant et tendit un index long et mince vers le milieu de ma figure. Une légère odeur d'alcool flottait dans son haleine, et je me demandai s'il ne s'était pas déjà rincé le bec avec la carafe de schnaps. Je savais que c'est que je ferais dès qu'il serait parti – il y a mieux pour démarrer la journée que de se faire engueuler par un maréchal furieux.

« Laissez-moi vous dire ceci, mon ami nazi aux yeux bleus. Vous avez sacrément intérêt à prier le ciel pour que mon domestique se rétablisse. Si Alok Diakov meurt, je vous traduirai en conseil de guerre, puis je vous passerai moi-même une corde autour du cou. Vous entendez ? Je vous ferai pendre pour meurtre. Tout comme j'ai fait pendre ces deux salopards de la 3ᵉ division de Panzergrenadier. Et n'allez pas croire que je n'en ai pas les moyens. Vous êtes actuellement très loin de la protection du RSHA et du prétendu ministère de l'Éducation du peuple. C'est moi qui mène la barque à Smolensk, pas Goebbels ni qui que ce soit d'autre. Je suis le chef ici.

— Oui, maréchal.

— Imbécile ! »

Il se leva brusquement, renversant la chaise sur laquelle il avait pris place, se tourna, l'écarta de son chemin d'un coup de pied et sortit du mess d'un pas lourd, me laissant en manque de sous-vêtements propres. J'avais déjà essuyé des tirs de barrage verbaux par le passé, mais rien d'aussi officiel ni peut-être d'aussi menaçant, et Kluge avait raison sur un point : j'étais très loin de la relative sécurité de Berlin. Un maréchal allemand – dont la loyauté avait été chèrement achetée par Hitler, de surcroît – pouvait plus ou moins faire ce que bon lui semblait avec une armée entière pour le soutenir.

Manifestement, le ministère m'aurait été d'une grande aide de toute façon car, dès que le maréchal fut parti, une ordonnance se présenta à moi avec un télex du secrétaire d'État Otto Dietrich m'avisant que, si jamais la commission internationale quittait Smolensk avant d'avoir achevé ses travaux, ni Sloventzik ni moi-même ne devions prendre la peine de rentrer au pays. Il était, m'informait le message, de notre responsabilité conjointe de veiller à ce que la mort du Dr Berruguete demeure un secret coûte que coûte. Je m'enfilai un second verre de schnaps, vu qu'il semblait peu probable que je puisse me sentir plus mal que je ne l'étais alors.

« C'est un peu tôt pour ça, non ? »

Ines Kramsta se tenait derrière moi avec une tasse de café, un roulé à la cannelle et une cigarette. Elle avait beau porter la même combinaison pantalon, chemisier et veste que la veille au soir, elle continuait à avoir plus belle allure que la plupart des femmes.

« Tout dépend si je suis allé me coucher.

— Et ?

— Oui, finalement. Mais je n'ai pas pu dormir. J'avais trop de choses en tête. »

Je lui pris la cigarette de la bouche et tirai des bouffées pendant une seconde tout en l'entraînant vers une table libre. Nous nous assîmes.

« Je suis quasiment sûre que le schnaps ne t'aidera pas à mieux réfléchir que tu n'y arrives en temps normal.

— Eh bien, tout le problème est là. Trop réfléchir n'est pas bon pour moi. Je me mets à avoir des idées quand je réfléchis. Des idées folles, par exemple que je sais ce que je fabrique ici.

— Est-ce que certaines de ces idées folles m'incluent ?

— Après hier soir ? Ça se pourrait. Mais enfin, ce n'est guère surprenant. Il semble que tu sois une femme aux facettes multiples.

— J'avais l'impression qu'il n'y avait qu'une facette qui t'intéressait réellement. Est-ce que tu boudes parce que je ne t'ai pas laissé coucher avec moi la nuit dernière ?

— Non. C'est juste que, au moment même où je me dis que j'apprends peut-être à te connaître, je me rends compte que je ne te connais pas du tout.

— Crois-tu que c'est parce que je suis plus intelligente que toi ?

— C'est ça ou tout ce que j'ai découvert sur vous, docteur. »

Elle ne broncha pas. Je devais lui rendre cette justice : si elle avait tué le Dr Berruguete, elle n'avait pas froid aux yeux.

« Ah ! Comme quoi ?

— Tout d'abord, j'ai appris que vous étiez parents, le colonel Rudolf Freiherr von Gersdorff et toi. »

Ines fronça les sourcils.

« J'aurais pu te le dire.

— Oui, et je me demande pourquoi tu ne l'as pas fait lorsque tu as laissé entendre que je devrais l'arrêter pour le meurtre du Dr Berruguete. C'était très malin de ta part. »

J'écrasai la cigarette dans un cendrier avant d'empocher discrètement le mégot.

Elle sourit d'un sourire entendu, qui disparut avec le roulé à la cannelle. Ce qui ne l'empêchait certainement pas d'être attrayante, pas à mes yeux.

« Nous ne sommes pas exactement proches, Rudolf et moi. Plus maintenant.

— C'est ce qu'il m'a dit.

— Que t'a-t-il dit d'autre ?

— Que tu avais été communiste.

— Ce genre de chose, ça s'appelle l'histoire, Gunther. C'est un des sujets préférés des Allemands. Surtout les Allemands plutôt rétrogrades comme Rudof. »

Je poussai un soupir.

« Querelle de famille, hein ?

— Pas vraiment. Tolstoï dit que chaque famille malheureuse est malheureuse à sa façon. Mais c'est tout simplement faux. Quelle que soit la famille, les tracas ont toujours la même origine : la politique, l'argent, le sexe. C'était comme ça pour nous. Je suppose que c'est comme ça pour tout le monde.

Je soupirai de nouveau.

« Je ne pense pas qu'aucun de ces motifs englobe le genre de pétrin dans lequel je suis en ce moment.

— Ton problème, c'est que tu persistes à te considérer comme un individu dans un monde collectiviste et systématique. Le problème, c'est ce qui te définit, Gunther. Sans problème, tu n'as pas de sens. Tu devrais y penser de temps à autre.

— Ce sera une véritable consolation quand je me balancerai au bout d'une corde que de savoir que je n'avais pas d'autre choix que de faire ce que j'ai fait.

— Tu es vraiment dans le pétrin, n'est-ce pas ? » Elle toucha mon bras avec sollicitude. « Qu'est-ce qu'il y a qui ne va pas ?

— Le maréchal m'a dit qu'il me ferait pendre si son *Putzer* russe mourait.

— Absurde.

— Il n'avait pas l'air de plaisanter.

— Mais quel rapport avec toi ?

377

— Après que tu es allée te coucher, j'ai essayé d'apprendre à vivre à ce type. Il était ivre et menaçait de tirer sur les gens. Les Allemands.

— Et tu l'as frappé un peu trop fort, c'est ça ?

— Vous comprenez tout, docteur.

— Où est-il en ce moment ?

— À l'hôpital d'État. Inconscient. Peut-être pire. Je ne suis pas sûr qu'il y ait encore là-bas quelqu'un qui sache faire la différence.

— C'est là qu'on a transporté le corps de Berruguete hier soir ?

— Oui.

— Alors pourquoi ne pas aller le voir avant que je procède à l'autopsie.

— Le professeur Buhtz peut se passer de toi ?

— Les autopsies, c'est un peu comme faire l'amour, Gunther. Parfois, il n'est pas nécessaire d'en faire tout un plat. »

Je souris de sa franchise.

« Eh bien, bon appétit, docteur.

— Je vais chercher ma trousse. »

À l'Académie médicale d'État de Smolensk, nous trouvâmes Diakov dans une salle bondée de Russes où les lits n'étaient qu'à quelques centimètres de distance les uns des autres ; contrairement aux salles réservées aux Allemands, celle-ci était bruyante et manquait de personnel. Portant une vieille chemise de nuit blanche ayant pour effet de lui donner l'air anormalement propre et arborant un bandage sur la tête, Diakov était assis dans son lit, largement remis et plein de repentir pour son comportement de la veille. L'infirmière de salle se révéla être Tania. Elle me regarda avec méfiance deux ou trois fois pendant qu'elle avait une brève conversation avec Ines, puis elle nous laissa seuls. Je ne leur parlai pas de ce que je savais du passé de Tania – maintenant que j'avais vu dans quelles conditions elle travaillait, je regrettais presque d'avoir aidé le lieutenant Voss à mettre fin à ses autres sources de revenu.

« Capitaine, dit Diakov en m'agrippant la main et il l'aurait sans doute embrassée si je ne l'avais pas retirée avant, je suis désolé pour ce qui s'est passé hier soir. Je ne suis qu'un stupide *pianitsa*.

— Ne vous excusez pas. C'est moi qui vous ai frappé.

— Vraiment ? Je ne m'en souviens pas. Je ne me souviens de rien. *Ya se bye protiven.* » Instinctivement, il effleura le côté de son crâne avec précaution et grimaça. « Vous n'y pas êtes allé de main morte, capitaine. *Bachka bolit.* Je ne sais pas ce qui me donne le plus mal à la tête en ce moment. La vodka ou ce dont vous vous êtes servi pour m'assommer. Mais je ne l'avais pas volé. Et merci, capitaine. Merci beaucoup.

— De quoi ?

— De ne pas m'avoir abattu avec votre pistolet, bien sûr. » Il fit la moue. « L'armée Rouge, le NKVD, ils auraient tiré sur un homme ivre, sûr et certain, capitaine. Sans hésitation. Je vous promets que ça n'arrivera plus. Je m'excuse d'avoir causé autant d'ennuis. Je le dirai au colonel Ahrens également.

— Maroussia, dis-je. L'aide-cuisinière du château. Elle s'inquiète pour vous, Diakov. De même que le maréchal.

— Ah oui ? Le maréchal aussi ? Fantastique ! Il va me garder à son service ? Comme *Putzer* ? C'est possible ?

— Je dirais qu'il y a de très bonnes chances, oui. »

Diakov poussa un soupir de soulagement tel que je me réjouis de ne pas être sur le point d'allumer une cigarette.

« Alors je suis un veinard.

— Voici le Dr Kramsta, lui dis-je. Elle va vous examiner pour voir si tout va bien.

— Il faudrait vraiment lui faire une radio, murmura Ines. La machine fonctionne, mais, d'après l'infirmière, il n'y a pas de plaques pour réaliser une image.

— Il a la tête dure, non ? » Je souris. « Je doute qu'une radio parvienne à traverser l'os. »

Diakov trouva ça très drôle.

« Diakov n'est pas si facile à tuer, hein ? »

S'asseyant sur le bord du lit, Ines inspecta son crâne, ses yeux et son nez avant de tester ses réflexes, puis de déclarer qu'il ne courait pas de danger immédiat.

« Est-ce que ça veut dire que je peux m'en aller ? demanda Diakov.

« — S'il s'agissait de n'importe qui et de n'importe quel autre endroit, je lui conseillerais de rester alité et de se reposer pendant quelques jours. Mais ici… » Elle esquissa un sourire et regarda autour d'elle alors qu'un homme à l'autre bout de la salle s'était mis à crier à tue-tête. « Oui, vous pouvez partir. L'atmosphère sera sûrement beaucoup plus agréable pour vous à Krasny Bor. »

Diakov lui baisa la main, et il continuait à nous abreuver de remerciements lorsque nous le quittâmes.

« Tu es sûre qu'il va bien ?

— Tu demandes ça parce que tu te fais du souci pour lui ou pour toi ?

— Pour moi, bien sûr.

— Je pense que ton cou est sain et sauf pour le moment », répondit-elle.

Nous descendîmes au sous-sol, à la morgue de l'hôpital, où le corps du Dr Berruguete, toujours entièrement vêtu et occupant la même civière crasseuse et tachée de sang qui avait permis de le ramener du bois de Krasny Bor, était allongé par terre. Il y avait aussi d'autres corps, empilés sur des étagères en bois bon marché comme autant de boîtes de haricots. Lorsque nous arrivâmes dans la salle, Ines nous fit taire un instant en mettant une main devant ma bouche.

« Oh ! mon Dieu », murmura-t-elle lentement.

Il y avait une table de dissection en porcelaine, très tachée et paraissant avoir été occupée récemment, avec un tuyau en caoutchouc relié à un robinet et un drain. La salle baignait dans une lumière artificielle virant au vert sur le carrelage fissuré du mur et qui se mit à briller sur les instruments chirurgicaux d'Ines Kramsta tandis que, hochant la tête, elle les disposait méthodiquement comme des cartes dans un jeu de patience mortel. L'endroit puait autant qu'un abattoir – à chaque inspiration, vous aviez l'impression d'inhaler une substance dangereuse, impression renforcée par le bourdonnement occasionnel d'insectes volants et par l'humidité que vous sentiez sous vos pieds.

« Ils n'ont même pas lavé le corps, dit-elle sur un ton de dédain. Quel genre de fichu hôpital est-ce là, d'ailleurs ?

— Le genre russe, répondis-je. Le genre faire-pour-le-mieux-en-temps-de-guerre. Le genre tout-le-monde-s'en-moque-éperdument. À toi de choisir.

— Je croyais avoir vu des hôpitaux épouvantables en Espagne, au cours de la guerre civile. Cette salle à l'étage était un zoo. Mais ça… c'est vraiment la maison des reptiles.

— Tu étais en Espagne ? demandai-je innocemment. Pendant la guerre civile ?

— Je crois que je vais avoir besoin de ton aide. Au moins pour le mettre sur la table. » Ignorant ma question, Ines enfila sa blouse et ses gants, puis tamponna ses jolies narines avec du parfum. « Tu en veux ?

— S'il te plaît. »

Elle m'en tamponna tout en faisant le signe de croix avec sur mon front en manière de plaisanterie, après quoi nous hissâmes le corps rigide sur la table, où elle coupa les vêtements en quelques secondes avec un couteau tranchant comme un rasoir. Elle avait retroussé ses manches, et la zone entre le bord de la blouse et son gant révélait un bras musclé qui ondulait avec vigueur tandis qu'elle maniait le couteau. Pendant un instant, je me dis que je l'aimais, mais, avant d'en être sûr, je savais qu'il me faudrait d'abord répondre à la question qui ne cessait de me titiller comme un bouton de col gênant. Avait-elle tué Berruguete ?

« Je suppose que ce n'est pas ta première autopsie, dit-elle.

— Non. »

J'aurais pu ajouter à juste titre que c'était néanmoins ma première autopsie où le principal suspect effectuait la procédure, mais j'étais curieux de voir si Ines Kramsta dirait quelque chose susceptible de révéler sa culpabilité. Ce n'était pas vraiment un plan ; et l'ensemble de la chose me mettait mal à l'aise, car ce n'était qu'un vilain tour destiné à arracher une sorte de réaction émotionnelle à une femme que j'admirais. Après tout, si Berruguete n'était que la moitié du salaud dont Canaris avait brossé le portrait et qu'Ines était coupable de l'avoir assassiné, alors elle méritait des félicitations, et non pas d'être incitée par la ruse à livrer un aveu tacite de sa culpabilité. Mais il y avait bien peu d'émotion à voir sur son visage, et pas grand-chose non plus dans ses mains ni dans son ton.

« J'ai vécu un certain temps à Barcelone en 1937 », dit-elle, répondant finalement à ma question précédente. Sa voix était égale, régulière et absolument sans expression, comme si l'essentiel de sa concentration était absorbé par le couteau traçant une ligne gris-rose le long du centre du torse du cadavre. « J'ai passé dix mois à travailler dans une clinique pour le Front populaire. Pendant ce temps, j'ai vu des choses dont je garderai le souvenir pour le restant de mes jours. Et les atrocités qui ont été commises des deux côtés. Cela m'a guérie pour toujours de la politique. Tu pourras le dire à Rudolf la prochaine fois que vous cancanerez à mon sujet.

— Pourquoi ne pas lui dire toi-même ?

— Oh ! non. » Elle parut soudain sur ses gardes. « Trop d'eau a coulé sous les ponts depuis lors pour que cela se produise. Nous avons eu une brève liaison. Est-ce qu'il te l'a dit ?

— Non. Seulement que ton frère a connu une fin malheureuse. En Espagne.

— C'est une façon de décrire la chose. » Elle sourit tranquillement. « À ta place, je ne serais pas aussi pressée de l'écarter pour ceci. Rudolf est beaucoup plus impitoyable qu'il n'en a l'air.

— Oh ! je sais. Il peut être explosif. Et qui a dit que je l'écartais ?

— C'est simplement que tu as paru assez chatouilleux sur ce point lorsque j'en ai parlé hier soir. Le Dr Berruguete était au mariage de Rudolf, tu sais. En 1934. Il finissait ses études en Allemagne, et je crois qu'il connaissait la famille de Renata. Les Kracker von Schwartzenfeldt.

— D'après lui, tu étais aussi à son mariage.

— Exact, mais ce n'est pas moi qui ai invité Berruguete. » Elle sourit de nouveau. « Le monde est petit, pas vrai ?

— Il paraît. » Je marquai une pause. « Du moins, c'est l'impression que ça doit donner de là-haut. J'imagine qu'il y a foule sur ces sommets montagneux que toi et les « von » et les « zu » vous faites un plaisir de partager entre vous.

— Ça te dérange, n'est-ce pas ? L'idée d'une aristocratie allemande.

— Je suppose que cela a dû te déranger aussi. Sinon, pourquoi ce bolchevisme de jeunesse ?

— Oui. Mais il semble qu'il y ait bien plus qui vaille la peine de se tracasser aujourd'hui qu'une simple question de fortune et de privilèges héréditaires. Ce n'est pas ton avis ?

— Je ne peux pas dire le contraire. Que lui est-il arrivé, quoi qu'il en soit ? À son épouse.

— Renata ? Mon Dieu, c'était une femme adorable. La femme la plus adorable que j'aie jamais rencontrée. Elle est morte l'année dernière. Elle avait vingt-neuf ans, je crois. J'ai oublié ce que c'était au juste. Des complications après un accouchement, peut-être, je ne me rappelle pas. »

Elle travaillait vite et sans hésitation, révélant tout d'abord que Berruguete avait été touché deux fois – une fois à la tête et une fois au cœur –, avant d'extraire une balle de sa poitrine et, en l'absence de boîte de Petri, de la poser dans un cendrier, mais seulement après avoir jeté la cendre et les allumettes usagées. Elle avait les mains fermes, suffisamment fermes pour avoir tiré avec un Mauser Broomhandle et atteint sa cible.

« Eh bien, c'était une surprise, murmura-t-elle.

— C'est-à-dire ?

— Je pensais qu'il avait été touché seulement à la tête.

— Mais pas vraiment une surprise pour moi. J'ai entendu trois coups de feu hier soir. Une seule des balles est allée dans ma direction.

— Il y a la seconde blessure par balle et le fait qu'il avait même un cœur.

— On dirait que tu le connaissais. Du mariage, sans doute.

— Non. Je ne lui ai jamais parlé. Je te le répète. Mais je le connaissais, bien sûr. Sa réputation le précédait. Comme je te l'ai dit, il défendait des points de vue extrêmes sur l'« hygiène raciale ». Sur probablement tout. » Elle examina de plus près la balle de la poitrine qu'elle tenait dans sa pince. « La balistique n'est pas mon fort, je le crains. Je ne saurais dire si elle provient d'un Mauser Broomhandle ou non. Tu devrais donner cette balle au professeur Buhtz. Pour voir ce qu'il peut en tirer. C'est lui, l'expert en balistique.

— Je pense bien.

— Le connaissant, il te dira probablement de quel lot de munitions elle sortait.

— Oui, je suppose.

— Une dans le cœur et une autre entre les deux yeux ; celui qui l'a tué devait être un tireur d'élite. Ce Mauser qu'on a retrouvé était à au moins soixante-quinze mètres du corps. À supposer qu'il l'ait laissé tomber à l'endroit où il a fait feu, c'était un joli coup à la nuit tombante, non ?

— Avec la crosse dessus ? Je me demande.

— Je ne pense pas que j'aurais été capable de réussir un tir pareil. En outre, la crosse n'était pas sur le pistolet au moment où on l'a récupéré.

— Elle n'était pas dans la voiture non plus, dis-je. Je présume qu'il a démonté le dispositif dans l'intention de remettre le pistolet à l'intérieur de la crosse, puis qu'il a paniqué, laissé tomber l'arme et jeté tout simplement l'étui-crosse au loin.

— Ce tireur ne me donne pas l'impression d'être du genre à paniquer. Il vole le pistolet dans la voiture de von Gersdorff, puis abat calmement Berruguete à l'intérieur d'une zone sécurisée que surveillent des soldats de la Wehrmacht. Il faut avoir la tête froide pour faire une chose pareille. Il s'est même arrangé pour tirer une troisième balle dans ta direction avant de prendre la fuite.

— Sauf que celle-là manquait de précision.

— Tout dépend, n'est-ce pas ? S'il essayait de t'atteindre ou non.

— Oui. Très juste. Je n'y avais pas pensé.

— Bien sûr que si. Ça te titille depuis que c'est arrivé. »

Ines souleva la tête de Berruguete en la tenant par les cheveux. La blessure de sortie de la taille d'une prune à l'arrière du crâne était assez évidente.

« Je suppose qu'il n'est pas nécessaire de retirer le cerveau, dit-elle. La balle qui l'a atteint à la tête est manifestement ressortie. On n'apprendra rien de plus que le fait qu'il a été abattu.

— Non, probablement. »

Elle laissa retomber la tête sur la table avec un bruit sourd, comme si ce qu'il en adviendrait était le cadet de ses soucis. Certes, Berruguete était mort, et cela n'aurait pas pu avoir moins d'importance pour lui, mais j'étais quand même habitué à voir les médecins légistes traiter leurs cadavres avec un peu plus de respect.

« Ça change, je suppose, dit-elle.

— Comment ça ?

— Tout le monde dans la forêt de Katyn a été abattu d'une balle dans la nuque, avec une blessure de sortie correspondante dans le front. Ici, c'est le contraire.

— On trouve de la nouveauté où on peut.

— Sans aucun doute, dit-elle d'un air sombre. Tu peux appeler ça comme ça, si tu préfères. Tu sais, l'un ou l'autre de ces projectiles aurait suffi à le tuer.

— Impossible de dire laquelle était la première, j'imagine. La balle dans la tête ou celle dans la poitrine. »

Elle fit un signe négatif.

« Impossible. Dans tous les cas, il semble que le tireur ait voulu être certain de tuer sa victime. »

Elle rinça ses gants avec le tuyau de caoutchouc puis les enleva, bien que la cavité thoracique fût toujours ouverte. On aurait dit qu'un minivolcan avait fait éruption dans ses entrailles.

« Est-ce que l'habitude n'est pas de remettre une partie du foie et du lard en place et de recoudre ? demandai-je.

— Oui, répondit-elle en allumant froidement une cigarette. Mais quel intérêt ici ? Ce n'est pas comme si sa famille risquait de le voir. Il est hors de question qu'ils l'expédient en Espagne depuis Smolensk. Je dirais plutôt qu'ils le mettront en bière et l'enterreront, tu ne crois pas ? Auquel cas, le recoudre n'est qu'une perte de temps. »

Je haussai les épaules.

« Je suppose que tu as raison.

— Bien sûr que j'ai raison.

— Tout de même, ça semble un tout petit peu irrespectueux. Envers lui.

— Je n'ai peut-être pas été suffisamment claire avec toi, Gunther, mais ce n'était pas un brave homme. En fait, j'irai même jusqu'à dire que c'était un monstre.

— Je ne peux qu'être en accord avec cette description. Les stérilisations forcées sont une chose ignoble.

— On pourrait le penser. Mais si je te disais que ce type a fait tuer des républicains afin de pratiquer des autopsies pour voir si leur cerveau ne présentait pas une anomalie, qu'est-ce que tu répondrais à ça ? Est-ce que tu voudrais encore que je le recouse bien proprement par respect pour son cadavre ?

— Peut-être, oui. Je suis un peu vieux jeu, je présume. J'aime bien faire les choses dans les règles si possible. Tu sais ? La manière correcte. La manière dont on les faisait avant 1933. Parfois, je me dis que je suis le seul type réellement intègre que je connaisse.

— J'ignorais que tu étais aussi délicat, Gunther.

— Oui, c'est vrai. De plus en plus, je pense, alors que les autres semblent l'être de moins en moins. Ces derniers temps, je ne triche même plus au solitaire si je peux l'éviter. La semaine dernière, je me suis dénoncé moi-même à l'adjudant-major pour avoir pris une deuxième portion au dîner. »

Ines poussa un soupir.

« Oh ! très bien. »

Elle jeta sa cigarette par terre, fouilla dans sa trousse et en sortit une grosse aiguille qui aurait pu recoudre une voile du *Padua*. Elle fit passer du fil de suture par le trou de celle-ci avec une rapidité toute professionnelle et la tint en l'air pour que je l'examine.

« Ça ira ? »

J'approuvai d'un hochement de tête.

Elle se concentra un instant, puis se mit à l'œuvre, recousant Berruguete jusqu'à ce qu'il ressemble à un ballon de football allongé. Ce n'était pas le travail le plus soigneux qu'il m'ait été donné de voir, mais, au moins, on ne le prendrait pas pour l'exposer dans la vitrine du boucher du coin.

« Jamais tu ne travailleras pour un tailleur, remarquai-je. Pas avec des coutures pareilles. »

Elle poussa une exclamation agacée.

« Je n'ai jamais été très bonne pour les points de suture. De toute manière, je ne peux rien faire de mieux pour lui, j'en ai peur. Et c'est plus que ce qu'il a fait pour ses victimes, je peux te le dire.

— J'avais cru comprendre. »

J'allumai une cigarette et la regardai rincer de nouveau ses gants, puis ses instruments.

« Qu'est-ce qui t'a amenée à travailler dans ce domaine, du reste ?

— La médecine légale ? Je te l'ai déjà dit, non ? Je n'ai pas suffisamment de patience pour tous les malaises, douleurs et maladies imaginaires des patients vivants. Je préfère de beaucoup travailler avec les morts.

— Ça paraît convenablement cynique, pour notre époque. Mais qu'est-ce que c'est, en réalité ? J'aimerais bien le savoir.

— Maintenant ? »

Elle me prit la cigarette de la bouche, tira dessus pensivement quelques secondes, puis me tapota la joue.

« Merci, dit-elle.

— Pourquoi ?

— Pour m'avoir posé la question. Parce que j'avais presque oublié ce qui fait que je me suis mise à travailler avec les morts. Et tu as raison : ce n'est pas pour le motif que je viens de te donner. Ça, c'est juste une histoire stupide que j'ai inventée pour pouvoir éviter de dire aux gens la vérité. Le problème, c'est que j'ai répété ce mensonge tellement de fois que j'ai presque fini par y croire moi-même. À la manière d'une vraie nazie, en définitive. Comme si j'étais quelqu'un de tout différent. Et tu trouveras peut-être que ce que je vais te dire est pompeux, voire légèrement prétentieux, mais je le pense. Chaque mot.

« Le seul but de la médecine légale est la recherche de la vérité, et, au cas où tu ne l'aurais pas remarqué, c'est devenu une denrée extrêmement rare en Allemagne de nos jours. Surtout dans la profession médicale, où ce qui est vrai et juste compte fort peu par rapport à *ce qui est allemand*. Théories et opinions n'ont pas leur place près d'une table de dissection ; pas plus que la politique ou les idées tordues sur la biologie et les races. La médecine légale ne nécessite que la réunion paisible de preuves scientifiques réelles et la construction d'hypothèses raisonnables fondées sur une observation honnête, ce qui signifie que c'est à peu près l'unique facette de la pratique médicale qui n'ait pas été détournée par les nazis et les fascistes comme lui. » D'une chiquenaude, elle envoya sa cendre en direction du cadavre de Berruguete avant de replacer la cigarette entre mes lèvres. « Est-ce que ça répond à ta question ? »

J'acquiesçai.

« Le Dr Berruguete a-t-il quelque chose à voir avec la mort de ton frère ?

— Qu'est-ce qui te fait dire ça ?

— Rien d'autre que le fait que tu viens de te servir de lui comme cendrier.

— Peut-être. Je n'en suis pas certaine. Ulrich et une cinquantaine de Russes membres des brigades internationales ont été capturés puis emprisonnés dans le camp de concentration de San Pedro de Cardeña, un ancien monastère près de la ville de Burgos. Je ne crois pas que quiconque n'ayant pas été en Espagne ait une idée du degré de barbarie auquel est descendu ce pays pendant la guerre. Des cruautés qui ont été infligées par les deux camps, mais plus particulièrement par les fascistes. Mon frère et ses camarades servaient de main-d'œuvre forcée lorsque Berruguete – dont le modèle, soit dit en passant, était la Sainte Inquisition, et qui a jadis écrit un article prônant la castration des criminels – a reçu la permission du général Franco de pathologiser les idées de gauche. Naturellement, les militaires étaient ravis que l'on fasse appel à la science pour justifier leur opinion que les républicains étaient tous des bêtes. De sorte qu'on a donné un grade élevé à Berruguete et que les prisonniers, y compris mon pauvre frère, ont été transférés à une clinique de Ciempozuelos, qui était dirigée par un autre criminel, appelé Antonio Vallejo Nágera. On ne les a jamais revus, mais il ne fait aucun doute que c'est là que mon frère est mort. Et si Berruguete ne l'a pas tué, c'est Vallejo. De l'avis général, il était tout aussi épouvantable.

— Je suis navré », dis-je.

Elle m'enleva de nouveau la cigarette de la bouche et la garda cette fois-ci.

« Même si je regrette que le travail de la commission internationale ait été mis en danger, je ne suis pas le moins du monde désolée de la mort de Berruguete. Il y a quantité d'hommes et de femmes de bien en Espagne qui applaudiront et rendront grâce à Dieu en apprenant que la justice a fini par le rattraper. Si quelqu'un méritait une balle dans la tête par ici, c'est lui.

— Très bien. D'accord. »

Je posai ma main sur sa joue soyeuse. Elle se pressa contre ma paume, puis l'embrassa tendrement. Elle se mit à pleurer un peu, et, passant mon autre bras autour de ses épaules, je l'attirai à moi. Elle ne dit pas un mot de plus, mais elle n'en avait pas besoin ; mes soupçons précédents s'étaient évanouis. Je suis un peu lent à me faire une idée sur ce genre de question, et plein d'une prudence de flic, ce qui m'empêche de me conduire comme n'importe quel homme normal, mais j'étais à présent convaincu qu'Ines Kramsta n'avait pas tué Berruguete. Après dix ans passés à l'Alex, vous finissez par savoir si quelqu'un est un meurtrier ou non. Je l'avais regardée dans les yeux et j'avais vu la vérité. Et la vérité, c'est qu'il s'agissait d'une femme ayant des principes et qui croyait à certaines choses, et que ces choses n'incluaient pas le subterfuge et l'assassinat de sang-froid, même à l'égard de quelqu'un méritant une balle dans la peau.

J'avais vu une autre vérité, non moins importante, et c'est que je pensais que je l'aimais.

« Allez, dis-je. Fichons le camp d'ici. »

À la porte d'entrée de l'hôpital, Tania, l'infirmière, me rattrapa.

« Herr Gunther. Est-ce que vous allez à Krasny Bor ?

— Oui.

— Pouvez-vous, s'il vous plaît, rapporter ces objets à Alok Diakov ? » Elle expliqua en me tendant une grande enveloppe brune : « Il est parti il y a environ dix minutes, avec des grenadiers également guéris rentrant à Krasny Bor, avant que j'aie eu le temps de lui rendre ses affaires personnelles : sa montre, ses lunettes, sa bague, un peu d'argent. À l'hôpital, il est d'usage de vider les poches des patients quand on les amène afin de mettre le contenu à l'abri. » Elle eut un haussement d'épaules. « Il y a beaucoup de vols ici, vous comprenez.

— Certainement. » Je me tournais vers Ines. « C'est là que tu veux aller ? À Krasny Bor ? »

Elle consulta sa montre et secoua la tête.

« Le professeur Buhtz se trouve probablement à Glouchtchenki à l'heure qu'il est, avec la commission, répondit-elle. Tu pourrais peut-être m'emmener là-bas ? »

Je hochai la tête.

« Bien sûr. Où tu veux.

— Ce qui te permettra, si tu le souhaites, de lui donner la balle que nous avons extraite du cœur de Berruguete à ce moment-là, ajouta-t-elle obligeamment. Pour voir ce qu'il en tire. Même s'il ne fait guère de doute, à mon avis, qu'elle provient de ce 9 rouge que tu as trouvé.

— Très bien. J'irai jeter un nouveau coup d'œil à la scène de crime avant. Pour vérifier que je ne suis pas passé à côté de quelque chose. Et dénicher éventuellement cet étui-crosse disparu. »

Je l'emmenai donc au quartier général de la Feldgendarmerie locale à Glouchtchenki, où tous les documents concernant Katyn récupérés dans la fosse numéro un étaient maintenant exposés dans une véranda spécialement vitrée de la maison en bois.

Lorsque nous arrivâmes, il était évident que la commission internationale était déjà sur les lieux. Buhtz et Sloventzik – faciles à distinguer dans leur uniforme vert-de-gris – étaient entourés d'experts. La plupart âgés d'une soixantaine d'années, barbus pour beaucoup, portant des mallettes et prenant des notes, tandis que Sloventzik traduisait patiemment les propos du professeur Buhtz. Des photographes officiels prenaient des clichés, et on entendait un bourdonnement ne résultant pas seulement de questions pertinentes : l'air était plein de moustiques. Cela ressemblait plus au marché Zadneprovski, place Bazarnaïa, qu'à une commission internationale d'enquête médico-légale.

Je m'arrêtai à côté du colonel von Gersdorff, qui fumait une cigarette, penché sur le capot de sa Mercedes.

Il m'adressa un signe de tête en me voyant sortir de la Tatra, puis répéta un peu plus prudemment son geste à l'adresse d'Ines.

« Comment vas-tu, Ines ? demanda-t-il.

— Bien, Rudolf.

— Mon Dieu, vous n'avez pas encore arrêté cette femme, Gunther, ajouta-t-il. Est-ce que le sang ne jaillit pas à flots des blessures de Siegfried lorsque le coupable Hagen se tient près du cadavre,

390

pour ainsi dire ? » Il arbora un grand sourire. « Je pensais qu'elle était dans le bain jusqu'au cou pour le meurtre du Dr Berruguete, la dernière fois que nous en avons discuté. Mobile, occasion, tout Dorothy L. Sayers au complet. Sans compter que les belles bolcheviks sont les plus dangereuses, vous savez. »

Il rit de nouveau. Bien sûr, ce qu'il avait dit se voulait une blague, mais Ines Kramsta ne le vit pas tout à fait ainsi. Ni moi non plus, étant donné ce qui se passa ensuite.

Pendant un moment, elle me dévisagea sans un mot, mais, lorsque sa mâchoire faillit se décrocher, il devint clair qu'elle estimait que je l'avais trahie.

« Oh ! je vois, dit-elle à voix basse. Cela explique pourquoi... »

Elle battit des paupières avec un étonnement manifeste et commença à se détourner, mais, faisant un pas en avant, je la saisis par le bras.

« S'il te plaît, Ines. Ce n'est pas comme ça. Il ne le pensait pas vraiment. N'est-ce pas, Gersdorff ? Dites-lui que ce n'était qu'une plaisanterie. Je n'ai jamais eu l'intention de t'arrêter. »

Gersdorff balança sa cigarette et se redressa.

« Euh, oui. Je plaisantais, naturellement. Ma chère Ines, aucun de nous n'a jamais pensé que tu avais vraiment tué ce médecin. Moi, certainement pas. Pas un instant. »

Cet aveu ne sonnait pas moins faux que sa plaisanterie, et on pouvait voir à l'expression d'Ines que les dégâts étaient bel et bien là. J'avais l'impression qu'on avait repoussé du pied le tabouret sur lequel je me trouvais et que j'étais maintenant pendu par le cou à une corde extrêmement fine.

« Cela me paraît évident maintenant, dit-elle en retirant vivement son bras. Toutes ces questions intéressées sur l'Espagne et sur mon frère. Tu essayais de savoir si j'avais tué le Dr Berruguete, n'est-ce pas ? » Ses narines se dilatèrent légèrement et ses yeux s'emplirent à nouveau de larmes. « Tu t'es dit... tu as vraiment pensé que j'aurais pu effectuer une autopsie sur un homme que j'avais assassiné.

— Ines, je t'en prie, crois-moi. Je n'ai jamais eu l'intention de t'arrêter.

« — Mais tu n'en as pas moins envisagé la possibilité que je l'aie tué, n'est-ce pas ? »

Elle avait raison, évidemment, et j'en éprouvais une certaine honte, ce que, bien entendu, elle lut dans mes yeux et sur mon visage.

« Oh ! Bernie, fit-elle.

— Pendant peut-être un instant », dis-je, cherchant des mots qui puissent la convaincre. Mes pieds s'agitaient désespérément pour essayer de toucher le tabouret, sauf qu'il était déjà trop tard. « Mais plus maintenant. » Je secouai la tête. « Plus maintenant, tu entends ? »

Sa déception, son désarroi que j'aie pu la soupçonner de meurtre se changèrent en colère. Son visage s'empourpra et les muscles de ses mâchoires se contractèrent tandis que, se mordant la lèvre, elle me considérait à présent avec mépris.

« J'ai vraiment cru qu'il y avait quelque chose de fort entre nous, dit-elle. Mais je constate que je m'étais terriblement trompée.

— Sincèrement, Ines, dit Gersdorff, mettant de nouveau son grain de sel, tu fais une montagne d'une taupinière. Vraiment. Le pauvre garçon ne faisait que son travail. Il est policier, après tout. C'est son boulot de suspecter les gens comme toi et moi d'actes qu'ils n'ont pas commis. Et tu dois bien admettre que, pendant un moment, tu as fait une suspecte assez acceptable.

— Ferme-la, Rudi, répliqua-t-elle. Sache au moins une fois quand tu dois te taire.

— Ines, il y a effectivement quelque chose de fort entre nous. Oui. C'est aussi ce que je ressens. »

Mais Ines secoua la tête.

« Cela a peut-être été le cas. Du moins, pendant un moment ou deux. »

Sa voix était rauque d'émotion. C'est alors que je compris combien j'aurais souhaité la réconforter et prendre soin d'elle. Si je n'avais pas été la cause de sa blessure, je l'aurais peut-être fait, de surcroît.

« Oui, nous formions un joli couple, Gunther. Dès la première fois où je me suis trouvée en ta compagnie, j'ai vraiment eu l'impression que nous étions plus que juste un homme et une femme.

Mais rien de tout ça n'a plus d'importance quand l'un des deux se met à jouer au flic avec l'autre comme tu viens de le faire avec moi.

— Vraiment, Ines », murmura Gersdorff.

Mais elle s'éloignait déjà, vers Buhtz et la commission internationale, sans se retourner et hors de ma vie, pour toujours.

« Je suis désolé, Gunther. Je ne voulais pas que cela se produise. Vous savez, j'aurais dû m'en souvenir. Comme beaucoup de gauchistes, Ines n'a jamais tellement eu le sens de l'humour. » Il sourit. « Mais, écoutez. Elle s'en remettra, je suppose. Je lui parlerai. Afin d'arranger les choses. Obtenir une grâce en votre faveur. Vous verrez. »

Je fis un signe dubitatif car je savais qu'aucune grâce n'interviendrait.

« Je ne pense pas que ce soit possible, colonel. En fait, j'en suis même certain.

— J'aimerais essayer. À dire vrai, je m'en veux beaucoup. » Il secoua la tête. « Je ne me doutais pas le moins du monde que vous et elle... étiez devenus si proches. C'était... inconséquent de ma part. »

Je n'avais pas grand-chose à répondre à ça. Gersdorff avait raison, c'était inconséquent de sa part. J'aurais même pu ajouter que c'était bien dans sa manière et celle de tous les aristocrates prussiens. Des gens tout bonnement inconséquents parce qu'ils ne se souciaient que d'eux-mêmes, en définitive. C'était leur inconséquence qui avait permis à Hitler de s'emparer du pouvoir en 1933 ; et leur inconséquence faisait qu'ils n'avaient pas encore réussi à l'éliminer, quelque dix ans plus tard. Ils étaient inconséquents, de sorte que d'autres devaient s'occuper de ça à leur place, ou supporter la pagaille qu'ils avaient semée.

Ou pas.

Je m'en allai. Je fumai seul deux cigarettes et, scrutant un moment le ciel bleu à travers les feuilles toutes neuves des grands bouleaux aux reflets changeants, je compris à quel point, surtout dans cette partie du monde, toute vie humaine était ridiculement fragile. Et, offrant mon visage à la lumière crue du soleil russe – ce qui, après tout, était bien plus que n'auraient pu faire les pauvres fantômes des quatre mille Polonais –, je finis par recouvrer quelques fragments noircis et couverts de cendres de mon sang-froid antérieur.

Un peu plus tard, je rencontrai un lieutenant Voss nerveux à la lisière de la foule. Plusieurs Feldgendarmes s'efforçaient de faire la distinction entre ceux qui avaient une raison d'être là et les autres, ce qui n'avait rien d'une sinécure, beaucoup d'habitants et de soldats allemands qui avaient fini leur service étant venus voir ce que c'était que toute cette agitation.

« Quel foutu cirque ! » Voss se donna une tape sur le cou avec agacement. « Dieu sait ce qui se passerait si des partisans choisissaient d'attaquer aujourd'hui.

— À mon avis, la malaria ou le grand âge sont plus susceptibles de venir à bout de certains de ces types qu'une grenade à main, répondis-je en me giflant moi-même, violemment. Je préférerais presque qu'il fasse encore froid ; ça nous débarrasserait du fléau de ces putains d'insectes. »

Voss approuva d'un grognement.

« Au fait, comment va cet enfoiré de Russe à qui vous avez flanqué un coup de matraque hier soir ? Diakov ? Beau boulot, soit dit en passant, capitaine. Si quelqu'un avait besoin d'une raclée, c'est bien le chouchou popov du maréchal.

— Il est en vie, grâce au ciel. Et sur le chemin du retour à Krasny Bor et à son maître.

— Oui, j'ai entendu dire que Hans le malin vous avait passé un savon ce matin. On se demande ce que Diakov détient sur le maréchal pour qu'il se comporte ainsi.

— Effectivement, on se demande, n'est-ce pas ? »

J'entraînai Voss à une courte distance pour lui demander si la soudaine absence de feu le Dr Berruguete avait suscité de l'inquiétude chez nos invités de marque.

« Pas du tout, répondit Voss. Au contraire, plusieurs d'entre eux ont eu l'air soulagés d'entendre qu'il était rentré en Espagne. C'est en tout cas ce que Sloventzik leur a raconté. Un drame familial qui avait nécessité son retour immédiat pendant la nuit.

— Après ce que j'ai appris aujourd'hui sur son compte, ça ne m'étonne pas trop qu'ils aient été ravis de le voir s'éclipser. Ni que quelqu'un lui ait collé une balle dans la peau. Deux, en fait. D'après l'autopsie à laquelle je viens d'assister, on lui a tiré une fois dans la tête et une fois dans la poitrine.

— Est-il possible que ce soit l'un d'entre eux qui l'ait fait ? » demanda Voss en se tournant vers la commission.

Je fis la moue.

« Je ne pense pas, et vous ? Regardez-les. Il n'y en a pas un qui donne l'impression de pouvoir atteindre une veine avec une aiguille, sans parler de faire feu avec un Mauser Broomhandle et d'arriver à toucher quoi que ce soit.

— Mais si ce n'est pas l'un d'entre eux, alors qui ?

— Je n'en sais rien. Vous n'avez pas encore retrouvé cet étui-crosse ?

— Non. Pour être franc, je ne peux pas affecter des hommes à la tâche de le chercher. Nous sommes déjà bien trop occupés à tenir les gens à l'écart de cet endroit et de la forêt de Katyn.

— D'accord. Je m'apprête à retourner à Krasny Bor. J'irai jeter un coup d'œil moi-même. »

Dans les bois de Krasny Bor, toutes les fleurs sauvages étaient écloses, et on avait du mal à croire qu'une guerre faisait rage. La grosse voiture d'état-major de Kluge était garée devant sa villa, mais, presque partout ailleurs, il n'y avait aucun signe que l'endroit fût autre chose que la station thermale qu'il avait été autrefois. Derrière les jolis rideaux des cabanes en bois où des Russes avaient séjourné auparavant, prenant des bains d'eau sulfureuse pour améliorer leur transit intestinal, rien ne bougeait. On n'entendait que les arbres se chuchotant l'un à l'autre dans la brise et quelques oiseaux ponctuant le silence de leurs exclamations éclatantes annonçant que le printemps était enfin arrivé.

Je franchis les grilles et, laissant ma voiture, je marchai jusqu'à l'emplacement où la Feldgendarmerie avait retrouvé l'arme du meurtre, emplacement marqué par un petit drapeau de cette même Feldgendarmerie. Je commençai à chercher dans les hautes herbes et les buissons. Ce que je fis en me déplaçant en cercles toujours plus larges à partir du point en question, comme les aiguilles d'une horloge, jusqu'à ce que, au bout d'environ une heure, j'aperçoive la crosse en chêne poli ressemblant à une pagaie appuyée contre un arbre. Il était évident au premier abord qu'il s'agissait de l'endroit d'où le tireur avait fait feu sur Berruguete, car, à une branche de l'arbre, à peu près à hauteur de tête, était attachée une corde dans laquelle quelqu'un cherchant à stabiliser son arme aurait pu passer le canon de dix centimètres du Mauser avant de l'assujettir solidement en faisant rapidement plusieurs tours. L'emplacement où le corps du Dr Berruguete avait été découvert se trouvait à près d'une centaine de mètres que n'obstruaient ni arbres ni buissons. Moins évident, toutefois, était de savoir comment le tireur avait pu utiliser cette même corde pour tirer sur moi dans la direction opposée ; il lui aurait fallu pivoter de plus de cent cinquante degrés sur la droite, avec pour résultat que le canon du Mauser aurait heurté une autre branche de l'arbre. Par conséquent, qu'il ait tiré sur moi à partir de cet endroit en se servant de la boucle de la corde était impossible. Cela me laissa perplexe et me fit me demander s'il n'y avait pas eu un second tireur.

Je fourrai la corde dans ma poche et passai les trente minutes suivantes à ratisser soigneusement l'herbe, jusqu'à ce que je déniche deux douilles en laiton. Je ne pris pas la peine d'en chercher une troisième car il sautait aux yeux que celles-ci ne pouvaient pas avoir été tirées par la même arme : l'une était une douille de 9 mm Mauser, l'autre quelque chose de plus gros, probablement une balle de fusil.

À Krasny Bor, le silence printanier persistait, mais, dans ma tête, c'était maintenant un vrai tintamarre. Une voix finit par dominer distinctement la clameur. Y avait-il eu un tireur ou deux ? Ou peut-être un tireur avec deux armes différentes, un pistolet et un fusil ? Certes, il aurait été logique de me tirer dessus avec un fusil – j'étais la cible la plus éloignée. Mais pourquoi ne pas tirer également sur Berruguete avec le fusil, sauf si le but avait été de se servir du Mauser emprunté pour pointer du doigt quelqu'un d'autre ?

Je me dirigeai vers la souche renversée sous laquelle j'avais essayé de me dissimuler pour échapper à mon assassin présumé, puis regardai autour de moi, cherchant l'arbre que la troisième balle avait touché à ma place et, l'ayant trouvé, je passai les minutes suivantes à l'extraire avec mon couteau à cran d'arrêt.

Posés sur la paume de ma main se trouvaient deux bouts de métal tordus, dont l'un – celui que j'avais retiré de l'arbre – était plus gros que l'autre sorti de ma poche, et avant ça de la poitrine de Berruguete.

Lorsque, revenant de son examen matinal des documents exposés à Glouchtchenki, la commission internationale se rendit au mess des officiers de Krasny Bor pour déjeuner, je cherchai le professeur Buhtz.

Ines, qui l'accompagnait, passa devant moi comme si j'étais invisible et continua son chemin dans la salle à manger.

Je fis signe à Buhtz de me suivre.

« Vous avez sans doute entendu parler des événements de la nuit dernière. Le fâcheux décès du Dr Berruguete.

— Oui, dit Buhtz. Le lieutenant Sloventzik m'a mis au courant, ainsi que de la nécessité impérieuse de rester discret. Qu'est-il arrivé au juste ? Tout ce que Sloventzik m'a dit, c'est que Berruguete avait été découvert assassiné dans les bois.

— Il a été tué avec un Mauser C96. Je ne le sais que parce que nous avons retrouvé l'arme par terre pas très loin du corps.

— Un Broomhandle, hein ? Excellent pistolet. Je ne vois pas pourquoi on a cessé de l'utiliser. Bonne puissance d'arrêt.

— Plus important, comment étaient nos invités ? Ont-ils cru à cette histoire : que Berruguete avait été brusquement obligé de rentrer chez lui en Espagne ?

— Oui, je pense. Aucun d'entre eux n'a fait de commentaires à ce sujet, même si le professeur Naville a dit qu'il était bien content d'en être débarrassé. Ils ne s'aimaient pas beaucoup, c'est certain. Compte tenu des circonstances, cela a été une matinée extrêmement satisfaisante. L'exposition des documents polonais récupérés dans la fosse numéro un a été très efficace. Et convaincante. L'odeur ou plutôt l'absence de celle-ci à Glouchtchenki signifie que nous avons pu prendre notre temps avec les papiers. Les lire dans la forêt de Katyn aurait été difficile, je pense. Reste l'épreuve des autopsies et de l'inspection des tombes, évidemment. François Naville est sans doute le meilleur des experts, avec les questions les plus perspicaces, d'autant plus qu'il semble détester les nazis. Raison pour laquelle, je suppose, il a refusé quelque rémunération que ce soit venant de Berlin, contrairement à d'autres. Certains sont nettement moins regardants que Naville, ce qui rend l'avis du Suisse d'autant plus précieux, bien sûr. Il parle couramment le russe, ce qui est utile dans la mesure où il a l'intention d'interroger lui-même quelques habitants, ceux auxquels le juge Conrad a demandé une déposition. Et il exprime tout à fait librement ses opinions sur la politique et les droits de l'homme. À plusieurs reprises, au cours de la matinée, il m'a dit sans ambages ce qu'il pensait de « Herr Hitler » et de ses lois antisémites. Je ne savais pas quoi répondre. Oui, il commence à se révéler très embarrassant, notre professeur François Naville.

— Il n'est pas impossible que la mort du Dr Berruguete soit liée à celle du signaleur Martin Quidde, lui dis-je. Vous vous souvenez, au début du mois, ce qui s'est passé là-bas ? Vous avez pu établir par des analyses balistiques que vous avez effectuées qu'il ne s'agissait pas d'un suicide, mais d'un meurtre.

— Oui, c'est exact. Quidde avait été abattu avec un Walther qui n'était pas celui qu'on a retrouvé dans sa main. Un pistolet de police, je présume. Un imbécile quelconque s'imaginant que nous allions nous contenter de l'explication la plus évidente. »

J'acquiesçai, me livrant à ce que je pensais être une excellente imitation de quelqu'un d'entièrement innocent de ce crime imbécile.

« Et vous m'avez donné jusqu'à la fin du mois pour trouver l'assassin avant d'avertir la Gestapo. Afin d'éviter toute action inutile contre la population locale.

— Très scrupuleux de votre part. » Buhtz hocha la tête. « Je n'avais pas oublié. Je me demandais toutefois si c'était votre cas.

— Voici une des balles qui ont tué Berruguete, dis-je en lui donnant la balle usagée et sa douille. Votre charmante assistante, le Dr Kramsta, l'a extraite de la poitrine de celui-ci tôt ce matin lorsqu'elle a pratiqué l'autopsie.

— Un beau brin de fille, Ines Kramsta. Et un médecin légiste de premier ordre.

— La douille, je l'ai trouvée un peu plus tard, en ratissant le périmètre. » Je marquai un temps d'arrêt, avant d'ajouter : « Oui, en effet.

— Pourtant, elle n'a pas eu beaucoup de chance. Son frère a été tué en Espagne. Et ses parents lors d'un bombardement aérien il y a à peine un an.

— Je l'ignorais. »

Buhtz regarda le morceau de métal sur sa paume avec un hochement de tête.

« Du 9 mm, apparemment. Quidde a été tué avec un Walther, quoi qu'il en soit. Pas un Mauser. Un PPK.

— Oui, je sais. Écoutez, professeur, j'aurais besoin d'en apprendre davantage sur ce que seul l'auteur de *Traces de métal dans les blessures par balle* peut me dire.

— Certainement. Je suis à votre service.

— Trois coups de feu ont été tirés à Krasny Bor hier soir. Deux sur Berruguete et un troisième sur quelqu'un d'autre.

— Je n'ai rien entendu du tout, avoua le professeur. Mais il est vrai que j'avais bu plus d'un verre de schnaps. Cela dit, j'ai remarqué que les arbres et le sol amortissaient en quelque sorte les sons par ici. Un phénomène remarquable. Le NKVD a choisi un endroit idéal pour assassiner ces Polonais.

— Je sais qu'il y a eu trois coups de feu, continuai-je, parce que le troisième a été tiré sur moi.

— Vraiment ? Qu'est-ce qui vous fait dire ça ?

— Heureusement, il m'a manqué et a atteint un arbre dont ceci a été retiré il y a quelques instants. »

Je lui passai la balle et la seconde douille en laiton.

Buhtz sourit avec un enthousiasme presque juvénile.

« Voilà qui commence à devenir intéressant, dans la mesure où, visiblement, ce troisième coup de feu dont vous parlez a été tiré non pas par un 9 rouge, mais par un fusil. »

J'acquiesçai.

« Et vous avez besoin d'en savoir plus long sur ce fusil.

— Tout ce que vous pourrez me dire me sera précieux. »

Buhtz considéra les balles dans sa main, puis la salle où les membres de la commission étaient maintenant assis aux différentes tables et lisaient le menu du déjeuner avec un plaisir manifeste ; pour la plupart des médecins légistes venus à Smolensk, le mess des officiers de Krasny Bor offrait le meilleur repas qu'ils aient eu depuis longtemps.

« Eh bien, maintenant que vous en parlez, échapper un moment à ces types ne me déplairait pas. De plus, il y a encore de la tourte à la lamproie. Je n'ai jamais été tellement porté sur la lamproie, et vous ? De vilaines choses. La bouche ovale bizarre qu'ont ces créatures. Horrible. Oui, pourquoi pas, capitaine ? Allons à ma cabane regarder de plus près ce que vous avez trouvé. »

Dans sa petite cabane bien rangée, Buhtz enleva son ceinturon, ouvrit le bouton du haut de sa tunique, s'assit, prit une loupe sur sa table, alluma une lampe de bureau et examina minutieusement le bas de la douille de fusil en laiton que j'avais ramassée près de la crosse du Mauser.

« À première vue, je dirais qu'il s'agit d'un M98 standard de fantassin. Une munition de calibre 8 mm assez ordinaire, apparemment. À l'exception d'un détail. Le M98 utilise une cartouche de fusil évasée sans bourrelet, et celle-ci possède un bourrelet, ce qui me conduit à penser à un autre fusil et à supposer que la cartouche a été chargée avec quelque chose d'un peu différent : quelque chose d'un peu plus lourd et convenant davantage à la chasse au gibier. Peut-être un fusil Brenneke. Oui. Pourquoi pas ? »

Il prit la balle et la plaça sous la lentille de son microscope, où il l'observa quelques instants.

« C'est bien ce que je pensais, finit-il par murmurer. Une TUG. Une balle à calotte torpille avec un noyau pour le gros gibier comme le cerf. Mise au point en 1935. C'est ce que vous avez là. » Il leva les yeux et sourit. « Vous avez de la chance d'être encore de ce monde, vous savez. On vous a tiré dessus avec un bon fusil de chasse. Si cela vous avait atteint, Gunther, il vous manquerait une grande partie de la tête. Quand j'aurai un peu plus de temps, je pourrai probablement vous dire de quel métal il s'agit ; voire un peu plus, notamment d'où venait cette munition.

— Vous m'en avez déjà dit beaucoup, répondis-je, tout en me demandant comment il savait que le tireur avait visé ma tête, encore que c'était peut-être juste une hypothèse plausible. Mais quelle sorte de fusil de chasse ?

— Eh bien, Mauser fabrique d'excellents fusils de chasse depuis cinquante ans. Je dirais un Mauser 1898. Mais, étant donné que j'ai failli me tromper sur cette balle, j'irais jusqu'à dire un Mauser Oberndorf Model B ou un Safari. » Buhtz eut un froncement de sourcils. « Ah ! mais j'y songe. Vous savez qui possède une paire d'Oberndorf ? Ici ? À Krasny Bor ?

— Oui, répondis-je d'un air sombre. J'y avais déjà pensé, moi aussi. Plutôt délicat, en l'occurrence. »

J'allumai une cigarette.

« Écoutez, je regrette d'avoir à vous redemander ça, professeur, mais est-ce que cela vous ennuierait de ne pas en parler pour l'instant ? Le maréchal me déteste déjà ; son *Putzer* a pris une cuite hier soir et s'est mis à brandir une arme, de sorte qu'il m'a fallu l'assommer avec une matraque.

— Oui, Voss m'en a touché un mot ce matin. Cela ne ressemble guère à Diakov. Quand on le connaît, Diakov n'est pas un mauvais bougre. Pour un Popov.

— Le maréchal ne va sûrement pas m'aimer davantage si le bruit se répand dans le camp que nous pensons qu'un de ses fusils de chasse favoris a été utilisé pour me tuer.

— Bien sûr, dit Buhtz. Vous avez ma parole. Mais, écoutez. Je dois beaucoup au maréchal ; c'est lui qui m'a fait venir ici. Sans lui, je continuerais à me morfondre à Breslau, aussi cela m'embêterait qu'il apprenne que c'est moi qui ai identifié cette balle comme provenant d'un fusil de ce type. »

Je hochai la tête.

« Je ne dirai rien à ce sujet, soyez-en sûr. Pour le moment.

— Mais vous ne croyez quand même pas sérieusement que c'est Günther von Kluge qui a essayé de vous tuer ? N'est-ce pas ?

— Non. Si le maréchal avait vraiment voulu ma mort, il aurait pu trouver un bien meilleur moyen pour ce faire que de me tirer dessus lui-même.

— Oui. Il aurait pu. » Buhtz eut un sourire amer. « D'un autre côté, vous pourriez tout simplement rester ici. Si vous attendez suffisamment longtemps à Smolensk, vous aurez les Russes sur les bras. »

Je sautai le déjeuner. Après avoir assisté à l'autopsie de Berruguete, je n'avais pas vraiment faim. Le seul repas qui me faisait envie se trouvait dans la bouteille de schnaps sur la table du mess, mais j'aurais dû supporter l'indifférence de marbre d'Ines Kramsta envers mon existence. Ce qui faisait plus mal que ça n'aurait dû. Je retournai donc à la voiture dans l'idée d'aller au château afin d'envoyer un message au ministère leur disant que les membres de la commission avaient déjà oublié Berruguete et que leurs travaux se déroulaient comme prévu. Avoir des responsabilités dans lesquelles se réfugier est parfois utile.

Je franchis les grilles, puis pris à l'est la grande route de Smolensk. À mi-chemin, j'aperçus de nouveau Pechkov, son manteau battant dans le vent de plus en plus violent. Cette fois-ci, je ne m'arrêtai pas pour le prendre. Je n'étais pas d'humeur à emmener le *doppelgänger* de Hitler où que ce soit. Je n'allai pas au château non plus. Au lieu de ça, je continuai mon chemin. On aurait pu dire, je suppose, que j'étais distrait, ce qui eût été un euphémisme. J'avais la nette impression d'avoir perdu beaucoup plus que l'estime d'une jolie femme – qu'en perdant la bonne opinion qu'elle avait de moi, j'avais aussi perdu le peu de bonne opinion que je m'étais faite de moi-même dernièrement ; mais la sienne était plus importante, sans parler de son odeur, du contact de son corps et du son de sa voix.

Je songeai vaguement à aller au marché Zadneprovski sur la place Bazarnaïa pour acheter une nouvelle bouteille, comme la *chekouchka* que j'avais partagée avec le Dr Batov, encore que la meurtrière *brewski* contre laquelle il m'avait mis en garde aurait aussi bien fait l'affaire, peut-être même mieux : un oubli complet et durable m'allait parfaitement. Mais, à quelques pâtés de maisons du marché, la Feldgendarmerie avait fermé la Schlachthofstrasse à la circulation – une alerte de sûreté, expliquèrent-ils ; un terroriste présumé qui s'était retranché dans un hangar des chemins de fer près de la gare principale –, aussi je fis demi-tour, roulai encore quelques mètres, m'arrêtai et restai assis là à fumer une cigarette, avant de me rendre compte que je me trouvais juste en face de l'hôtel Glinka. Au bout d'un certain temps, j'entrai, parce que je savais qu'ils avaient toujours de la vodka et parfois même du schnaps, et beaucoup d'autres façons d'aider un homme à chasser ses idées noires.

En l'absence de portier depuis que les frères Roudakov avaient quitté Smolensk, la tenancière du Glinka avait maintenant la charge de l'entrée du temple ainsi que des filles à l'intérieur ; ce n'était guère plus qu'une babouchka à la perruque des plus voyantes, garnie de longues boucles dans le style cour de Versailles. Édentée, avec trop de rouge à lèvres et un peignoir noir bon marché, elle avait le visage et les manières faussement modestes d'une laitière dissolue et était aussi avide qu'un renard affamé, mais elle parlait un allemand correct. Elle me dit qu'ils n'étaient pas encore ouverts, mais me laissa entrer malgré tout en voyant mon argent.

À l'intérieur, l'endroit était décoré comme L'Ange bleu, avec un tas de grands miroirs et de placage acajou, et une petite scène où une fille à lunettes portant juste un *Stahlhelm*[1] était assise sur un tonneau de bière, en train de jouer un air sur un accordéon piano couvrant – ou presque – sa nudité plutôt visible. Je ne connaissais pas l'air, mais je pouvais voir qu'elle avait de jolies jambes. Sur la cheminée, il y avait un grand portrait de Glinka étendu sur un sofa avec un crayon à la main et une partition sur les genoux. À son air sombre et peiné, je compris qu'il avait déçu une femme à laquelle il tenait et qu'elle lui avait dit que tout était fini entre eux ; c'était ça ou le massacre de sa musique à l'accordéon.

La tenancière me conduisit à une chambre d'angle, haute de plafond, donnant sur la rue, avec un lit nauséabond muni d'une tête de lit capitonnée de couleur verte et d'une petite tasse en étain pour les pourboires. Il y avait un tapis vert sur le plancher, des draps roses sur le lit et du papier brun chocolat qui pendait quasiment du mur. Le lustre au plafond était en verre sucre d'orge

---

1. Casque d'acier mis au point en 1916 et utilisé par l'armée allemande jusqu'en 1945.

dont il manquait un morceau, comme si quelqu'un avait essayé de mordre dedans. La chambre était déprimante à souhait. Je remis à la tenancière une poignée de marks d'occupation et lui dis de me faire apporter une bouteille, un peu de compagnie et une paire de lunettes de soleil. Puis j'enlevai ma tunique et mis le seul disque disponible sur le gramophone – Evelyn Künneke était une sorte de coqueluche locale en raison des nombreux concerts qu'elle donnait pour les soldats sur le front de l'Est. Je pressai mon visage contre la vitre crasseuse et regardai dehors. Une moitié de moi-même se demandait pourquoi j'étais là, mais ce n'était pas celle que j'écoutais à cet instant, aussi je délaçai mes chaussures, me couchai et allumai une cigarette.

Quelques minutes plus tard, trois jeunes Polonaises arrivèrent avec de la vodka, ôtèrent leurs vêtements – sans y être invitées, ajouterai-je – et s'étendirent près de moi sur le lit. Deux de chaque côté comme une paire d'armes de poing ; la troisième entre mes jambes, la tête sur mon ventre. Elle s'appelait Pauline, je crois. Elle avait un joli corps, de même que les deux autres, néanmoins je ne faisais pas grand-chose, et elles non plus. Elles se contentaient de me caresser les cheveux, de partager mes cigarettes et de me regarder boire – trop – et me mépriser moi-même de manière générale. Au bout d'un certain temps, l'une d'elles, Pauline, entreprit de déboutonner mon pantalon, mais je lui donnai une tape sur la main. Il y avait assez de réconfort dans leur nudité langoureuse, qui semblait naturelle et faisait penser à une de ces vieilles peintures de scène guindées évoquant la vie pastorale ou un épisode mythologique à la noix, comme le font parfois les peintures anciennes. De plus, si vous buvez suffisamment, cela suscite uniquement le désir de dormir et émousse les pensées qui pourraient empêcher que ça ne se produise ; ce qui était l'idée globale, du reste. Croyant que je jouais les timides, Pauline se mit à rire et essaya de déboutonner de nouveau mon pantalon. Je lui pris la main et lui dis dans mon russe hésitant – pendant un instant, j'avais oublié qu'elle était polonaise et qu'elle parlait l'allemand – que sa compagnie et celle de ses amies me suffisaient largement.

« Qu'est-ce que tu fais à Smolensk ? demanda-t-elle en comprenant que j'étais sérieux s'agissant d'être sérieux.

— Opprimer les Russes, lui répondis-je. Prendre ce qui n'appartient pas à l'Allemagne. Commettre un crime d'une ampleur véritablement historique. Tuer des Juifs à une échelle industrielle. Voilà ce que nous faisons à Smolensk. Sans parler de partout ailleurs.

— Oui, mais toi personnellement. Qu'est-ce que tu fais ? Quel est ton travail ?

— J'enquête sur la mort de quatre mille de vos compatriotes. Des officiers polonais capturés par les Russes à la suite d'une alliance contre-nature entre l'Allemagne et la Russie, puis assassinés dans la forêt de Katyn. Abattus un par un et entassés dans une fosse commune, l'un sur l'autre, comme autant de sardines. Non, pas comme des sardines. Comme d'horribles lasagnes, avec des couches et des couches de pâtes, et quelque chose de plus sombre et de plus gluant entre elles. Il m'arrive de rêver que je fais partie de ces lasagnes. Que je suis couché dans une mare de graisse entre deux strates humaines en train de pourrir. »

Il y eut un moment de silence, puis Pauline déclara :

« C'est ce qu'on a entendu dire. Qu'il y avait des milliers de cadavres. Certains des soldats qui viennent ici prétendent que toute la zone pue à plein nez.

— Mais est-ce vrai ? demanda une autre fille. Il y a tellement de bruits qui courent sur ce qui se passe dans la forêt de Katyn qu'il est difficile de s'y retrouver. Les soldats sont de tels menteurs. Ils essaient sans arrêt de nous fiche la frousse.

— C'est vrai, dis-je. La main sur le cœur. Pour une fois, les Allemands ne mentent pas. Les Russes ont massacré quatre mille officiers polonais ici au printemps 1940. Et bien d'autres aussi dans plusieurs endroits que nous ne connaissons pas encore. Jusqu'à quinze mille ou vingt mille hommes, peut-être. L'avenir le dira. Mais, pour le moment, mon gouvernement essaie d'informer le reste du monde sur celui-là.

— Mon frère aîné était dans l'armée polonaise, dit Pauline. Je ne l'ai pas revu depuis septembre 1939. Je ne sais même pas s'il est vivant ou mort. Qui sait, il pourrait être un de ces hommes dans la forêt. »

Je m'assis et pris son visage dans mes mains.

« Était-il officier ?

— Non. Sergent. Dans un régiment de uhlans. Le 18ᵉ lanciers. Vous l'auriez vu sur son cheval. Très chic.

— Alors je doute sincèrement qu'il soit un de ces hommes. »

C'était un mensonge, mais qui partait de bonnes intentions ; nous savions maintenant que trois mille des cadavres retrouvés dans les fosses communes de la forêt de Katyn étaient ceux de sous-officiers polonais, mais il ne semblait pas nécessaire de le lui dire, pas alors qu'elle était couchée près de moi. Trois mille sous-officiers me paraissaient beaucoup, autant de sous-officiers qu'il y en avait peut-être dans toute l'armée polonaise. Non pas que je pensais qu'elle se serait levée pour partir, mais je n'avais tout simplement pas le courage d'avouer la vérité. Et, après tout, qu'importait un mensonge de plus ou de moins quand tant de mensonges avaient déjà été dits, et le seraient probablement encore, sur ce qui s'était réellement passé dans la forêt de Katyn ?

« Et nous n'avons absolument pas trouvé de chevaux », ajoutai-je en guise de confirmation.

Pauline poussa un long soupir et reposa sa tête sur mon ventre. Le poids de celle-ci était presque trop pour moi.

« Eh bien, ça me soulage. De savoir que ce n'est pas l'un d'entre eux. Je n'aimerais pas penser qu'il est couché là-bas pendant que je suis couchée ici.

— Non, certes, dis-je à voix basse.

— Mais ce serait ironique, tu ne crois pas, Pauline ? lança une des filles à côté de moi. Que vous soyez tous les deux à huit cents kilomètres de chez vous, dans un pays étranger, allongés sur le dos nuit et jour. »

Pauline lança un regard à son amie.

« Tu sais, tu ne ressembles pas aux autres Allemands, dit-elle, changeant de sujet.

— Tu te trompes, répliquai-je. Je suis exactement comme eux. Je suis tout aussi mauvais. Et ne commets jamais l'erreur de penser qu'il y en a un seul d'entre nous qui soit digne de respect. Nous ne valons rien. Aucun de nous ne vaut rien. Crois-moi sur parole. »

Pauline éclata de rire.

« Pourquoi est-ce que tu ne me laisses pas t'aider à oublier tout ça ?

— Non, écoute-moi. C'est vrai. Et tu le sais aussi. Tu as vu ces corps pendus aux coins des rues pour servir d'exemple au reste de la population locale. »

Je continuai à boire, m'efforçant d'attraper au lasso une pensée vagabonde me trottant dans la tête comme un cheval sans cavalier. Laquelle pensée, tout comme l'image des six Russes pendus avec la corde de la Gestapo, ne me quittait pas. Je ne sais pourquoi. Peut-être était-ce la corde dans la poche de ma tunique que j'avais déta-chée de l'arbre du tireur à Krasny Bor. Et la certitude d'avoir vu quelque chose depuis qui avait, semble-t-il, rapport avec tout ça.

Je bus de nouveau, et nous restâmes là, couchés sur le lit. Quelqu'un remit le seul disque allemand, et une terrible allégorie m'apparut dans un demi-sommeil, mêlant poésie, musique, méde-cine légale et Polonais morts. Ils étaient toujours morts, et j'étais l'un d'entre eux, couché raide dans le sol, avec deux cadavres pres-sés contre moi, plus un au-dessus, de sorte que je ne pouvais bouger ni les bras ni les jambes. C'est alors que le bulldozer mit son moteur en marche et commença à remplir la tombe de tonnes de terre et de sable, puis les arbres et le ciel disparurent peu à peu, et tout ne fut plus qu'une obscurité étouffante et sans fin, amen.

11

Lorsque, pour finir, je me réveillai en sursaut, mes yeux et ma peau respiraient la peur à l'idée d'être enterré vivant. Ou mort. Une idée intolérable dans un cas comme dans l'autre. Mes rêves semblaient toujours destinés à m'avertir d'un danger de mort, et ils se changeaient rapidement en cauchemars quand il se révélait que l'avertissement arrivait trop tard. Alimenté par l'alcool et le désespoir, celui-ci n'avait pas été différent des pires d'entre eux.

Les trois filles avaient disparu, et tout baignait dans un clair de lune couleur d'urine qui semblait conférer une touche répugnante supplémentaire à la chambre déjà sordide. De l'autre côté de la fenêtre, un chien aboyait et une locomotive s'engageait dans une gare de triage éloignée, tel un gros animal à la respiration sifflante, incapable de décider dans quelle direction aller. À travers le plancher, je pouvais entendre de la musique, des voix d'hommes et des rires de femmes. J'avais l'impression qu'un des ressorts capricieux du lit zigzaguait le long de mon estomac.

Dans la Schlachthofstrasse, une voiture blindée passa devant la fenêtre, secouant la vitre sale dans le battant humide. Je regardai ma montre et vis qu'il était minuit passé, ce qui signifiait qu'il était temps de m'en aller et de me remettre d'aplomb. Une délégation française incluant Fernand de Brinon, le secrétaire d'État de Vichy, avait atterri l'après-midi précédent et, plus tard dans la matinée, plusieurs officiers allemands, dont moi, devaient les accompagner

jusqu'aux tombes des cadavres déjà exhumés dans la forêt de Katyn
– parmi lesquels deux généraux polonais, Mieczyslaw Smorawiński
et Bronislaw Bohatyrewicz.

Comme je me levais du lit, une bouteille de vodka vide et un
cendrier posé en équilibre sur ma poitrine s'écrasèrent par terre.
Ignorant une sensation de nausée irrésistible, je récupérai mes bottes
et ma tunique. Lorsque je mis mes mains dans mes poches et trouvai la corde que j'avais détachée de l'arbre à Krasny Bor, je me
souvins tout à coup de ce que j'avais essayé de me rappeler avant
que la boisson m'engloutisse.

Le manteau de Pechkov. Au moment où je l'avais dépassé sur la
route allant de Krasny Bor au château, son manteau – d'habitude
serré autour de la taille par une corde – était flottant. Avait-il perdu
la corde ? Était-elle à présent dans ma poche ? Et, dans ce cas, était-
ce Pechkov qui avait assassiné Berruguete et tiré sur moi ?

Je descendis, puis, après de longs et sincères remerciements à la
tenancière pour m'avoir laissé dormir, je sortis dans l'air nocturne
de Smolensk, vomis dans le caniveau et retournai à la voiture en
me félicitant que l'autre chose – celle que j'avais tenté d'oublier –
soit maintenant oubliée. À présent, si seulement je pouvais me souvenir de mon nom.

Lorsque je pris la route de Vitebsk, je commençais à me sentir
suffisamment bien pour songer de nouveau à mes obligations, et je
m'arrêtai au château afin d'envoyer un message à Goebbels comme
j'en avais eu initialement l'intention. Le lieutenant Hodt, l'officier
des transmissions de permanence, s'occupait lui-même de la radio
parce que plusieurs de ses hommes, y compris Lutz, avaient de la
fièvre.

« C'est ce maudit endroit, dit-il. Les hommes n'arrêtent pas de
se faire piquer par les insectes. »

J'indiquai d'un signe de tête la grosseur violacée sur le côté de
son cou.

« On dirait que vous avez été piqué également. »

Il secoua la tête.

« Non, ça, c'est une des abeilles du colonel. Ça fait un mal de
chien. »

Je lui offris une cigarette.

« J'ai arrêté, dit-il avec un geste de refus.

— Vous devriez vous y remettre. Les insectes n'aiment pas la fumée. Je n'ai pas été piqué depuis que je suis ici.

— Ce n'est pas ce que j'ai entendu dire. » Hodt sourit. « Il paraît que Kluge vous a piqué plutôt salement, Gunther. On dit que vous avez laissé votre tête sur le sol du mess des officiers. »

J'essayai un sourire, le premier depuis un moment ; ça marchait encore, apparemment.

« Ça lui passera. Maintenant que son *Putzer* est sorti de l'hôpital.

— À mon avis, vous ne l'avez pas frappé assez fort.

— Vu que le maréchal a menacé de me faire pendre, je prendrai ça pour un compliment. »

De nouveau la corde. Il allait falloir que je trouve Pechkov et que je lui rende sa ceinture en regardant de près son expression.

« Oui, vous devriez, dit Hodt. Ce type est une vraie plaie. Sans cesse fourré ici. À se comporter comme s'il était le propriétaire des lieux. Sauf que personne ne veut irriter le maréchal en lui disant de déguerpir.

— Cet incident aura peut-être ramené Diakov à la raison. Je suis sûr que le maréchal en a discuté avec lui.

— J'aimerais partager votre confiance dans le maréchal. »

De retour à la voiture, je me mis à repenser à Pechkov et à sa familiarité avec l'histoire du NKVD – le fait qu'il était au courant au sujet de Iagoda, de Iejov et de Beria. Y avait-il dans cette connaissance bien plus qu'un simple intérêt pour la politique et l'actualité ? J'ouvris la boîte à gants. Je m'apprêtai à mettre la corde dedans lorsque je remarquai une enveloppe brune et me rappelai que j'avais toujours les affaires laissées à l'hôpital par Alok Diakov. Je posai l'enveloppe sur le siège à côté de moi pour ne pas oublier de les lui rendre et démarrai. Je n'étais pas allé très loin quand, jaillissant tout à coup des buissons, un animal traversa la route devant moi. Machinalement, je donnai un violent coup de frein. Un loup, peut-être ? Je n'en étais pas sûr, mais, maintenant qu'on avait ouvert les fosses communes, ils étaient attirés par l'odeur des cadavres, et les sentinelles avaient signalé en avoir vu plusieurs la nuit. Je baissai les yeux vers le siège du passager et vis que le contenu de l'enveloppe s'était répandu sur le plancher de la voiture. Aussi, risquant la colère de la sentinelle chargée de faire respecter le black-out, j'allumai la lampe de plafond pour le ramasser. Comme l'avait dit l'infirmière Tania, il y avait une montre, une bague en or, une paire de lunettes, un peu d'argent d'occupation, une clé et un simple bout de laiton, mince, d'une dizaine de centimètres de long.

Soudain, toute pensée pour la corde dans la boîte à gants et pour Pechkov s'évanouit.

J'avais sous les yeux la lame-chargeur d'une arme automatique. Ça fonctionnait de la façon suivante : vous insériez la lame-chargeur de neuf balles, disposées les unes au-dessus des autres, dans le haut du pistolet, puis vous poussiez vers le bas dans le magasin, laissant la lame dépasser du pistolet. Lorsque vous retiriez la lame-chargeur, la culasse mobile tombait sur la première cartouche dans la chambre, et l'arme était prête à tirer. Mauser était le seul fabricant à utiliser un mécanisme de chargement semblable. La lame-chargeur pour un M98 contenait cinq balles et était plus courte ; celle-ci était destinée à un Mauser Broomhandle. En outre, d'après l'éclat de la lame, il s'agissait presque à coup sûr d'une des lames-chargeur se trouvant dans le vide-poche de la porte de la Mercedes de Gersdorff et, avant ça, dans la mallette en bois immaculée de son père.

Elles étaient utiles et vous aviez tendance à ne pas les jeter. Sauf s'il s'agissait d'une preuve d'homicide, auquel cas vous aviez intérêt à vous en débarrasser dès que vous aviez chargé le pistolet, et certainement pas à les garder dans votre poche, par habitude sans doute. Celle que je tenais était un élément de preuve d'assassinat d'une clarté comme je n'en avais pas vu depuis longtemps et, sans ma gueule de bois, j'aurais sans doute poussé des hourras. Mais un instant de réflexion supplémentaire me persuada qu'il n'en subsistait pas moins des motifs considérables de se montrer prudent ; une simple lame-chargeur dans la poche du Russe convaincrait difficilement un homme comme le maréchal von Kluge que son *Putzer* avait tué le Dr Berruguete. Il allait me falloir trouver pourquoi il l'avait tué et en découvrir beaucoup plus sur Alok Diakov avant de pouvoir faire part de ce que j'avais appris à son maître.

C'est alors que je me souvins de la baïonnette dans la voiture de Gersdorff. Si Diakov avait tué Berruguete avec le pistolet de

Gersdorff, était-il possible qu'il ait utilisé la baïonnette tranchante de l'officier de l'Abwehr pour faire un peu de coupage de gorge également ?

J'éteignis la lampe de plafond et restai un moment assis dans les ténèbres de la forêt de Katyn avant d'en revenir finalement à la seule explication raisonnable – une explication prenant en compte l'étrange loyauté du maréchal à l'égard de son propre *Putzer*. Tout était exactement comme je l'avais supposé depuis le commencement, et le réseau de prostitution que Ribe avait dirigé depuis le standard du château n'avait fait que m'embrouiller les idées.

Kluge savait que le téléphone posé sur sa table ne fonctionnait pas correctement – je me rappelais l'avoir entendu s'en plaindre à un standardiste alors que j'étais dans son bureau. Il avait dû prendre conscience, trop tard, que sa conversation compromettante avec Adolf Hitler avait pu être entendue par les deux téléphonistes du 537ᵉ tenant le standard du château. Il aurait été relativement simple pour Alok Diakov, qui entrait et sortait fréquemment du château pour parler à sa petite amie Maroussia, de consulter le tableau de service pour voir qui s'occupait des communications téléphoniques lors de la visite du Führer à Smolensk et, sur l'ordre de son maître, de les tuer, sans se douter que l'un d'eux avait déjà pensé à enregistrer la conversation. Naturellement, Kluge s'était dit à juste titre que le Führer aurait approuvé les actes de Diakov.

Si tout ça était vrai, il me fallait faire preuve d'encore plus de prudence s'agissant d'enquêter sur Alok Diakov que je ne l'avais supposé.

Rallumant la lampe de plafond, je jetai un nouveau coup d'œil à la clé dans l'enveloppe brune. C'était celle d'une moto BMW.

Les choses commençaient à devenir logiques. La nuit de leur assassinat, Ribe et Greiss n'auraient probablement pas été sur leurs gardes en rencontrant un personnage aussi familier que Diakov devant l'hôtel Glinka ; et le bruit de la moto allemande entendu par le sergent SS qui avait dérangé leur assassin avait maintenant une explication : Diakov avait accès à une BMW. Ce qui expliquait certainement pourquoi le coupable avait choisi de s'enfuir en suivant la route de Vitebsk : il retournait à Krasny Bor.

Et s'il avait assassiné Ribe et Greiss, pourquoi pas aussi le Dr Batov et sa fille ? Ici, le mobile était plus difficile à saisir, même si le penchant du tueur à se servir d'une arme blanche paraissait convaincant. Diakov avait facilement pu apprendre leur existence par Kluge après que j'eus demandé au maréchal d'accorder aux deux Russes l'asile à Berlin – demande qu'il avait rejetée. Était-il possible que le maréchal fût opposé à l'idée de leur accorder le droit d'aller vivre à Berlin au point d'ordonner à son *Putzer* de les tuer également ?

Mais s'il avait effectivement tué le Dr Berruguete en lui tirant dessus, pourquoi Diakov était-il allé s'enivrer à Katyn ? Pour fêter la mort d'un criminel de guerre, peut-être ? Ou la raison était-elle beaucoup plus prosaïque : en attirant l'attention sur lui dans la forêt de Katyn, il essayait tout simplement de se forger un alibi pour ce qui s'était passé à Krasny Bor ? Après tout, qui aurait soupçonné un homme ivre, menaçant de se suicider, de l'assassinat froid et calculé du médecin espagnol ? Et avais-je servi cet alibi en le mettant K.-O. ?

Mais j'allais trop vite. D'abord, il y avait un travail élémentaire de détective à accomplir – travail que j'aurais dû faire voilà déjà des semaines.

Je rentrai à Krasny Bor et me garai à côté de la Mercedes de Gersdorff. Comme d'habitude, la porte de sa voiture n'était pas verrouillée. Assis sur le siège du passager, je fouillai la boîte à gants en quête de la baïonnette pour la donner au professeur Buhtz, dans l'espoir qu'il pourrait déceler des traces de sang humain sur la lame. Mais elle n'y était pas. Je vérifiai également dans le vide-poche de la porte et sous le siège, mais elle ne s'y trouvait pas non plus.

« Vous cherchez quelque chose ? »

Gersdorff se trouvait juste à côté de la voiture, une arme à la main. Le pistolet était pointé sur moi. Je me redressai brusquement.

« Ah ! dit-il. Gunther, c'est vous. Que faites-vous donc dans ma voiture à presque une heure du matin ?

— Je cherche votre baïonnette.

— Et pourquoi diable ?

— Parce que je pense qu'elle a servi à assassiner ces deux téléphonistes. Tout comme votre Mauser a servi à assassiner le Dr Berruguete. Au fait, j'ai retrouvé votre étui-crosse.

413

— Ça alors ! Bon. Écoutez, j'imagine très bien pourquoi je pourrais faire un meilleur suspect qu'Ines Kramsta. Ses jambes sont plus jolies que les miennes.

— Je n'ai pas dit que vous étiez suspect, colonel. Après tout, je ne pense pas que vous auriez eu l'imprudence de vous servir de votre propre Mauser. Non, je pense que quelqu'un d'autre a utilisé une arme à feu et une baïonnette qu'il savait être dans cette voiture, très probablement dans l'intention de vous compromettre à un stade ultérieur ; ou peut-être qu'ils lui convenaient tout simplement, je l'ignore. »

Rengainant son Walther, Gersdorff gagna l'arrière de la voiture, où il ouvrit le coffre.

« La baïonnette est ici, dit-il en la sortant. Et quand vous dites que quelqu'un d'autre l'a utilisée, Gunther, je suppose que vous ne voulez pas parler du Dr Kramsta.

— Non.

— Il y a une chose curieuse à propos de cette baïonnette, dit-il avant de me la remettre. Quand je suis allé la chercher dans la boîte à gants, l'autre jour, j'ai cru un instant que ce n'était pas la mienne.

— Pourquoi ? »

Je tirai la baïonnette hors du fourreau. La lame se mit à briller au clair de lune.

« Oh ! c'était la mienne. J'ai seulement cru que ce n'était pas le cas. Voilà pourquoi je l'ai mise dans le coffre.

— Oui, mais pourquoi pensiez-vous que ce n'était pas la vôtre ?

— C'est bien la même baïonnette, simplement le fourreau est différent. Le mien avait du jeu. Celui-ci est parfaitement ajusté. » Il eut un haussement d'épaules. « Plutôt mystérieux, vraiment. Je veux dire, ils ne se réparent pas tout seuls, n'est-ce pas ?

— Non, en effet, admis-je. Et je pense que vous venez de répondre à ma question. »

Je lui parlai de la baïonnette et du fourreau cassé retrouvés dans la neige près des corps de Ribe et de Greiss.

« Ainsi vous pensez qu'il s'agit vraisemblablement de mon fourreau ? demanda Gersdorff.

— Oui.

— Bon Dieu ! »

Puis je lui parlai de la lame-chargeur que j'avais trouvée parmi les affaires d'Alok Diakov ; et du fait que celui-ci était maintenant mon principal suspect dans l'assassinat de Ribe et de Greiss.

« Nous allons devoir être extrêmement prudents quant à la façon de procéder, dit-il.

— Nous ?

— Oui. Vous ne pensez pas que je vais vous laisser vous occuper de ça tout seul ? D'ailleurs, je serais ravi d'être débarrassé de ce salaud de Russe.

— Et Kluge ? »

Gersdorff secoua la tête.

« Vous n'avez pas beaucoup de chance de lui nuire avec cette histoire, répondit-il. Pas sans l'enregistrement.

— Que voulez-vous dire ?

— Je l'ai donné au général von Tresckow. Qui l'a jugé trop dangereux pour s'en servir et qui l'a détruit.

— Dommage, mais je ne peux pas blâmer le général d'avoir pensé, comme je l'ai fait moi-même, que conserver un enregistrement du Führer achetant la loyauté d'un de ses maréchaux les plus éminents à l'aide d'un chèque substantiel présentait beaucoup trop de risques.

— Vous vous souvenez que Dohnányi et Bonhoeffer ont été arrêtés. À l'époque, nous étions plus préoccupés par la Gestapo que par Günther von Kluge. Et, à mon avis, il faudra beaucoup plus qu'un enregistrement d'une conversation compromettante pour abattre Hitler. »

Je hochai la tête et lui rendis sa baïonnette.

« Alors, quelle est la prochaine étape ? demanda-t-il. Je veux dire, nous allons traquer Diakov, n'est-ce pas ?

— Il faut que nous parlions au lieutenant Voss. Après tout, c'est lui qui a rencontré le premier Alok Diakov. Le Russe m'a donné sa version de ce qui est s'était passé sur la route, dont j'ai oublié la majeure partie. J'ai été distrait par l'arrivée des membres de la commission internationale lorsqu'il me l'a racontée. Nous avons besoin d'entendre toute l'histoire de la bouche de Voss, je pense. »

Avant d'aller me coucher, je rendis l'enveloppe contenant ses affaires à Diakov. La lumière était allumée dans sa cabane, et je fus

415

donc obligé de frapper à sa porte et de lui débiter des salades qu'il ne crut, je suppose, qu'à moitié.

« L'infirmière m'a confié cette enveloppe pour que je vous la remette, expliquai-je, et ensuite j'ai totalement oublié, malheureusement. Elle est restée dans ma voiture tout l'après-midi.

— Je suis retourné à l'hôpital la récupérer, dit-il. Puis, je vous ai cherché, capitaine. Personne ne savait où vous étiez. »

S'était-il souvenu que la lame-chargeur se trouvait dans sa poche ?

« Désolé. Mais quelque chose s'est produit. Comment va votre tête, à propos ?

— Pas aussi mal que la vôtre peut-être, répondit-il.

— Ah ! c'est si évident ?

— Seulement pour un ivrogne comme moi, sans doute. »

Je haussai les épaules.

« J'ai reçu de mauvaises nouvelles, voilà tout. Mais je me sens beaucoup mieux maintenant. » Je lui donnai une tape sur l'épaule. « Je suis content de voir que vous allez bien vous aussi, mon vieux. Sans rancune, hein ?

— Sans rancune, capitaine. »

Un peu plus tard ce matin-là, nous étions vingt près des fosses communes polonaises, dont au moins la moitié de Français, parmi lesquels Brinon, deux officiers supérieurs et trois journalistes coiffés de bérets, fumant des cigarettes françaises âcres et rappelant, d'une manière générale, des personnages de *Pépé le Moko*. Âgé d'une cinquantaine d'années, Brinon portait un imperméable fauve et une casquette d'officier qui le faisait ressembler un peu à Hitler, ce qui paraissait assez saugrenu étant donné qu'il était simplement avocat. Gersdorff – qui s'y connaissait dans ce domaine – m'informa que Brinon était un aristocrate, un marquis, pas moins, et qu'il avait une femme juive sur laquelle la Gestapo de Paris avait accepté de fermer les yeux. Ce qui expliquait sans doute qu'il soit si désireux d'avoir l'air d'un nazi. Les Français faisaient tout un plat de se rendre à la forêt de Katyn parce qu'avant la guerre polono-soviétique de 1920 ils avaient envoyé, semble-t-il, quatre cents officiers afin de contribuer à la formation de l'armée polonaise et que nombre d'entre eux, y compris les deux généraux actuellement à

Katyn, étaient restés dans le 5ᵉ régiment de chasseurs polonais pour lutter contre l'armée Rouge du maréchal Toukhatchevski. Moyennant quoi, il nous fallut perdre la matinée, Voss, Conrad, Sloventzik, Gersdorff et moi, à répondre à des questions interminables et à nous excuser pour l'odeur, les croix en bois plutôt rudimentaires sur les tombes et le brusque changement de temps. Buhtz lui-même ne fit qu'une apparition, après avoir laissé les membres de la commission internationale entre les mains de la Croix-Rouge polonaise afin qu'ils effectuent leurs propres autopsies à leur gré. Quelqu'un nous prit en photo : on y voit Voss en train d'expliquer « le pire crime de guerre » de la Russie à Brinon, qui le regarde, mal à l'aise, comme s'il était pleinement conscient du fait que lui-même serait fusillé par ses compatriotes pour crimes de guerre en avril 1947, tandis que les deux généraux français font ce que les généraux français font toujours le mieux : avoir l'air intelligent.

Il n'y avait pas de prêtre : les Polonais avaient déjà célébré un service funèbre, et personne ne jugeait important de prier de nouveau pour les morts. La religion était le cadet des soucis de chacun.

Après avoir congédié les Français, ce qui ne demande jamais très longtemps à des Allemands, nous prîmes Voss à part, Gersdorff et moi, et le priâmes de s'asseoir un moment avec nous dans la voiture du colonel de l'Abwehr. Avec son long manteau de Feldgendarme et son couvre-chatte, le policier militaire de haute taille – il avait été le plus grand de tous ceux qui se trouvaient autour des fosses – offrait une silhouette imposante. Le couvre-chatte va toujours très bien aux hommes minces et, quand il s'agit d'officiers allemands, ça leur donne l'air pragmatique, comme s'ils n'avaient pas le temps pour les simagrées et les cérémonies. Il y avait juste un soupçon de Heydrich sur ses traits canins et dans son allure, si bien que je me demandai un instant ce que l'ancien Reichsprotektor de Bohême aurait fait de mes efforts à Katyn. Pas grand-chose, probablement.

Gersdorff nous offrit des cigarettes, et nous fûmes bientôt entourés d'un nuage de fumée, ce qui était un changement des plus agréables par rapport à l'air nauséabond de la forêt de Katyn.

« Parlez-nous d'Alok Diakov, dit le colonel, allant droit au but.

— Diakov ? » Voss secoua la tête. « Un sacré renard, celui-là. Vous savez, pour un ancien maître d'école, il sait très bien se servir d'un fusil. La semaine dernière, un des gars à moto qui escortent la voiture du maréchal m'a raconté qu'il avait vu Diakov tuer un chien à sept cent cinquante mètres. Apparemment, ils croyaient que c'était un loup, mais il s'est avéré qu'il s'agissait d'un pauvre corniaud appartenant à un fermier. Diakov était très mécontent lui aussi. Il adore les chiens, à ce qu'il prétend. Il adore les chiens et déteste les rouges. Le fait est qu'il a une lunette de visée sur son fusil, tout comme le maréchal. Quant à ce qu'il enseignait, ce n'était sûrement pas du latin ou de l'histoire, à mon avis.

— Quel genre de lunette ? demandai-je.

— Une Zeiss. ZF42. Mais ce fusil n'est pas vraiment conçu pour avoir une lunette. Il a dû être usiné par un armurier qualifié.

— C'est exact, dit Gersdorff. J'en ai moi-même un comme ça.

— Comment, ici, à Smolensk ?

— Oui. Ici, à Smolensk. Devrais-je consulter un avocat ? »

Voyant Voss froncer les sourcils, je le mis carrément au parfum et l'invitai à nous donner davantage de renseignements sur le *Putzer* russe.

« Cela devait être au début du mois de septembre 1941, dit-il. Mes hommes se trouvaient au sud-est de la ville, dans le saillant de Ielnia.

— Il s'agit d'un front de cinquante kilomètres que notre 4ᵉ armée avait étendu depuis la ville afin de disposer d'une aire de rassemblement pour poursuivre l'offensive contre Viazma, expliqua Gersdorff. Les Russes ont tenté un encerclement, qui a échoué grâce à notre supériorité aérienne. Mais de justesse seulement. Ç'a été le plus important revers qu'aient subi nos armées avant Stalingrad.

— Nous opérions sur les flancs du saillant, reprit Voss, à une dizaine de kilomètres le long de la route de Mstislav, avec pour mission d'éliminer les dernières poches de résistance. Des partisans, quelques déserteurs de la 106ᵉ division de fusiliers mécanisés et de la 24ᵉ armée, des unités du NKVD. Nos ordres étaient simples. » Il haussa les épaules et prit l'air évasif. « Toute personne continuant à résister devait être abattue, bien sûr. De même que toutes celles qui s'étaient rendues et qui tombaient sous le coup des directives émises par le général Müller, directives qui continuaient à s'appliquer à ce moment-là. Jusqu'à ce qu'elles soient annulées en juin de l'année dernière. »

Voss parlait de l'ordre visant les commissaires de Hitler stipulant que les prisonniers qui étaient des représentants actifs du bolchevisme – ce qui incluait sans aucun doute le NKVD – devaient être exécutés sommairement.

« Nous en avions déjà liquidé pas mal, reprit-il. C'était une revanche sur tout ce que nous avions dû endurer. La Convention de Genève ne semble pas compter pour beaucoup dès qu'on s'éloigne de Berlin. Toujours est-il que nous sommes tombés sur cette GAZ décapotable qui avait quitté la route près d'une ferme. »

La GAZ était un véhicule russe à quatre roues motrices, l'équivalent d'une Tatra.

« Il y avait trois personnes à l'intérieur. Deux d'entre elles portaient des uniformes du NKVD, le chauffeur et l'un des hommes à l'arrière. Ils étaient morts. Le troisième homme, Diakov, était en civil. Il n'était qu'à demi conscient et toujours menotté à la barre latérale à l'arrière de la GAZ, et il a paru très content de nous voir lorsqu'il est revenu à lui. Il a prétendu qu'il avait été arrêté par le NKVD et que, alors que les deux autres l'emmenaient en prison, il les avait attaqués juste au moment où un Stuka mitraillait la route devant la voiture.

« Nous avons trouvé les clés des menottes, puis nous l'avons arrangé un peu : il avait été légèrement abîmé au moment où la voiture avait quitté la route, et peut-être aussi par les deux types du NKVD lors de son arrestation. Il parlait bien l'allemand et, quand on l'a interrogé, il nous a dit qu'il enseignait l'allemand à l'école de Vitebsk, ce qui fait qu'il avait été arrêté, bien qu'il vécût alors de braconnage. D'après lui, parler l'allemand vous rendait automatiquement suspect aux yeux de la police secrète, mais nous avons eu l'impression par la suite que la véritable raison pour laquelle il avait été arrêté avait surtout rapport avec ses activités de braconnier.

— Quels papiers Diakov avait-il sur lui ? demandai-je.

— Seulement sa *propiska*, répondit Voss. C'est un permis de résidence et un document d'enregistrement migratoire.

— Pas de passeport intérieur ?

419

— Il a dit que le NKVD le lui avait déjà confisqué lors d'un contrôle de sécurité antérieur. Ce que le NKVD appelle une « arrestation ouverte », vu qu'il y a très peu de choses que vous puissiez faire en Union soviétique sans passeport intérieur.

— Très commode. Et les types du NKVD ? Qu'est-ce qu'ils avaient comme papiers ?

— Les habituels carnets d'identité reliés en toile. Et, dans le cas du chauffeur, son permis, son livret du Komsomol, des coupons de transport et un certificat pour le port d'une arme à feu.

— J'espère que vous avez gardé ces documents.

— Hélas, ils ont été détruits dans un incendie avec beaucoup d'autres, dit Voss. Un des officiers s'appelait Krivenko, me semble-t-il.

— Détruits ?

— Oui. Peu après notre installation dans notre cantonnement de Glouchtchenki, les partisans ont lancé une attaque au mortier.

— Je vois. Très commode également. Pour Diakov.

— Je pense avoir des photographies dans les locaux de l'Abwehr à Smolensk, dit Gersdorff. C'est la pratique normale à l'Abwehr de garder une trace photographique de tous les papiers pris au NKVD.

— Diakov est-il au courant ?

— J'en doute.

— Alors pourquoi attendre ? On va regarder ? »

En nous rendant à la Kommandantur, je posai d'autres questions sur Diakov.

« Et comment a-t-il connu le maréchal, sapristi ? »

Gersdorff se racla la gorge, mal à l'aise.

« Je crains que ce ne soit ma faute, dit-il. Voyez-vous, je me suis occupé de l'interrogatoire. Je voulais savoir ce qu'il pourrait nous dire sur le NKVD. Le problème avec cet ordre visant les commissaires, c'est que nous ne disposions jamais de renseignements fiables, et avoir un de leurs prisonniers était le meilleur choix. Il s'est montré en fait très coopératif. Ou du moins, il l'a semblé à ce moment-là. Au cours de l'interrogatoire, nous nous sommes mis à parler, Diakov et moi, du genre de gibier qu'il y avait à chasser par ici.

— Naturellement, dis-je d'un ton dégagé.

— J'espérais qu'il y avait des cerfs, mais, d'après Diakov, tous les cerfs avaient été tués l'hiver précédent par les chasseurs des environs pour la nourriture. Cependant, il y avait encore beaucoup de sangliers, et, si cela m'intéressait, il pouvait me montrer où étaient les meilleurs endroits et même nous organiser une traque. J'en ai parlé par hasard à Kluge, qui, comme vous le savez, est un passionné de chasse, et il a été très emballé à l'idée de tirer le sanglier en Russie – dans sa propriété en Prusse, il y a plusieurs battues tous les ans. Je ne l'avais pas vu aussi content depuis que nous avons pris Smolensk. Une traque au sanglier a été dûment organisée, pour plusieurs fusils : le maréchal, le général, moi-même, Boeselager, Schlabrendorff et d'autres officiers supérieurs, avec un grand succès, je dois dire. Nous avons dû en tuer trois ou quatre. Le maréchal était aux anges, et il a presque aussitôt ordonné une nouvelle traque, qui a été une réussite également. Après quoi il a décidé de faire de Diakov son *Putzer*. Depuis lors, plusieurs autres traques ont eu lieu, même si les sangliers semblent avoir disparu ces derniers temps – très franchement, je crois que nous les avons tous tués –, ce qui explique que le maréchal chasse maintenant le loup, sans oublier le lièvre, le lapin et le faisan. Diakov semble savoir où se trouvent tous les bons emplacements. Voss a raison ; je pense qu'il est beaucoup plus probable que ce type ait été un braconnier du coin.

— Sans parler d'un assassin », dis-je.

Gersdorff prit l'air penaud.

« J'aurais difficilement pu me douter qu'une chose semblable arriverait. À bien des égards, Diakov est un garçon extrêmement affable. C'est seulement depuis que le maréchal l'a pris sous son aile qu'il est devenu cabochard et insupportablement arrogant, comme vous avez pu le constater vous-même l'autre soir.

— Sans parler d'un assassin, répétai-je.

— Oui, oui, j'ai bien compris.

— Vous, certes. Mais pour que tout ça tienne debout, il va me falloir bien plus qu'une lame-chargeur. Alors espérons que nous trouverons quelque chose dans les dossiers de l'Abwehr. »

Le bureau de l'Abwehr, dans la Kommandantur de Smolensk, donnait sur un petit jardin planté de légumes et faisait face aux fenêtres du ministère allemand des Affaires étrangères local.

Au-delà, on pouvait apercevoir les créneaux dentelés du haut des remparts du Kremlin. Sur le mur du bureau étaient accrochées une carte de l'oblast de Smolensk et une autre, plus grande, de la Russie, avec le front marqué clairement en rouge et désagréablement plus proche que je ne l'aurais cru. Koursk, où les blindés allemands étaient à présent regroupés devant l'armée Rouge, ne se trouvait qu'à cinq cents kilomètres au sud-ouest. Si jamais les chars russes franchissaient nos lignes, ils pourraient atteindre Smolensk en seulement une dizaine de jours.

Un jeune officier de permanence à l'accent étonnamment huppé, au point que je faillis éclater de rire – où allaient-ils chercher des énergumènes pareils ? me demandai-je –, était au téléphone et mit rapidement fin à sa conversation lorsque nous apparûmes à la porte. Il se leva, puis salua avec élégance. Gersdorff, dont les manières étaient habituellement irréprochables, alla droit aux classeurs sans prendre la peine de nous présenter et se mit à fouiller dans les tiroirs.

« Qu'étiez-vous en train de dire à propos du soulèvement du ghetto de Varsovie, lieutenant Nass ? murmura-t-il.

— Les rapports du général Stroop indiquent que toute résistance a cessé, mon colonel.

— On connaît ça. Je suis stupéfait que cette résistance ait duré si longtemps. Des femmes et des garçonnets se battant contre la puissance déchaînée de la SS. Croyez-moi, messieurs, ce n'est pas la dernière fois que nous en entendons parler. Dans un mois, ces youpins continueront à sortir de leurs cryptes et de leurs caves. »

Ayant enfin déniché le dossier qu'il cherchait, il le posa sur une table à cartes près de la fenêtre.

Il me montra les photographies des documents récupérés sur les cadavres des membres du NKVD et sur Alok Diakov.

« La *propiska* trouvée sur Diakov ne nous apprend absolument rien, dis-je. Il n'y a pas de photo, de sorte qu'elle pourrait appartenir à n'importe qui. Du moins, n'importe qui nommé Alok Diakov. »

Je passai quelques instants à examiner de près les deux cartes d'identité du NKVD – l'une au nom du commandant Mikhaïl Spiridonovitch Krivenko et l'autre au nom du sergent Nikolaï Nikolaïevitch Youchko, un chauffeur du NKVD.

« Alors, qu'en pensez-vous ? demanda Gersdorff.

— Celle-ci, dis-je en montrant aux deux hommes la photo de la carte d'identité de Krivenko. Je ne suis pas convaincu au sujet de celle-ci.

— Pourquoi ? demanda Voss.

— La page de droite est assez claire, fis-je observer. Il n'est pas facile d'être sûr sans avoir le document original en main, mais le tampon de la page de gauche paraît étrangement pâle sur le coin inférieur droit de la photo. Comme si elle avait été retirée de quelque chose d'autre puis recollée. De plus, la circonférence du timbre semble légèrement disproportionnée.

— Oui, vous avez raison, admit Voss. Je n'avais pas remarqué.

— Il aurait mieux valu que vous vous en aperceviez à ce moment-là, dis-je d'un ton lourd de sous-entendus.

— Eh bien, que voulez-vous dire, Gunther ? demanda Gersdorff.

— Que Diakov est peut-être en réalité Mikhaïl Spiridonovitch Krivenko ? » Je haussai les épaules. « Je ne sais pas. Mais réfléchissez un instant. Vous êtes un commandant avec un prisonnier dans une voiture du NKVD lorsque vous vous rendez compte que les Allemands ne sont probablement qu'à quelques kilomètres de distance, que vous allez être capturé à tout moment, ce qui signifie une condamnation à mort automatique pour les membres du NKVD. N'oubliez pas l'ordre visant les commissaires. Que faites-vous ? Par exemple, vous abattez votre propre chauffeur, puis vous forcez votre prisonnier, le vrai Alok Diakov, à se déshabiller et à revêtir votre uniforme du NKVD. Ensuite, vous enfilez ses vêtements et vous le tuez. Vous prenez la photo figurant sur le passeport interne de Diakov et vous la mettez à la place de celle de votre propre carte d'identité du NKVD. On les a trouvés près d'une ferme, alors il s'est peut-être servi de blanc d'œuf pour coller la photo. Ou de graisse de l'essieu, je ne sais pas. Après quoi, vous détruisez votre propre photo et le passeport interne du vrai Diakov – on peut à la rigueur s'en tirer avec un faux document, mais pas deux. Puis vous faites quitter la route à la GAZ et vous donnez à la chose l'air d'un accident. Pour finir, vous vous menottez à la main courante et vous attendez les secours en tant qu'Alok Diakov. Quel Allemand

423

mettrait en cause un homme qui était de manière aussi évidente un prisonnier du NKVD ? Surtout un homme parlant bien l'allemand. Presque automatiquement, vous seriez moins suspicieux à son égard.

— C'est exact, déclara Voss, encore piqué au vif par ma remarque précédente. Nous n'avons pas eu le moindre soupçon. Ma foi, on a tendance à ne pas se méfier, n'est-ce pas, quand on tombe sur un pauvre bougre prisonnier des rouges ? On ne regarde pas au-delà, de plus, mes hommes étaient éreintés. Cela faisait des jours que nous étions sur la brèche.

— Pas de problème, lieutenant, lui dis-je. Des types bien plus forts que vous se sont laissé prendre par ce genre de ruses popov. Notre gouvernement considère les *Protocoles des Sages de Sion* comme parole d'Évangile depuis les années vingt.

— À la façon dont vous racontez cette histoire, Gunther, dit Gersdorff, cela paraît simple comme bonjour ; mais cela demande-rait un sacré cran pour y arriver. »

Je me tournai vers Voss.

« Combien de prétendus commissaires votre unité a-t-elle exécu-tés, lieutenant ? »

Voss haussa les épaules.

« J'ai oublié le compte exact. Au moins quarante ou cinquante. À la fin, c'était comme tirer des lapins, pour être tout à fait franc.

— Alors Diakov – appelons-le ainsi pour l'instant, d'accord ? – n'avait rien à perdre, j'imagine. Être exécuté sommairement, ou abattu à la suite d'une tentative courageuse pour sauver sa peau...

— Oui, mais, nous ayant trompés, fit observer Gersdorff, pour-quoi ne s'est-il pas éclipsé une nuit pour rejoindre ses propres lignes ?

— Et renoncer à une gentille petite planque ici à Smolensk ? La confiance du maréchal ? Trois repas par jour ? De l'alcool et des cigarettes en veux-tu en voilà ? Sans oublier une excellente occasion pour nous espionner, voire se livrer à de menus actes de sabotage et d'assassinat ? Non, je dirais qu'il est très bien intégré ici. De plus, ses lignes se trouvent à des centaines de kilomètres. À tout moment, il pourrait être arrêté en cours de route et exécuté par la Felgendar-merie. Et si jamais il parvenait à rejoindre ses propres lignes, que se passerait-il ? On sait que Staline ne fait pas confiance aux hommes ayant séjourné dans une prison allemande. Il courrait le risque de finir avec une balle dans la nuque et dans une simple fosse, tout comme ces fichus Polaks.

— Vous êtes très convaincant, admit le lieutenant Voss. Il s'agirait d'un Russe autre que Diakov, on pourrait le mettre dès maintenant sous les verrous. Mais ce n'est que de la théorie, n'est-ce pas ? Tout cela ne prouve absolument rien.

— Il a raison, reconnut Gersdorff. Sans ces papiers d'identité originaux, vous n'avez toujours rien. »

Je réfléchis.

« Ce que vous avez dit il y a un instant, sur les Juifs du ghetto de Varsovie. Sortant de leurs cryptes et de leurs caves.

— On ne peut qu'admirer un courage semblable. Et déplorer ce type de traitement, qui crée une situation où les forces allemandes se comportent comme une armée de condottieri du Moyen Âge. En tout cas, c'est ce que je crois, et beaucoup d'autres également. »

Gersdorff se mordit la lèvre et secoua la tête avec amertume. Je voulus intervenir pour exprimer une idée que je venais d'avoir, mais, voyant que le colonel n'avait pas fini, je refermai la porte d'un coup de pied, au cas où quelqu'un nous entendrait élever la voix – même après Stalingrad, beaucoup d'hommes servant au sein de la Wehrmacht à Smolensk continuaient à vénérer Adolf Hitler.

« Toute cette opération dans la forêt de Katyn – ces rouges ne sont-ils pas des monstres ? C'est le genre de barbarie bolchevique contre laquelle se bat l'Allemagne – n'est que de la foutaise alors même que nous nous employons à faire sauter les synagogues et à tirer des obus de char sur des écoliers armés de cocktails Molotov. Quoi, pensons-nous que le monde n'a pas compris ce que nous fabriquions à Varsovie ? Croyons-nous réellement que l'opinion publique va méconnaître un tel héroïsme ? Nous attendons-nous vraiment à ce que les Américains se rangent de notre côté après que nous avons massacré des milliers de Juifs à peine armés en Pologne, et cela sur la base de ce que nous sommes en train de mettre au jour à Smolensk ? » Il ferma le poing et le tint devant son visage comme s'il avait envie de frapper quelqu'un, moi, probablement. « Ce soulèvement du ghetto de Varsovie a commencé le 18 janvier, bien avant que quiconque trouve un ossement humain dans la forêt de Katyn, et c'est le scandale de l'Europe. Qu'est-ce que c'est que ce ministre de la Propagande qui s'imagine que les cadavres de treize mille insurgés juifs peuvent être escamotés ou ignorés pendant que nous faisons venir ici les journalistes du monde entier pour leur montrer les corps de quatre mille Polonais morts ? J'aimerais bien le savoir.

— Présenté comme ça, dis-je, ça paraît ridicule.

— Ridicule ? » Gersdorff se mit à tire. « C'est l'opération de relations publiques la plus prodigieusement absurde que j'aie jamais vue. Et grâce à vous, Gunther, mon nom y sera à jamais associé comme celui de l'homme qui a découvert le premier corps dans la forêt de Katyn.

— Alors dites-le-lui, suggérai-je. À Jo le boiteux. Dites-lui la prochaine fois que vous le verrez.

— Je ne peux pas être le seul à penser ainsi. Bon Dieu, il doit y avoir quantité de nazis qui reconnaissent la vérité évidente de ce que je dis, alors peut-être que je le ferai.

— Et ça servirait à quoi ? Sérieusement. Écoutez, colonel, je suis trop vieux pour me mentir, mais je ne suis pas assez stupide pour ne pas pouvoir mentir aux autres. Cela fait dix ans que je me réveille chaque matin avec une sensation de pourriture dans l'estomac. Il ne s'est guère écoulé une journée sans que je me sois demandé s'il m'était possible de vivre sous un régime que je ne comprenais ni ne désirais. Mais qu'y puis-je ? Dans l'immédiat, je veux seulement épingler un type pour l'assassinat de trois, voire cinq personnes. Ce n'est pas grand-chose, je suis d'accord. Et même si j'arrive à l'arrêter, je n'en retirerai pas beaucoup de satisfaction. Pour le moment, être un policier me semble la seule chose sensée que je puisse faire. Je ne sais pas si ça a un sens pour un homme possédant une conception de l'honneur aussi élevée que le vôtre. Mais c'est tout ce que j'ai. Bon. Ce que vous avez dit tout à l'heure, sur les Juifs du ghetto de Varsovie sortant de leurs cryptes et de leurs caves. Ça m'a donné une idée de ce qu'on pourrait faire au sujet de Diakov. »

L'entrée de la cathédrale de Smolensk se trouvait en haut d'une série de larges marches, sous une énorme voûte blanche de la taille d'une tente de cirque. Les allées extérieures, avec leurs toits bas et leurs fresques d'anges à l'air quelque peu minaudier, ressemblaient davantage à des grottes de fées. À l'intérieur, l'iconostase dorée faisait penser à une paire de stands dans une rue pleine de bijouteries, laquelle encadrait l'œuf Fabergé d'un sanctuaire central ainsi qu'une reproduction d'une Madone – l'original ayant été détruit pendant la bataille de Smolensk – qui regardait depuis la fenêtre de sa niche scintillante avec un mélange de dépit et d'embarras. La lumière clignotante des centaines de cierges brûlant dans plusieurs grands chandeliers en cuivre ajoutait une touche antique, païenne, à l'ensemble, et je n'aurais pas été surpris de voir, à la place de la Vierge chrétienne, une vestale entretenant le feu sacré des nombreux cierges ou tissant une effigie en paille à jeter dans le Tibre. Toutes les religions ont pour moi quelque chose d'hermétique.

Précédé par un sergent du génie des panzers, un expert dans l'enlèvement des bombes cachées – au dire de Gersdorff, le sergent Schlächter avait retiré plus de vingt mines laissées par les rouges sur les deux ponts restants qui franchissaient le Dniepr, ce qui lui avait valu d'être décoré à deux reprises –, le colonel et moi descendîmes avec précaution un escalier en colimaçon long et étroit qui menait à la crypte de la cathédrale. Il y avait un petit ascenseur, mais il ne fonctionnait plus, et personne ne se souciait de le réparer, au cas où il serait également piégé.

Une forte odeur d'humidité et de putréfaction emplissait nos narines, comme si nous nous enfoncions si profondément dans les sombres entrailles de la terre que nous allions atteindre le Styx lui-même ; mais, comme Schlächter nous en informa, la crypte et l'église n'étaient pas si vieilles en réalité :

« On raconte que, lors du célèbre siège de Smolensk en 1611, les défenseurs de la ville s'enfermèrent ici, puis mirent le feu au dépôt de munitions pour empêcher qu'il ne tombe aux mains des Polonais. Une explosion se produisit, et tout dans la crypte, y compris les Popov eux-mêmes, fut détruit ou tué. Ce qui est probablement vrai. Quoi qu'il en soit, l'endroit s'est complètement délabré et a dû être démoli en 1674. Mais ce n'est pas avant 1772 que la reconstruction a été terminée, la première tentative ayant été un échec. Par conséquent, lorsque Napoléon est arrivé et a dit à tout le monde combien il trouvait cette cathédrale splendide, elle ne devait pas avoir plus de trente ou quarante ans. L'humidité ici est uniquement due au fait qu'ils n'ont pas installé un système de drainage adéquat pour les fondations. Elle se trouve juste à côté d'une source souterraine, voyez-vous. Raison pour laquelle les premiers défenseurs avaient estimé de prime abord que c'était un excellent endroit pour se barricader, à cause de l'accès à de l'eau potable. Mais ce n'est pas humide au point qu'une charge explosive n'éclate pas.

« Nous avons enlevé les principales charges explosives lorsque nous avons pris la cathédrale, expliqua-t-il. En tout cas, celles qui étaient destinées à la projeter jusqu'au ciel au moment où les Popov ont quitté Smolensk. Une foutue assomption, je dirais. Ils avaient rempli d'explosifs toute cette putain de crypte, comme en 1611, et ils comptaient les faire sauter à plusieurs centaines de kilomètres de distance avec des détonateurs radiocommandés, de la même façon qu'à Kiev ; mais, cette fois, ils ont oublié que les signaux ne voyageaient pas sous terre, de sorte que les charges ne sont pas parties. Nous avons marché au-dessus des jours durant avant de découvrir tout le bazar ici. Ça aurait pu sauter à n'importe quel moment.

— Êtes-vous sûr de vouloir faire ça ? demandai-je à Gersdorff. Je ne vois pas l'intérêt de risquer nos deux vies. De plus, c'est moi qui ai eu cette idée folle, pas vous.

— Vous oubliez, répondit Gersdorff, que j'ai déjà armé et désarmé des mines antipersonnel. Ou avez-vous perdu de vue l'Arsenal ? D'ailleurs, je parle beaucoup mieux le russe que vous et, plus important, je le lis également. Même si vous réussissez à ouvrir un des classeurs du NKVD sans avoir la tête arrachée, vous ne savez pas vraiment ce que vous cherchez.

— Vous avez raison, admis-je. Encore que je ne sois même pas sûr que ce qu'on cherche se trouve ici.

— Non, évidemment. Mais, comme vous, je pense que cela vaut sûrement la peine d'essayer. Cela faisait longtemps que j'attendais une occasion de venir ici et vous m'avez donné une bonne raison de le faire. Quoi qu'il en soit, nous effectuerons le travail beaucoup plus rapidement à deux. »

Au pied de l'escalier, Schlächter déverrouilla une lourde porte en chêne et alluma la lumière pour éclairer un long sous-sol sans fenêtre rempli de classeurs, d'étagères et d'objets religieux, parmi lesquels de précieuses icônes en argent et deux lustres de rechange. Un grand panneau indicateur représentant une tête de mort jaune était accroché à un fil métallique qui courait sur toute la largeur de la pièce, et ici et là – sur les murs et les armoires – apparaissaient des marques de craie rouge.

« Messieurs, dit Schlächter. Faites bien attention, s'il vous plaît. Je vais vous dire ce que je dirais à tout soldat arrivant dans un régiment de génie des panzers. Je m'excuse si cela donne l'impression de principes d'entraînement de base, mais ce sont les principes de bases qui vous garderont en vie.

« Ce que nous avons ici est l'œuvre d'un vrai farceur popov. Il lui a certainement fallu des jours pour mettre en place ces canulars à notre intention. Très drôle pour l'ennemi, sans nul doute, mais pas pour nous, je peux vous l'assurer. Vous ouvrez quelque chose pour vous apercevoir que ce sur quoi vous être en train de tirer – un tiroir, une porte de placard, un fichier sur une étagère – est relié par une courte longueur de cordon détonant à un demi-kilo de plastic qui explose avant même que votre bras ait cessé de bouger. J'ai eu un gars qui a perdu son visage et un autre sa main, et, franchement, je n'ai pas d'hommes à occuper à ce genre de besogne en ce moment, pas quand il y a encore tellement de choses à nettoyer en haut. La SS m'a proposé des prisonniers de guerre russes pour débarrasser cette salle, mais je suis du genre vieux jeu. Je ne crois pas à ce genre de truc. En outre, ce serait contraire à l'objectif recherché si l'enlèvement de bombes cachées aboutissait à la destruction de la chose même qui rend nécessaire en premier lieu le déminage à la main de ce type d'explosifs.

« Alors voilà comment ça marche. Il vous faut les trouver. C'est le plus difficile, c'est-à-dire qu'il est difficile de les dénicher sans avoir une mauvaise surprise. Aussi je viendrai faire le boulot. Bon, la première chose, c'est de comprendre votre adversaire. Le but en utilisant une bombe cachée ne consiste pas à provoquer des victimes ou des dégâts. Il s'agit tout bonnement d'une fin en soi. Le principal est de créer chez l'ennemi un sentiment d'incertitude et de méfiance. Cela fait baisser son moral et l'oblige à une certaine

429

prudence qui ralentit ses mouvements. Peut-être que oui. Mais un peu d'incertitude ne fait pas de mal, en l'occurrence.

« De grâce, ôtez-vous de la tête toutes les idée préconçues que vous pourriez avoir sur les Russes, parce que je peux vous dire que le ou les types qui ont bricolé ces engins possèdent une excellente connaissance de l'art de la dissimulation des bombes, qui repose sur l'astuce et la variété, sans parler de la psychologie humaine. Pendant que vous serez ici, une vigilance de tous les instants est indispensable. Cela doit devenir une seconde nature. Une vue perçante et un esprit soupçonneux vous sauveront la vie dans cette pièce, messieurs. Vous devrez chercher des signes d'activités inhabituelles qui vous avertiront de dangers possibles. Passez un bon moment à examiner quelque chose avant de songer à y toucher.

« Et les indices suivants peuvent indiquer la présence d'un piège : tout ce qui est curieux ou de valeur et qui pourrait constituer un joli petit souvenir ; les objets apparemment inoffensifs, mais incongrus. À plusieurs reprises, il m'est arrivé ailleurs de trouver des bombes dans les objets les plus invraisemblables : une lampe torche pleine de roulements à billes et d'explosif ; une bouteille d'eau ; un couteau de table ; une pince à linge ; sous la crosse d'un fusil abandonné ; si cela peut se déplacer ou se ramasser, cela peut aussi exploser, messieurs. »

Il pointa du doigt une des icônes posées contre le mur de la crypte. Elle avait un cadre en argent à l'aspect précieux. Sur la paroi juste à côté, il y avait une marque à la craie rouge.

« Prenez cette icône, par exemple. C'est exactement le genre de chose qu'un Fritz chapardeur serait tenté de voler. Mais, sous le cadre, se trouve un bout de papier recouvrant un trou dans les lattes de plancher et un interrupteur relié à cinq cents grammes de plastic. Suffisamment pour arracher le pied d'un homme. Peut-être même toute sa jambe. Les lustres sont piégés, aussi n'y touchez pas non plus. Et, au cas où vous vous poseriez la question, les vestiges du classeur que vous voyez au fond de la salle devraient être une preuve éloquente des risques que vous courez. »

Il montra un classeur en bois noirci, faisant la hauteur d'un homme de petite taille et qui avait contenu trois tiroirs : le tiroir du haut pendait de travers, hors de ses rails, et son contenu rappelait les restes d'un feu de camp. Sur le plancher juste en dessous se trouvait une tache brun foncé. Peut-être du sang.

« Observez-le attentivement. Ce tiroir masquait deux cents grammes de plastic, ce qui a suffi à défigurer un homme et à le rendre aveugle. Regardez-le de nouveau de temps à autre et demandez-vous : ai-je envie d'être devant une bombe cachée comme celle-là au moment où elle explose ?

« Autres objets dont il faut se méfier : les clous, les câbles électriques ou les bouts de fil de fer ; les lattes de plancher qui bougent, la maçonnerie récente ; toute tentative de camouflage ; de nouvelles couches de peinture ou des traces qui n'ont pas l'air de cadrer avec l'environnement. Mais, en réalité, ce genre de liste est sans fin, aussi vaut-il mieux que je vous dise les trois principales méthodes avec une bombe cachée si vous en trouvez une dans cette pièce. À savoir la méthode tirer, la méthode forcer et la méthode relâcher. Gardez bien en tête également qu'un piège évident peut servir à en masquer un autre ; et rappelez-vous toujours ceci : plus on découvre d'attrape-nigauds, plus notre vigilance a des chances d'être réduite. Aussi continuez à ouvrir l'œil. Une procédure sûre consiste à tout faire lentement. Si vous rencontrez la moindre résistance, arrêtez ce que vous faites. Ne lâchez pas prise, mais appelez-moi, je regarderai ça de plus près. Sur la plupart de ces dispositifs, il existe un petit trou de sécurité ; pour le neutraliser, je me servirai d'un clou, d'une épingle ou d'un bout de fil de fer solide, que j'introduirai dans l'orifice. Ensuite, il sera possible de le manipuler sans risque. »

Le sergent du génie frotta son visage mal rasé et réfléchit un instant. Le chaume sur ses joues ne différait pas vraiment de ses sourcils ni de la toison de son crâne. Sa tête ressemblait à un rocher couvert de mousse sèche. Sa voix n'était pas moins rugueuse et laconique, avec un accent sans doute bas-saxon – comme s'il s'apprêtait à raconter une blague du petit Ernie. Autour du cou, il avait un mince crucifix suspendu à une chaîne qui, comme nous ne tardâmes pas à le découvrir, était l'instrument le plus important de sa trousse de déminage.

« Quoi d'autre ? Ah ! oui. » Cherchant dans la musette qu'il portait en bandoulière, il nous remit à chacun un miroir dentaire, un

431

canif, un morceau de craie verte et une petite lampe de poche. « Votre équipement de protection. Ces trois choses vous aideront à demeurer entier, messieurs. Bien. Allons-y. »

Gersdorff consulta son calepin.

« Selon nos informations, les dossiers judiciaires se trouvent sur les étagères, tandis que les dossiers personnels du NKVD sont probablement dans ces classeurs comportant l'emblème du Commissariat du peuple : un marteau et une faucille sur une épée et une bannière rouge avec les caractères cyrilliques *НКВД*. Aucun des tiroirs ne semble marqué alphabétiquement – bien qu'il y ait une petite fente –, alors peut-être que les étiquettes ont été retirées. Heureusement, Krivenko commence par la lettre cyrillique *K*, qui est facile à repérer pour quelqu'un comme vous ne lisant pas le russe. Malheureusement, il y a trente-trois lettres dans l'alphabet cyrillique. Tenez, je vous ai écrit un alphabet, vous aurez ainsi une meilleure idée de ce que vous êtes en train de regarder. Je m'occuperai des classeurs du côté gauche de la salle et vous, Gunther, prenez le côté droit.

— Et moi, je vais jeter un œil à ce qu'il y a sur les étagères, déclara le sergent Schlächter. Si le tiroir est sûr, faites une croix verte dessus. Et, pour l'amour du ciel, ne les fermez pas en les claquant quand vous avez fini. »

Je m'approchai du premier classeur et l'inspectai un long moment avant de reporter mon attention sur le tiroir du bas.

« Prenez garde au fond du tiroir ainsi qu'à la partie supérieure, dit Schlächter. Cherchez un fil métallique ou un cordon. Si le tiroir s'ouvre en toute sécurité et qu'il s'agit de celui que vous cherchez, ne retirez pas un dossier sans observer les mêmes précautions qui s'appliquent à tout le reste ici. »

M'agenouillant, je tirai le lourd tiroir en bois sur deux ou trois centimètres seulement et éclairai prudemment avec ma lampe de poche l'espace ainsi créé. N'observant rien de suspect, je le tirai doucement encore un peu pour être sûr qu'il n'y avait pas de fils métalliques ou de bombes dissimulées, puis je regardai à l'intérieur ; les dossiers portaient tous la lettre *K*. Je m'interrompis brièvement et commençai à examiner l'extérieur du tiroir situé juste au-dessus. Je savais qu'il n'y avait rien sur la face inférieure, je tirai donc de nouveau de quelques centimètres et scrutai minutieusement l'espace étroit. Ce tiroir était inoffensif aussi et contenait des dossiers commençant par la lettre *K*, ce qui fait que je me redressai et me mis à regarder le dernier tiroir du meuble ; et, lorsque je fus enfin convaincu qu'il était sûr également – comme les deux précédents, il contenait des dossiers *K* –, je fis une croix sur les trois tiroirs avec ma craie et laissai échapper un long soupir tout en me reculant. Je regardai ma montre et joignis un moment les mains afin de les empêcher de trembler. Vérifier un classeur et le déclarer exempt de toute bombe cachée m'avait pris dix minutes.

Je jetai un regard alentour. Schlächter se trouvait entre deux hauts ensembles de rayonnages métalliques remplis de papiers et de boîtes à archives ; Gersdorff contrôlait le dessous d'un tiroir avec son miroir dentaire.

« À ce rythme-là, il va nous falloir toute la journée, dis-je.

— Vous vous en tirez très bien, répondit le sergent. Nettoyer une pièce comme celle-ci peut prendre jusqu'à une semaine.

— C'est une idée », murmura Gersdorff.

Il traça une croix verte sur le tiroir en face de lui et passa au classeur suivant, à environ un mètre derrière moi.

Cela continua ainsi – chacun travaillant à une vitesse d'escargot – pendant encore quinze ou vingt minutes, et ce fut Gersdorff qui découvrit le premier engin.

« Hé ! dit-il calmement. Je pense avoir trouvé quelque chose, sergent.

— Attendez. Je vais venir jeter un coup d'œil. Herr Gunther ? Cessez ce que vous êtes en train de faire et allez à la porte. Je préférerais que vous ne dénichiez pas un autre engin pendant que j'aide le colonel.

— En outre, ajouta Gersdorff, il est inutile que nous soyons atteints tous les trois si le dossier est actif, pour ainsi dire. »

C'était un excellent conseil et, comme indiqué, je retournai à la porte. J'allumai une cigarette et attendis.

Le sergent Schlächter rejoignit Gersdorff et examina de près le tiroir que le colonel tenait encore partiellement ouvert, mais pas avant d'avoir embrassé le petit crucifix en or sur la chaîne autour de son cou et de l'avoir mis dans sa bouche.

« Oh ! oui, dit-il, le crucifix entre les dents. Il y a un trombone accroché au bord du tiroir. Il est attaché à un bout de fil. Le fil a du jeu, nous pouvons donc être sûrs qu'il ne s'agit pas d'un système de tension, mais d'une bombe conçue pour éclater quand un percuteur est actionné. Si ça ne vous ennuie pas, colonel, pourriez-vous ouvrir doucement le tiroir d'encore quelques centimètres jusqu'à ce que je vous dise d'arrêter ?

— Très bien, répondit le colonel.

— Stop, dit le sergent. À présent, maintenez-le, colonel. »

Schlächter glissa ses mains dans l'espace étroit à l'intérieur du tiroir.

« Du plastic. Environ un demi-kilo, semble-t-il. Plus qu'il n'en faut pour nous déchiqueter tous les deux. Une pile électrique sèche et deux contacts métalliques. Un dispositif simple, mais pas moins mortel pour autant. En continuant à ouvrir le tiroir, vous tirez deux lamelles l'une vers l'autre qui entrent en contact, la batterie envoie un signal au détonateur, et boum ! La batterie est probablement morte après tout ce temps, mais inutile de prendre le risque. Si vous pouviez me donner un petit morceau de pâte à modeler, colonel. »

Gersdorff fouilla dans la musette du sergent et en sortit un morceau d'argile.

« Si ça ne vous dérangeait pas de me le passer simplement à l'intérieur du tiroir, colonel. »

Le colonel glissa la main dans le tiroir le long de celle de Schlächter puis la retira lentement.

« Je vais mettre un peu d'argile autour des contacts métalliques, pour éviter de faire un circuit, expliqua le sergent. Après quoi nous pourrons retirer le détonateur. »

Une bonne minute plus tard, Schlächter nous montrait le plastic et le détonateur qu'il contenait. De la taille d'une balle de tennis, l'explosif était vert et ressemblait à cette même pâte à modeler Plastilin dont Schlächter s'était servi pour isoler les contacts métalliques. Il enleva les fils électriques du détonateur, puis testa la batterie AFA de 1,5 volt avec deux fils à lui reliés à une petite lampe de vélo. L'ampoule s'alluma fortement.

« Une batterie allemande. » Il sourit. « Ce qui explique qu'elle fonctionne toujours, je suppose.

« — Je suis content que ça vous amuse, remarqua Gersdorff. Pour ma part, je n'aime pas beaucoup l'idée d'être réduit en miettes par notre propre matériel. »

« — Ça arrive tout le temps. Les plastiqueurs popov sont particulièrement ingénieux. » Schlächter renifla l'explosif. « Amande, ajouta-t-il. Un truc à nous également. Nobel 808. Un peu trop, à mon avis. La moitié suffirait à produire le même résultat. Bon, il n'y a pas de petites économies. » Son sourire s'élargit. « Je l'utiliserai probablement quand ce sera à mon tour d'installer des pièges pour les Popov.

— Eh bien, voilà qui est assurément réconfortant, dis-je.

— Ils nous font chier, affirma Schlächter. Alors nous les faisons chier. »

L'après-midi s'écoula sans incident, avec trois autres machines infernales découvertes et neutralisées, avant que nous mettions la main sur ce que nous cherchions : les dossiers personnels du Commissariat du peuple aux affaires intérieures commençant par la lettre cyrillique *K*.

« Je les ai trouvés, m'exclamai-je. Les dossiers *K*. »

Gersdorff et le sergent apparurent derrière moi. Quelques instants plus tard, il avait identifié le dossier que nous voulions.

« Mikhaïl Spiridonovitch Krivenko, dit von Gersdorff. Apparemment, votre idée a fini par payer, Gunther. »

Le tiroir avait l'air normal, mais le sergent me rappela de ne pas sortir le dossier jusqu'à ce que nous soyons sûrs qu'il n'y avait pas de danger, et il vérifia de nouveau lui-même avec le crucifix dans la bouche.

« Est-ce que ça marche ? demanda Gersdorff.

— Je suis toujours là, non ? En plus, je suis sûr que c'est de l'or massif. Sinon il se serait déjà liquéfié à l'heure qu'il est. » Il remit à Gersdorff le dossier du commandant Krivenko, qui faisait au moins cinq centimètres d'épaisseur. « Mieux vaut l'emporter à l'extérieur, ajouta-t-il, pendant que je ferme tout ici.

— Avec grand plaisir, répondit Gersdorff. J'ai l'impression que mon cœur va transpercer ma tunique.

— Le mien aussi, avouai-je, et je sortis de la crypte à la suite du colonel de l'Abwehr. Je n'avais pas eu les nerfs aussi noués depuis la dernière fois que la RAF a survolé Berlin. »

Devant la porte, le colonel ouvrit le dossier avec fébrilité et regarda la photo de l'homme sur la première page, lequel, contrairement à Diakov, était rasé de près. Gersdorff couvrit la moitié inférieure du visage avec sa main et se tourna vers moi.

« Qu'en pensez-vous ? Ce n'est pas une très bonne photo.

— Oui, ça pourrait être lui. Les sourcils se ressemblent.

— Mais soit on enlève la barbe sur le cliché et on l'abîme, soit il va nous falloir persuader Diakov de voir un coiffeur.

— On pourrait peut-être faire faire une copie, suggérai-je. Dans tous les cas, la photo dans ce dossier est complètement différente de celle que vous avez de la carte d'identité du commandant Krivenko. Il s'agit d'un autre homme. Le vrai Diakov, je présume.

— Oui, il semble que vous ayez raison.

— Si je n'avais pas déjà les nerfs en lambeaux d'être ici, je proposerais bien de chercher le dossier judiciaire de Diakov. Je parie qu'il y a quelque chose à son sujet sur ces étagères, hein, sergent ?

— Je suis à vous dans un instant, messieurs, répondit le sergent Schlächter. Je note juste dans le registre les emplacements où des engins ont été retrouvés aujourd'hui. »

Gersdorff hocha la tête, l'air songeur.

« Première page ; dossier personnel du commandant Mikhaïl Spiridonovitch Krivenko du département de la police du NKVD de l'oblast de Smolensk ; signé de la main du chef adjoint du NKVD d'alors, Lavrenty Beria, pas moins, à Minsk ; insigne de Dneprostroï, ce qui signifie qu'en tant qu'agent du NKVD, il a supervisé à un moment le travail forcé dans un camp de prisonniers ; médaille de l'Ordre du mérite des travailleurs du NKVD, je suppose que c'est ce qu'on peut attendre d'un commandant ; insigne de tireur d'élite du régiment Vorochilov, sur le côté gauche de sa tunique, eh bien, voilà qui colle parfaitement avec ce que nous savons déjà du personnage. Qu'il sait tirer. Mais tirer sur quoi ? Je me demande. Les sangliers ? Les loups ? Les ennemis de l'État ? Fascinant. Mais, bon, il y a encore pas mal de travail à faire sur ce dossier avant que nous soyons en mesure de le soumettre au maréchal. Je crois que je ne vais pas beaucoup dormir ce soir si je veux traduire ce qu'il y a dedans.

— Bien, dit le sergent, j'arrive. »

Mais nous ne le revîmes jamais. Vivant, en tout cas.

Après coup, tout ce qu'il nous fut possible de dire au commandant Ondra, son supérieur furieux – le sergent Schlächter avait été son homme le plus expérimenté à Smolensk –, c'est que nous n'avions pas la moindre idée de ce qui s'était passé.

Lui-même pensait qu'il y avait une latte de plancher endommagée à dessein près de la porte, dans la zone sécurisée près du panneau d'avertissement ; l'espace situé juste en dessous de la planche en bois avait déjà été vérifié pour déceler un commutateur de pression et était parfaitement sûr, mais, chaque fois que quelqu'un posait le pied sur une extrémité de la planche, un clou à nu à l'extrémité opposée se soulevait de quelques millimètres près d'un autre clou sur le mur ; nous avions dû – et d'autres, d'ailleurs – marcher sur cette partie du sol à plusieurs reprises avant qu'ils finissent par faire contact et fermer le circuit, ce qui avait provoqué l'explosion de plusieurs kilos de plastic cachés dans le mur derrière du faux crépi. L'explosion nous avait projetés au sol, le colonel et moi. Si nous avions été dans la salle à côté du sergent, nous aurions probablement été tués également. Cependant ce n'était pas l'explosion elle-même qui avait causé sa mort, mais les roulements à billes enfoncés dans le plastic comme des poignées de bonbons. Leur effet combiné avait été analogue à celui d'un fusil à canon scié et avait emporté la tête du sergent aussi proprement qu'un sabre de cavalerie.

« J'espère que ça en valait la peine, conclut le commandant Ondra. Ça fait dix-huit mois que nous n'avons pas touché à cette crypte, et pour une fichue bonne raison : c'est un putain de piège mortel. Et tout ça pour quoi ? Des dossiers de merde qui sont probablement périmés de toute façon. C'est une foutue malchance, voilà ce que c'est, messieurs. Une foutue malchance. »

Nous allâmes aux obsèques du sergent le soir même. Ses camarades l'enterrèrent dans le cimetière militaire de l'église Okopnaïa, dans la Gertnereistrasse, près du cantonnement de la Panzergrenadier à Novosselki, juste à l'ouest de Smolensk. Puis nous marchâmes jusqu'aux rives du Dniepr, le colonel et moi, et nous contemplâmes, de l'autre côté de la ville, la cathédrale où Schlächter avait trouvé la mort quelques heures auparavant. Elle semblait flotter au-dessus de la colline sur laquelle elle était bâtie, comme si, à l'instar de l'assomption du Christ, elle s'élevait physiquement vers le ciel, ce qui était, je suppose, l'effet désiré. Mais nous avions tous les deux le sentiment que cette histoire renfermait bien peu de consolation. Ou de vérité. Même Gersdorff, qui était catholique, m'avoua que, ces derniers temps, il faisait le signe de croix presque uniquement par habitude.

Lorsque nous rentrâmes à Krasny Bor, je m'aperçus que la boîte à gants de Gersdorff contenait à présent le Nobel 808 que le sergent Schlächter avait désamorcé dans la crypte, au moins deux kilos d'explosif.

« Je suis sûr que je pourrai en faire bon usage », dit-il tranquillement.

12

La commission internationale dirigée par le professeur Naville retournait à Berlin pour rédiger le rapport destiné au Dr Conti, le chef de la santé du Reich, laissant la Croix-Rouge polonaise – depuis le début, les Polonais avaient travaillé séparément de la commission internationale – à Katyn. Gregor Sloventzik et moi accompagnâmes les membres de la commission à l'aéroport dans l'autocar. Ils étaient ravis de s'en aller, ce qui était compréhensible : l'armée Rouge se rapprochait de jour en jour, et personne ne tenait à être là lorsqu'elle finirait par arriver à Smolensk.

J'étais content de les voir déguerpir, et pourtant ce voyage me donnait une sensation de vide. Son travail avec le professeur Buhtz maintenant achevé, Ines Kramsta avait décidé de rentrer à Berlin avec la commission. Elle m'ignora totalement jusqu'à l'aéroport, préférant regarder par la fenêtre comme si je n'existais pas. J'aidai à porter ses bagages au Focke-Wulf qui attendait – Goebbels avait envoyé son propre avion, bien sûr –, espérant lui dire quelque chose à titre d'expiation pour l'avoir soupçonnée de l'assassinat du Dr Berruguete ; mais demander pardon ne semblait pas à la hauteur et, lorsqu'elle pivota sur ses talons vernis et disparut par la porte de l'avion sans prononcer un mot, je faillis pleurer de douleur.

J'aurais pu lui dire la vérité, qu'elle en demandait peut-être trop à un homme. Au lieu de ça, je laissai tomber. Pendant les quelques semaines qu'elle avait passées à Smolensk, ma vie avait semblé plus importante pour quelqu'un que pour moi ; et maintenant qu'elle s'en allait, je m'en souciais de nouveau comme d'une guigne, dans un sens ou dans l'autre. Parfois, c'est ainsi entre un homme et une femme : un obstacle se met en travers du chemin, tel que la vie réelle, la nature humaine et un tas d'autres trucs qui ne sont pas bons pour deux personnes s'imaginant être attirées l'une par autre. Bien sûr, vous pouvez vous épargner pas mal de souffrance et de difficultés en réfléchissant à deux fois avant de vous lancer dans quoi que ce soit, mais vous risquez de passer à côté d'une grande partie de la vie, de cette façon. Surtout en temps de guerre. Je ne regrettais pas ce qui s'était passé – comment aurais-je pu ? –, seulement qu'elle allait vivre le reste de sa vie dans l'ignorance complète et totale du reste de la mienne.

Après cette petite scène poignante, nous reprîmes l'autocar, Sloventzik et moi, et retournâmes à la forêt de Katyn, où régnait une grande excitation : les prisonniers de guerre russes travaillant sous la houlette de la Feldgendarmerie et d'Alok Diakov avaient découvert une nouvelle fosse commune. Celle-ci – la numéro huit – était située à une centaine de mètres au sud-ouest des autres, beaucoup plus près du Dniepr, mais je ne prêtai que peu d'attention à ces nouvelles, jusqu'à ce que le comte Casimir Skarzynski, le secrétaire général de la Croix-Rouge polonaise, m'informe pendant le déjeuner qu'aucun des cadavres de la fosse numéro huit ne portait de vêtements d'hiver. En outre, leurs poches contenaient des lettres, des cartes d'identité et des coupures de journaux qui semblaient indiquer qu'ils avaient trouvé la mort un mois au moins après les autres Polonais que nous avions mis au jour. Une discussion s'engagea entre Skarzynski, le professeur Buhtz et le lieutenant Sloventzik à propos du camp d'internement russe dont on avait extrait ces hommes, mais je restai en dehors et, dès que je pus, je regagnai ma cabane et m'efforçai de contenir mon impatience tandis que, enfermé dans la sienne, le colonel von Gersdorff traduisait le dossier que nous avions pris dans la crypte de la cathédrale de l'Assomption.

Ce fut un après-midi interminable, de sorte que je fumai un peu, bus un peu et lus un peu de Tolstoï, ce qui, comme bien d'autres choses, est presque une contradiction dans les termes.

Pour éviter le maréchal, je mangeai tôt et sortis ensuite faire une promenade. Lorsque je revins à ma cabane, une lettre anonyme était glissée sous la porte, sur laquelle on pouvait lire :

JE SAIS QUE VOUS CHERCHEZ À EN SAVOIR PLUS SUR ALOK DIAKOV — C'EST-À-DIRE LE VRAI ALOK DIAKOV ET NON LE PAYSAN ILLETTRÉ SE FAISANT PASSER POUR CET INDIVIDU. JE VOUS VENDRAI SON DOSSIER JUDICIAIRE GESTAPO/NKVD POUR 50 MARKS. VENEZ SEUL À L'ÉGLISE SVIRSKAÏA DE SMOLENSK ENTRE DIX ET ONZE HEURES CE SOIR, ET JE VOUS DONNERAI TOUT CE QU'IL VOUS FAUT POUR LE DÉTRUIRE À JAMAIS.

Le papier et l'enveloppe étaient de bonne qualité : je levai la feuille vers la lumière pour voir le filigrane. Nathan Frères dans Unter den Linden avait été l'une des plus grandes papeteries de Berlin jusqu'à ce que le boycott des magasins juifs l'ait forcée à fermer. Ce qui posait la question suivante : pourquoi quelqu'un ayant les moyens d'acheter du papier de luxe demandait-il cinquante marks pour un dossier ?

Je relus la lettre et en étudiai avec soin le libellé. Cinquante marks, c'était presque tout l'argent que j'avais en liquide, et je ne tenais pas à le jeter par les fenêtres, mais, si le dossier était authentique, ça les valait largement. Bien sûr, quand j'étais flic à Berlin, j'utilisais beaucoup d'informateurs, et cette demande de cinquante marks me paraissait un motif de trahison des plus solides : si vous vous apprêtez à dénoncer un homme, autant vous faire payer pour ça. Je pouvais le comprendre. Mais pourquoi l'auteur avait-il employé les mots « dossier judiciaire Gestapo/NKVD » ? Était-il possible que la Gestapo en sache bien davantage sur Alok Diakov que je ne l'avais envisagé ? Et qu'elle possède un dossier sur lui ? Toutefois, dix heures du soir n'était pas le moment de la journée où j'aimais me trouver dans un coin isolé d'une ville d'un pays ennemi. Appelez ça de la superstition si vous voulez, mais je décidai de prendre deux pistolets avec moi, au cas où : le Walther PPK que je portais toujours et – avec son gentil petit étui-crosse et sa courroie de transport fort commode – le Mauser Broomhandle que je n'avais pas encore rendu à Gersdorff. Depuis le début de la guerre, j'ai toujours pensé que deux armes valent mieux qu'une. Je chargeai donc les deux pistolets automatiques et sortis pour aller à la voiture.

Comme d'habitude, la route de Smolensk était bloquée au nord du pont Pierre-et-Paul franchissant le Dniepr par une patrouille de la Feldgendarmerie, et je bavardai un petit moment avec eux avant de continuer mon chemin. La seule façon de se rendre à l'église Svirskaïa sans à avoir à faire un détour de cinquante kilomètres vers l'ouest était de traverser ce pont pour gagner le centre de Smolensk, et je pensais que parler aux hommes gardant le barrage me renseignerait peut-être sur l'identité de mon nouvel informateur. On peut en apprendre pas mal des Feldgendarmes si on les traite avec respect.

« Dites-moi, les gars – ils me connaissaient, bien sûr, mais, comme tout le monde, je dus néanmoins leur montrer mes papiers –, il est passé d'autres véhicules ici depuis une heure ?

— Un transport de troupes, répondit un des flics, un sergent. Des hommes du 56ᵉ corps de blindés qui étaient en poste à Vitebsk et qu'on envoie maintenant au Nord. Ils se rendaient à la gare. Ils disent qu'ils sont en route pour un endroit appelé Koursk et qu'une grande bataille se prépare là-bas. Et puis des types du 537ᵉ de transmissions qui allaient passer une petite soirée au Glinka. »

À l'entendre, « une soirée au Glinka » avait l'air d'une chose aussi innocente qu'une séance de cinéma.

« Naturellement, vous avez pris leurs noms.

— Oui, capitaine, bien sûr.

— J'aimerais les voir si c'est possible. »

Le sergent alla chercher une écritoire à pince et, bien que ce fût encore un soir de pleine lune, il me montra une liste sous la lampe de poche attachée à son manteau.

« Il y a quelque chose qui ne va pas ? demanda-t-il.

— Non, sergent », répondis-je en jetant un coup d'œil à la liste. Aucun des noms ne me disait quoi que ce soit. « Simple curiosité.

— C'est le boulot, pas vrai ? Les gens ne comprennent pas ça. Mais où en serions-nous sans quelques flics fouineurs pour nous protéger ? »

L'église se trouvait dans une partie isolée et calme de la ville, à l'ouest des murailles du Kremlin et bien loin des habitations civiles ou des avant-postes militaires. Construite en pierre rose avec juste une coupole, elle se dressait au sommet d'un monticule herbeux et ressemblait à une version plus modeste de la cathédrale de l'Assomption ; il y avait même un mur d'enceinte en stuc blanc avec un clocher octogonal et un grand portail en bois vert donnant accès à l'entrée de l'église et à son jardin. Il n'y avait pas de lumière à l'intérieur et, bien que la porte fût ouverte, on avait l'impression que même les chauves-souris du clocher avaient pris leur soirée pour aller dans un lieu plus animé.

Je me garai au bout d'un petit chemin menant au portail et m'emparai du Broomhandle. Le pistolet automatique était agréablement volumineux dans ma main et léger contre mon épaule Même si ce bon vieux canon-boîte pouvait être difficile à nettoyer – raison pour laquelle le Walther l'avait supplanté –, c'était une arme solide et rassurante pour viser et faire feu. Surtout la nuit, où le canon long permettait d'atteindre plus facilement sa cible et où l'étui-crosse le faisait paraître somme toute plus convaincant. Non pas que je m'attende à des problèmes, mais il vaut mieux être prêt s'ils se présentent, avec un pétard à la main.

Je traversai lentement le porche du clocher, qui était presque aussi élevé que la coupole de l'église elle-même, et me postai à un angle du mur offrant une excellente visibilité d'au moins les deux tiers du jardin. Avant de pénétrer dans l'église, j'en fis une fois le tour – dans le sens des aiguilles d'une montre pour me porter bonheur – afin de voir si quelqu'un ne se cachait pas à l'arrière pour me tendre une embuscade. Il n'y avait personne. Mais, quand je voulus entrer dans l'église, je m'aperçus que la porte était verrouillée.

Je frappai et attendis sans obtenir de réponse. Je frappai de nouveau. Cela sonna aussi creux dans l'église que le battement de mon cœur dans ma poitrine. De toute évidence, il n'y avait pas un chat. J'aurais dû m'en aller sur-le-champ, mais, partant de l'hypothèse qu'il existait peut-être une entrée différente que j'avais ratée, je refis le tour de l'église. Cette fois, dans le sens inverse des aiguilles d'une montre, ce qui, à posteriori, était probablement une erreur. Il n'y avait pas d'autre entrée – du moins, aucune d'ouverte – et, me disant que tout ça n'avait été qu'une perte de temps, je me mis à descendre la pente vers le porche du clocher. Je n'étais pas allé très loin lorsque je m'arrêtai net, car il ne me fallut qu'une fraction de seconde pour constater qu'on avait fermé le porche. Tout aussi clair à cet instant était le fait que, depuis le clocher octogonal, ce même « on » avait sans doute une vue dégagée sur moi. Mon nez frémit : j'étais comme un lapin dans un *no man's land*. Il frémit une nouvelle fois, mais il était beaucoup trop tard. J'étais un imbécile et je le savais. Et on ne pouvait plus rien y changer.

Dans cette même fraction de seconde, un tir puissant frappa l'étui-crosse en chêne que je tenais contre ma poitrine ; sans lui, j'aurais sans aucun doute été tué. En l'occurrence, l'impact me projeta en arrière, me faisant m'étaler dans l'herbe. Mais je me gardai bien de ramper jusqu'à un abri. D'une part, il n'y en avait pas que j'aurais pu atteindre à temps et, d'autre part, celui qui m'avait tiré dessus avait déjà poussé une nouvelle balle dans la culasse et était probablement en train de me regarder fixement dans la mire de son fusil. Par une telle nuit, même une taupe borgne aurait pu me coller une balle dans la tête. Le mieux était encore de faire le mort – après tout, le tireur m'avait touché en plein milieu, et il ne devait pas savoir que la balle avait frappé en réalité un morceau de bois dur.

Ma poitrine me faisait mal et l'arrière de mon crâne aussi. J'avais envie de gémir et de tousser, mais je restai aussi immobile que possible, retenant le peu d'air que contenaient encore mes poumons, dans l'attente soit de l'oubli presque bienvenu que me procurerait un nouveau coup de feu, soit du bruit de mon assaillant se dirigeant vers moi quand, de manière quasiment inéluctable, il viendrait voir où sa balle m'avait atteint. Je n'avais encore jamais rencontré un homme qui n'aime pas vérifier l'exactitude de son tir s'il le peut. Plusieurs minutes s'écoulèrent avant que j'entende des pas résonner sur les marches, puis une porte s'ouvrir à l'intérieur du porche, et j'eus une vue au ras du sol d'un homme traversant la cour de l'église sous le clair de lune.

Le Mauser – mais sans l'étui-crosse, qui, scindé en deux, gisait maintenant sur le sol de chaque côté de moi – était encore dans ma main, ce qui aurait dû nécessiter de sa part qu'il m'expédie une seconde balle juste pour être sûr. Au lieu de ça, il mit son fusil en bandoulière et s'approcha de moi, fit une pause, puis alluma une cigarette avec un briquet. Je ne voyais pas son visage, mais j'avais une excellente vue de ses bottes. Comme son papier à lettres et ses cigarettes de luxe, le type était allemand. Il inhala bruyamment, puis donna un coup de pied au pistolet dans ma main avec le bout d'une botte teutonne bien cirée. Ce fut mon signal. L'instant d'après, j'étais agenouillé, ignorant la douleur dans mon sternum, et je pointai le long canon du Broomhandle vers l'homme au fusil, puis je pressai la détente sans me préoccuper de l'endroit où le coup de feu l'atteindrait du moment qu'il l'expédiait au tapis. Il jura, mit la main sur la bandoulière et laissa tomber sa cigarette, mais il était trop tard. Le coup le fit tournoyer de côté, et je compris que je l'avais touché à l'épaule gauche.

Il portait un manteau en cuir d'officier et un *Stahlhelm* ; il y avait des lunettes de protection sur le devant du casque, et une paire d'épais gants de motard était glissée dans sa ceinture. Il avait l'air d'un Allemand, mais la barbe était facilement reconnaissable. C'était – ou cela avait été – Alok Diakov, que je connaissais un peu mieux maintenant comme le commandant Krivenko. Il se mordit la lèvre et se contorsionna sur le sol d'un côté à l'autre comme s'il essayait de se mettre à l'aise. J'aurais dû lui en rebalancer une, mais je ne le fis pas. Quelque chose m'empêcha de presser la détente une seconde fois, même si j'en avais sacrément envie.

Ce fut une hésitation suffisante pour qu'il revienne vers moi en tenant une baïonnette.

En un instant j'étais debout et je décrivis un cercle presque complet sur moi-même pour éviter la pointe aiguisée de la lame. Si j'avais été le grand Juan Belmonte avec une cape à la main, je n'aurais pas pu faire mieux. Puis je tirai de nouveau. Le second coup de feu fut aussi chanceux pour lui que pour moi : la balle traversa le dos de la main serrant la baïonnette, et cette fois il s'écroula, étreignant sa main et l'air tout à fait incapable de lancer une troisième attaque, mais je lui décochai quand même un coup de pied à la tempe pour faire bonne mesure. Je finis par m'énerver quand les gens essaient de me tirer dessus et ensuite de me poignarder en l'espace de quelques minutes.

Je laissai échapper un soupir puis avalai une goulée d'air.

Après ça, mon seul problème était comment emmener Krivenko à la prison de la Kiewerstrasse. Je n'avais pas de menottes, la Tatra n'avait pas de coffre où j'aurais pu le fourrer, et la radio de campagne à l'arrière de la voiture avait maintenant réintégré le château. Le coup de pied à la tête n'avait pas vraiment arrangé les choses non plus, dans la mesure où il l'avait tout bonnement expédié dans les vapes – ce que je regrettais déjà. Au bout d'un moment, retirant la bretelle en cuir de son fusil, je l'utilisai ainsi que ma cravate pour lui attacher les bras derrière le dos. Puis je fumai une cigarette en attendant qu'il revienne à lui. Je décidai qu'il était préférable que je l'interroge avant de le placer en garde à vue et, pour faire ça comme il faut, j'avais besoin de l'avoir un moment pour moi tout seul.

Finalement, il s'assit en gémissant. J'allumai une nouvelle cigarette, tirai vivement quelques bouffées, puis la glissai entre ses lèvres ensanglantées.

« Joli coup, dis-je. En plein dans le mille. Au cas où vous vous poseriez la question, la balle s'est logée dans l'étui-crosse du Mauser. Ce même Mauser que vous avez utilisé pour tuer le Dr Berruguete.

— Je me demandais comment vous aviez pu en réchapper.

— Je suis un veinard, je présume.

— *Pojiviom ouvidim*, grommela-t-il. Si vous le dites. Vous savez, vous devriez me remercier, Gunther. J'aurais déjà pu vous tuer et je ne l'ai pas fait. À Krasny Bor.

— Oui, je peux m'imaginer. Vous deviez m'avoir juste au centre de votre ligne de mire. Comme ce soir.

— À ce moment-là, je voulais que vous soyez hors de mon chemin, pas mort. Grave erreur, hein ? » Il tira une longue bouffée de la cigarette, puis hocha la tête. « Merci pour la cigarette, mais j'ai terminé. »

Je l'ôtai de sa bouche et la jetai d'une chiquenaude.

« Le papier à lettres de qualité supérieure était une jolie trouvaille. Qui a bien failli me convaincre que l'auteur était allemand. Je suppose que vous vous êtes servi du papier personnel du maréchal. Et réclamer cinquante marks. Une bonne idée aussi. On ne s'attend pas à ce qu'un type qui vous demande de l'argent veuille en réalité vous tirer dessus. Je me suis laissé prendre, comme un rat dans un piège, et vous étiez en haut dans le clocher, avec un excellent champ de vision. Enfin, presque. Dites-moi, qu'est-ce qui se serait passé si j'avais été derrière l'église ?

— Vous ne seriez pas allé aussi loin. Habituellement, je n'ai pas à m'y reprendre à deux fois.

— Non, je présume.

— Je suppose que vous n'avez rien à boire sur vous, camarade ?

— En fait, si. »

Je sortis une petite flasque – elle était pleine de schnaps que j'avais dérobé au mess – et je le laissai en boire un peu avant d'en avaler une gorgée moi aussi. J'en avais besoin autant que lui. On aurait dit qu'un éléphant m'avait piétiné la poitrine.

« Merci. » Il secoua la tête. « Je me disais que, si jamais je descendais Berruguete, vous autres Boches essaieriez d'étouffer l'affaire, à cause de votre commission internationale. Kluge déteste tous ces foutus étrangers, de toute manière. Il n'avait qu'une envie, qu'ils décampent de Krasny Bor le plus vite possible. Mais, vu que vous êtes un officier et tout, même s'il vous déteste également, eh bien, il se serait senti obligé d'ordonner à la Feldgendarmerie d'ouvrir une enquête. Non pas que Voss serait capable de retrouver sa propre bite dans son pantalon. N'empêche, je n'avais pas besoin d'un tel merdier en plus du reste. Alors je vous en ai expédié une à deux doigts du crâne pour vous forcer à vous tenir tranquille le temps que je puisse filer.

— D'accord. À charge de revanche. Mais pourquoi avoir tué Berruguete ? Je n'arrive pas à comprendre. Qu'aviez-vous à faire de lui ?

— Vous n'avez rien pigé, pas vrai ? » Il sourit péniblement. « C'est vraiment comique que vous en sachiez aussi peu après tout ce temps. Redonnez-moi à boire et je vous le dirai. »

Je le laissai reprendre un peu de schnaps. Il hocha la tête, fit claquer ses lèvres, puis les lécha.

« Avant la guerre, j'étais commissaire politique dans les brigades internationales en Espagne. J'adorais cet endroit. Barcelone. La plus belle période de ma vie. C'est à ce moment-là que j'ai entendu parler de ce médecin fasciste et de ce qu'il faisait à certains de mes camarades. Les expériences sur le cerveau d'êtres vivants parce qu'ils étaient communistes, ce genre de truc. Je me suis alors juré que, si j'en avais un jour la possibilité, je le tuerais. Aussi, lorsqu'il a débarqué ici à Smolensk, je ne pouvais pas le croire, bon sang ! Et je savais que je n'aurais jamais plus d'autre occasion, alors je l'ai fait, et je ne le regrette pas un instant. Je recommencerais dans les dix secondes.

— Mais pourquoi avoir utilisé le Mauser et non le fusil ?

— Question de sentiment. Toute ma vie, j'ai eu la passion des fusils.

— Oui, j'ai vu dans votre dossier du NKVD que vous aviez remporté la médaille de tireur d'élite du régiment Vorochilov. »

Il ne releva pas et continua à parler :

« Quand j'étais en Catalogne, je portais un Mauser, le même que celui que vous avez à la main. J'aimais beaucoup cette arme. Le meilleur pistolet que vous les Boches ayez jamais fabriqué, à mon avis. Le Walther est très bien, bonne puissance d'arrêt et parfait pour une poche de manteau, mais, sur le terrain, il ne peut pas rivaliser avec le Mauser, ne serait-ce que parce que celui-ci possède un chargeur de dix cartouches. C'est l'arme qui a servi à tuer le tsar, vous savez. En voyant que le colonel von Gersdorff en avait un, je mourais d'envie de l'essayer. Je l'ai donc emprunté pour tuer le médecin.

— Vous êtes un fieffé menteur, rétorquai-je. Vous aviez bien conscience que le professeur Buhtz était un expert en balistique. Vous vouliez détourner les soupçons tout simplement. Même chose avec la corde que vous avez utilisée pour stabiliser votre objectif ; c'est celle que prenait Pechkov pour attacher son manteau, n'est-ce pas ? Juste pour incriminer quelqu'un d'autre. »

Krivenko sourit de nouveau.

« Vous avez compris que, si vous vous serviez de votre fusil, nous donnerions la balle au professeur Buhtz et qu'il nous dirait quel type de fusil avait été employé. Le vôtre. Donc vous avez emprunté l'arme de Gersdorff. Vous saviez qu'elle se trouvait dans le vide-poche de la porte de sa voiture, tout comme vous saviez qu'il y avait une baïonnette dans la boîte à gants, la même baïonnette avec laquelle vous avez tué le Dr Batov et sa fille, et, avant eux, les deux téléphonistes près de l'hôtel Glinka très probablement. Je suppose que c'est Kluge qui vous a demandé de le faire.

— Peut-être que oui ou peut-être que non. C'est ma police d'assurance, pas vrai ? Parce que ce que vous savez pourrait tenir dans une putain de boîte d'allumettes. Et ce que vous êtes à même de prouver au maréchal ne suffirait pas à beurrer un quignon de pain.

— Je ne pense pas avoir à prouver quoi que ce soit, vous ne croyez pas ? Votre parole contre celle d'un officier allemand ? Dès que nous vous aurons rasé la barbe à l'hôpital de la prison, nous pourrons vous comparer avec la photo figurant dans votre dossier du NKVD et établir de façon irréfutable que vous êtes un commandant du Commissariat du peuple. Je doute même que le maréchal veuille vous aider une fois la démonstration faite.

— À moins qu'il ne se dise qu'il n'a pas d'autre solution. Pour que je me taise. Vous y avez songé ? D'ailleurs, pourquoi aurais-je tué le Dr Batov ? Ou peut-être pensez-vous qu'il me l'a demandé également. Avez-vous songé à ça ?

— Je dirais que vous avez quelque chose à voir avec ce qui s'est passé dans la forêt de Katyn. Peut-être faisiez-vous partie de l'équipe d'assassins qui a exécuté tous ces Polonais. Lorsque vous avez su par le maréchal que j'avais sollicité l'asile en Allemagne pour Batov et sa fille, vous lui avez posé quelques questions, et Kluge vous a répété ce que je lui avais dit, à savoir que Batov possédait des documents sur ce qui s'était produit. Vous les avez donc torturés et tués tous les deux, et vous avez pris les registres et les photographies cachés dans l'appartement. Je suppose que Batov a été forcé de donner Roudakov, de sorte qu'il est possible que vous l'ayez tué lui aussi. Son frère, le portier de l'hôtel Glinka… eh bien, peut-être a-t-il fait le rapprochement et filé ; ou peut-être l'avez-vous tué également, juste au cas où. Du reste, c'est ce que vous faites le mieux, n'est-ce pas ? Vous êtes bon pour tuer des sangliers et des loups, mais vous êtes encore meilleur pour tuer des êtres humains. Comme j'ai failli l'apprendre à mes dépens.

— Pas si bon que ça. Si j'étais aussi bon que vous le dites, capitaine, je vous aurais expédié une autre balle dans le crâne avant de descendre du clocher.

— Vous n'êtes peut-être pas content de ne pas m'avoir tué. Mais moi, je suis enchanté d'être encore en vie, mon ami. Vous allez faire un témoin très utile en Allemagne. Vous allez devenir célèbre.

— *Idi ti na fig.* » Krivenko secoua la tête. « *Chto za tchepoukha,* dit-il. Le patron ne le permettra pas.

— Oh ! il le faudra bien. Voyez-vous, ce n'est pas seulement moi qui serai là pour le convaincre. Il y aura aussi le colonel von Gersdorff. Et même si Kluge ne veut pas croire que vous ayez joué un rôle dans ce qui est arrivé à Batov et dans la forêt de Katyn, il ne pourra pas faire autrement si un membre de sa propre classe de noblaillons le lui dit. »

Krivenko sourit.

« Mieux vaudrait pour vous que vous me laissiez partir. Pour vous comme pour moi. Ce serait embarrassant pour lui, et il n'apprécierait pas. *Ya tebia otchen prochou.* Laissez-moi partir et vous ne me reverrez plus. Je disparaîtrai purement et simplement. » Il montra sa droite d'un signe de tête. « Le fleuve est de ce côté. Je marcherai jusque-là et je disparaîtrai. Mais ça risque de barder, pour nous deux, si vous essayez de faire tenir tout ça debout.

— Vous croyez que je vais vous laisser filer parce que ça pourrait le mettre dans l'embarras ?

— Si ce n'est pas vous, lui le fera. Rien que pour éviter tout risque de scandale.

— À mon avis, si vous en arriviez à l'accuser de vous avoir incité à commettre le meurtre des deux téléphonistes, ce serait votre parole, la parole d'un commandant du NKVD, contre celle d'un maréchal allemand. Personne ne croira un mot de ce que vous dites. Dès que vous serez en état d'arrestation, je suppose que Kluge essaiera de mettre autant de distance que possible entre lui et vous. » Je fronçai les sourcils. « À propos, comment avez-vous réussi à franchir le poste de contrôle sur le pont sans que votre nom apparaisse dans le registre de la Feldgendarmerie ? Vous n'avez pas nagé, alors comment avez-vous fait ? Tous les bateaux entre ici et Vitebsk ont été réquisitionnés l'été dernier.

— Le problème avec vous les Allemands, c'est que vous pensez qu'il n'y a qu'une façon de plumer un canard.

— D'après ce que j'ai entendu, la plupart des gens le plongent dans l'eau chaude.

— Je vous le dirai si vous me redonnez à boire. Je suppose que vous finirez par le découvrir tôt ou tard. »

J'approchai la flasque de ses lèvres et lui en versai un peu dans la bouche.

« *Spassiba*. » Il haussa les épaules. « À environ cinq cents mètres en amont, il y a un simple radeau. Des amies me l'ont confectionné. Vous les avez probablement vues, sur l'eau, attachant des rondins pour transporter des affaires le long du fleuve. Et j'avais une longue perche avec laquelle je l'ai poussé. Rien de plus compliqué que ça. Vous trouverez une moto cachée dans les buissons sur l'autre rive. Bon, si vous ne voulez pas me laisser partir, j'aimerais voir un médecin. Mon épaule me fait mal et je saigne. Vous avez parlé d'un hôpital de prison ?

— Je devrais vous tuer sur-le-champ.

— Possible. »

Je l'empoignai par le col et l'aidai à se relever.

« Avancez.

— Et si je ne veux pas ?

— Alors je pourrais bien vous tirer dessus de nouveau. Comme vous devez le savoir, il y a des tas de manières de faire ça sans vous blesser trop grièvement » Je lui saisis l'oreille et enfonçai le canon du Mauser à l'intérieur. « Par exemple, en balançant la sauce dans vos putains d'oreilles graisseuses. L'une après l'autre. Je ne pense pas que ça dérangerait quiconque à part vous et le bourreau si votre caboche avait deux anses en moins. »

Je retournai au pont Pierre-et-Paul et traînai mon prisonnier hors de la voiture. Je demandai à la Feldgendarmerie de conduire Krivenko à la prison de la Kiewerstrasse et, une fois que le médecin aurait soigné ses blessures, de l'enfermer dans une cellule d'isolement pour la nuit.

« Je serai là-bas avec une liste de charges demain à la première heure. Aussitôt après avoir parlé au colonel von Gersdorff.

— Mais c'est Diakov, capitaine, s'exclamèrent-ils. Le *Putzer* du maréchal.

— Non, ce n'est pas lui. Le vrai Diakov est mort. Cet homme est un commandant du NKVD nommé Krivenko. C'est lui qui a assassiné les deux téléphonistes allemands. » Je ne mentionnai pas les Russes ni l'Espagnol ; en général, les Allemands ne s'intéressaient guère aux ressortissants d'un autre pays que l'Allemagne. « Et il reste dangereux. Aussi, faites bien attention, vous entendez ? C'est un sacré roublard. Il vient d'essayer de me tuer. Et il a presque réussi. Si un étui-crosse ne s'était pas trouvé sur la trajectoire, je serais un homme mort. »

Ma poitrine me faisait encore mal, aussi je déboutonnai ma chemise pour jeter un coup d'œil. Sous la lampe de poche d'un des flics, je vis une ecchymose de la taille et de la couleur d'un tatouage frison.

De retour à Krasny Bor, je remarquai aussitôt que la Mercedes du colonel n'était plus là, Lorque je frappai à sa porte pour lui dire que Krivenko avait à présent dévoilé son jeu, il n'y eut pas de réponse et aucune des lumières n'était allumée.

J'allai au mess des officiers pour me renseigner sur ses allées et venues.

« Vous n'avez pas vu l'écriteau ? demanda le sergent du mess – un Berlinois légèrement soupe au lait.

— Quel écriteau ?

— La plupart des officiers du haut commandement dînent ce soir au mess du grand magasin de Smolensk, invités par le commandant de la région militaire. »

Je glissai donc un mot sous la porte de Gersdorff lui demandant de me réveiller dès qu'il rentrerait à Krasny Bor.

Puis j'allai me coucher.

13

Dimanche 2 mai 1943

Je fus réveillé par des coups frappés à ma porte, avec plus de force qu'il ne paraissait raisonnable, même pour un homme ayant passé toute la soirée à boire avec le commandant de la garnison de la ville. J'allumai la lumière et, toujours vêtu de mon pyjama, je bondis du lit, fis un pas vers la porte – ce n'était pas une très grande cabane – et l'ouvris. Au lieu du colonel von Gersdorff, il y avait trois soldats, un caporal et deux soldats de deuxième classe, plantés sur le seuil. Ils portaient des pistolets-mitrailleurs et, à leur expression, ils avaient l'air de vouloir faire bien plus qu'attirer mon attention sur une lune bleue.

« Capitaine Gunther ? » demanda le caporal responsable.

Je regardai ma montre.

« Il est deux heures du matin. Vous ne dormez donc jamais vous autres ? Sortez d'ici.

— Suivez-nous, monsieur. Vous êtes en état d'arrestation. »

Mon bâillement se changea en stupéfaction.

« Et pourquoi ça, bon sang ?

— Contentez-vous de nous suivre, monsieur.

— Sur les ordres de qui suis-je arrêté ? Pour quel motif ?

— Faites ce qu'on vous dit. Nous n'avons pas toute la nuit. »

Je marquai un temps d'arrêt pour examiner mes options, ce qui ne me prit pas longtemps après avoir constaté qu'un des soldats avait le doigt sur la détente de sa MP40. Comme pas mal de militaires dans cette partie du monde, tirer sur quelqu'un avait l'air de le démanger.

« Puis-je enfiler des vêtements ou dois-je venir comme je suis ?

— Mes ordres sont que vous nous accompagniez immédiatement.

— Bien. Comme vous voulez. »

Je pris mon manteau, et je m'apprêtais à le passer quand le caporal me l'arracha brusquement et se mit à fouiller les poches. C'est alors que je me souvins que le Walther y était toujours, sauf qu'il le trouva le premier.

« On veut jouer les malins, hein ? »

Je souris d'un air penaud.

« Je m'apprêtais à le mentionner, caporal.

— Ben voyons. Quand vous l'auriez eu à la main, pointé sur mes tripes. Ça ne me plaît pas beaucoup que vous tentiez de prendre un pistolet avec vous pour vous en servir contre mon unité. » Il se rapprocha, suffisamment pour que je sente l'odeur de transpiration sur sa chemise et les relents de tambouille dans son haleine. « Vous savez, selon moi, ça équivaut à une résistance à arrestation.

— Non, caporal. J'enfilais juste mon manteau. Il est tard et j'avais oublié que le pistolet était dans la poche.

— Mon œil, oui, fit le caporal.

— On n'aime pas beaucoup les types qui résistent à une arrestation, dit le soldat avec le doigt sur la détente.

— Vraiment, je n'essaie pas de résister.

— C'est ce qu'ils disent tous, rétorqua le caporal.

— Ils ? Qui ça, ils ? On croirait que vous passez votre temps à arrêter les gens, alors qu'à l'évidence vous n'avez pas la moindre foutue idée de ce que vous fabriquez. Bon, donnez-moi mon manteau et allons-y, qu'on en finisse avec cette idiotie. »

Il me rendit mon manteau et, l'ayant mis, je les suivis dehors. Ils ne m'embarquèrent pas au mess, ni au bureau de l'adjudant-major, ni même aux quartiers du maréchal, mais jusqu'à une voiture baquet qui attendait.

« Où allons-nous ?

— Montez. Vous vous en apercevrez suffisamment tôt.

— Bien que ce ne soit visiblement pas le cas, dis-je en me glissant sur la banquette arrière, dans la mesure où suffisamment tôt serait maintenant.

— Pourquoi ne pas la boucler, monsieur ? rétorqua le caporal en grimpant dans le baquet.

— Monsieur. J'aime bien. C'est drôle comme les gens peuvent avoir l'air respectueux quand ils meurent d'envie de vous taper dessus. »

Il ne me contredit pas, si bien que je gardai le silence pendant quelques minutes, mais ça ne dura pas. Pas alors que, franchissant l'entrée principale, nous prenions la direction de la ville. Ma situation me plaisait de moins en moins. Plus on s'éloignait de Krasny Bor et plus avoir un officier supérieur pour me tirer de la mélasse prendrait du temps ; et pas seulement ça : plus il était facile de me tuer également. Je savais de quoi ces hommes étaient capables. En dépit des efforts de certains comme le juge Goldsche, la Wehrmacht était aussi cruelle et indifférente aux souffrances et à la vie humaine que notre adversaire. Dès les premiers jours de l'opération Barbarossa, j'avais vu des soldats sur les routes en Russie mitrailler des civils rien que pour le plaisir, bon Dieu !

« Écoutez, si ça a un rapport avec cette espèce de bouffon russe de Diakov, alors je vous serais reconnaissant d'aller trouver le colonel von Gersdorff, de l'Abwehr, et de l'informer de ma situation. Il se portera garant pour moi. De même que le lieutenant Voss, de la Feldgendarmerie. »

Ils ne dirent pas un mot, se bornant à regarder la route de campagne déserte devant eux comme si je n'existais pas.

« Vous savez, je vous serais encore plus reconnaissant de bien vouloir écarter ce MP40 de mon oreille. Si jamais nous passons sur une bosse, je risque de me retrouver avec un grave problème d'audition.

— À mon avis, vous en avez déjà un, problème d'audition, répliqua le caporal. Vous ne m'avez pas entendu vous dire de la boucler ? »

Je croisai les bras et secouai la tête.

« Vous savez, nous sommes du même côté, caporal. Dans cette guerre. Je ne jouis peut-être pas de la confiance du Führer, mais le ministre de la Propagande prendrait très mal que je ne sois pas disponible pour montrer la forêt de Katyn à nos importants hôtes étrangers un peu plus tard dans la matinée. Cela rendrait inutile tout ce travail minutieux. Il n'est pas outrecuidant de dire que le Doktor sera très en colère lorsqu'il apprendra que j'ai été arrêté. Je mettrai, soyez en sûr, un point d'honneur à découvrir qui vous êtes et à l'informer que vous vous êtes montrés fort peu serviables. »

Je m'en voulais de parler ainsi, mais, à la vérité, j'avais peur. Bien sûr, on m'avait déjà arrêté, mais la vie n'avait pas l'air d'avoir beaucoup d'importance si loin de l'Allemagne. Après ce que j'avais vu dans la forêt de Katyn, il ne semblait que trop facile que la mienne puisse finir brusquement dans un fossé, atteinte d'une balle dans la nuque tirée par un caporal renfrogné.

« Je me contente d'obéir aux ordres, répondit le caporal. Et qui vous connaissez, je m'en fous. Pour quelqu'un comme moi, au bas de l'échelle, ce genre de connerie n'a aucune importance. Je fais ce qu'on me demande, d'accord ? Point à la ligne. Si un officier me dit : "Descendez ce fumier", je descends cette espèce de fumier. Alors pourquoi ne pas économiser votre salive, capitaine Gunther ? Je suis épuisé. Tout ce que je désire, c'est finir mon putain de service et aller me coucher pour avoir deux heures de sommeil avant d'être forcé de me relever pour faire de nouveau ce qu'on me dit. Par conséquent, allez vous faire foutre, vous et votre petit copain du ministère.

— Vous avez un don avec les mots, c'est certain, caporal. »

Je me tus, me réfugiant dans la chaleur du col de mon manteau. Nous atteignîmes les faubourgs de Smolensk et le poste de contrôle du pont Pierre-et-Paul. Les mêmes gars de la Feldgendarmerie étaient de service. Et ce sont eux qui complétèrent le tableau, pendant que le caporal leur montrait ses ordres signés.

« Savez-vous ce qui se passe ici ? leur demandai-je.

— Désolé, capitaine, répondit l'un d'eux, celui auquel j'avais déjà parlé, mais on a fait ce que vous nous aviez dit. On s'est rendus à la prison, mais, alors qu'on s'arrêtait au point de contrôle près de la Kommandantur, le maréchal – qui passait en voiture – nous a vus et, plus important, il a vu son *Putzer*, Diakov. Diakov lui a raconté une histoire comme quoi vous l'aviez torturé pour vous

456

venger du fait que le maréchal vous avait passé un savon l'autre jour au mess des officiers. Du moins, c'est ce qu'il a dû lui dire. En tout cas, le maréchal l'a cru et ça l'a rendu absolument furieux. Je ne l'avais jamais vu aussi en rogne. Il est devenu rouge comme une betterave. Il a malheureusement annulé vos ordres et ordonné à son escorte de conduire directement Diakov à l'Académie médicale de Smolensk. Puis il nous a demandé où vous étiez. On lui a répondu que vous étiez retourné à Krasny Bor, et il nous a dit que, si jamais on vous voyait avant lui, on devait vous placer immédiatement en état d'arrestation et vous amener à la tour Louchinskaïa.

— Où diable est-ce ?

— Dans l'enceinte du Kremlin local, capitaine. Un endroit pas joli du tout. La Gestapo s'en sert quelquefois pour rendre ses prisonniers plus malléables. Désolé, capitaine.

— Prévenez Voss. Dites-lui que c'est là qu'on m'emmène en ce moment, je pense. »

Un des autres Feldgendarmes nous rendit nos ordres et nous fit signe de passer.

Quelques minutes plus tard, nous arrivions à une tour d'angle ronde en brique rouge. De l'extérieur, c'était un lieu du genre menaçant ; à l'intérieur, la menace se changeait en proscription pure et simple : humide, à l'odeur pestilentielle, et ce n'était que le couloir d'entrée. La cellule où j'allais passer le reste de la nuit se trouvait sous une lourde trappe dans le sol donnant sur une volée de marches en pierre glissantes. C'était comme descendre dans un conte d'E.T.A. Hoffmann. Au bas des marches, je compris que j'étais abandonné à moi-même et, pivotant, j'aperçus les bottes du caporal qui disparaissaient par la trappe. Ce fut la dernière chose que je vis. L'instant d'après, la trappe retomba dans un bruit de tonnerre, telle une météorite percutant le sommet d'une montagne.

Lorsque je me ressaisis, je descendis le reste des marches sur les fesses avant de me relever. Plissant les yeux pour voir s'il y avait quoi que ce soit d'autre que ma pauvre personne et les mains tendues devant moi de peur de me cogner contre un mur ou une porte, je tournai la tête d'un côté et de l'autre, mais tout n'était que ténèbres. Rassemblant ce qui restait de mon courage durement éprouvé, j'avalai une goulée d'air froid et humide, et appelai.

« Hé ! Il y a quelqu'un ici ? »

Mais il n'y eut pas de réponse.

J'étais seul. Je ne m'étais jamais senti aussi seul. La mort elle-même n'aurait pas pu être pire. Si le but de mon incarcération était, comme l'avait dit le Feldgendarme sur le pont, de me rendre plus malléable, je me sentais déjà sacrément mou. Je n'aurais pas pu me sentir plus mou si j'avais été en fromage blanc.

Je m'assis et attendis patiemment que quelqu'un vienne m'informer de ce qui m'attendait. Sans résultat. Personne ne vint.

14

Lundi 3 mai 1943

Ils me relâchèrent quelques heures avant le procès, pour que je puisse me laver, manger un morceau, mettre mon uniforme et consulter le juge Johannes Conrad, qui avait eu l'amabilité d'accepter de me défendre. Nous nous rencontrâmes dans un bureau de la Kommandantur, où Conrad m'informa que j'étais accusé de tentative de meurtre sur la personne d'Alok Diakov, qui était également le principal témoin ; que Schlabrendorff représenterait l'accusation ; et que le maréchal von Kluge présiderait lui-même le tribunal.

« Il a le droit de faire ça ? demandai-je à Conrad. Il peut difficilement passer pour impartial.

— Il est maréchal, répondit Conrad. Il peut faire pratiquement tout ce qui lui chante dans cette zone. Le Kaiser possédait moins de pouvoir que Kluge dans l'oblast de Smolensk.

— Est-ce qu'il n'a pas besoin de deux autres juges ?

— Pas vraiment. Aucune disposition légale n'oblige à avoir deux autres juges. Et, quand bien même, ils feraient uniquement ce qu'on leur dit, de toute façon. » Il secoua la tête. « Tout cela ne se présente pas très bien, vous savez. Je pense qu'il est fermement décidé à vous pendre. En fait, il semble même avoir une hâte indécente de le faire.

— Je ne suis pas vraiment inquiet à ce sujet. Il y a trop de preuves contre son *Putzer*, Diakov. Dès que la vérité apparaîtra, tout ça s'effondrera comme un château de cartes. »

Je racontai à Conrad que j'avais appris qui était en réalité Diakov et que le dossier du NKVD sur le commandant Krivenko que le colonel von Gersdorff avait passé le samedi à traduire prouverait tout ce que je disais.

« Le colonel et moi avons travaillé étroitement à cet égard, expliquai-je. Il est tout aussi désireux que moi de prouver que Diakov est en réalité le commandant Krivenko. Ces deux-là ne s'aiment visiblement pas beaucoup. »

Conrad eut l'air peiné.

« Tout cela est fort bien, mais le colonel von Gersdorff n'a pas été vu depuis le dîner du commandant au mess des officiers du grand magasin samedi soir. Et personne ne semble savoir où il se trouve.

— Quoi ?

— Il a reçu un message au cours du dîner, s'est levé et est parti. On n'a pas de ses nouvelles depuis. Sa voiture a disparu également. »

J'avalai ma salive, mal à l'aise. Était-il possible que Krivenko ait déjà assassiné le colonel lorsqu'il avait essayé de me tirer dessus ? Cela expliquerait sans nul doute pourquoi il était si certain de rester en liberté.

« Essayez de voir si vous ne pouvez pas trouver l'heure exacte à laquelle le colonel a quitté le dîner au grand magasin », dis-je.

Johannes Conrad hocha la tête.

« Ensuite, j'aurais besoin que vous envoyiez un message urgent au ministère de la Propagande.

— C'est déjà fait, répondit Conrad. Le Dr Goebbels est à Dortmund en ce moment. Hélas, les communications et liaisons ferroviaires là-bas ont été interrompues en raison d'un bombardement de la RAF l'autre soir. Le plus intense depuis celui de Cologne, apparemment. Et nos propres communications locales ont été perturbées par une nouvelle offensive russe, dans le secteur du Kouban et de Novorossiisk.

— Je commence à comprendre la hâte indécente de Kluge. Et le Bureau des crimes de guerre ? Le juge Goldsche ? Avez-vous réussi à le contacter ?

— Oui. Mais il n'y a pas grand-chose à espérer là non plus.

— Ah ?

— J'ai bien peur que le juge Goldsche n'ait les mains liées, expliqua Conrad. Comme vous le savez, le Bureau n'est qu'une section au sein du département juridique du haut commandement militaire. Il prend ses ordres du département du droit international de l'OKW et de Maximilian Wagner ; et Wagner, qui a été malade, du reste, prend, eh bien, ses ordres du Dr Rudolf Lehmann. Et je suis au regret d'avoir à vous le dire, mais il est peu probable que Lehmann fasse quoi que ce soit. La politique est un problème sensible ici, je le crains, Gunther.

— Mon cou aussi.

— Voyez-vous, Lehmann a écrit récemment une note de service aux Affaires étrangères en faisant valoir que la question des auteurs de crimes de guerre français contre des soldats allemands devait être laissée aux juridictions françaises. Il a également ordonné la suspension de toutes les exécutions en France, afin d'améliorer les relations avec le gouvernement français. Ce qui n'a pas été très bien accueilli par certains de nos généraux en chef à Berlin, lesquels ont estimé que Lehmann outrepassait ses pouvoirs et que ces questions relevaient des commandants locaux, qui détestent les juristes dans le meilleur des cas. Et ce n'est pas tout. Rudolf Lehmann est originaire de Posen, tout comme Kluge ; un Prussien, ami proche du maréchal et qui doit son titre de général du service juridique des forces armées à nul autre que Günther von Kluge. Il est totalement hors de question que le Dr Lehmann tente d'intervenir dans la manière dont Kluge dirige les choses au groupe d'armées Centre. Pas sans perdre son assise politique et son principal protecteur. » Conrad poussa un soupir. « Je suis désolé, Gunther, mais c'est ainsi. »

J'acquiesçai et allumai une des cigarettes de Conrad. Dehors, c'était la journée la plus chaude de l'année ; tout le monde, même les Russes, avait le sourire aux lèvres, comme si l'été était enfin arrivé. C'est-à-dire, tout le monde sauf moi.

« Le général von Tresckow. Parlez-lui, voulez-vous ? Il me doit une faveur. Une grande faveur, taille Magnetophon. Vous pourriez peut-être le lui rappeler. En vous servant de ces mots exacts. Il saura ce que ça veut dire.

— Le général est à l'extérieur de la ville depuis hier, répondit Conrad. Comme vous le savez, une grande offensive est prévue au nord d'ici, à Koursk. En tant que chef des opérations du groupe d'armées Centre, il est là-bas à discuter de soutien logistique avec le maréchal von Manstein et le général Model. Il ne sera pas de retour à Smolensk avant jeudi.

— Alors qu'on m'aura déjà pendu. » Je souris. « Oui, je commence à prendre toute la mesure de ma situation.

— J'ai déjà parlé au lieutenant Voss. Il est prêt à témoigner en votre faveur.

— Eh bien, j'aime mieux ça.

— À contrecœur.

— Il a peur d'irriter le maréchal.

— Bien évidemment. Le maréchal a accordé beaucoup de soutien à la Feldgendarmerie dans cette zone. C'est le maréchal qui a donné à Voss son insigne d'assaut d'infanterie. Et qui veille à ce que les Feldgendarmes aient un cantonnement très confortable à Glouchtchenki. » Il haussa les épaules. « Dans ces conditions, il ne fera probablement pas un témoin très convaincant.

— On dirait que je n'ai pas beaucoup d'amis, hein ?

— Il y a autre chose, continua Conrad.

— Oui ?

— Le professeur Buhtz, qui doit lui aussi sa position actuelle, pour ne pas dire sa réhabilitation, au maréchal von Kluge, a effectué des tests sur votre propre Walther PPK. Il n'est pas absolument catégorique, en raison du manque d'équipement approprié ici à Smolensk, les tests n'ont pas été concluants, mais il semble possible que votre arme ait été utilisée pour assassiner le caporal Quidde, du régiment de transmissions. L'hypothèse a été avancée, par le professeur Buhtz, que vous aviez pu tuer Quidde. »

Je haussai les épaules.

« Ma foi, je ne vois pas ce que prouve le fait qu'il s'agisse de mon pistolet, répondis-je. Le Mauser Broomhandle de Gersdorff a servi à assassiner le Dr Berruguete. Krivenko essaie très probablement de me faire porter le chapeau pour Berruguete, de même qu'il a essayé de faire porter le chapeau au colonel von Gersdorff.

— Oui, je comprends bien, capitaine, dit Conrad. Malheureusement, ce n'est pas Krivenko qui est jugé, en l'occurrence. C'est vous. Et vous devriez prendre cet aspect en considération. Ce

Mauser a été retrouvé dans votre cabane, pas dans celle de Diakov. Pardon, de Krivenko, je veux dire. »

Je souris.

« Il faut bien admettre que quelqu'un est en train de faire le ménage. Me pendre serait un excellent moyen de glisser une bonne partie de nos crimes non résolus dans le trou de souris le plus proche.

— Franchement, votre unique chance, à mon avis, est d'avouer que vous avez commis une erreur de jugement, dit Conrad. Et de vous en remettre à l'indulgence de la cour en reconnaissant que, même si vous avez effectivement tiré sur Alok Diakov, vous n'aviez pas l'intention de le tuer. Je ne vois pas d'autre solution.

— C'est ma meilleure défense ?

— Je pense, oui. » Il eut un haussement d'épaules. « Ensuite, nous verrons à vous disculper des autres accusations. Peut-être que d'ici là le colonel sera revenu à Smolensk.

— Oui, peut-être.

— Écoutez, je crois ce que vous me dites. Mais sans aucune preuve pour corroborer votre histoire, convaincre de sa véracité ce tribunal tel qu'il est constitué va être pratiquement impossible. On ne peut pas nier qu'il y a dans tout cela un élément temps des plus inopportuns.

— Pas seulement un élément. » Je laissai échapper un soupir. « C'est tout le tableau périodique. »

Je me frottai le cou nerveusement.

« Il paraît que la perspective d'être pendu concentre à merveille les facultés intellectuelles. Je ne suis pas sûr que l'expression "à merveille" soit celle que je choisirais. Mais la concentration ne fait aucun doute. Surtout quand vous avez vous-même assisté à quelques pendaisons.

— Vous parlez de Hermichen et Kuhr.

— Qui d'autre ? » Je tirai sur le col de ma tunique – il était serré – et aspirai une longue bouffée d'air. « Vous pouvez aussi bien me le dire. Cette potence, dans la cour de la prison de la Kiewerstrasse, ils l'ont dressée de nouveau ?

— Vraiment, je n'en sais rien », répondit Conrad.

Comme il venait d'interroger un témoin potentiel du massacre de Katyn à cette même prison, je savais qu'il mentait.

Pendant un instant, j'eus une vision de cauchemar où j'étouffais sur l'échafaud de la Kiewerstrasse, mes pieds battant dans le vide comme un volet, une épaule levée vers le ciel, ma langue sortant de ma bouche tel un mollusque quittant sa coquille. Et mon cœur rata un battement, puis un autre.

« Rendez-moi un service, Conrad. Je vais écrire une lettre au Dr Kramsta. Si je devais réellement me balancer au bout d'une corde pour ce truc, pourriez-vous veiller à ce qu'elle lui parvienne ? »

Ma cour martiale commença à la Kommandantur à dix heures, dans la même salle où Hermichen et Kuhr avaient été jugés en mars avant d'être pendus, bien évidemment. Après ma conversation avec le maréchal von Kluge, dont le résultat semblait couru d'avance, pour moi et pour lui. Nul doute qu'il voyait du même œil cette nouvelle procédure. J'en fus persuadé lorsqu'il entra dans la salle, la mine renfrognée, et évita complètement mon regard. J'ai assisté à suffisamment de procès criminels pour savoir que ce n'est pas un bon signe. Il jeta un coup d'œil à sa montre. Ce qui n'était pas un bon signe non plus. Il espérait vraisemblablement me déclarer coupable de manière à pouvoir me pendre avant le déjeuner.

J'aurais sans doute pu dire quelque chose pour perturber le déroulement du procès, encore que ça n'aurait guère permis, en réalité, de me sauver la vie, pensais-je. L'allégation non étayée – la bande magnétique était à présent détruite, bien sûr – qu'Adolf Hitler avait versé un pot-de-vin substantiel en échange de la loyauté de Kluge n'était pas de nature à me valoir l'affection de mon juge, et il y a de fortes chances, d'ailleurs, qu'il aurait ordonné mon exécution immédiate ; d'autant plus qu'il restait aussi son implication probable dans le meurtre des deux téléphonistes du château susceptibles d'avoir entendu sa conversation avec le Führer. C'était sûrement ça qu'il avait hâte d'escamoter. Que j'y fasse allusion aurait-il réellement changé les choses ? Qui, parmi ces chevaliers prussiens et ces barons de la Wehrmacht, aurait cru un paysan comme moi plutôt qu'un collègue aristocrate ?

Non, le juge Conrad avait raison. Mon unique chance consistait à reconnaître qu'il s'agissait d'une terrible erreur, à m'en remettre à la cour en avouant que, même si j'avais bel et bien tiré, à deux reprises, sur Alok Diakov, je n'avais pas vraiment eu l'intention de le tuer. Ce qui, au moins, était vrai. Assurément, même un maréchal ne pouvait pas ordonner l'exécution d'un officier allemand pour avoir seulement blessé un *Putzer* russe. Violer et tuer était une chose ; une simple affaire de dommage corporel à l'encontre d'un Popov en était une autre.

Mais il ne tarda pas à apparaître que je me trompais. En dépit de mon plaidoyer, Kluge prétendit vouloir examiner toutes les preuves, ce qui ne pouvait signifier qu'une chose : qu'il était résolu à me faire pendre dans tous les cas, mais qu'il avait besoin pour ce faire du témoignage de son *Putzer*, la petite histoire du Russe comme quoi j'avais effectivement voulu le tuer.

Krivenko, son bras gauche en écharpe entouré d'un épais pansement, mais ayant l'air par ailleurs de se porter comme un charme, se révéla, je dois dire, un témoin extrêmement persuasif – comme on pouvait s'y attendre de la part d'un commandant du NKVD. À la façon dont il parla, j'eus nettement l'impression que ce n'était pas le premier procès-spectacle auquel il assistait ou dans lequel il témoignait : il se livra à un numéro de probité qui aurait donné le change à l'Inquisition. Il réussit même à avoir l'air de regretter de devoir relater à la cour comment je l'avais menacé, puis torturé en lui tirant dessus plusieurs fois de suite. À un moment donné, de vraies larmes coulèrent sur ses joues, lorsqu'il déclara qu'il avait réellement craint pour sa vie. Même moi, j'étais convaincu de ma propre culpabilité.

Le Russe avait presque fini de témoigner quand, à mon soulagement éternel, la porte au fond de la salle d'audience s'ouvrit soudain sur le colonel von Gersdorff. Son entrée suscita pas mal de remous, non pas parce qu'il était en retard, mais parce qu'un petit homme en uniforme d'amiral allemand l'accompagnait. Les amiraux n'étaient pas fréquents dans cette partie enclavée de la Russie. L'homme avait les cheveux blancs, un teint vermeil de marin, des sourcils broussailleux et des épaules rondes. La seule décoration sur sa tunique assez miteuse était une croix de fer de première classe, comme si c'était amplement suffisant. Je sus tout de suite de qui il s'agissait, même si je ne l'avais jamais rencontré. Kluge n'avait pas ce problème, et il se leva immédiatement ainsi que le reste de la cour. C'était le chef de l'Abwehr, après tout : l'amiral Wilhelm Canaris en personne. Il était lui-même accompagné de deux teckels à poil dur restant fidèlement sur ses talons, qui avaient connu des jours meilleurs.

« Messieurs, pardonnez-moi cette interruption, je vous prie », dit tranquillement Canaris. Il embrassa du regard la salle, qui était maintenant au garde-à-vous, sans exception, et sourit aimablement. « Repos, messieurs, repos. »

Les membres de la cour se détendirent. Tous sauf le maréchal von Kluge, qui semblait complètement abasourdi par l'arrivée du maître espion de l'Allemagne.

« Wilhelm, balbutia Kluge. Quelle surprise ! On ne m'avait pas averti. Personne… Je n'avais aucune idée que vous veniez à Smolensk.

— Moi non plus, dit Canaris. Et, pour être tout à franc avec vous, j'ai bien failli ne pas arriver jusqu'ici. Mon avion a dû retourner à Minsk avec des problèmes de moteur, et le colonel von Gersdorff a été obligé de venir me chercher dans sa voiture, ce qui représente six cents kilomètres aller et retour. Néanmoins, nous y sommes parvenus. Je ne sais pas ce qu'il en est de ce pauvre baron, mais, pour ma part, je suis ravi d'être ici.

— Je vais bien, amiral, dit Gersdorff avec un clin d'œil dans ma direction. Et après tout, c'est une belle journée.

— Oui, maintenant que je suis là, je suis bien content d'être venu, continua Canaris. Dans la mesure où, comme je peux le constater, je n'arrive pas trop tard pour jouer un rôle utile dans cette procédure.

— Vous avez un avantage sur moi, Wilhelm, dit Kluge.

— Pas pour longtemps, mon vieux. Pas pour longtemps. » Il indiqua une chaise. « Puis-je m'asseoir ?

— Mais bien sûr, mon cher Wilhelm. Encore que, si vous venez de faire tout ce chemin en voiture, il serait peut-être préférable de suspendre la séance, de manière à vous laisser vous rafraîchir, après quoi nous pourrions avoir une conversation seul à seul.

— Non, non. » Canaris retira sa casquette d'officier de marine, s'assit et alluma un petit cigare âcre. « Avec tout le respect que je vous dois, ce n'est pas vous que je suis venu voir, ni le colonel von Gersdorff, ni en fait cet effronté. » Canaris me montra du doigt. « Dont j'ai beaucoup entendu parler durant mon voyage. »

Kluge secoua la tête avec irritation.

« C'est bien plus qu'un effronté, amiral. Un menteur impudent, un fieffé coquin, qui est accusé d'avoir essayé d'assassiner un innocent, et un déshonneur pour l'uniforme qu'il porte.

— Dans cas, il doit être sévèrement puni, c'est certain, dit Canaris. Et vous devriez poursuivre ce procès sans attendre. Aussi, je vous en prie, ne vous interrompez pas pour moi.

— Je suis heureux que vous en conveniez, Wilhelm, dit Kluge, se rasseyant. Merci. »

Il regarda en direction de Schlabrendorff et lui fit signe de continuer à interroger son témoin, mais, apparemment, Canaris n'avait pas encore fini de parler. En réalité, il avait à peine commencé.

« Toutefois, j'aimerais savoir qui le capitaine Gunther a essayé de tuer.

— Mon *Putzer* russe, amiral, répondit Kluge. L'homme avec le bras en écharpe faisant actuellement sa déposition. Il s'appelle Alok Diakov. »

Canaris fit un signe négatif de la tête.

« Non, maréchal. Cet homme ne s'appelle pas Alok Diakov. Et on ne saurait en aucun cas le qualifier d'innocent. Pas dans cette vie. Ni peut-être dans la suivante. »

Il tira patiemment des bouffées de son cigare.

Le Russe se leva et sembla sur le point de faire quelque chose, jusqu'à ce qu'il voie que Gersdorff braquait à présent un pistolet sur lui.

« Mais que se passe-t-il donc ici ? bredouilla Kluge. Colonel von Gersdorff ! Expliquez-vous !

— Chaque chose en son temps, maréchal.

— Je pense qu'à ce stade, déclara Canaris, il vaudrait peut-être mieux demander à tous ceux qui ne sont pas concernés directement par cette procédure judiciaire de bien vouloir quitter la salle. Il y a des choses que je vais dire que tout le monde n'a peut-être pas besoin d'entendre, mon vieil ami. »

Kluge hocha sèchement la tête et se leva.

« Les débats sont suspendus… Pendant que euh… l'amiral Canaris… et moi…

— Nous pouvons rester, vous et moi, naturellement, dit Canaris au maréchal tandis que les hommes sortaient en groupe du tribunal. Colonel von Gersdorff, capitaine Gunther, juge Conrad, vous feriez mieux de rester également, étant donné que vous jouez un rôle clé dans cette affaire. Et vous, bien sûr, Herr Diakov. Oui, je pense que vous devriez rester pour le moment, n'est-ce pas ? Après tout, c'est à cause de vous que je suis ici. »

Lorsque tous ceux que n'avait pas nommés l'amiral furent sortis de la salle, Kluge alluma une cigarette tout en se donnant l'air de contrôler encore une cour martiale ; mais, en vérité, tout le monde savait maintenant qui avait la haute main. Pendant un instant, Canaris se mit à caresser l'oreille d'un de ses teckels avant de continuer.

« Préparez-vous à avoir un choc, Günther, dit-il à Kluge. Voyez-vous, cet homme, l'homme que vous connaissez sous le nom d'Alok Diakov, votre *Putzer*, est un officier du NKVD. Je l'ai reconnu à l'instant où je suis entré dans cette salle.

— Quoi ? s'exclama Kluge. C'est absurde. Il était maître d'école.

— Cet homme et moi nous sommes déjà rencontrés au moins une fois, dit Canaris. Comme vous le savez sans doute, pendant la guerre civile espagnole, je me suis rendu à plusieurs reprises dans ce pays pour monter un réseau de renseignements, lequel est toujours en activité et continue à nous rendre des services extrêmement appréciables. De temps en temps, cela m'amusait de mettre à l'épreuve ma maîtrise de l'espagnol en travaillant parmi les rouges. Et c'est à Madrid que j'ai rencontré l'homme que je vois aujourd'hui dans cette cour, même s'il se souvient peut-être mieux de moi comme le *señor* Guillermo, un homme d'affaires argentin se faisant passer pour un sympathisant communiste. Je suis allé à l'ambassade soviétique à Madrid en janvier 1937 pour le voir, époque où il était l'attaché militaire Mikhaïl Spiridonovitch Krivenko. Il se trouvait en Espagne pour aider à organiser les membres des brigades internationales dans le camp républicain, même s'il n'est pas exagéré de dire que, comme commissaire politique à Barcelone et à Malaga, il a réussi à en faire fusiller autant que de phalangistes. N'est-ce pas, Mikhaïl ? Anarchistes. Trotskystes. Membres du POUM. Quiconque n'était pas stalinien, en fait. Vous en avez tué de toutes sortes. »

Krivenko resta silencieux.

« Je n'y crois pas, dit Kluge. C'est invraisemblable.

— Oh ! je peux vous assurer que c'est la pure vérité. Le colonel a le dossier du NKVD de Krivenko pour le prouver. J'imagine que c'est pour cette raison qu'il a tenté de tuer le capitaine Gunther. Parce qu'il a compris que celui-ci était sur sa piste. Et il a sans nul doute assassiné le malheureux Dr Berruguetc à cause de ce qu'il avait appris à son sujet lorsqu'il était commissaire en Espagne. À mon avis, il se pourrait qu'il ait assassiné plusieurs autres personnes depuis que nous avons pris Smolensk. Pas vrai, Mikhaïl ? »

À présent, le regard de Krivenko était rivé sur la sortie. Mais le pistolet Walther de Gersdorff lui barrait la route.

« Et avant ces nouveaux crimes, lui et un autre individu nommé Blokhine étaient fréquemment à Smolensk avec une équipe de bourreaux du NKVD, s'employant à assassiner les ennemis de la révolution et de l'Union des républiques socialistes soviétiques. Y compris, si je peux risquer cette hypothèse, plusieurs milliers d'officiers polonais au printemps 1940. C'est ce que Krivenko sait faire le mieux : tuer. Et il en a toujours été ainsi. Oh ! il est très intelligent. Tout d'abord, c'est un excellent linguiste : il parle le russe, l'espagnol, l'allemand et même le catalan, une langue difficile à apprendre pour n'importe qui. Moi-même, je n'y suis jamais parvenu. Mais le meurtre est la spécialité de Krivenko. Voyez-vous, il a échoué en Espagne, et il est très difficile d'expliquer un échec à un tyran comme Staline – à tous les tyrans, en fait. Raison pour laquelle il n'est que commandant, alors qu'il était colonel en 1937. Je suppose qu'il lui a fallu perpétrer un nombre impressionnant de meurtres pour compenser ses revers en Espagne. Ou est-ce que je me trompe, Mikhaïl ? Vous avez même failli être exécuté à votre retour en Russie, n'est-ce pas ? »

Krivenko ne dit rien, mais il était clair à son expression qu'il savait la partie terminée.

« Dès que le colonel von Gersdorff m'a parlé de Krivenko, j'ai su que cela devait être le même individu. Ce qui veut dire qu'il me suffisait de venir à Smolensk pour, disons, lui présenter mes hommages. Voyez-vous, ce que nul d'entre vous ne peut savoir, c'est que Krivenko est directement responsable de la mort d'un de mes meilleurs agents en Espagne, un homme appelé Eberhard Funk. Funk a été fusillé, mais pas avant d'avoir été torturé, brutalement et avec acharnement, par l'homme que nous avons devant nous. Au moyen d'un couteau. C'est ainsi qu'il préfère tuer. Oh ! il se servira d'un pistolet s'il ne peut pas faire autrement. Mais Krivenko aime sentir le dernier soupir de sa victime sur son visage. » Canaris tira de nouveau des bouffées de son cigare. « C'était un type bien, Funk. Un parent éloigné de notre ministre des Affaires économiques, vous savez. Franchement, je n'aurais jamais pensé pouvoir dire un jour à Walther Funk que l'homme qui a torturé et tué Eberhard a finalement été attrapé. »

Kluge avait légèrement viré au gris, et sa cigarette était toujours intacte dans le cendrier. Les mains enfoncées dans ses poches, il avait l'air d'un écolier à qui on a confisqué son jouet préféré.

« La question, bien sûr, dit Canaris, est la suivante : qu'a fait Krivenko pendant qu'il était ici à Smolensk à travailler pour vous, mon vieux ? Qu'a-t-il bien pu manigancer alors qu'il était votre *Putzer* ?

— Nous sommes beaucoup allés chasser, répondit Kluge d'un ton morne. C'est tout. Chasser.

— Je n'en doute pas. D'après ce que Rudi m'a raconté, Krivenko vous a organisé une traque au sanglier extrêmement fructueuse. Oui, cela a dû être très divertissant. Rien de mal à ça. Mais Rudi a quelques idées sur ce qu'il aurait pu manigancer d'autre, n'est-ce pas, Rudi ?

— Oui, amiral, répondit Gersdorff. Il est clair, d'après son dossier du NKVD, que Krivenko n'a jamais été un espion qualifié. Son savoir-faire résidait dans son expérience de policier et de bourreau, comme l'a déjà dit l'amiral. Depuis l'arrivée des Allemands à Smolensk, il est resté discret, s'efforçant de gagner notre confiance.

Votre confiance, monsieur le maréchal. En attendant le moment propice pour se mettre à envoyer des informations sur nos plans aux Popov. Ce dont je m'estime en partie responsable ; après tout, c'est moi qui vous ai présentés l'un à l'autre.

— Oui, oui, c'est vous, dit Kluge, comme s'il espérait que cela fasse meilleure impression à Berlin.

— Les choses ont été plutôt calmes pendant l'hiver, bien sûr. Krivenko n'avait donc pas grand-chose à faire, à part s'immiscer dans le bon déroulement des investigations menées par le capitaine Gunther sur le massacre de la forêt de Katyn. Il est probable que c'est Krivenko qui a servi à faire disparaître ou peut-être même à supprimer un autre agent du NKVD appelé Roudakov, également impliqué dans le massacre de Katyn ; et qu'il a assassiné un médecin local nommé Batov, qui aurait pu nous fournir des preuves matérielles précieuses sur ce qui est vraiment arrivé à tous ces malheureux officiers polonais.

— De telles preuves auraient été absolument irréfutables, ajouta Canaris. À l'heure actuelle, le Kremlin clame déjà que toute cette enquête sur Katyn n'est qu'un coup monté, une opération de propagande cynique imaginée par l'Abwehr pour enfoncer un coin dans la coalition ennemie. Il est évident pour tout le monde que ces Polonais ont été exécutés par les Russes, ce qui n'empêchera pas ces derniers d'affirmer le contraire. Naturellement, une fois que le commandant Krivenko se trouvera dans le box des témoins à Berlin, il leur sera beaucoup plus difficile de continuer à mentir. Certes, ils n'hésiteront pas à prétendre que nous avons fait pression sur lui et autres balivernes du même genre. Les bolcheviks sont très doués pour mentir. Mais, en dépit de tout cela, Krivenko représente une occasion unique de faire connaître au reste du monde une vérité indéniable dans cette guerre. Je suis sûr que vous en avez conscience autant que moi, maréchal. »

Kluge grogna à voix basse.

« Maintenant qu'il ne reste plus que quelques semaines avant la date de notre nouvelle offensive à Koursk, dit Gersdorff, Krivenko est devenu plus actif. Il est pratiquement certain que c'est lui qui a assassiné les deux téléphonistes du 537ᵉ, parce qu'ils s'étaient rendu compte qu'il avait écouté vos entretiens privés avec le Führer, probablement au sujet de la nouvelle offensive, et qu'il se servait de la radio du château pour envoyer des messages à son contact au sein du renseignement militaire soviétique, le GRU. Et qu'il a également assassiné un troisième téléphoniste, le caporal Quidde, lorsque celui-ci a découvert des preuves indéniables que Krivenko avait tué ses deux camarades. »

Rien de tout cela n'était vrai, bien sûr. Gersdorff avait certainement parlé à Canaris de l'enregistrement de la conversation de Hitler avec Kluge et du pot-de-vin, mais Canaris était beaucoup trop malin pour dire à Kluge qu'il savait que c'était la véritable raison pour laquelle les téléphonistes avaient été assassinés. Mettre un maréchal dans l'embarras ne faisait manifestement pas partie du programme de l'Abwehr. Ni à coup sûr du mien, et je jugeai préférable de suivre l'exemple de circonspection de Canaris et de me taire sur ce que je savais.

« Du moins, c'est ce que j'écrirai dans mon rapport, Günther, fit observer Canaris.

— Je vois, dit Kluge à voix basse.

— Ne soyez pas trop dur envers vous-même, mon vieux. Il y a des espions partout. Il n'est que trop facile pour des officiers de se laisser piéger ainsi. Même un maréchal. Tenez, rien que l'année dernière, il s'est avéré qu'un de mes propres collaborateurs, le major Thümmel, était un espion à la solde des Tchèques. »

Il laissa tomber son cigare sur le plancher et l'écrasa sous sa chaussure avant de prendre un de ses chiens et de le mettre sur ses genoux.

« Voyez les choses de cette façon, reprit Canaris. Vous avez contribué à l'arrestation d'un témoin important de ce qui s'est passé à Katyn. Quelqu'un ayant participé directement à l'assassinat de ces pauvres officiers polonais. C'est moins bien que d'avoir des photographies et des registres, mais c'est ce qui s'en rapproche le plus. Et je suis absolument persuadé que vous vous sortirez haut la main de tout ceci. »

Kluge hocha la tête pensivement.

Pendant tout ce temps, Krivenko était resté plus ou moins silencieux, fumant calmement une cigarette et observant l'automatique dans la main de Gersdorff comme un chat guettant une occasion de filer par une porte se refermant lentement. Il avait beau avoir un bras en écharpe, il demeurait dangereux. De temps à autre, cependant, il souriait ou secouait la tête et marmonnait quelque chose en russe. Manifestement, il avait l'intention à un stade ultérieur, peut-être à Berlin, de contester la version des faits donnée par Canaris. Le maréchal s'en rendit compte lui aussi. Ce n'est pas pour rien qu'on le surnommait Hans le malin.

Finalement, lorsque Canaris sembla avoir fini de parler, le Russe se leva et, tournant le dos à son ancien maître, s'inclina en direction du petit amiral.

« Puis-je dire quelque chose ? demanda-t-il poliment. Amiral.

— Oui, répondit Canaris.

— Merci », dit Krivenko et il éteignit sa cigarette.

Il n'avait pas l'air de craindre quoi que ce soit. Son attitude, me semblait-il, avait quelque chose d'étrangement provocateur, alors qu'il devait certainement savoir que des moments difficiles l'attendaient à Berlin.

« Alors, j'aimerais déclarer que j'ai effectivement tué toutes les personnes que vous avez mentionnées, Herr Admiral : le Dr Berruguete, le Dr Batov et sa fille. Les frères Roudakov flottent actuellement dans le Dniepr. Je ne le nie pas une seconde. Cependant, cela pourrait vous intéresser de savoir que la vraie raison pour laquelle j'ai tué les deux téléphonistes n'est pas exactement celle que vous avez évoquée. Il y a une autre… »

Le bruit du coup de feu nous fit tous sursauter, tous excepté Krivenko ; la balle l'atteignit en plein dans la nuque, et il s'effondra face contre terre comme un portemanteau surchargé. Pendant un bref instant, je crus que Gersdorff lui avait tiré dessus, jusqu'à ce que je voie le Walther dans la main tendue du maréchal.

« Vous ne pensiez tout de même pas que j'allais laisser ce salopard me calomnier publiquement à Berlin, n'est-ce pas, Wilhelm ?

— Non, je suppose, répondit Canaris. »

Kluge enclencha la sûreté de l'automatique, le posa sur la table devant lui et quitta la salle d'un pas ferme. Ce qui donna le temps à Canaris de s'emparer du pistolet de Kluge et de le poser avec soin sur le plancher à côté du corps de Krivenko avant que ceux auxquels on avait demandé de quitter la salle un peu plus tôt ne reviennent précipitamment.

Je devais reconnaître ça à l'amiral : il possédait une étonnante présence d'esprit. On avait vraiment l'impression que Krivenko avait placé le pistolet contre l'arrière de sa tête et appuyé sur la détente. Ce qui ne faisait pas grande différence, je suppose – personne n'accuserait vraisemblablement le maréchal de meurtre, pas à Smolensk.

« Le Russe s'est suicidé », annonça Canaris pour le bénéfice de tous ceux qui étaient maintenant présents. D'un ton paisible, il ajouta : « Comme dans une scène d'une pièce de Tchekhov. Qu'en pensez-vous, Rudi ?

— Oui, amiral. C'est tout à fait mon avis. *Ivanov*, je dirais. »

Je m'approchai du corps inerte de Krivenko et le poussai du bout de ma botte. L'homme ne respirait plus, et il y avait tellement de sang sur le sol que je n'avais guère besoin de me pencher pour chercher le pouls, bien qu'il eût été assez facile de prendre son poignet. C'était curieux, la façon dont il était tombé face contre terre, une main légèrement derrière le dos, comme si elle était attachée. La mort avait été provoquée par un unique coup de feu à la tête. La balle l'avait atteint juste au-dessus de la nuque, transperçant l'os occipital, près de la partie inférieure du crâne ; le point de sortie était située dans la partie basse du front. Le coup avait été tiré avec un pistolet de fabrication allemande d'une capacité de moins de huit millimètres. La blessure dans la tête de la victime faisait l'effet d'être l'œuvre d'un tireur expérimenté. Il me paraissait on ne peut plus probable que le corps finirait sous une mince couche de terre, une tombe anonyme devant laquelle personne ne viendrait s'incliner.

« C'est curieux, mais il semble que vous n'allez pas avoir votre témoin du massacre de Katyn en fin de compte, Bernie, dit Gersdorff.

— Non, répondis-je. Non, en effet. Mais peut-être que, dans une faible mesure, les morts ont obtenu justice. »

NOTE DE L'AUTEUR

La commission d'enquête médicale internationale remit son rapport sur le massacre de la forêt de Katyn à Berlin au début du mois de mai 1943. Le travail des membres de la commission était honorifique ; personne n'était payé ni ne recevait d'indemnité sous quelque forme que ce soit. La commission conclut que les officiers polonais retrouvés à Katyn avaient été assassinés par les forces soviétiques.

L'Union soviétique s'obstina à nier sa responsabilité dans les meurtres de Katyn jusqu'en 1991, date à laquelle la Fédération de Russie confirma le massacre par les Soviétiques de plus de 14 500 hommes. Toutefois, le Parti communiste de la Fédération de Russie nie toujours la culpabilité soviétique face à ce qui est aujourd'hui une évidence écrasante.

À la suite de la défaite de la bataille de Koursk en juillet 1943, l'armée allemande se replia sur Smolensk ; la seconde bataille de Smolensk dura deux mois (août-octobre 1943) et l'Allemagne fut là aussi battue.

La liquidation du ghetto de Vitebsk eut lieu comme décrit dans le roman.

Le Bureau des crimes de guerre continua d'exister jusqu'en 1945. Quiconque souhaite en savoir plus sur ses activités pourra consulter l'excellent livre d'Alfred M. de Zayas, *The Wehrmacht War Crimes Bureau, 1939-1945* publié par University of Nebraska Press en 1979.

Hans von Dohnányi fut envoyé au camp de concentration de Sachsenhausen en 1944 ; sur les ordres de Hitler, il fut exécuté le 6 avril 1945 ou après, au même endroit et en même temps que Dietrich Bonhoeffer et Karl Sack.

Le colonel Rudolf Freiherr von Gersdorff fournit à Claus von Stauffenberg les explosifs qui furent utilisés lors de l'attentat manqué contre Hitler de juillet 1944. Il survécut à la guerre et consacra ensuite sa vie exemplaire à des œuvres de bienfaisance. En 1967, un accident de cheval le laissa paraplégique pendant les douze dernières années de sa vie. Il mourut à Munich en 1980 à l'âge de soixante-quatorze ans.

Tout comme celle de plusieurs autres officiers supérieurs de la Wehrmacht, dont Hindenburg lui-même, la loyauté à Hitler du maréchal Günther von Kluge était garantie par d'importants pots-de-vin. Néanmoins, il continua à jouer les comploteurs. Il se suicida à Metz en août 1944, croyant que la SS avait l'intention de l'arrêter à la suite de l'échec de l'attentat du 20 juillet de Stauffenberg.

Le professeur Gerhard Buhtz fut – d'après la version officielle – renversé et tué par un train alors qu'il s'enfuyait de Minsk en juin 1944. Certains ont avancé qu'il avait été assassiné par la SS à la même époque pour désertion.

Le général Henning von Tresckow fut un conspirateur clé dans le complot de Stauffenberg. Il se suicida près de Bialystok le 21 juillet 1944.

Fabian von Schlabrendorff fut arrêté le 20 juillet 1944 à la suite de l'attentat manqué contre Hitler et traduit devant l'infâme Tribunal du peuple de Roland Freisler. Il fut torturé, mais refusa de parler et fut envoyé dans un camp de concentration ; il survécut à la guerre et mourut en 1980.

L'amiral Wilhelm Canaris fut un conspirateur actif contre Hitler. Il participa à pas moins de dix à quinze complots pour le tuer. Il fut arrêté après la tentative d'attentat de juillet et exécuté le 9 avril 1945 au camp de concentration de Flossenburg quelques semaines seulement avant la fin de la guerre en Europe.

Philipp von Boeselager fut un des rares conspirateurs du 20 juillet à survivre à la guerre. Son rôle passa inaperçu et il mourut en 2008.

Le bourreau en chef de Katyn, le commandant Vassili Mikhaïlovitch Blokhine, mourut fou et alcoolique en 1955.

Le destin du juge Goldsche, du lieutenant Voss et de Gregor Sloventzik est inconnu de l'auteur.

Il y a bien eu une manifestation dans la Rosenstrasse, organisée par les épouses des derniers Juifs de Berlin en mars 1943. Aujourd'hui, une colonne Litfass y commémore l'événement, ainsi qu'une sculpture intitulée *Block der Frauen* (« Bloc des femmes ») dans un parc situé non loin.

Des expériences médicales ont réellement été menées sur des communistes par des médecins fascistes espagnols, à la suite de la défaite des républicains en 1939, dans une clinique de Ciempozuelos, dirigée par un autre criminel, le Dr Antonio Vallejo Nágera. Ceux que ce sujet intéresse pourront lire le remarquable ouvrage de Paul Preston, *The Spanish Holocaust* (Harper Press, 2012), pour plus d'informations.

L'Hôpital juif de Berlin fut libéré par les Russes en 1945, et 800 Juifs furent retrouvés vivants. Je suis redevable au livre de Daniel Silver, *Refuge in Hell : How Berlin's Jewish Hospital Outlasted the Nazis* (Houghton Mifflin Company, 2003) pour mes informations dans ce domaine.